交通版 高等学校土木工程专业规划教材

JIAOTONGBAN GAODENG XUEXIAO TUMU GONGCHENG ZHUANYE GUIHUA JIAOCAI

——建筑工程施工

Jianzhu Gongcheng Shigong

阎西康　　张厚先　　赵春艳　　主编

刘宗仁　　主审

人民交通出版社

China Communications Press

内 容 提 要

　　本书是为高等学校建筑工程类专业学生学习建筑工程施工课程而编写的。书中重点介绍了与建筑工程施工紧密相关的基本知识，建筑工程施工技术与组织的一般规律和施工工艺原理，反映了国内外施工技术的新水平。全书包括土方工程、地基基础工程、脚手架工程、混凝土结构工程、预应力混凝土工程、砌筑工程、钢结构工程、建筑结构安装工程、防水工程、装饰装修工程、施工组织概论、流水施工基本原理、网络计划技术等共十三章。

　　本书主要适用于普通高等学校、成人高校土木工程专业的教学，也可作为继续教育的培训教材。对从事实际工程的技术人员和管理人员，也是非常有益的专业参考书。

图书在版编目（CIP）数据

建筑工程施工 / 阎西康，张厚先，赵春艳主编.—北京：人民交通出版社，2006.2（重印2007.8）
ISBN 978 - 7 - 114 - 05904 - 9

Ⅰ.建…　Ⅱ.①阎…②张…③赵…　Ⅲ.建筑工程－工程施工　Ⅳ.TU7

中国版本图书馆 CIP 数据核字（2006）第005581号

书　　名：建筑工程施工
著 作 者：阎西康　张厚先　赵春艳
责任编辑：尤晓昉
出版发行：人民交通出版社
地　　址：(100011)北京市朝阳区安定门外外馆斜街3号
网　　址：http://www.ccpress.com.cn
销售电话：(010)85285838,85285995
总 经 销：北京中交盛世书刊有限公司
经　　销：各地新华书店
印　　刷：北京宝莲鸿图科技有限公司
开　　本：787×1092　1/16
印　　张：27.25
字　　数：684千
版　　次：2006年2月　第1版
印　　次：2007年8月　第2次印刷
书　　号：ISBN 978 - 7 - 114 - 05904 - 9
印　　数：3001 - 6000册
定　　价：46.00元
（如有印刷、装订质量问题的图书由本社负责调换）

随着科学技术的迅猛发展、全球经济一体化趋势的进一步加强以及国力竞争的日趋激烈,作为实施"科教兴国"战略重要战线的高等学校,面临着新的机遇与挑战。高等教育战线按照"巩固、深化、提高、发展"的方针,着力提高高等教育的水平和质量,取得了举世瞩目的成就,实现了改革和发展的历史性跨越。

在这个前所未有的发展时期,高等学校的土木类教材建设也取得了很大成绩,出版了许多优秀教材,但在满足不同层次的院校和不同层次的学生需求方面,还存在较大的差距,部分教材尚未能反映最新颁布的规范内容。为了配合高等学校的教学改革和教材建设,体现高等学校在教材建设上的特色和优势,满足高校及社会对土木类专业教材的多层次要求,适应我国国民经济建设的最新形势,人民交通出版社组织了全国二十余所高等学校编写"交通版高等学校土木工程专业规划教材",并于2004年9月在重庆召开了第一次编写工作会议,确定了教材编写的总体思路,于2004年11月在北京召开了第二次编写工作会议,全面审定了各门教材的编写大纲。在编者和出版社的共同努力下,目前这套规划教材已陆续出版。

这套教材包括"土木工程概论"、"建筑工程施工"等31门课程,涵盖了土木工程专业的专业基础课和专业课的主要系列课程。这套教材的编写原则是"厚基础、重能力、求创新,以培养应用型人才为主",强调结合新规范、增大例题、图解等内容的比例并适当反映本学科领域的新发展,力求通俗易懂、图文并茂;其中对专业基础课要求理论体系完整、严密、适度,兼顾各专业方向,应达到教育部和专业教学指导委员会的规定要求;对专业课要体现出"重应用"及"加强创新能力和工程素质培养"的特色,保证知识体系的完整性、准确性、正确性和适应性,专业课教材原则上按课群组划分不同专业方向分别考虑,不在一本教材中体现多专业内容。

反映土木工程领域的最新技术发展、符合我国国情、与现有教材相比具有明显特色是这套教材所力求达到的,在各相关院校及所有编审人员的共同努力下,交通版高等学校土木工程专业规划教材必将对我国高等学校土木工程专业建设起到重要的促进作用。

交通版高等学校土木工程专业规划教材编审委员会

人民交通出版社

2005 年 8 月

前言

QIANYAN

"建筑工程施工"是研究建筑工程施工中技术与组织的一般规律、建筑工程施工工艺原理和建筑工程施工新技术、新工艺发展的学科，它具有实践性强、涉及面宽的特点。本教材编写本着"厚基础、重能力、求创新，以培养应用型人才为主"的总体思路，强调结合新规范、适当增加图解的比例，体现出"重应用"的特色，力求做到专业面宽、知识面广、能反映当前本学科领域国内外技术的新发展。

参加本书编写的有张厚先（第一、二、五章等）、戎贤（第三章）、张立群（第四章）、郑显春（第六、十二章）、吴迈（第七、八章）、赵春燕（第九、十章）、阎西康（第十一章）、曲赜胜（第十三章）。全书由阎西康统稿，由刘宗仁教授主审。鉴于时间短促和编者水平有限，书中不免有不当之处，敬请读者批评指正。

本书编写过程中引用了部分专家的著作和文献，谨在此表示衷心的感谢。

编　者
2006 年 1 月

目录 MULU

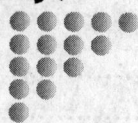

第一章 土方工程
DIYIZHANG

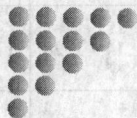

　　建筑施工中,常见的土方工程有场地平整、基坑开挖及基坑回填等。土方工程主要包括土(或石)的挖掘、填筑和运输等施工过程,以及排水、降水和土壁支护等辅助工程。

　　土方工程施工的特点是:面广量大,劳动繁重,大多为露天作业,施工条件复杂,易受地区气候条件影响。且土本身是一种天然物质,种类繁多,施工时受工程地质和水文地质条件的影响也很大。因此为了减轻劳动强度、提高劳动生产效率、加快工程进度、降低工程成本,在组织施工时,应根据工程自身条件,制订合理施工方案,尽可能采用新技术和机械化施工。

第一节　土的工程性质与分类

一、土的有关工程性质

1. 土的可松性

　　土具有可松性,即自然状态下的土,经过开挖后其体积因松散而增加,后虽然经过回填压实仍不能恢复其原来的体积,这种性质称为土的可松性。土的可松性程度用可松性系数表示,即:

最初可松性系数: $\qquad K_S = V_2 / V_1 \qquad$ (1-1)

最后可松性系数: $\qquad K'_S = V_3 / V_1 \qquad$ (1-2)

式中:V_1——土在自然状态下的体积(m^3);

　　V_2——土挖出后的松散状态下的体积(m^3);

　　V_3——土经回填压实后的体积(m^3)。

　　土的可松性程度与土质有关。可松性系数对土方的调配、土方量的计算、运输、填筑等都有影响。可松性系数可参考表 1-1。

2. 土的渗透性

　　土的渗透性是指土体被水透过的性质。土体孔隙中的水在重力作用下会发生流动,流动

土的类别	土 的 名 称	土的可松性系数	
		K_S	K'_S
一类土 (松软土)	砂,粉土,冲击砂土层,种植土,泥炭(淤泥)	1.08 ~ 1.17	1.01 ~ 1.03
二类土 (普通土)	粉质粘土,潮湿的黄土,夹有碎石、卵石的砂,种植土,填筑土及粉土	1.14 ~ 1.28	1.02 ~ 1.05
三类土 (坚土)	软及中等密实土,重粉质粘土,粗砾石,干黄土及含碎石、卵石的黄土,粉质粘土,压实的填筑土	1.24 ~ 1.30	1.04 ~ 1.07
四类土 (砂砾坚土)	重粘土及含碎石、卵石的粘土,粗卵石,密实的黄土,天然级配砂石,软泥灰岩及蛋白石	1.26 ~ 1.32	1.06 ~ 1.09
五类土 (软石)	硬石炭纪粘土,中等密实的页岩,泥灰岩,白垩土,胶结不紧的砾岩,软的石灰岩	1.30 ~ 1.45	1.10 ~ 1.20
六类土 (次坚石)	泥岩,砂岩,砾岩,坚实的页岩,泥灰岩,密实的石灰岩,风化花岗岩,片麻岩	1.30 ~ 1.45	1.10 ~ 1.20
七类土 (坚石)	大理岩,辉绿岩,玢岩,粗、中粒花岗岩,坚实的白云岩,砂岩,砾岩,片麻岩,石灰岩,风化痕迹的安山岩,玄武岩	1.30 ~ 1.45	1.10 ~ 1.20
八类土 (特坚石)	安山岩,玄武岩,花岗片麻岩,坚实的细粒花岗岩,闪长岩,石英岩,辉长岩,辉绿岩,玢岩	1.45 ~ 1.50	1.20 ~ 1.30

速度与土的渗透性有关。法国学者达西根据砂土渗透试验(图 1-1 所示)得到达西定律如下:

$$V = KI \qquad (1\text{-}3)$$

式中:V——水在土中的渗流速度(m/d);

$\quad K$——土的渗透系数(m/d),K 值由试验确定,也可参考表 1-2;

$\quad I$——水力坡度,$I = h/L$;

$\quad h$——A、B 两点的水位差(m);

$\quad L$——渗流路程长度(m)。

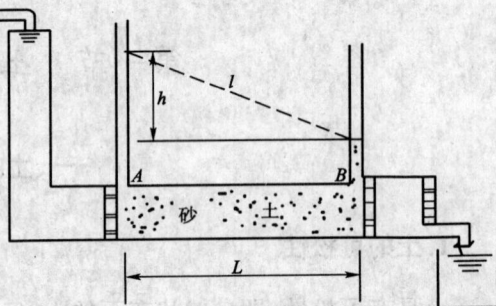

图 1-1 砂土渗透试验

土 的 渗 透 系 数 表 1-2

土的名称	渗透系数 K(m/d)	土的名称	渗透系数 K(m/d)
粘土	<0.005	中砂	5.0 ~ 20.00
粉质粘土	0.005 ~ 0.10	均质中砂	35 ~ 50
轻粉质粘土	0.10 ~ 0.50	粗砂	20 ~ 50
黄土	0.25 ~ 0.50	圆砾石	50 ~ 100
粉砂	0.50 ~ 1.00	卵石	100 ~ 500
细砂	1.00 ~ 5.00		

3.土的含水量

土的含水量是土中水的质量与固体颗粒质量之比,用百分数表示。即

$$w = \frac{m_1 - m_2}{m_2} \times 100\% = \frac{m_w}{m_s} \times 100\% \tag{1-4}$$

式中：m_1——含水状态时土的质量(kg)；

　　m_2——烘干后土的质量(kg)；

　　m_w——土中水的质量(kg)；

　　m_s——固体颗粒的质量(kg)。

土的含水量随气候条件、雨雪和地下水的影响而变化，对土方边坡的稳定性及填方密实程度有直接的影响。

4.土的天然密度

土在天然状态下单位体积的质量，称为土的天然密度。即

$$\rho = m/V \tag{1-5}$$

式中：ρ——土的天然密度(g/cm^3)；

　　m——土的总质量(g)；

　　V——土的天然体积(cm^3)。

5.土的干密度

单位体积中土的固体颗粒的质量，称为土的干密度。即

$$\rho_d = m_s/V \tag{1-6}$$

式中：ρ_d——土的天然密度(g/cm^3)；

　　m_s——土中固体颗粒的质量(g)；

　　V——土的天然体积(cm^3)。

6.土的压实系数

土的密实程度用土的压实系数表示。即

$$\lambda_C = \rho_d/\rho_{dmax} \tag{1-7}$$

式中：λ_C——土的压实系数；

　　ρ_d——土的实际干密度；

　ρ_{dmax}——土的最大干密度。

土的干密度可以用"环刀法"测定。即用环刀取样，测出天然密度 ρ，烘干后测出含水量 w，然后用下式计算实际干密度：$\rho_d = \rho/1 + 0.01w$。而土的最大干密度 ρ_{dmax} 可由击实试验测出。

土的工程性质对土方工程的施工有直接影响，在进行土方量的计算、确定运土机具的数量等情况时，要考虑到土的可松性。在进行基坑、基槽的开挖、确定降水方案等情况时，要考虑到土的渗透性。在考虑土方边坡稳定、进行填土压实等情况时，要考虑到土的密实度 λ_C，进而考虑到天然密度 ρ、干密度 ρ_d 及含水量 w。

二、土 的 分 类

土的种类繁多，分类的方法也不同。在建筑施工中按土开挖的难易程度将土分为松软土、

普通土、坚土、砂砾坚土、软石、次坚石、坚石、特坚石等 8 类,前 4 类属于一般土,后 4 类属岩石。土的分类及现场鉴别方法见表 1-3。

土的分类及现场鉴别方法　　　　　　表 1-3

土 的 分 类	土 的 名 称	现场鉴别方法
一类土	松软土	能用锹、锄头挖掘
二类土	普通土	用锹、锄头挖掘,少许用镐翻松
三类土	坚土	主要用镐,少许用锹、锄头挖掘,部分用撬棍
四类土	砂砾坚土	整个用镐、撬棍,然后用锹挖掘,部分用楔子及大锤
五类土	软石	用镐或撬棍、大锤挖掘,部分使用爆破方法
六类土	次坚石	用爆破方法开挖部分用风镐
七类土	坚石	用爆破方法开挖
八类土	特坚石	用爆破方法开挖

第二节　场 地 平 整

建筑施工中,一般先进行施工准备。施工准备包括场地平整等多项内容。本节的场地平整技术,主要针对大面积的场地平整,如整个厂区或住宅小区建设之前的场地平整。

一、场地设计高程的确定

场地设计高程是进行场地平整和土方量计算的依据,也是总图规划和竖向设计的依据,合理地确定场地的设计高程,对减少土方量,加速建设速度,都有重要的经济意义。

如图 1-2 所示的横断面,如果场地设计高程为 H_0 时,那么挖方、填方的体积基本平衡,可以把土方移挖作填,就地处理;如果设计高程为 H_1 时,那么填方大大超过挖方,则需要从场地外大量取土回填;如设计高程为 H_2 时,挖方大大超过填方,则要向场外大量弃土。

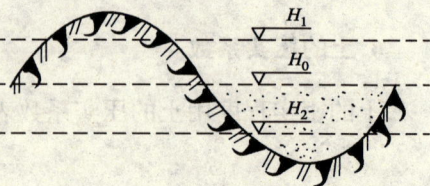

在确定场地设计高程时,应结合场地具体条件,反

图 1-2　场地不同设计高程的比较

复进行技术经济比较,选择一个最优良的方案。确定场地设计高程时需考虑以下因素:应满足建筑功能、生产工艺和运输要求;充分利用地形(比如分区域或分台阶布置),尽量使挖填方平衡,以减少土方量;要有一定的泄水坡度(≥2%),使其能满足排水要求;要考虑最高洪水水位的影响。

如果场地设计高程没有其他的特殊要求时,则可以根据挖、填平衡的原则加以确定,即场地内土方的绝对体积在平整前和平整后相等。场地设计高程的确定方法和步骤如下。

1. 初步确定场地设计高程 H_0

初步确定场地设计高程是根据场地挖填土方量平衡的原则进行,即场内土方的绝对体积在平整前后是相等的。

(1)在具有等高线的地形图上将施工区域划分为边长 $a = 10 \sim 40m$ 的若干方格(图 1-3 所示)。

(2)确定各小方格的角点高程。可根据地形图上相邻两等高线的高程,用插入法计算求

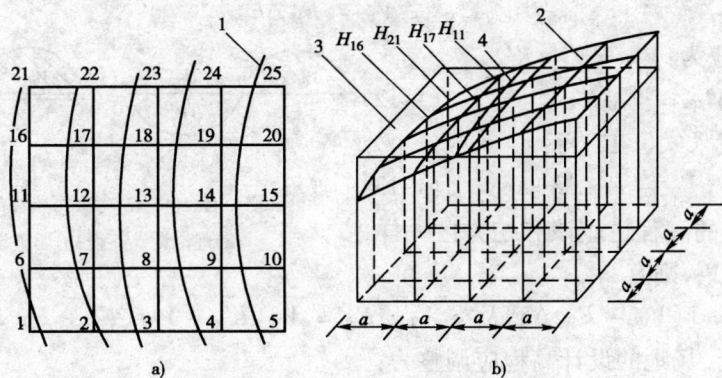

图 1-3 场地设计高程计算简图

a)地形图上划分方格;b)设计高程示意图

1-等高线;2-自然地面;3-设计高程平面;4-零线

得。此外,在无地形图的情况下,也可以在地面用木桩或钢钎打好方格网,然后用仪器直接测出方格网角点高程。按填挖方平衡原则确定设计高程 H_0,即

$$H_0 N a^2 = \sum \left(a^2 \frac{H_{11} + H_{12} + H_{21} + H_{22}}{4} \right) \tag{1-8}$$

$$H_0 = \frac{\sum (H_{11} + H_{12} + H_{21} + H_{22})}{4N} \tag{1-9}$$

从图 1-3a)可知,H_{11} 系一个方格的角点高程,H_{12} 和 H_{21} 均系两个方格公共的角点高程,H_{22} 则是四个方格公共的角点高程,它们分别在上式中要加一次、二次、四次。因此,上式可改写成下列形式:

$$H_0 = \frac{\sum H_1 + 2\sum H_2 + 3\sum H_3 + 4\sum H_4}{4N} \tag{1-10}$$

式中:H_1——一个方格仅有的角点高程(m);

H_2——两个方格共有的角点高程(m);

H_3——三个方格共有的角点高程(m);

H_4——四个方格共有的角点高程(m);

N——方格数。

2.场地设计高程 H_0 的调整

以上我们求出了设计高程 H_0,但这个值只是一个理论值,实际上还应该考虑一些其他的因素,对 H_0 进行调整。这些因素有:

(1)土的可松性

由于土具有可松性,所以一般填土会有多余,因此,应该考虑由于土的可松性而引起的设计高程增加值 Δh。

把 V_W、V_T 分别称为按理论设计计算的挖、填方的体积;把 F_W、F_T 分别称为按理论设计计算的挖、填方区的面积;把 V'_W、V'_T 分别称为调整以后挖、填方的体积;K'_s 是最终可松性系数。

如图 1-4 所示,设 Δh 为由于土的可松性引起的设计高程增加值,则设计高程调整以后的

总挖方体积 V'_W 应为：

$$V'_W = V_W - F_W\Delta h \tag{1-11}$$

总填方体积应为：$V'_W = V'_T / K'_s$

$$V'_T = V'_W K'_s \tag{1-12}$$

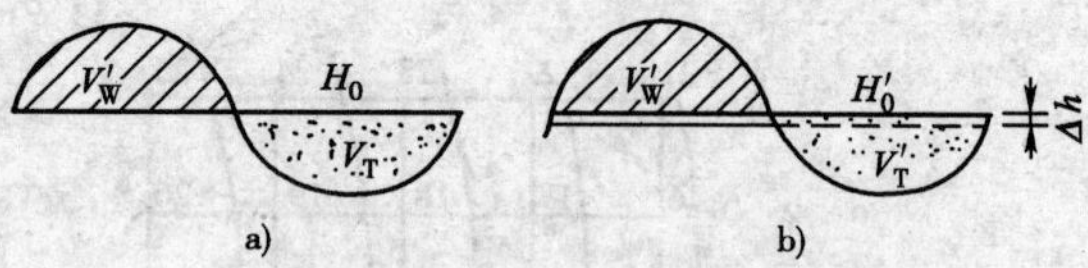

把式(1-11)代入式(1-12)得：

$$V'_T = (V_W - F_W\Delta h)K'_s \tag{1-13}$$

这时，填方区的高程也应该和挖方区一样，
要提高 Δh；$V_W = V_T$，则有：

图 1-4 H_0 考虑可松性的调整
a)理论设计高程；b)调整设计高程

$$\Delta h = [(V_W - F_W\Delta h)K_s - V_T]/F_T = V_W(K'_s - 1)/(F_T + F_W K'_s) \tag{1-14}$$

求出 Δh 值后，场地的设计高程应调整为：

$$H'_0 = H_0 + \Delta h \tag{1-15}$$

(2)规划场地内挖填方及就近取、弃土

由于场地内大型基坑挖出的土方，修路、筑堤填高的土方，以及从经济角度考虑部分土方就近弃土或就近借土，都会引起挖、填土方量的变化，有必要时也要调整设计高程。

为了简化计算，场地设计高程调整可以按下面近似公式确定为：

$$H'_0 = H_0 \pm Q/(Na^2) \tag{1-16}$$

式中：Q——假定按原设计高程平整以后，多余或不足的土方量；

N——方格网数；

a——方格网边长。

3.泄水坡度

当按设计高程调整后的同一设计高程 H'_0 进行平整时，则整个场地表面均处于同一水平面，但是，实际上由于排水的要求，场地表面需要有一定的泄水坡度，因此，还必须根据场地泄水坡度的要求(单面泄水或双面泄水)计算出场地内各方格角点实际施工所用的设计高程。

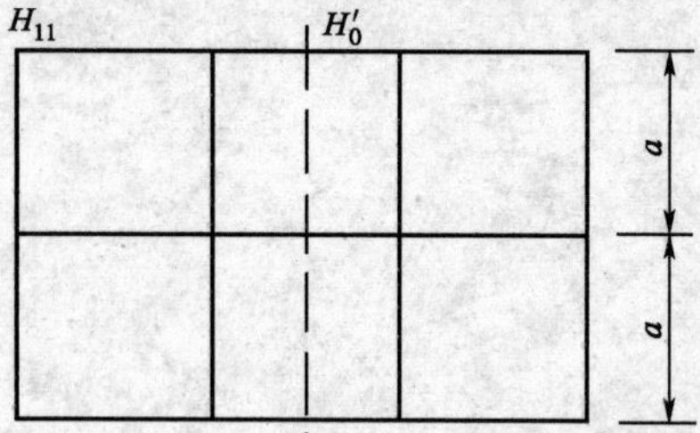

图 1-5 场地具有单向泄水坡度

(1)场地具有单向泄水坡度

场地具有单向泄水坡度时，设计高程的确定方法，是把已经调整后的设计高程 H'_0 作为场地中心线的高程(图 1-5 所示)(当然也可设某点高程，然后由挖填平衡条件求该点高程)，场地内任意一点的设计高程则为：

$$H_n = H'_0 \pm li \tag{1-17}$$

式中：H_n——场地内任意一点的设计高程；

l——场地任意一点至设计高程 H'_0 的距离；

i——场地泄水坡度(不小于 2‰)。

例如，考虑具有泄坡度之前，场地的设计高程为 251.47m，那么，考虑具有泄水坡度以后，如坡度为 2‰，H_{11} 的设计高程为：

$$H_{11} = H'_0 + 1.5a = 251.47 + 1.5 \times 20 \times 2‰ = 251.47 + 0.06 = 251.53\text{m}$$

(2)场地具有双向泄水坡度

场地具有双向泄水坡度时，设计高程的确定方法同样是把已调整后的设计高程 H'_0 作为场地的纵向和横向中心线交点(即形心)高程(图 1-6 所示)，场地内任意一点的设计高程为：

$$H_n = H'_0 \pm l_x i_x \pm l_y i_y \tag{1-18}$$

式中：l_x、l_y——分别为任意一点沿 $x-x$、$y-y$ 方向距场地中心线的距离；

$\quad\quad i_x$、i_y——分别为任意一点沿 $x-x$、$y-y$ 方向的泄水坡度。

例如，考虑具有泄坡度之前，场地的设计高程为 251.47m，那么，考虑具有双向泄水坡度以后，如果沿 $x-x$、$y-y$ 的坡度分别为 3‰、2‰，H_{34} 角点的设计高程为：

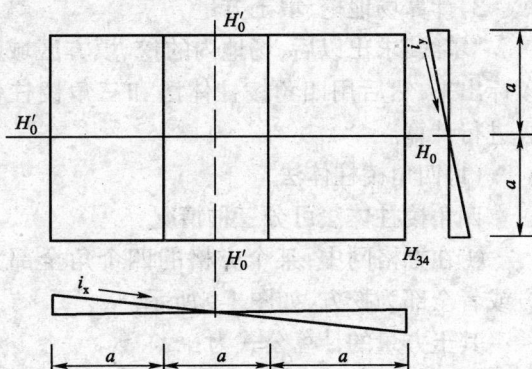

图 1-6　场地具有双向泄水坡度

$$
\begin{aligned}
H_{34} &= H'_0 - 1.5ai_x - ai_y \\
&= 251.47 - 1.5 \times 20 \times 3‰ - 20 \times 2‰ \\
&= 251.47 - 0.09 - 0.04 = 251.34\text{m}
\end{aligned}
$$

实际上，上述影响因素是互相影响的，即上述步骤中前一步的调整结果会因后一步调整而改变。可以采用试算的方法解决上述问题，即以 H_0 为规划场地形心平整后高程，按规划坡度计算场地各点高程，再考虑场地平整后的挖、填、就近取弃土等，计算各方格的土方量，进一步考虑可松性，检查场地的挖填平衡条件是否满足；如该条件不满足，则可调整 H_0 等。该试算过程可手工粗算，也可更准确和便捷地电算。

二、场地平整土方量计算(场地土方量和边坡土方量的计算)

场地土方量计算方法有两种：方格网法和断面法。场地地形较为平坦时，一般采用方格网法；场地地形较为复杂或挖填深度较大，断面又不规则时，一般采用断面法。

1. 用方格网法计算场地土方量

在确定场地设计高程时画好的方格网上进行计算，方格网边长一般为 10～40m，通常取20m。首先把场地上各方格角点的自然高程与设计高程分别标注在方格角点上(这一步，在设计场地设计高程后已完成)，那么，场地上设计高程与自然高程的差值，即为各角点的施工高度(挖或填)，并习惯上"+"号表示填方，以"-"号表示挖方。施工高度有了以后，也填在各角点上，然后就可以计算每一个方格的挖、填土方量，并继而计算场地边坡的土方量。最后将填方区域和挖方区域内所有的土方量以及边坡土方量进行汇总，就得到了场地上总的平整场地土方量。

场地土方量计算步骤为：

1) 求各方格角点的施工高度

我们用 h_n 表示各角点的施工高度，亦即挖填高度，并且以"+"为填，以"-"为挖。H_n 表示各角点的设计高程，H 表示各角点的自然高程，那么有：

$$h_n = H_n - H \tag{1-19}$$

方格角点的自然高程可以根据地形图上相邻两等高线的高程，用线性插入法求出；也可以用一张透明纸，上面画上 6 根等距离的平行线，把透明纸放到标有方格网的地形图上，将 6 根平行线的最外两根分别对准两条等高线上的两点 A、B，这时 6 根等距离的平行线将 A、B 之间的高差分成 5 份，于是便可以读出 C 点的地面高程(图 1-7 所示)。

2)绘出"零线"

"零点"是某一方格的两个相临挖、填角点连线与该方格边线的交点(图1-8所示)。两个相邻"零点"的连线即为"零线"。

3)计算场地挖、填土方量

"零线"求出以后,场地内的挖、填方区域就可以标出来,然后用四角棱柱体法和三角棱柱体法去进行计算。

(1)四角棱柱体法

四角棱柱体法可分三种情况:

①在方格网中,某个方格的四个角全部为填方或者全部为挖方,如图1-9所示。

其土方量的计算公式为:

$$V = a^2(h_1 + h_2 + h_3 + h_4)/4 \qquad (1-20)$$

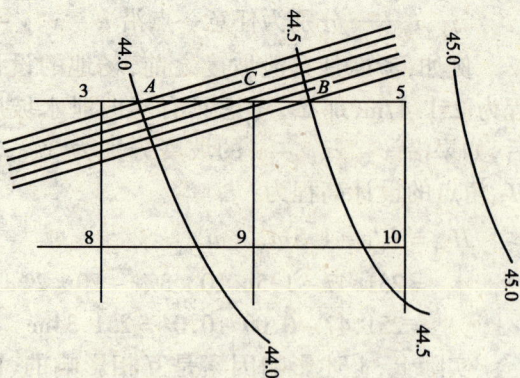

②方格的相邻两角点为挖,另两角为填,如图1-10所示。

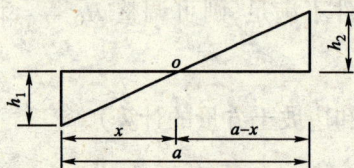

图1-7 方格角点自然高程的图解法

图1-8 零点和零线的求法

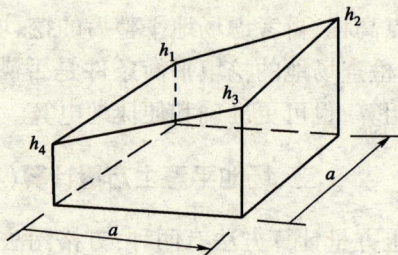

图1-9 全填或全挖的方格

其挖方部分土方量的计算公式为:

$$V_{1,2} = a^2[h_1^2/(h_1 + h_2) + h_2^2/(h_2 + h_3)]/4 \qquad (1-21)$$

填方部分土方量计算公式为:

$$V_{3,4} = a^2[h_3^2/(h_2 + h_3) + h_4^2/(h_1 + h_4)]/4 \qquad (1-22)$$

③方格的三个角为挖,另一个角为填(或方格的三个角为填,另一个角为挖),图1-11所示。

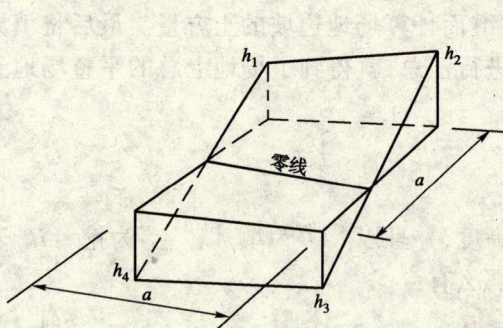

图1-10 两挖和两填的方格

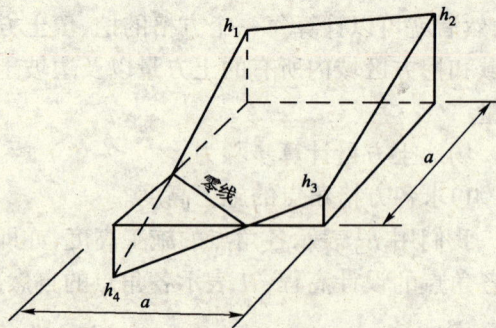

图1-11 三挖一填(或相反)的方格

其填方部分土方量计算公式为:

$$V_4 = a^2 h_4^3/[(h_1 + h_4)(h_3 + h_4)]/6 \qquad (1-23)$$

其挖方部分土方量计算公式为:

$$V_{1,2,3} = a^2(2h_1 + h_2 + 2h_3 - h_4)/6 + V_4 \qquad (1-24)$$

(2)三角棱柱体法

用三角棱柱体法计算场地土方量,是把每一个方格顺地形的等高线沿对角线划分成两个三角形,然后分别计算每一个三角棱柱(棱锥)体的土方量。

①当三角形为全挖或全填时(图1-12a)

$$V = a^2(h_1 + h_2 + h_3)/6 \qquad (1-25)$$

②当三角形有挖有填时(图1-12b)所示

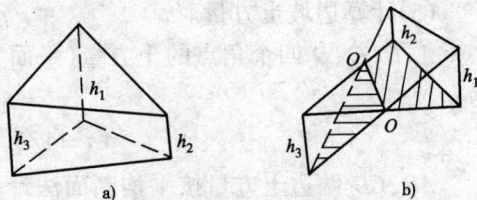
图1-12 三角棱柱体法
a)全挖全填;b)有挖有填

这时,"零线"把三角形分成了两部分,一个是底边当三角形的锥体,另一部分是底面为四边形的楔体,即

$$V_{锥} = a^2 h_3^3/[(h_1 + h_3)(h_2 + h_3)]/6 \qquad (1-26)$$

$$V_{楔} = a^2\{h_3^3/[(h_1 + h_3)(h_2 + h_3)] - h_3 + h_2 + h_1\}/6 \qquad (1-27)$$

以上 h_1、h_2、h_3、h_4 均为施工高度,并且均用绝对值代入。

2.用断面法计算场地土方量

四角棱柱体法和三角棱柱体法统称为方格网法。如果当土方量计算精度要求不高时,还可以用断面法。

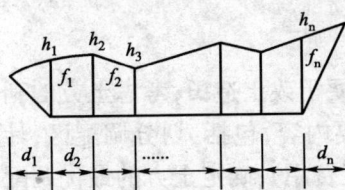
图1-13 断面法

沿场地取若干个断面,将所取的断面划分成若干个三角形和梯形,如图1-13所示。

如果用 f_i 表示每一个小三角形或梯形的面积,则整个断面面积 $F_1 = f_1 + f_2 + f_3 + \cdots + f_n$。

如果分若干个断面面积分别为 F_1、F_2、F_3、$\cdots$、f_n,相邻断面间的距离分别为 l_1、l_2、l_3、$\cdots$、l_n,那么总的土方量为:

$$V = (F_1 + F_2)l_1/2 + (F_2 + F_3)l_2/2 + (F_3 + F_4)l_3/2 + \cdots + (F_{n-1} + F_n)l_n/2 \qquad (1-28)$$

相邻两断面间的 l_1、l_2、l_3、$\cdots$、l_n 的大小与地形有关。地形平坦,距离可以大一些;地形起伏较大时,距离可取小一些。这时,一定要沿地形每一个起伏点的转折处取一断面,确定两断面间的距离,否则,要影响土方量计算的精确度。

用断面法计算出土方量时,边坡土方量已经包括在内。

3.场地边坡土方量计算

场地平整时,还要计算边坡土方量(图1-14)。其计算步骤如下:

(1)标出场地四个角点 A、B、C、D 填挖高度和零线位置。

(2)根据土质确定填、挖边坡的坡度(图1-15)。

边坡的坡度 $= h/b = 1/(b/h) = 1:m$;m 称为边坡坡度系数。

(3)算出四角点的放坡宽度,如 A 点 $= m_1 h_a$,D 点 $= m_2 h_d$。

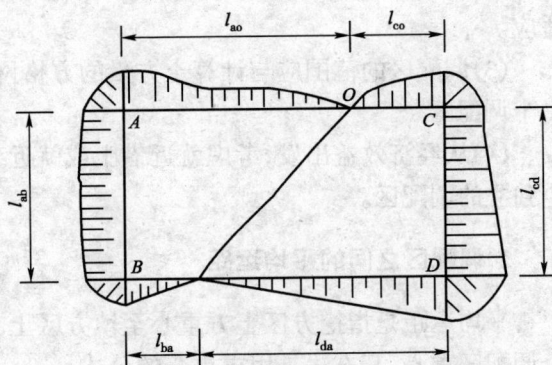
图1-14 场地边坡平面图

(4)绘出边坡图。

(5)计算边坡土方量。

A、B、C、D 四个角点的土方量(平面为扇形),近似地按正方锥体计算。例如,A 点土方量为:

$$V_A = 1/3(m_1 h_a)^2 h_a = 1/3 m_1 h_a^3$$

AB、CD 两边土方量按平均断面法计算。例如,AB 边土方量为:$V_{ab} = (F_a + F_b) l_{ab}/2 = m_1 (h_a^2 + h_b^2) l_{ab}/4$

AC、BD 两边分段按三角锥体计算,例如,AC 边 AO 段的土方量为:$V_{ao} = 1/3(m_1 h_a^2 l_{ao}/2) = 1/6 m_1 h_a^2 l_{ao}$

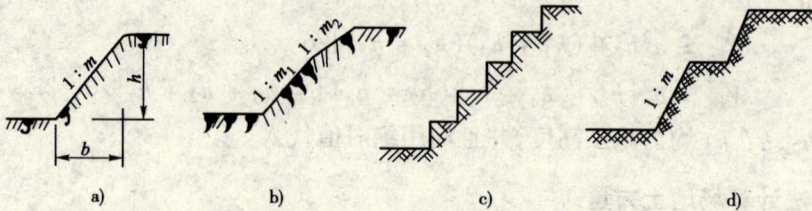

图 1-15　土方边坡示意图
a)直线型;b)折线型;c)阶梯型;d)分级型

三、土 方 调 配

土方调配的原则是:应力求挖填平衡,运距最短或费用最低;便于改土造田;考虑土方的利用,以减少土方的重复挖、填和运输。它是土方规划中的一个重要内容,包括:划分调配区;计算土方调配区之间的平均运距(或单位土方运价,或单位土方施工费用);确定土方的最优调配方案;绘制土方调配图表等。

1.土方调配区的划分

在划分调配区时应注意:

(1)调配区的划分应与房屋或构造的位置协调,满足工程施工顺序和分期施工的要求,使近期施工和后期利用相结合。

(2)调配区的大小应考虑土方及运输机械的技术性能,使其功能得到充分发挥。

例如,调配区的长度应大于或等于机械的铲土长度,调配区的面积最好和施工段的大小相适应。

(3)调配区的范围应与计算土方量的方格网相协调。通常情况下可由若干个方格网组成一个调配区。

(4)从经济效益出发,考虑就近借土或就近弃土,这时,一个借土区或一个弃土区均作为一个独立的调配区。

2.调配区之间的平均运距

平均运距是指挖方区土方重心至填方区土方重心的距离。因此,求平均运距,需先求出每个调配区重心,其方法是用求重心的公式。

取场地或方格网中的纵横两边为坐标轴,分别求出各区土方的重心位置,即:

$$x_g = \sum (Vx)/\sum V$$
$$y_g = \sum (Vy)/\sum V \tag{1-29}$$

式中：x_g、y_g——挖、填调配区的重心坐标；

V——每个方格的土方量；

x、y——每个方格的重心坐标。

重心求出以后，则标于相应的调配区图上，然后用比例尺量出(或计算)每对调配区之间的平均运距。

3.最优调配方案的确定

最优调配方案的确定，是以线性规划为理论基础，用"表上作业法"来求解，现结合实例说明。

已知某施工场地有四个挖方区和三个填方区，其相应的挖填土方量和相应调配区间的运距见表1-4所列。

挖方区填方区的挖填土方量及调配区间的运距(单位:m)　　　　表1-4

挖 方 区	填 方 区			挖方量(m^3)
	B_1	B_2	B_3	
A_1	50	70	100	500
A_2	70	40	90	500
A_3	60	110	70	500
A_4	80	100	40	400
填方量(m^3)	800	600	500	1900

用"表上作业法"进行调配的步骤为：

(1)用"最小元素法"编制初始调配方案

"最小元素法"即给最小运距方格以尽可能多的土方。先在运距表的小方格中找一个最小的值，找出来之后先确定此最小运距所对应的土方量，并且使其土方量尽可能地大。由表中可知 $C_{22} = C_{43} = 40$ 最小，于是在这两个最小运距中任取一个，现取 $C_{43} = 40$，所对应的最大土方量 $x_{43} = 400$，填表1-5。即把 A_4 的挖方量全部运到 B_3。A_4 的土方已全部运往了 B_3，就不能满足 B_1 和 B_2 的需要了，即 x_{41}、$x_{42} = 0$，在 x_{41} 和 x_{42} 的格内画×。

用"最小元素法"编制初始调配方案　　　　表1-5

挖 方 区	填 方 区			挖方量(m^3)
	B_1	B_2	B_3	
A_1	500	×	×	500
A_2	×	500	×	500
A_3	300	100	100	500
A_4	×	×	400	400
填方量(m^3)	800	600	500	1900

然后在没有填数字的格内选一个运距最小的方格，即 $C_{22} = 40$ 最小，再使 x_{22} 尽可能最大。由表上可知，可以把 A_2 挖方区的土方全部调运至 x_{22}，即 $x_{22} = 500$，同时 $x_{21} = x_{23} = 0$。在 x_{22} 格中填入 500，在 x_{21}、x_{23} 格中画×。

重复以上步骤,确定了初始调配方案见表1-5。让运距最小的格内取尽可能大的土方值,也就是说优先考虑"就近调配",所以求得的运输量是比较小的。但是,这并不能保证其总运输量最小,所以还要进行判别,看是否为最优方案。

(2)最优方案的判别法

最优方案的判别法有"闭回路法"和"位势法",二者实质都一样,都是用求检验数 λ_{ij} 来判别(λ_{ij} 是运距表中第 i 行和第 j 列对应的一个数字),只要所有的检验数 $\lambda_{ij} \geqslant 0$,则该方案即为最优方案。否则,不是最优方案,还需要进行调整。以下用"位势法"判别。

首先将初始方案中有调配数方格的运距 C_{ij} 列出,然后按以下式子求出两组位势数 $u_i(u = 1、2、3、\cdots m)$ 和 $v_j(j = 1、2、3、\cdots n)$。则

$$C_{ij} = u_i + v_j \tag{1-30}$$

式中:C_{ij}——平均运距(或单位土方造价、或施工费用);

u_i、v_j——位势数。

用上式求出位势数以后,便可以由下式计算空格内的检验数:

$$\lambda_{ij} = C_{ij} - u_i - v_j \tag{1-31}$$

本例有以下不定解方程组:

$$C_{11} = u_1 + v_1$$
$$C_{31} = u_3 + v_1$$
$$C_{32} = u_3 + v_2$$
$$C_{22} = u_2 + v_2$$
$$C_{33} = u_3 + v_3$$
$$C_{43} = u_4 + v_3$$

令 $u_1 = 0$,求出位势数 u_i 和 v_j 见表1-6。

有调配数方格的运距及位势数、检验数　　　　　　　　表1-6

		B_1	B_2	B_3
	位势	$v_1 = 50$	$v_2 = 100$	$v_3 = 60$
A_1	$u_1 = 0$	50	-30	+
A_2	$u_2 = -60$	+	40	+
A_3	$u_3 = 10$	60	110	70
A_4	$u_4 = -20$	+	+	40

由 $\lambda_{ij} = C_{ij} - u_i - v_j$,依此求出各空格的检验数,填于表1-6。

$$\lambda_{12} = C_{12} - u_1 - v_2 = 70 - 0 - 100 = -30(<0)$$
$$\lambda_{13} = C_{13} - u_1 - v_3 = 100 - 0 - 60 = 40(>0)$$
$$\lambda_{21} = C_{21} - u_2 - v_1 = 70 - (-60) - 50 = 80(>0)$$
$$\lambda_{23} = C_{23} - u_2 - v_3 = 90 - (-60) - 60 = 90(>0)$$
$$\lambda_{41} = C_{41} - u_4 - v_1 = 80 - (-20) - 50 = 50(>0)$$
$$\lambda_{42} = C_{42} - u_4 - v_2 = 100 - (-20) - 100 = 20(>0)$$

在表中可以只写正号,不写数字;负数要全写。

从表中可以看出,出现了负数,说明初始方案不是最优方案,要进一步进行调整。

(3)方案的调整

用"闭回路法",在所有负检验数中选一个(一般可选最小的一个,本例中为 λ_{12}),从 x_{12} 格出发,沿水平或竖直方向前进,遇到适当的有数字的方格作 90°转弯,然后依次继续前进再回到出发点,形成一条闭回路(表1-7)。

求 闭 回 路　　　　　　　　　　　　　表1-7

位势		B_1 $v_1 = 50$	B_2 $v_2 = 100$	B_3 $v_3 = 60$
A_1	$u_1 = 0$	500	−	+
A_2	$u_2 = -60$	+	500	+
A_3	$u_3 = 10$	300	100	100
A_4	$u_4 = -20$	+	+	400

在各奇数次转角点的数字中,挑出一个最小的(本表即为 500、100 中选出 100),各奇数次转角点方格均减此数;各偶数次转角点均加此数。这样调整后,便可得新调配方案见表1-8。

新调配方案(运距/土方量)　　　　　　　表1-8

挖 方 区	填 方 区			挖方量(m³)
	B_1	B_2	B_3	
A_1	50/500	70/100	100/×	500
A_2	70/×	40/500	90/×	500
A_3	60/400	110/×	70/100	500
A_4	80/×	100/×	40/400	400
填方量(m³)	800	600	500	1900

对新调配方案,仍用"位势法"进行检验,看其是否为最优方案。若检验数中仍有负数出现那就仍按上述步骤继续调整,直到找出最优方案为止。

上表中所有检验数均为正号,故该方案即为最优方案。其土方的总运输量为 $Z = 400 \times 50 + 100 \times 70 + 500 \times 40 + 400 \times 60 + 100 \times 70 + 400 \times 40 = 94000\text{m}^3$。

(4)土方调配图

最后将调配方案绘成土方调配图,如图1-16所示。在土方调配图上应注明挖填调配区、调配方向、土方数量以及每对挖、填之间的平均运距。

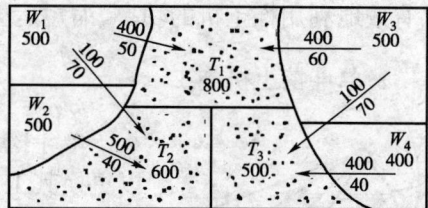

图1-16　土方调配图

第三节　土方机械化施工

在土方工程中,应尽可能地采用机械施工,以减轻繁重的体力劳动,加快施工进度。

土方工程施工机械的种类有:挖土机、铲运机、平土机、松土机、推土机、碾压及夯实机械等。在建筑工程的土方工程施工中,最常用的机械是推土机、单斗挖土机、夯实机械。

一、常用土方机械与选择

1.推土机施工

推土机(图 1-17 所示)是把拖拉机前端装上铲刀进行推土的一种机型。推土机按铲刀的操纵机构不同,分为索式和油压式两种。索式推土机的铲刀借助于本身的自重切入土中,因此在硬土中切入深度较小。油压式推土机的铲刀用油压操纵,能强制切入土中,因此切入深度较深,而且可以调升铲刀和调整铲刀的角度。

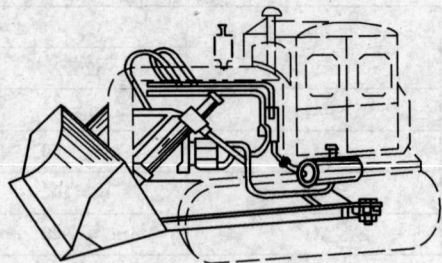

由于推土机操作灵活,运转方便,所需要的工作面小,行驶迅度快,能爬 30°左右的缓坡,因此应用范围广泛。推土机可以用来清理和平整场地,开挖 1.5m 深度以内的基坑;装配其他装置后,可以破松硬土和冻土,以及土方压实等。推土机推运距离宜在 100m 以内,为减少土的失散和推土机工作效能最好,推运距离为 40~60m。

图 1-17　推土机

提高推土机生产效率的主要措施有缩短推土机的工作循环时间,具体有以下方式:

(1)下坡堆土

推土机顺地面坡度沿下坡方向切土与推进,借助于机械本身的重力作用,增加推土机能力,缩短推土时间。当坡度在 15°以内时,一般可提高生产效率 30%~40%。

(2)并列推土

当平整场地的面积较大时,可以用 2~3 台推土机并列作业,铲刀相距 15~30cm。一般两机并列作业可增大推土量 15%~30%;但平均运距不宜超过 50~70m,也不宜小于 20m。

(3)槽形推土

指推土机重复多次在一条作业线上切土和推土,使地面逐步形成一条浅槽,可以减少土从铲刀两侧流散,可增加推土量 10%~30%。

(4)多铲集运

在硬土上切土时,每次切土深度不大,可以采用多次铲土,分批集中,一次推送的方法,可以有效地利用推土机的功率,缩短运土时间。

2.单斗挖土机施工

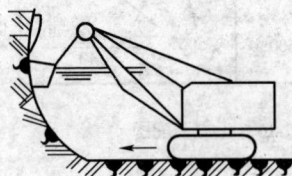

图 1-18　正铲挖土机

单斗挖土机种类较多,在土方工程中应用较广,按工作需要还可以更换其工作装置。单斗挖土机按挖土装置不同分为正铲、反铲、拉铲和抓铲,按操纵机构不同可分为机械式和液压式。

1)正铲挖土机施工

其作业特点是:前进向上,强制切土(图 1-18)。

表 1-9 为国产两种正铲液压挖土机的主要性能。

正铲挖土机在挖土和卸土时有两种方式(图 1-19)。

(1)正向挖土,侧向卸土:即挖土机沿前进方向挖土,运输工具停在侧面,由挖土机装土。二者可不在同一工作面(运输工具可停在挖土机平面上或高于停机平面)。这种开挖方式,卸土时挖土机旋转角度小于 90°,提高了挖土效率,可避免汽车倒开和转弯多的缺点,因而在施工中常采用此法。

正铲挖土机的主要技术性能 表 1-9

技术参数	符号	单位	W$_2$-200	W$_4$-60
铲斗容量	Q	m^3	2.0	0.6
最大挖土半径	R	m	11.1	6.7
最大挖土高度	H	m	11.0	5.8
最大挖土深度	H	m	2.45	3.8
最大卸土高度	H_1	m	7.0	3.4

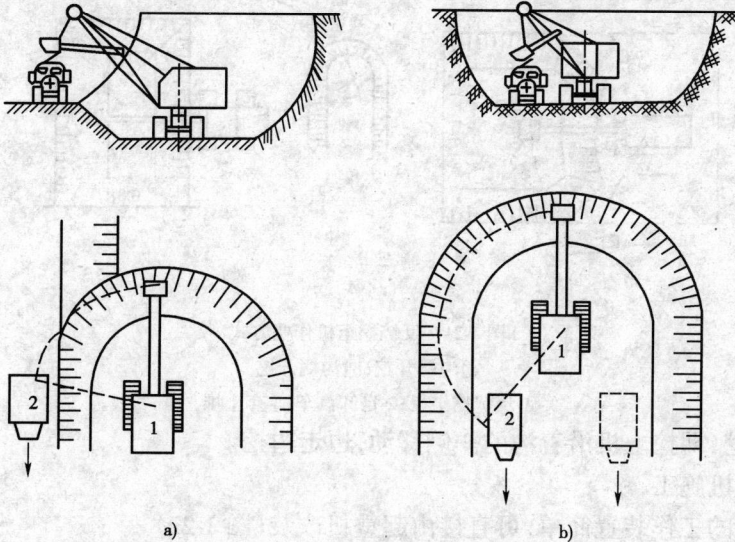

a)   b)

图 1-19 正铲挖土机作业方式
a)正向挖土、侧向卸土;b)正向挖土、后方卸土
1-正铲挖土机;2-自卸汽车

(2)正向挖土、后方卸土。即挖土机向前进方向挖土,运输工具停在挖土机的后面装土。二者在同一工作面(即挖土机的工作空间)上。这种开挖方式挖土高度较大,但由于卸土时必须旋转较大角度,且运输车辆要倒车开入,影响挖土机生产率,故只宜用于基坑(槽)宽度较小,而开挖深度较大的情况。

2)反铲挖土机施工

其作业特点是:后退向下,强制切土(图 1-20)适用于开挖基坑、基槽和管沟,以及有地下水的土壤或泥泞土壤。一次开挖深度取决于挖土机的最大挖掘深度等技术参数。

表 1-10 为液压反铲挖土机的主要性能。

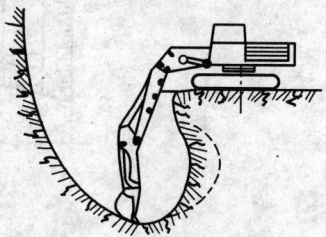

图 1-20 反铲挖土机

液压反铲挖土机的主要性能 表 1-10

技术参数	符号	单位	W$_2$-400	W$_4$-60
铲斗容量	Q	m^3	0.4	0.6
最大挖土半径	R	m	7.03	7.3
最大挖土深度	H	m	3.74	3.7
最大挖土高度	H	m	5.98	6.4
最大卸土高度	H_1	m	4.52	4.7

反铲挖土机作业方式有两种(图1-21所示):

(1)沟端开挖:即挖土机停在沟端,向后倒退挖土,运输工具停在两旁,由挖土机装土。

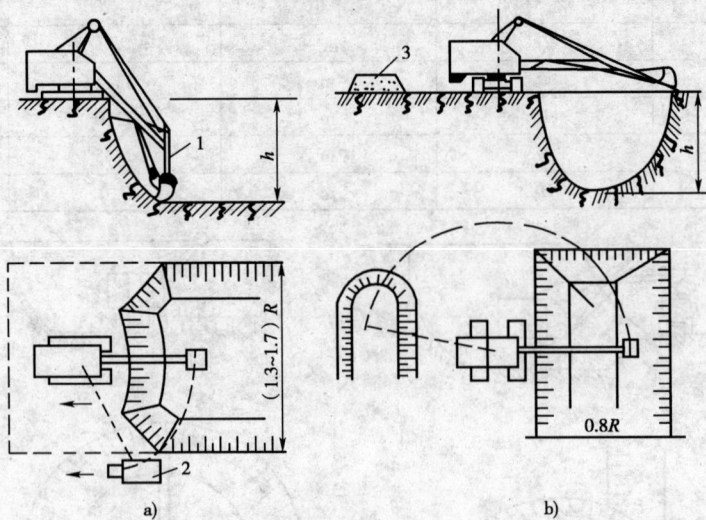

图1-21 反铲挖土机作业方式
a)沟端开挖;b)沟侧开挖
1-反铲挖土机;2-自卸汽车;3-弃土堆

(2)沟侧开挖:即挖土机沿着沟的一侧移动,边走边挖。

3)拉铲挖土机施工

拉铲挖土机的工作装置简单,可直接由起重机改装(图1-22)。

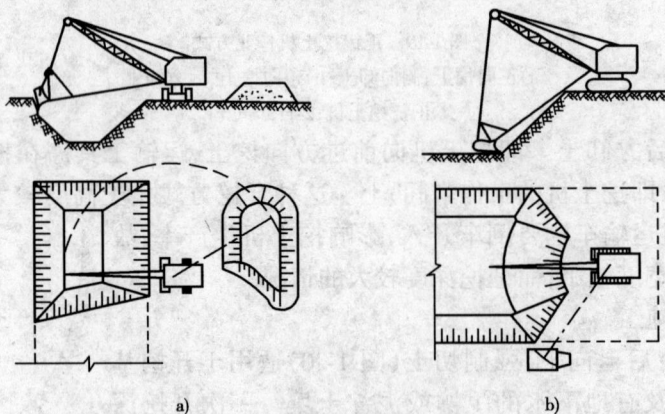

图1-22 拉铲挖土机
a)沟侧开行;b)沟端开行

其特点是:铲斗悬挂在钢丝绳下而无刚性的斗柄。由于拉铲支杆较长,铲斗在自重作用下切入土中,能开挖的深度和宽度均较大,常用于挖沟槽、基坑和地下室,也可开挖水下和沼泽地带的土。

拉铲挖土机的开行方式和反铲一样,有沟端开行和沟侧开行两种。

W-100拉铲挖土机的技术性能见表1-11。

4)抓铲挖土机施工

这种挖土机一般由正、反铲液压挖土机更换工作装置而成,即去掉铲斗换上抓斗。抓铲挖土机最适宜于进行水中挖土(图 1-23)。

W-100 拉铲挖土机技术性能 表 1-11

技术参数	符号	单位	数据			
动臂长度	L	m	13		16	
动臂角度	α	°	30	45	30	45
最大挖土半径	R	m	14.4	13.2	17.5	16.2
正面挖土深度	H	m	9.5	7.4	12.2	9.6
侧面挖土深度	H_2	m	5.8	4.9	8.0	7.1
最大卸土高度	H_1	m	4.2	6.9	5.7	9.0
最大卸土半径	R_1	m	12.8	10.8	15.4	12.9

W-100 抓铲挖土机的技术性能见表 1-12。

W-100 抓铲挖土机技术性能 表 1-12

技术参数	符号	单位	数据
动臂长度	L	m	13
回转半径	R	m	4.5 ~ 12.5
最大卸土高度	H_1	m	10.6 ~ 1.6

二、场地平整施工与填土压实

土是由矿物颗粒、水、气组成的三相体系,特征是分散性大,颗粒之间没有坚强的联结,水容易浸入,因此在外力作用或自然条件下遭到水的浸入和冻融都会产生变形。为了使填土满足强度以及稳定性要求,就必须正确选择土料和填筑方法。

填土方工程应分层填土压实,最好采用同类土。如果用不同类土时,应把透水性较大的土层置于透水性较小的土层下面。若已将透水性较小的土填筑在下层,则在填筑上层透水性较大的土壤之前,将两层结合面做成中央高些、四周低的弧面排水坡度或设置盲沟,以免填土内形成水囊。决不能将各种土混杂一起填筑。

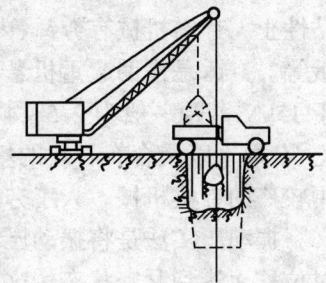

图 1-23 抓铲挖土机

当填方位于倾斜的地面时,应先将斜坡改成阶梯状,然后分层填土以防填土滑动。

回填施工前,应清除填方区的积水和杂物,如遇软土、淤泥,必须进行换土回填。回填时,若分段进行,每层接缝处应作成斜坡形,辗迹重叠 0.5 ~ 1.0m,上、下层接缝应错开不小于 1.0m。回填基坑(槽)和管沟时,应从四周或两侧均匀地分层进行,以防止基础和管道在土压力作用下产生偏移或变形。

1.土料的选择

填方土料应符合设计要求。如设计无要求时,应符合下列规定:

(1)碎石类土、砂土和爆破石渣(粒径不大于每层铺土厚的 2/3)可用于表层下的填料;

(2)含水量符合压实要求的粘性土,可用作各层填料;

(3)碎块草皮和有机质含量大于 8% 的土,仅用于无压实要求的填方;

(4)淤泥和淤泥质土一般不能用作填料;但在软土或沼泽地区,经过处理使含水量符合压实要求后,可用于填方中的次要部位;

(5)水溶性硫酸盐大于 5%的土不能用作回填土,在地下水作用下,硫酸盐会逐渐溶解流失,形成孔洞,影响土的密实性;

(6)冻土、膨胀性土等不应作为填方土料。

2.填土压实方法

填土的压实方法一般有碾压(包括振动碾压)、夯实、振动压实等几种,如图 1-24 所示。

碾压法是由沿填筑面滚动的鼓筒或轮子的压力压实土壤,多用于大面积填土工程。碾压机械有平碾(压路机)、羊足碾和气胎碾等。平碾有静力作用平碾和振动作用平碾之分。平碾对砂土、粘性土均可压实,静力作用平碾适用于较薄填土或表面压实、平整场地、修筑堤坝及道路工程;振动平碾使土受振动和碾压两种作用,效率高,适用于填料为爆破石渣、碎石类土、杂填土或粉质粘土

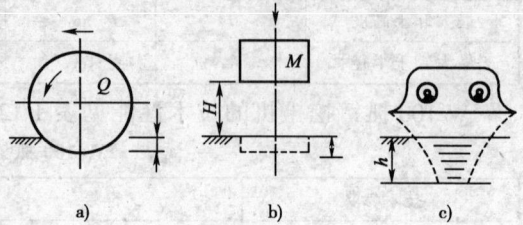

图 1-24 填土压实方法
a)碾压;b)夯实;c)振动

的大型填方;羊足碾需要较大的牵引力,与土接触面积小,但单位面积的压力比较大,土壤的压实效果好,适用于碾压粘性土;气胎碾在工作时是弹性体,其压力均匀,填土质量较好。

夯实方法是利用夯锤自由下落时的冲击力来夯实土壤,主要用于基坑(槽)、沟及各种零星分散、边角部位的小型填方的夯实工作。优点是可以夯实较厚的土层,且可以夯实粘性土及非粘性土。夯实机械有夯锤、内燃夯土机和蛙式打夯机等。人工夯土用的工具有木夯、石夯、飞碾等。夯锤是借助起重机悬挂,重锤提起并落下,锤底面积约为 $0.15 \sim 0.25 m^2$,其重力不宜小于 15kN,落距一般为 $2.5 \sim 4.5 m$,夯土影响深度可达 $0.6 \sim 1.0 m$,常用于夯实砂性土、湿陷性黄土、杂填土以及含有石块的填土。内燃夯土机作用深度为 $0.4 \sim 0.7 m$,它和蛙式打夯机都是应用较广的夯实机械。人工夯土方法已用得很少。

振动压实法是将振动压实机放在土层表面,借助振动机构使压实机械振动,土颗粒发生相对位移而达到紧密状态。这种方法主要用于非粘性土的压实。

3.影响填方压实效果的主要因素分析及选用

影响土壤压实效果的因素主要有含水量、压实功、每层铺土厚度。

(1)含水量

土中含水量对压实效果的影响比较显著,如图 1-25 所示。当含水量较小时,由于水膜润滑作用不明显以及外部功能也不足以克服粒间引力,土粒相对移动不容易,因此压实效果比较差;含水量逐渐增大时,水膜变厚,引力缩小,水膜又起着润滑作用,外部压实功能比较容易使土粒移动,压实效果渐佳;土中含水量过大时,空隙中出现了自由水,压实功能不可能使气体排出,压实功能的部分被自由水所抵消,减小了有效压力,压实效果反而降低。从土的密度与含水量关系可以看出曲线有一峰值,此处的干密度为最大,称为最大干密度 ρ_{max}。只有在土中含水达最佳含水量的情况

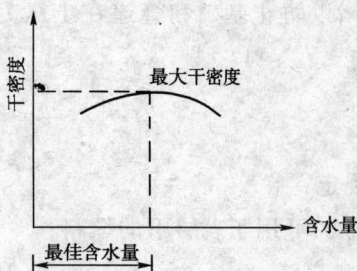

图 1-25 土的干密度与含水量的关系

下压实的土,水稳定性最好,土的密实度最大。

土的最佳含水量时的最大干密度,可由击实试验取得,也可查表确定(仅供参考),如最佳含水量为:砂土 8% ~ 12%、粉土 16% ~ 22%、粉质粘土 18% ~ 21%、粘土 19% ~ 23%。当回填土过湿时,应先晒干或掺入其他吸水材料如石灰;过干时应洒水湿润,尽可能使土保持在最佳含水量范围内。

(2)压实功

压实功指压实工具对填土做的功。当压实功能加大到一定程度后,对最大干密度的提高就不明显了(图1-26)。所以,在实际施工时,应根据土质、压实密度要求、压实机械等来决定压实的遍数(可参见表1-13)。此外,松土不宜用重型碾压机直接滚压,否则土层会有强烈起伏现象,效率不高;如先用轻碾压实,再用重碾就可取得较好效果。

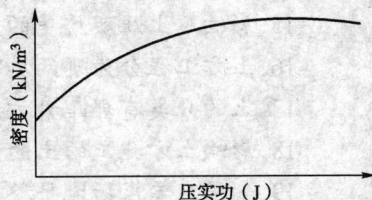

图1-26 土的密度与压实功的关系

不同压实机械分层填土虚铺厚度及压实遍数 表 1-13

压实机具	分层厚度(mm)	每层压实遍数	压实机具	分层厚度(mm)	每层压实遍数
平碾	250 ~ 300	6 ~ 8	柴油打夯机	200 ~ 250	3 ~ 4
振动压实机	250 ~ 350	3 ~ 4	人工打夯	< 200	3 ~ 4

(3)每层铺土厚度

一定压实条件下(土质、湿度与压实功不变),密实度随深度递减,表层 50mm 最高。不同压实工具的有效压实深度有差异,根据压实工具类型、土质及填方压实的基本要求,每层铺筑压实厚度有具体规定数值,见表1-13。铺土过厚,无论压实多少遍,下部土也不能被压实;铺土过薄,则浪费了压实功。所以,每层铺土厚度有一个适中值。

思考题

1.试述土的可松性、土的可松性系数在土方工程中有哪些具体应用?

2.试述土方工程的特点。进行土方规划时应考虑什么原则?

3.土方量计算的基本方法有哪几种?

4.试述含水量对填土压实的影响。

5.确定场地设计高程 H_0 时应考虑哪些因素?为什么对设计高程 H_0 要进行调整?如何调整?

6.试述土壁边坡的作用、表示方法、留设原则及影响边坡的因素。

7.试述场地有单向、双向泄水坡度土方量和边坡土方量的计算方法。

8.试述按挖、填平衡原则确定 H_0 的步骤和方法。

9.如何计算沟槽和基坑的土方量?

10.试解释土的最佳含水量和最大干密度的含义,它们与填土压实的质量有何关系?

11.常用的土方机械有哪些?试述其工作特点及适用范围。

12. 如何提高推土机、铲运机和单斗挖土机的生产率？如何组织土方工程综合机械化施工？

13. 常用支护结构有哪几种？各适用于什么条件？

14. 单斗挖土机有几种？其工作特点和适用范围是什么？

15. 影响填土压实质量的主要因素有哪些？怎样检验填土压实质量？

16. 土方工程分为哪两类？各包括哪些内容？

17. 土的分类有那几种方法？

18. 影响土方施工的土的工程性质有哪些？有什么影响？

19. 如果只要求场地平整前后土方量相等，其设计高程如何计算？

20. 场地平整的总挖土量和总填土量如何计算？

21. 试述表上作业法进行土方调配的步骤有哪些？

第二章 地基与基础工程
DIERZHANG

本章主要讲述基坑降水、地基处理、边坡的稳定、流砂的防治、土壁支护、浅基础施工和桩基础施工等。

第一节 基坑降水

开挖基坑时,流入坑内的地下水不但会使施工条件恶化,造成土壁塌方,还会影响地基的承载力。因此,在施工中,做好施工排水、保持土体干燥是十分重要的。基坑降水可分为集水井降水法(或明排水法)和井点降水法。

一、集水井降水法(或明排水法)

集水井降水法是在开挖基坑时,沿坑底周围或中央开挖排水沟,在沟底设集水井,使基坑内的水,经排水沟流向集水井,然后用水泵抽走,如图2-1所示。

为了防止基底土的颗粒随水流失而使土结构受到破坏,集水井应设置于基础范围之外、地下水走向的上游。根据地下水量大小、基坑平面形状及水泵抽水能力,确定集水井间距,一般每隔 20～40m 设置一个。集水井的直径一般为 0.6～0.8m,深度应随挖土的加深而加深,并保持低于挖土工作面的 0.7～1.0m。当基坑挖至设计高程后,井底应低于坑底 1～2m,并铺设碎石滤水层,防止由于抽水时间较长而将泥砂抽出及井底土被搅动。井壁可用竹、木等材料进行简易加固。在建筑工地上,基坑排水用的水泵主要有离心泵、潜水泵等。

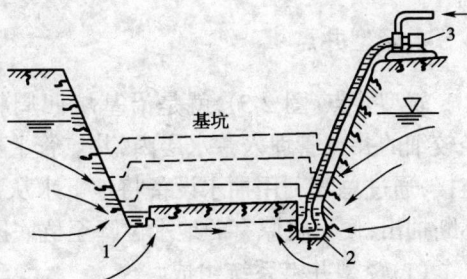

图 2-1 集水井降水法
1-排水沟;2-集水井;3-水泵

二、井点降水法

井点降水法,就是在基坑开挖前,先埋设一定数量的滤水管(井),利用抽水设备从中抽水,使地下水位降落到坑底以下,直至施工完毕为止。

井点降水法的井点有管井井点、喷射井点、电渗井点和轻型井点等。各井点的适用范围见表 2-1 所列。

各井点的适用范围 表 2-1

适用条件 井点类型	渗透系数 (m·d^{-1})	可降低水位深度 (m)
一级轻型井点	0.1 ~ 80	3 ~ 6
喷射井点	0.1 ~ 50	8 ~ 20
电渗井点	<0.1	根据选定的井点确定
管井井点	20 ~ 200	3 ~ 5

注:d——昼夜。

1.管井井点

管井井点(图 2-2),就是沿基坑每隔 20 ~ 50m 距离设置一个管井,每个管井单独用一台水泵不断抽水来降低地下水位。

2.喷射井点

喷射井点可分为喷气井点和喷水井点两种。喷水井点的喷射井管由内外管所组成,在内管下端装有升水装置(喷射扬水器)与滤管相连(图 2-3),当高压水经内外管之间的环形空间由喷嘴喷出时,地下水即被吸入内管而流出。

3.电渗井点

电渗井点(图 2-4),以井点管作负极,以打入的钢筋或钢管作正极,当通以直流电后,水自正极向负极移动而被集中排出。

4.轻型井点

轻型井点(图 2-5),就是沿基坑四周将许多直径较细的井点管埋入蓄水层内,井点管上部与总管连接,通过总管利用抽水设备将地下水从井点管内不断抽出,便可将原有的地水位降至坑底以下。

(1)轻型井点系统组成

轻型井点设备主要包括井点管、滤管、集水总管、抽水设备等。

滤管直径为 38 ~ 50mm,长度为 1 ~ 1.5m,管壁上钻有直径为 13 ~ 19mm 的小圆孔,外包两层滤网,如图 2-6 所示。

滤管的上端与井点管连接,井点管直径亦相应地为 50mm 的钢管,其长度为 3 ~ 7m,可整根或分节组装。井点管的上端用弯联管与总管相连。弯联管宜装有阀门,以便检修井点。近年来有的弯联管采用透明塑料管,可随时观察井点管的工作情况;有的采用橡胶管,可避免两端不均匀沉降而泄漏。

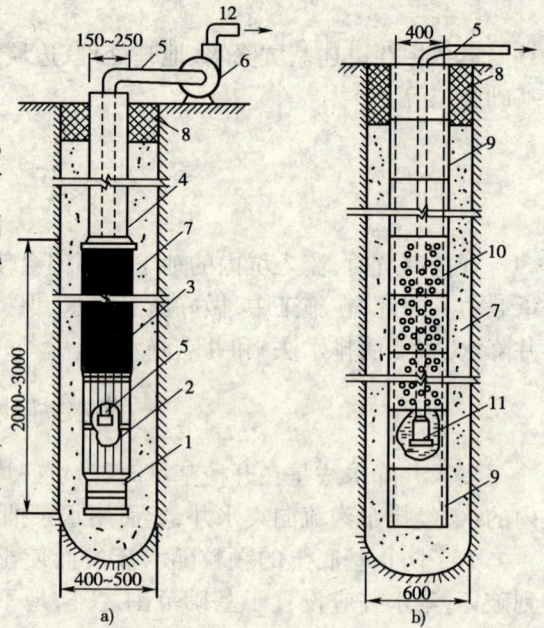

图 2-2　管井井点(尺寸单位:mm)
a)钢管管井;b)混凝土管管井

1-沉砂管;2-钢筋焊接骨架;3-滤网;4-管身;5-吸水管;6-离心泵;7-小砾石过滤层;8-粘土封口;9-混凝土实管;10-混凝土过滤管;11-潜水泵;12-出水管

集水总管为内径 100～127mm 的无缝钢管,每节长 4m,其间用橡皮套管联结,并用钢箍拉紧,以防漏水。总管上还装有与井点管联结的短接头,间距 0.8 或 1.2m。

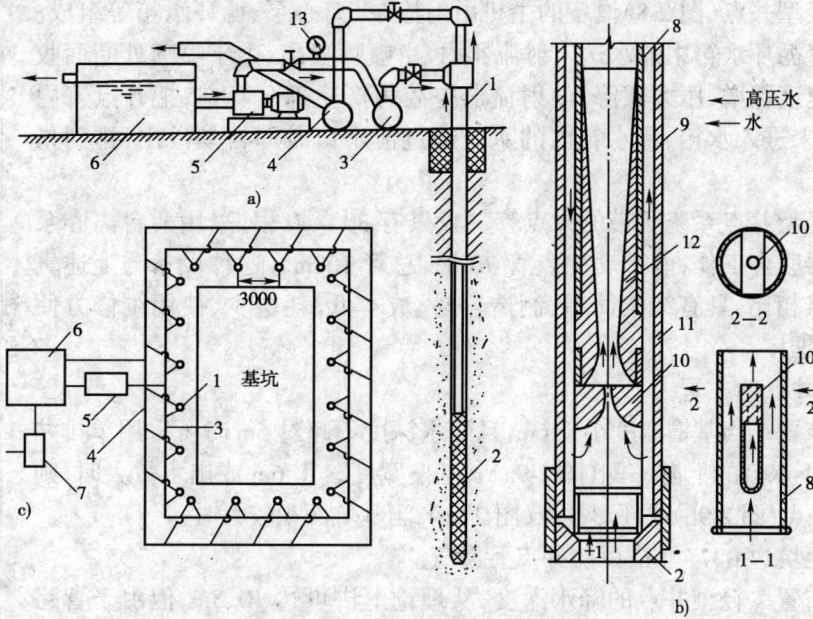

图 2-3　喷射井点设备及平面布置简图

1-喷射井管;2-滤管;3-进水总管;4-排水总管;5-高压水泵;6-水池;7-水泵;8-内管;9-外管;10-喷嘴;11-混合室;
12-扩散管;13-压力表

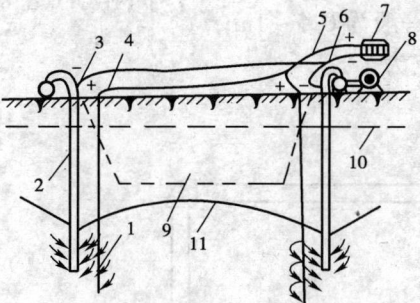

图 2-4　电渗井点布置示意

1-阳极;2-阴极;3-用扁钢、螺栓或电线将阴极
连通;4-用钢筋或电线将阳极连通;5-阳极与
发电机连接电线;6-阴极与发电机连接电线;
7-直流发电机(或直流电焊机);8-水泵;9-基
坑;10-原有水位线;11-降水后的水位线

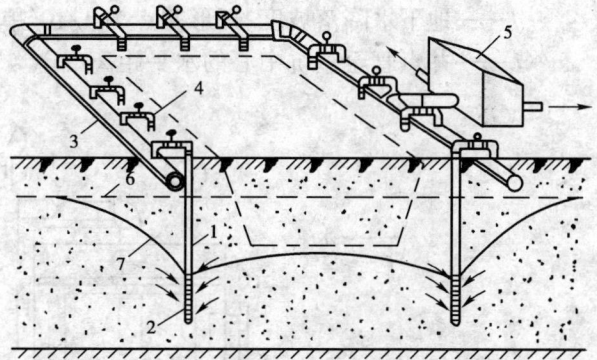

图 2-5　轻型井点降低地下水位全貌图

1-井点管;2-滤管;3-总管;4-弯联管;5-水泵房;6-原有地下水位
线;7-降低后地下水位线

真空泵轻型井点(图 2-7)设备的主机由真空泵、离心泵和水气分离器组成。抽水时先开动真空泵 13,使土中的水分和空气受真空吸引力经管路系统向上流入水气分离器 6 中。然后开动离心泵 14,在水气分离器内水和空气向两个方向流去:水经离心泵由出水管 16 排出;空气则集中在水气分离器上部由真空泵排出。如水多来不及排出时,水气分离器内浮筒 7 上浮,由阀门 9 将通向真空泵的通路关住,不使水进入缸体,保护真空泵。副水气分离器 12 的作用是滤清从空气中带来的少量水分,使其落入该器下层放出,使水不被吸入真空泵内。压力箱 15 用

以调节出水量和阻止空气窜入水气分离器。过滤箱 4 防止由水带来的细砂磨损机械。真空调节阀 21 用以调节真空度，使其适应水泵的需要。

　　射流泵轻型井点(图 2-8)设备的主机由射流泵、离心泵、循环水箱等组成。利用离心泵将循环水箱中的水送入射流器内，由喷嘴喷出，由于喷嘴处断面收缩而使水流速度骤增，压力骤降，使射流器空腔内产生部分真空，把井点管内的气、水吸上来进入水箱，待水箱内的水位超过泄水口时即自动溢出，排到指定地点。

　　射流泵轻型井点系统所带的井点管一般只有 30～40 根，采用两台离心泵和两个射流器联合工作，能带动井点管 70 根，总管 100m。这种设备与上述真空泵轻型井点相比，具有结构简单、制造容易、成本低、耗电少、使用维修方便等优点，便于推广。

　　(2)轻型井点的布置

　　①平面布置　当基槽宽度小于 6m，且降水深度不超过 5m 时可采用单排井点，布置在地下水流的上游一侧(图 2-9a)。基槽宽度≥于 6m 或出水量大时，则宜采用双排井点(图 2-9b)或环形井点(图 2-9c)，当基坑面积较大时)。

　　井点管距坑边 0.7～1m，以防井点管漏气。

　　②高程布置　轻型井点的降水深度，从理论上讲可达 10.3m，但由于管路系统的水头损失，其实际的降水深度一般不超过 6m。

　　井点管的埋置深度 H(不包括滤管)，可按下式计算(图 2-10、图 2-11)：

$$H \geqslant H_1 + h + IL \quad \text{(m)} \tag{2-1}$$

式中：H_1——井点管埋设面至坑底面的距离(m)；

　　　h——降低后的地下水位到基坑中心底面的距离，一般为 0.5～1m；

　　　I——地下水降落坡度，环形井点为 1/10(单排井点为 1/5)；

　　　L——井点管至基坑中心的水平距离(m)。

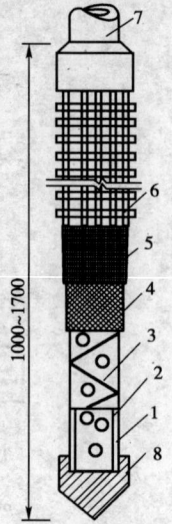

图 2-6　滤管构造
(尺寸单位:mm)
1-钢管；2-管壁上小孔；3-缠绕的铁丝；4-细滤网；5-粗滤网；6-粗铁丝保护网；7-井点管；8-铸铁头

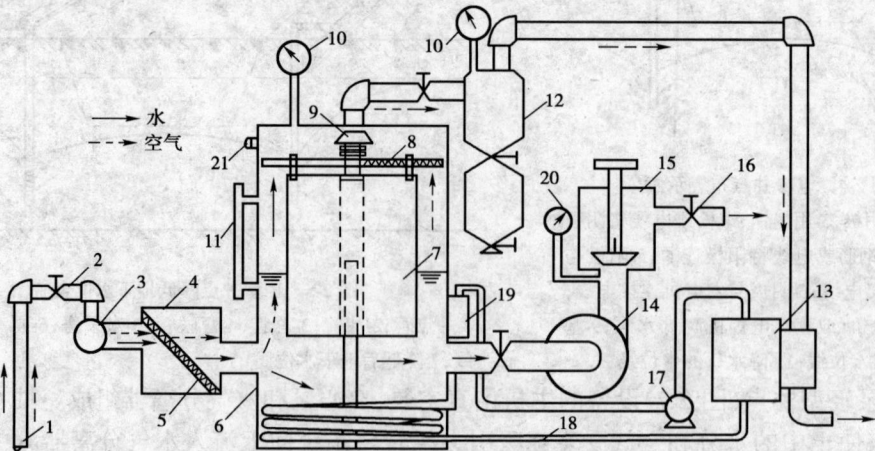

图 2-7　真空泵轻型井点抽水设备工作简图

1-井点管；2-弯联管；3-总管；4-过滤管；5-过滤网；6-水气分离器；7-浮筒；8-挡水布；9-阀门；10-真空表；11-水位计；12-副水气分离器；13-真空泵；14-离心泵；15-压力箱；16-出水管；17-冷却泵；18-冷却水管；19-冷却水箱；20-压力表；21-真空调节阀

如"H 与井点管外露长度之和"小于降水深度 6m 时,则可用一级井点;"H 与井点管外露长度之和"稍大于 6m 时,如降低井点管的埋置面,可满足降水深度要求时,仍可采用一级井点;当一级井点达不到降水深度要求时,则可采用二级井点,图 2-12 所示。

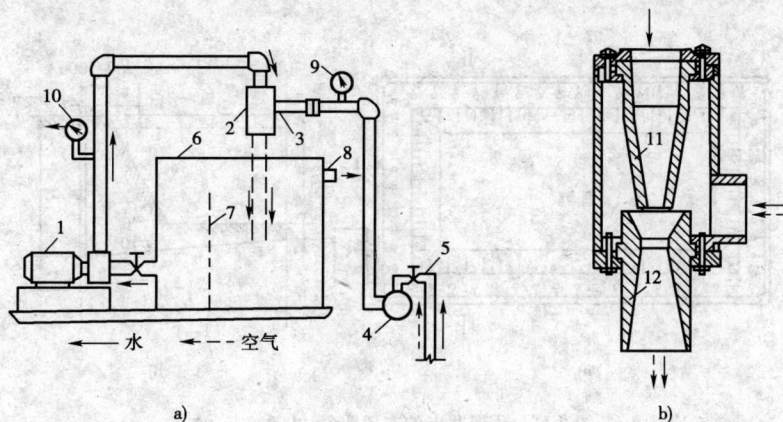

图 2-8 射流泵轻型井点设备工作简图
a)总图;b)射流器剖面图

1-离心泵;2-射流器;3-进水管;4-总管;5-井点管;6-循环水箱;7-隔板;8-泄水口;9-真空表;10-压力表;11-喷嘴;12-喉管

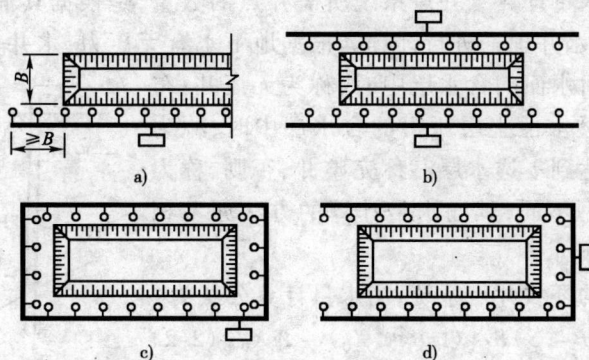

图 2-9 轻型井点的平面布置
a)单排井点;b)双排井点;c)环形井点;d)U 形布置

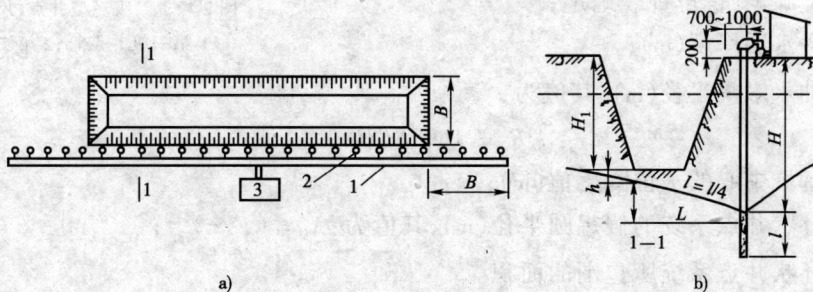

图 2-10 单排线状井点的布置图(尺寸单位:mm)
a)平面布置;b)高程布置
1-总管;2-井管;3-泵站

在确定井点埋置深度时,还要考虑井点管露出地面 0.2 ~ 0.3m;滤管必须埋在透水层内。

在平面布置、高程布置之后,还应复核一级轻型井点的适用条件:① $R \geqslant B/2$(R ——抽水影响半径,其计算见式(2-3);B——井点所围成矩形的宽);②$A/B \leqslant 5$(A——井点所围成矩形的长)。条件①反映的是井点的有效影响范围;条件②反映以后借用圆形井点系统涌水量公式计算矩形井点系统涌水量的合理性。如不满足上述二条件,则需把上述矩形分成小块,多布置井点。

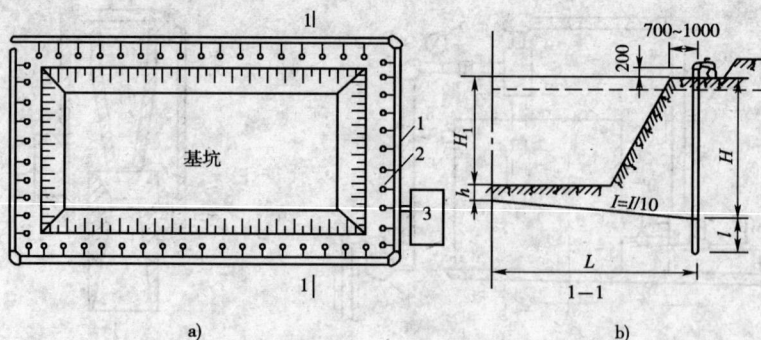

图 2-11 环形井点的布置图(尺寸单位:mm)
a)平面布置;b)高程布置
1-总管;2-井管;3-泵站

(3)环形轻型井点系统的计算

①井点系统的涌水量计算 井点系统所需井点的数量,是根据其涌水量来确定的。而井点系统的涌水量,则按水井理论进行计算。根据地下水有无压力,水井分为无压井和承压井。当水井布置在具有自由水面的含水层中时,称为无压井;布置在地下水面承受不透水性土层压力的含水层中时,称为承压井。当水井底部达到不透水层时称完整井;否则,称为非完整井。水井的类型不同,其涌水量计算的方法亦不相同,如图2-13、图2-14所示。

对于无压完整井的环状井点系统,涌水量计算公式为:

$$Q = 1.366K(2H - S)S/[(\lg R + X_0) - \lg X_0] \quad (2-2)$$

式中:Q——井点系统的涌水量(m^3/d);

K——土壤的渗透系数(m/d),最好通过现场扬水试验确定,也可查表确定;

H——含水层厚度(m);

R——抽水影响半径(m),其值为:

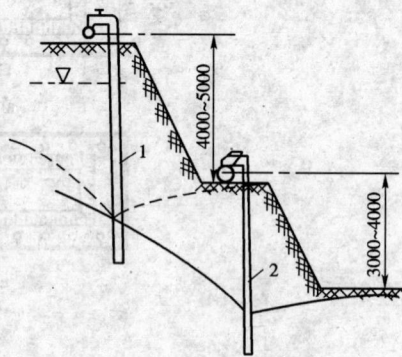

图 2-12 二级轻型井点(尺寸单位:mm)
1-第一级井点管;2-第二级井点管

$$R = 1.95S(HK)^{1/2} \quad (2-3)$$

S——基坑中心的水位降落值(m);

X_0——环状井点系统的假想圆半径(m),其值为:$X_0 = (F/\pi)^{1/2}$;

F——环状井点系统所包围的面积。

井点系统抽水后地下水位降落曲线稳定的时间视土壤的性质而定,一般为$(1 \sim 5)d$。

在实际工程中往往会遇到无压非完整井的井点系统,这时地下水不仅从井的侧面流入,还从井底渗入,因此涌水量要比完整井大。为了简化计算,仍可采用式(2-2)、式(2-3),仅将式中H换成有效抽水影响深度H_0。H_0可查表2-2,当算得的H_0大于实际含水层的厚度H时,则仍取H值。

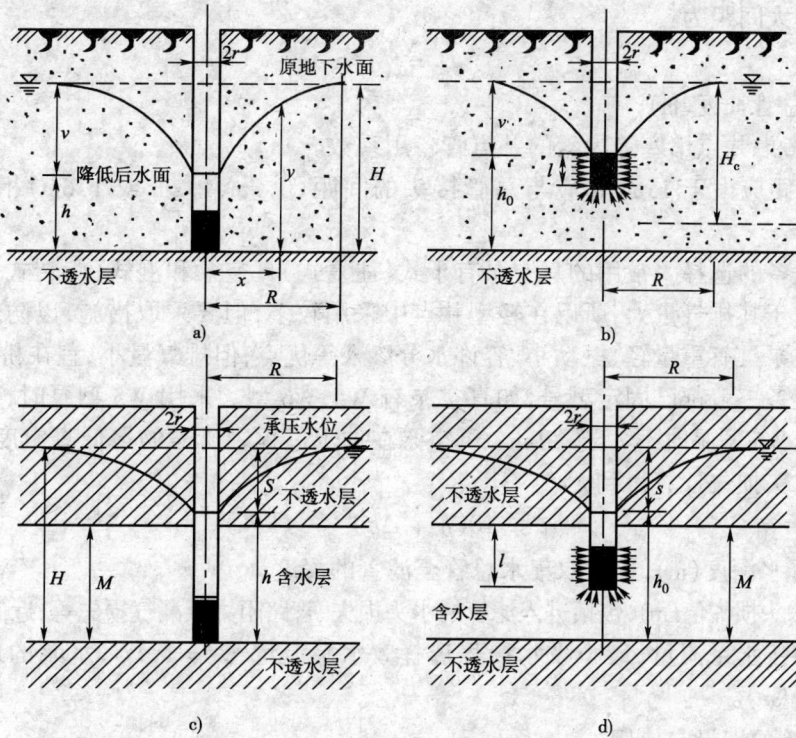

图 2-13 水井种类

a)无压完整井;b)无压非完整井;c)承压完整井;d)承压非完整井

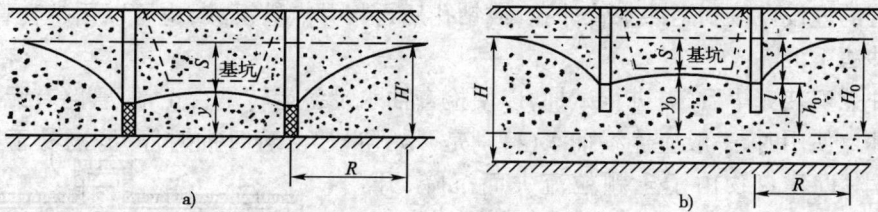

图 2-14 环形井点涌水量计算简图

a)无压完整井;b)无压非完整井

有效抽水影响深度 H_0(单位:m) 表 2-2

$S'/(S' + l)$	0.2	0.3	0.5	0.8
H_0	$1.3(S' + l)$	$1.5(S' + l)$	$1.7(S' + l)$	$1.85(S' + l)$

注:S' 为井点管中水位降落值;l 为滤管长度。

②确定井管数量及井距 确定井管数量先要确定单根井管的出水量。单根井管的最大出水量为:

$$q = 65\pi dl K^{1/3} \tag{2-4}$$

式中:d——滤管直径(m);

l——滤管长度(m);

K——渗透系数(m/d)。

井点最少数量由下式确定:

$$n = 1.1Q/q \tag{2-5}$$

井点管最大间距为：

$$D = L_1/n \qquad (2-6)$$

式中：L_1——总管长度(m)；

1.1——考虑井点堵塞等因素的井点管备用系数。

求出的管距应大于 $15d$，并应与总管接头的间距(0.8m、1.2m 或 1.6m)相吻合(由此反求 n)。

③抽水设备的选择　常用的真空泵有干式(往复式)真空泵和湿式(旋转式)真空泵两种。干式真空泵由于其排气量大，所以在轻型井点中采用较多，但要采取措施，以防水分渗入真空泵。湿式真空泵具有重量轻、振动小、容许水分渗入等优点，但排气量小，宜在粉砂和粘性土中使用。抽水设备一般都已固定型号，如真空泵有 W5、W6 型。采用 W5 型泵时，总管长度不大于100m；采用 W6 型泵时不大于120m。真空泵在抽水过程中所需的最低真空度 h_K 可由降水深度及各项水头损失计算得到

$$h_k = 10(h + \Delta h) \quad (\text{kPa}) \qquad (2-7)$$

式中：h——降水深度(m)，近似取集水总管至滤管的深度；

Δh——水头损失值(m)，包括进入滤管的水头损失、管路阻力及漏气损失等，近似取 $1 \sim 1.5$m。

水泵型号按水泵流量、最小吸水扬程选择。水泵流量 $Q_1 = 1.1Q$，水泵的最小吸水扬程 $h_S = (h + \Delta h)(\text{m})$。

(4)井点管的埋设与使用

轻型井点的安装程序是按照设计计算的布置方案，先排放总管，再埋设井点管，然后用弯联管与井点总管连接，最后安装抽水设备。

井水管的埋设可以利用冲水管冲孔，或钻孔后再将井点管沉放，也可以用带套管的水冲法及振动水冲法下沉。

轻型井点安装完毕后，需进行试抽，以便检查抽水设备运转是否正常，管路有无漏气。

轻型井点使用时，一般应连续抽水(特别是开始阶段)。若时抽时停，滤网易于堵塞、出水混浊，引起附近建筑物由于土颗粒流失而沉降、开裂。同时由于中途停抽，地下水回升，也可能引起边坡塌方等事故。抽水过程中，应调节离心泵的出水量，使抽吸排水保持均匀，达到细水长流。正常的出水规律是"先大后小，先混后清"。真空度是判断井点系统工作情况是否良好的尺度，必须经常观察检查。造成真空度不足的原因很多，但多是井点系统有漏气现象，应及时采取措施。

在抽水过程中，还应检查有无堵塞"死井"(工作正常的井管，用手触摸时，应有冬暖夏凉的感觉，或从弯联管上的透明阀门观察)，如死井太多，严重影响降水效果时，应逐个用高压水冲洗或拔出重埋。为观察地下水位的变化，可在影响半径内设观察孔。

(5)轻型井点系统设计示例

某工程设备基础施工，基坑底宽 10m、长 15m、深 4.1m，边坡坡度为 1:0.5(图 2-15)。经地质钻探查

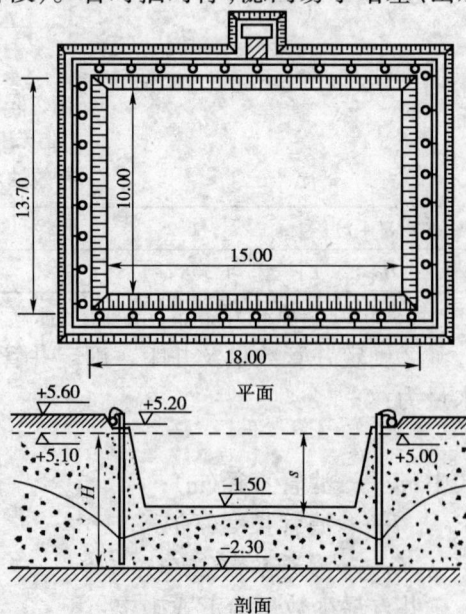

图 2-15　某设备基础开挖前的井点(尺寸单位:m)

明，在靠近天然地面处有厚 0.5m 的粘土层，此土层下面为厚 7.4m 的极细砂层，再下面又是不透水的粘土层。现决定用一套轻型井点设备进行人工降低地下水位，然后开挖土方。按扬水试验测得该细砂层的渗透系数 $K = 30\text{m/d}$，试对该井点系统进行设计。

解:(1)井点系统布置

为使总管接近地下水位，可先挖除 0.4m，在 +5.20m 处布置井点系统，则布置井点系统处的基坑上口尺寸为 13.7m × 18.7m。考虑井管距基坑边 1m，则井点管所围成的平面面积为 15.7m × 20.7m。故按环形井点布置。

$$H \geq H_1 + h + IL = (5.2 - 1.5) + 0.5 + 1/10 \times 15.7/2 = 4.99\text{m}$$

令井点管 6m 长，外露 0.2m，实际埋深 $6.0 - 0.2 = 5.8\text{m}$，故采用一级井点系统即可。

基坑中心降水深度 $\qquad S = (5.0 - 1.5) + 0.5 = 4.0\text{m}$

再令滤管长度为 1.2m，则滤管底口高程为 −1.80m，距不透水的粘土层(−2.30m 处) 0.5m，故此井点系统为无压非完整井。

井点管中水位降落值:$S' = 5.8 - (5.20 - 5.0) = 5.6\text{m}$，$l = 1.2\text{m}$

$$S'/(S' + l) = 5.6/(5.6 + 1.2) = 0.82$$

则 $\qquad H_0 = 1.85(S' + l) = 1.85 \times (5.6 + 1.2) = 12.58\text{m}$

而含水层厚度 $H = 5.0 - (-2.3) = 7.3\text{m} < H_0$，故 $H_0 = H = 7.3\text{m}$(即非完整井按完整井计算)

$$R = 1.95S(HK)^{1/2} = 1.95 \times 4.0 \times (7.3 \times 30)^{1/2}\text{m} = 115\text{m} > 15.7/2$$

且井点管所围成的矩形长宽比 20.7/15.7 < 5。所以不必分块布置。

(2)涌水量计算

$$X_0 = (15.7 \times 20.7/\pi)^{1/2}\text{m} = 10.17\text{m}$$

$$Q = 1.366 \times 30 \times (2 \times 7.3 - 4)4/(\lg(115 + 10.17) - \lg 10.17)\text{m}^3/\text{d} = 1593.8\text{ m}^3/\text{d}$$

(3)计算井点管数量和间距

取井点管直径为 $\phi 38\text{mm}$，则单根井点管出水量:$q = 65\pi \times 0.038 \times 1.2 \times 30^{1/3}\text{ m}^3/\text{d} = 28.9\text{m}^3/\text{d}$

所以井点管的数量:$n = 1.1 \times 1593.8/28.9$ 根 = 61 根

则井点管的平均间距:$D = (15.7 + 20.7) \times 2/61\text{m} = 1.19\text{m}$，取 $D = 1.2\text{m}$。

按井点管间距 1.2m 调整井点管的数量:$n = (15.7 + 20.7) \times 2/1.2 = 60.7$ 根，取 61 根。

(4)抽水设备选用

抽水设备所带动的总管长度为 72.8m，所以选一台 W_5 型干式真空泵，所需最低真空度为:

$$h_k = 10 \times (6 + 1) = 70\text{kPa}$$

水泵所需流量: $\qquad Q_1 = 1.1Q = 1.1 \times 1593.8 = 1753.18\text{m}^3/\text{d}$

水泵的最小吸水扬程: $\qquad h_s = 6.0 + 1.2 = 7.2\text{m}$

根据 Q_1、h_s 查表(如《建筑施工手册》或产品性能表)，确定离心泵型号。

第二节 地基处理

当天然地基不能满足建(构)筑物对地基稳定、变形、渗透方面的要求时，就需要对天然地基进行处理。已有的地基处理方法很多，新的地基处理方法还在不断、迅速发展。本节仅对应用范围较广的地基处理方法,就其施工技术要点加以介绍。

<h2 style="text-align:center">一、换填垫层法</h2>

换填垫层法是先挖去浅层软弱土层或不均匀土层,然后回填坚硬、较粗粒径的材料,并夯压密实,形成垫层的处理方法。适用于软土、湿陷性黄土、杂填土地基等浅层软弱地基或不均匀地基的处理。

1.垫层材料选用

(1)砂石　宜选用碎石、卵石、角砾、圆砾、砾砂、粗砂、中砂或石屑(粒径小于2mm的部分不应超过总重的45%),应级配良好,不含植物残体、垃圾等杂质。

(2)粉质粘土　土料中有机质含量不得超过5%,亦不得含有冻土或膨胀土。

(3)灰土　体积配合比宜为2:8或3:7。土料宜用粉质粘土,不宜使用块状粘土和砂质粉土,不得含有松软杂质,并应过筛,其颗粒不得大于15mm。石灰宜用新鲜的消石灰,其颗粒不得大于5mm。

(4)粉煤灰　可用于道路、堆场和小型建筑、构筑物等的换填垫层。粉煤灰垫层上宜覆土0.3~0.5m。

(5)矿渣　垫层使用的矿渣是指高炉重矿渣,可分为分级矿渣、混合矿渣及原状矿渣。矿渣垫层主要用于堆场、道路和地坪,也可用于小型建筑、构筑物地基。选用矿渣的松散重度不小于11kN/m³,有机质及含泥总量不超过5%。

(6)其他工业废渣　在有可靠试验结果或成功工程经验时,对质地坚硬、性能稳定、无腐蚀性和放射性危害的工业废渣等均可用于填筑换填垫层。被选用工业废渣的粒径、级配和施工工艺等应通过试验确定。

(7)土工合成材料　由分层铺设的土工合成材料与地基土构成加筋垫层。所用土工合成材料的品种与性能及填料的土类应根据工程特性和地基土条件,按照现行国家标准的要求,通过设计并进行现场试验后确定。作为加筋的土工合成材料应采用抗拉强度较高、受力时伸长率不大于4%~5%、耐久性好、抗腐蚀的土工格栅、土工格室、土工垫或土工织物等土工合成材料;垫层填料宜用碎石、角砾、砾砂、粗砂、中砂或粉质粘土等材料。当工程要求垫层具有排水功能时,垫层材料应具有良好的透水性。在软土地基上使用加筋垫层时,应保证建筑稳定并满足允许变形的要求。

2.垫层的压实标准

垫层的压实标准可按表2-3选用。

对于工程量较大的换填垫层,应按所选用的施工机械、换填材料及场地的土质条件进行现场试验,以确定压实效果。

垫层施工应根据不同的换填材料选择施工机械。粉质粘土、灰土宜采用平碾、振动碾或羊足碾,中小型工程也可采用蛙式夯、柴油夯。砂石等宜用振动碾。粉煤灰宜采用平碾、振动碾、平板振动器、蛙式夯。矿渣宜采用平板振动器或平碾,也可采用振动碾。

垫层的施工方法、分层铺填厚度、每层压实遍数等宜通过试验确定。除接触下卧软土层的垫层底部应根据施工机械设备及下卧层土质条件确定厚度外,一般情况下,垫层的分层铺填厚度可取200~300mm。为保证分层压实质量,应控制机械碾压速度。

施工方法	换填材料类别	压实系数 λ_c
碾压、振密或夯实	碎石、卵石	0.94～0.97
	砂夹石(其中碎石、卵石占全重的30%～50%)	
	土夹石(其中碎石、卵石占全重的30%～50%)	
	中砂、粗砂、砾砂、角砾、圆砾、石屑	
	粉质粘土	
	灰土	0.95
	粉煤灰	0.90～0.95

注:①压实系数 λ_c 为土的控制干密度 ρ_d 与最大干密度 ρ_{dmax} 的比值;土的最大干密度宜采用击实试验确定,碎石或卵石的最大干密度可取 $2.0～2.2t/m^3$;

②当采用轻型击实试验时,压实系数宜取高值,采用重型击实试验时,压实系数可取低值;

③矿渣垫层的压实指标为最后二遍压实的压陷差小于2mm。

粉质粘土和灰土垫层土料的施工含水量宜控制在最佳含水量±2%的范围内,粉煤灰垫层的施工含水量宜控制在±4%的范围内。最佳含水量可通过击实试验确定,也可按当地经验取用。

当垫层底部存在古井、古墓、洞穴、旧基础、暗塘等软硬不均的部位时,应根据建筑对不均匀沉降的要求予以处理,并经检验合格后,方可铺填垫层。

基坑开挖时应避免坑底土层受扰动,可保留约200mm厚的土层暂不挖去,待铺填垫层前再挖至设计高程。严禁扰动垫层下的软弱土层,防止其被践踏、受冻或受水浸泡。在碎石或卵石垫层底部宜设置150～300mm厚的砂垫层或铺一层土工织物,以防止软弱土层表面的局部破坏,同时必须防止基坑边坡坍土混入垫层。

换填垫层施工应注意基坑排水,除采用水撼法施工砂垫层外,不得在浸水条件下施工,必要时应采用降低地下水位的措施。

垫层底面宜设在同一高程上,如深度不同,基坑底土面应挖成阶梯或斜坡搭接,并按先深后浅的顺序进行垫层施工,搭接处应夯压密实。

粉质粘土及灰土垫层分段施工时,不得在柱基、墙角及承重窗间墙下接缝。上下两层的缝距不得小于500mm。接缝处应夯压密实。灰土应拌和均匀并应当日铺填夯压。灰土夯压密实后3d内不得受水浸泡。粉煤灰垫层铺填后宜当天压实,每层验收后应及时铺填上层或封层,防止干燥后松散起尘污染,同时应禁止车辆碾压通行。

垫层竣工验收合格后,应及时进行基础施工与基坑回填。

铺设土工合成材料时,下铺地基土层顶面应平整,防止土工合成材料被刺穿、顶破。铺设时应把土工合成材料张拉平直、绷紧,严禁有折皱;端头应固定或回折锚固;切忌曝晒或裸露;连结宜用搭接法、缝接法和胶结法,并均应保证主要受力方向的连结强度不低于所采用材料的抗拉强度。

3.质量检验

对粉质粘土、灰土、粉煤灰和砂石垫层的施工质量检验可用环刀法、贯入仪、静力触探、轻型动力触探或标准贯入试验检验;对砂石、矿渣垫层可用重型动力触探检验;并均应通过现场试验以设计压实系数所对应的贯入度为标准检验垫层的施工质量。压实系数也可采用环刀法、灌砂法、灌水法或其他方法检验。

垫层的施工质量检验必须分层进行。应在每层的压实系数符合设计要求后铺填上层土。

采用环刀法检验垫层的施工质量时，取样点应位于每层厚度的 2/3 深度处。检验点数量，对大基坑每 50～100m² 不应少于 1 个检验点；对基槽每 10～20m 不应少于 1 个点；每个独立柱基不应少于 1 个点；采用贯入仪或动力触探检验垫层的施工质量时，每分层检验点的间距应小于 4m。

竣工验收采用荷载试验检验垫层承载力时，每个单体工程不宜少于 3 点；对于大型工程则应按单体工程的数量或工程的面积确定检验点数。

二、水泥土搅拌法

水泥土搅拌法是利用水泥或水泥系材料（如石灰）为固化剂，通过特制的机械，在地基深处就地将原位土和固化剂（浆液或粉体）强制搅拌，形成水泥土桩。水泥土搅拌法分为深层搅拌法（以下简称湿法）和粉体喷搅法（以下简称干法）。

湿法施工是将固化剂材料制备成浆液，通过灰浆泵、输浆管、搅拌机等设备将浆液送达土层深处，并不断搅拌形成桩体的一种施工方法，其施工工艺如图 2-16 所示。施工时当水泥浆液到达出浆口后，应喷浆搅拌 30s，在水泥浆与桩端土充分搅拌后，再开始提升搅拌头。喷浆量及搅拌深度必须采用经国家计量部门认证的监测仪器进行自动记录。搅拌机喷浆提升的速度和次数必须符合施工工艺的要求，并应有专人记录。

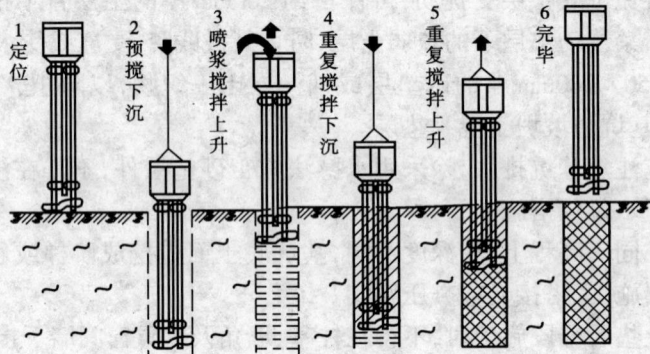

图 2-16 湿法施工工艺

干法施工使用的固化剂材料为水泥粉，其主要设备为搅拌机械、供粉泵、送气（粉）管路、接头和阀门等，此外还须配置经国家计量部门确认的具有能瞬时检测并记录出粉量的粉体计量装置及搅拌深度自动记录仪。施工时搅拌头每旋转一周，其提升高度不得超过 16mm。当搅拌头到达设计桩底以上 1.5m 时，应即开启喷粉机提前进行喷粉作业。当搅拌头提升至地面下 500mm 时，喷粉机应停止喷粉。

设计前应进行拟处理土的室内配比试验：针对现场拟处理的最弱层软土的性质，选择合适的固化剂、外掺剂及其掺量，为设计提供各种龄期、各种配比的强度参数。对竖向承载的水泥土强度宜取 90d 龄期试块的立方体抗压强度平均值；对承受水平荷载的水泥土强度宜取 28d 龄期试块的立方体抗压强度平均值。

水泥土搅拌法适用于处理正常固结的淤泥与淤泥质土、粉土、饱和黄土、素填土、粘性土以及无流动地下水的饱和松散砂土等地基。当地基土的天然含水量小于 30%（黄土含水量小于

25%)、大于70%或地下水的pH值小于4时不宜采用干法。冬期施工时,应注意负温对处理效果的影响。水泥土搅拌法用于处理泥炭土、有机质土、塑性指数 I_p 大于25的粘土、地下水具有腐蚀性时以及无工程经验的地区,必须通过现场试验确定其适用性。水泥土搅拌法形成的水泥土加固体,可作为竖向承载的复合地基;基坑工程围护挡墙、被动区加固、防渗帷幕;大体积水泥稳定土等。加固体形状可分为柱状、壁状、格栅状或块状等。

水泥土搅拌桩的质量控制应贯穿在施工的全过程,并应坚持全程的施工监理。施工过程中必须随时检查施工记录和计量记录,并对照规定的施工工艺对每根桩进行质量评定。检查重点是:水泥用量、桩长、搅拌头转数和提升速度、复搅次数和复搅深度、停浆处理方法等。

水泥土搅拌桩的施工质量检验可采用以下方法:

(1)成桩7d后,采用浅部开挖桩头(深度宜超过停浆面下0.5m),目测检查搅拌的均匀性,量测成桩直径。检查量为总桩数的5%。

(2)成桩后3d内,可用轻型动力触探(N10)检查每米桩身的均匀性。检验数量为施工总桩数的1%,且不少于3根。

竖向承载水泥土搅拌桩地基竣工验收时,承载力检验应采用复合地基荷载试验和单桩荷载试验。荷载试验必须在桩身强度满足试验荷载条件时,并宜在成桩28d后进行。检验数量为桩总数的0.5%~1%,且每项单体工程不应少于3点。

经触探和荷载试验检验后对桩身质量有怀疑时,应在成桩28d后,用双管单动取样器钻取芯样作抗压强度检验,检验数量为施工总桩数的0.5%,且不少于3根。

对相邻桩搭接要求严格的工程,应在成桩15d后,选取数根桩进行开挖,检查搭接情况。

基槽开挖后,应检验桩位、桩数与桩顶质量,如不符合设计要求,应采取有效补强措施。

三、预 压 法

预压法又称排水固结法,是通过预压使软粘土地基中孔隙水排出,土体固结而强度提高,达到减少地基工后沉降和提高地基承载力的目的。预压法包括真空预压法(图2-17所示)和加载预压法。

预压法适用于处理淤泥质土、淤泥和冲填土等饱和粘性土地基。

1.真空预压法施工

真空预压法施工机理是:考虑到软土具有渗透性小的特点,首先在需要加固的地基上打设垂直排水通道,排水通道可采

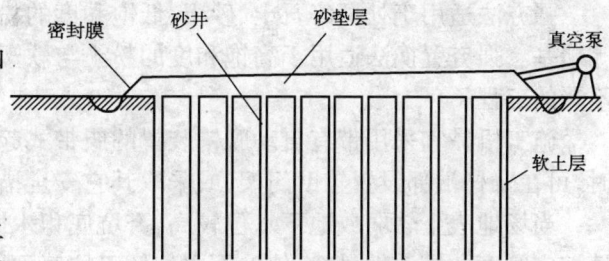

图2-17 真空预压法原理示意图

用袋装砂井或塑料排水板等,在其上铺设排水垫层(砂垫层),然后在砂垫层上铺设密封膜。并使其四周埋设于地下水位以下,使之与大气隔离。最后采用抽真空泵降低被加固地基内孔隙水压力,使其地基内有效应力增加,从而使土体得到加固。

真空预压的抽气设备宜采用射流真空泵。水平向分布滤水管可采用条状、梳齿状及羽毛状等形式,滤水管布置宜形成回路。滤水管应设在砂垫层中,其上覆盖厚度100~200mm的砂层。密封膜应采用抗老化性能好、韧性好、抗穿刺性能强的不透气材料。密封膜热合时宜采用双热合缝的平搭接,搭接宽度应大于15mm。密封膜宜铺设三层,膜周边可采用挖沟埋膜、平铺并用粘土覆盖压边、围埝沟内及膜上覆水等方法进行密封。

2.加载预压法施工

加载预压法是在建筑物施工前,用与设计荷载相等或略大的荷载(称为预压荷载,如土、砂、石子等),堆积现场使地基强迫沉陷,以提高地基的强度,减少建筑物的后期沉降量。待强度变形达到设计要求后,将预压荷载搬走后,在经预压过的地基上修建建筑物。

当预压荷载要求大于 80kPa 时,可以在真空预压的同时并在膜上加载(图 2-18 所示)。加载预压时在地基中产生的附加应力与真空预压时降低地基的孔隙水应力,两者均转化为新增加的有效应力并且可以叠加。这样既有真空预压的作用,又有加载的作用。地基土体由于抽真空而发生向内收缩变形,因而加荷载重可以迅速施加,而

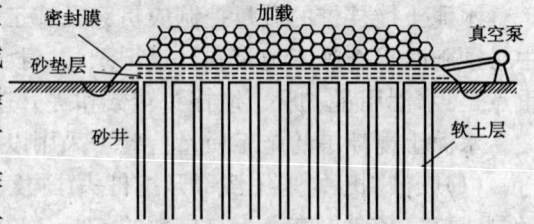

图 2-18 真空联合加载预压法示意图

不会引起土体向外挤压破坏,同时由于真空代替一部分荷重,降低了加载的高度,减少了加载的工作量。

对加载预压工程,在加载过程中应进行竖向变形、边桩水平位移及孔隙水压力等项目的监测,且根据监测资料控制加载速率。对竖井地基,最大竖向变形量每天不应超过 15mm,对天然地基,最大竖向变形量每天不应超过 10mm;边桩水平位移每天不应超过 5mm,并且应根据上述观察资料综合分析、判断地基的稳定性。

四、强夯法和强夯置换法

强夯法是 20 世纪 60 年代末、70 年代初首先在法国发展起来的,一般是用重 80~400kN 的重锤,以 6~40m 的落距冲击地基,使地基压密和振密。夯锤用混凝土及铸钢(铁)制作,锤上设竖直排气孔。强夯置换法是夯锤把碎石、矿渣等材料强力挤入地基,在地基中形成碎石墩,得到高承载力、小沉降的复合地基。

强夯法适用于处理碎石土、砂土、低饱和度的粉土与粘性土、湿陷性黄土、素填土和杂填土等地基。强夯置换法适用于高饱和度的粉土与软塑~流塑的粘性土等地基上对变形控制要求不严的工程。

施工机械宜采用带有自动脱钩装置的履带式起重机或其它专用设备。采用履带式起重机时,可在臂杆端部设置辅助门架,或采取其它安全措施,防止落锤时机架倾覆。

当场地表土软弱或地下水位较高,夯坑底积水影响施工时,宜采用人工降低地下水位或铺填一定厚度的松散性材料,使地下水位低于坑底面以下 2m。坑内或场地积水应及时排除。

强夯置换法在设计前必须通过现场试验确定其适用性和处理效果。强夯和强夯置换施工前,应在施工现场有代表性的场地上选取一个或几个试验区,进行试夯或试验性施工。试验区数量应根据建筑场地复杂程度、建筑规模及建筑类型确定。施工前应查明场地范围内的地下构筑物和各种地下管线的位置及高程等,并采取必要的措施,以免因施工而造成损坏。当强夯施工所产生的振动对邻近建筑物或设备会产生有害的影响时,应设置监测点,并采取挖隔振沟等隔振或防振措施。

施工过程中应有专人负责下列监测工作:

(1)开夯前应检查夯锤质量和落距,以确保单击夯击能量符合设计要求;

(2)在每一遍夯击前,应对夯点放线进行复核,夯完后检查夯坑位置,发现偏差或漏夯应及

时纠正;

(3)按设计要求检查每个夯点的夯击次数和每击的夯沉量。对强夯置换尚应检查置换深度。

施工过程中应对各项参数及情况进行详细记录,并检查施工过程中的各项测试数据和施工记录,不符合设计要求时应补夯或采取其它有效措施。强夯置换施工中可采用超重型或重型圆锥动力触探检查置换墩着底情况。

强夯处理后的地基竣工验收承载力检验,应在施工结束后间隔一定时间方能进行,对于碎石土和砂土地基,其间隔时间可取 7 ~ 14d;粉土和粘性土地基可取 14 ~ 28d。强夯置换地基间隔时间可取 28d。

强夯处理后的地基竣工验收时,承载力检验应采用原位测试和室内土工试验。强夯置换后的地基竣工验收时,承载力检验除应采用单墩荷载试验检验外,尚应采用动力触探等有效手段查明置换墩着底情况及承载力与密度随深度的变化,对饱和粉土地基允许采用单墩复合地基荷载试验代替单墩荷载试验。

五、振 冲 法

振冲法是振动水冲法的简称,是利用振冲器的激振力和其端部的水冲作用,直接在软土层中成孔,随后从地面向孔中投入填充料,并分段挤振密实而成为桩体,从而加固地基的一种方法。

振冲法施工的主要机具有振冲器、悬吊装置和水泵。振冲器原理是利用电机旋转一组偏心块产生一定频率和振幅的水平向振动力。压力水通过空心竖轴从振冲器下端喷口喷出,其构造如图 2-19 所示。振冲器的悬吊设备多使用履带式起重机,必要时也可采用其它方式。

振冲法适用于处理砂土、粉土、粉质粘土、素填土和杂填土等地基。对于处理不排水抗剪强度不小于 20kPa 的饱和粘性土和饱和黄土地基,应在施工前通过现场试验确定其适用性。不加填料振冲加密适用于处理粘粒含量不大于 10% 的中砂、粗砂地基。对大型的、重要的或场地地层复杂的工程,在正式施工前应通过现场试验确定其处理效果。

振冲施工可根据设计荷载的大小、原土强度的高低、设计桩长等条件选用不同功率的振冲器。施工前应在现场进行试验,以确定水压、振密电流和留振时间等各种施工参数。升降振冲器的机械可用起重机、自行井架式施工平车或其它合适的设备。施工设备应配有电流、电压和留振时间自动信号仪表。

振冲法成孔时宜采用先护壁后制桩的办法施工。即成孔时,先在软层上部 1 ~ 2m 范围内,将振冲器提出孔口加一批填料,下降振冲器使这批填料挤入孔壁,使这段孔壁加强以防塌孔,然后使振冲器下降至下一段软土中,用同样方法加料护壁。如此重复进行直达设计深度。孔壁护好后,就可按常规步骤制桩了。

制作桩体的填充料宜就地取材,如碎石、卵石、砂砾、矿渣、碎砖

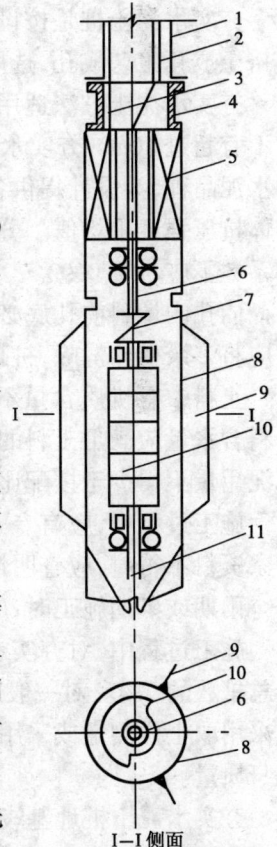

图 2-19 振冲器
1-导管;2-水管;3-电缆;4-减震器;5-潜水电机;6-空心轴;7-连轴节;8-壳体;9-翼板;10-偏心块;11-射水器

等,可称为砂桩或碎石桩,在此基础上也可以加进一些石屑、粉煤灰和少量水泥,加水拌和制成具有一定粘结强度的桩,称为水泥粉煤灰碎石桩(简称 CFG 桩),这种桩是近年来新开发的用于多层和高层建筑地基处理的一项新技术,桩的承载能力来自桩身全长产生的摩阻力及桩端承载力,桩土形成的复合地基承载力提高幅度可达 4 倍以上且变形量小。

振冲桩的施工质量检验可采用单桩荷载试验,检验数量为桩数的 0.5%,且不少于 3 根。对碎石桩体检验可用重型动力触探进行随机检验。对桩间土的检验可在处理深度内用标准贯入、静力触探等进行检验。

振冲处理后的地基竣工验收时,承载力检验应采用复合地基荷载试验。复合地基荷载试验检验数量不应少于总桩数的 0.5%,且每个单体工程不应少于 3 点。

对不加填料振冲加密处理的砂土地基,竣工验收承载力检验应采用标准贯入、动力触探、荷载试验或其它合适的试验方法。检验点应选择在有代表性或地基土质较差的地段,并位于振冲点围成的单元形心处及振冲点中心处。检验数量可为振冲点数量的 1%,总数不应少于 5 点。

六、夯实水泥土桩法

夯实水泥土桩是按设计要求选用沉管、冲击等不同的挤土成孔工艺,或洛阳铲、螺旋钻等非挤土成孔工艺成孔,选用机械分段夯填桩孔的一种地基处理方法。

夯实水泥土桩法适用于处理地下水位以上的粉土、素填土、杂填土、粘性土等地基,处理深度不宜超过 10m。夯实水泥土桩设计前必须进行配比试验,针对现场地基土的性质,选择合适的水泥品种,为设计提供各种配比的强度参数。夯实水泥土桩体强度宜取 28d 龄期试块的立方体抗压强度平均值。分段夯填时,夯锤的落距和填料厚度应根据现场试验确定,混合料的压实系数不应小于 0.93。

向孔内填料前孔底必须夯实。桩顶夯填高度应大于设计桩顶高程 200~300mm,垫层施工时应将多余桩体凿除,桩顶面应水平。

土料中有机质含量不得超过 5%,不得含有冻土或膨胀土,使用时应过 10~20mm 筛。混合料含水量应满足土料的最优含水量,其允许偏差不得大于 ±2%。土料与水泥应拌和均匀,水泥用量不得少于按配比试验确定的重量。

施工过程中,应有专人监测成孔及回填夯实的质量,并做好施工记录。如发现地基土质与勘察资料不符时,应查明情况,采取有效处理措施。

雨期或冬期施工时,应采取防雨、防冻措施,防止土料和水泥受雨水淋湿或冻结。

施工过程中,对夯实水泥土桩的成桩质量,应及时进行抽样检验。抽样检验的数量不应少于总桩数的 2%。对一般工程,可检查桩的干密度和施工记录。干密度的检验方法可在 24h 内采用取土样测定或采用轻型动力触探击数 N_{10} 与现场试验确定的干密度进行对比,以判断桩身质量。

夯实水泥土桩地基竣工验收时,承载力检验应采用单桩复合地基荷载试验。对重要或大型工程,尚应进行多桩复合地基荷载试验。夯实水泥土桩地基检验数量应为总桩数的 0.5%~1%,且每个单体工程不应少于 3 点。

七、灰土挤密桩法和土挤密桩法

灰土挤密桩法和土挤密桩法是根据设计要求、成孔设备、现场土质和周围环境等情况,选用沉管(振动、锤击)或冲击(冲击钻机配0.6～3.2t锥形锤)等方法成孔,再向孔内分层填入筛好的素土、灰土或其它填料,并分层夯实至设计高程的一种地基处理方法。

灰土挤密桩法和土挤密桩法适用于处理地下水位以上的湿陷性黄土、素填土和杂填土等地基,可处理地基的深度为5～15m。当以消除地基土的湿陷性为主要目的时,宜选用土挤密桩法。当以提高地基土的承载力或增强其水稳性为主要目的时,宜选用灰土挤密桩法。当地基土的含水量大于24%、饱和度大于65%时,不宜选用灰土挤密桩法或土挤密桩法。对重要工程或在缺乏经验的地区,施工前应按设计要求,在现场进行试验。如土性基本相同,试验可在一处进行,如土性差异明显,应在不同地段分别进行试验。

成孔时,地基土宜接近最优(或塑限)含水量,当土的含水量低于12%时,宜对拟处理范围内的土层进行增湿。应于地基处理前4～6d,将需增湿的水通过一定数量和一定深度的渗水孔,均匀地浸入拟处理范围内的土层中。

铺设灰土垫层前,应按设计要求将桩顶高程以上的预留松动土层挖除或夯(压)密实。施工过程中,应有专人监理成孔及回填夯实的质量,并应做好施工记录。如发现地基土质与勘察资料不符,应立即停止施工,待查明情况或采取有效措施处理后,方可继续施工。雨季或冬季施工,应采取防雨或防冻措施,防止灰土和土料受雨水淋湿或冻结。

成桩后,应及时抽样检验灰土挤密桩或土挤密桩处理地基的质量。对一般工程,主要应检查施工记录、检测全部处理深度内桩体和桩间土的干密度,并将其分别换算为平均压实系数,和平均挤密系数(桩间土的平均干密度与最大干密度之比)。对重要工程,除检测上述内容外,还应测定全部处理深度内桩间土的压缩性和湿陷性。抽样检验的数量,对一般工程不应少于桩总数的1%;对重要工程不应少于桩总数的1.25%。

灰土挤密桩和土挤密桩地基竣工验收时,承载力检验应采用复合地基荷载试验。检验数量不应少于桩总数的0.5%,且每项单体工程不应少于3点。

第三节 基坑(槽)施工

一、土方边坡的稳定

为了保证土体的稳定性和施工安全,基坑及各类挖方和填方的边缘,都做成一定形状的边坡,如图2-20所示。

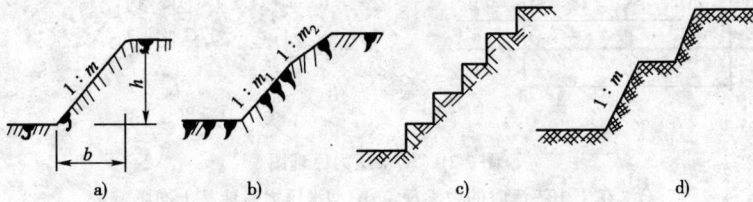

图 2-20 基坑边坡
a)直线形;b)折线形;c)阶梯形;d)分级形

边坡坡度因边坡高度、土质、工程性质等而异。一般施工时,边坡坡度可参见表2-4。

如果挖方要经过不同类别的土层或深度超过某一限值时,其边坡可以作成折线形或台阶形。

深度在 5m 内的基坑(槽)、管沟边坡的最陡坡度(不加支撑)　　　表 2-4

土 的 类 别	边坡坡度(高:宽)		
	坡顶无荷载	坡顶有静载	坡顶有动载
中密的砂土	1:1.00	1:1.25	1:1.50
中密的碎石类土(充填物为砂土)	1:0.75	1:1.00	1:1.25
硬塑的粘土	1:0.67	1:0.75	1:1.00
中密的碎石类土(充填物为粘性土)	1:0.50	1:0.67	1:0.75
硬塑的粉质粘土、粘土	1:0.33	1:0.50	1:0.67
老黄土	1:0.10	1:0.25	1:0.33
软土(经井点降水后)	1:1.00	—	—

土方边坡在一定条件下,局部或一定范围内沿某一滑动面向下和向外移动而丧失其稳定性,这就是边坡失稳。影响边坡稳定的因素很多,一般情况下,边坡失去稳定发生滑动,可以归结为土体内抗剪强度低或剪应力增加。引起土体内抗剪强度降低的原因有:

(1)由于气候的影响,使土质松软;

(2)粘土中的夹层因浸水面产生润滑作用;

(3)饱和水的细砂、粉砂因振动而液化等。

引起土体内剪应力增加的原因有:

(1)高度或深度增加,剪应力增加;

(2)边坡上面荷载(静、动)增加,尤其是有动荷载时;

(3)浸水一方面使土体自重增加,另一方面水在土体中渗流产生一定的动水压力;

(4)土体竖向裂缝中的水(地下水)产生静水压力。

由于影响基坑边坡稳定的因素很多,在一般情况下,开挖深度较大的基坑,应对土方边坡作稳定性分析,可参考土力学方面的专著。

二、流砂的防治

在地下水流中有静水压力,也有动水压力,如图 2-21 所示。

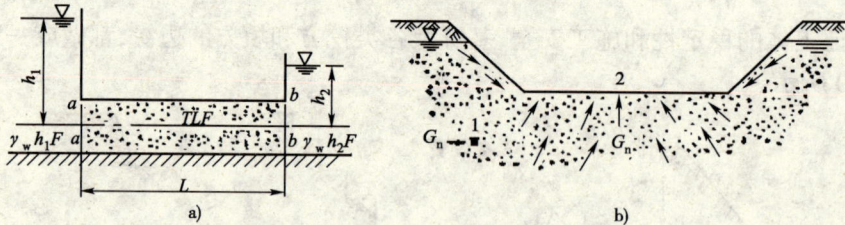

图 2-21　动水压力原理图
a)水在土中渗流时的力学现象;b)动水压力对地基土的影响
1、2-土粒

稳定渗流的水体($F \times L$)的静力平衡条件为:

$$\gamma_w h_1 F - \gamma_w h_2 F - TLF = 0$$

式中:h_1——水体($F \times L$)左面水头;

　　　h_2——水体($F \times L$)右面水头;

　　　L——水流路程长(渗流路径受土体环境影响);

F——水体($F \times L$)截面积;

γ_w——水的重度;

T——单位体积土体阻力,逆水流方向。

整理得:

$$T = (h_1 - h_2)/L\gamma_w = I\gamma \tag{2-8}$$

式中:I——称为水力坡度,$I = (h_1 - h_2)/L$;

其余符号意义同上。

由作用与反作用定律,水对土体的压力(称为动水压力)$G_D = T = I\gamma_w$。

由此可知,动水压力 G_D 的大小与水力坡度成正比,亦即水位差 $h_1 - h_2$ 越大,G_D 越大;而 L 越长,G_D 越小。动水压力方向与水流切线方向相同。动水压力等于或大于土的浮重度 γ'_w 时,即 $G_D \geqslant \gamma'_w$ 时,则土粒处于悬浮状态,随渗流的水一起流动,这种现象称为流砂。

流砂现象很容易在细砂、粉砂中产生。流砂可以把基坑四周和坑底的土掏空,引起地面开裂沉陷,板桩崩塌。

防止流砂的方法主要是从消除、减小或平衡动水压力入手,其具体做法有:

(1)枯水期施工。因地下位低,坑内外水位差较小,所以动水压力减小。

(2)打板桩。将板桩沿基坑周围打入坑底面下一定深度,加大地下水流入坑内的渗流路程长度,从而减小水力坡度、降低动水压力。

(3)水下挖土。就是不排水施工,使坑内水头较大,减小动水压力。此法常在沉井挖土下沉过程中采用。

(4)人工降低地下水位。如采用管井或轻型井点等方法,使地下水渗流向下,从而有效地制止流砂现象。因此,此法较可靠采用亦较广。

(5)设地下连续墙。此法防止流砂产生的原理同打板桩。

(6)抛大石块、抢速度施工。如在施工过程中发生局部的或轻微的流砂现象,可组织人力分段抢挖,使挖土速度超过冒砂速度,挖至设计高程后,立即铺设芦席并抛大石块,增加土的压力,以平衡动水压力。此种方法在科学的设计、先进的施工技术和新工艺、新材料的条件下已不常用。

三、土 壁 支 护

当基坑较深,基坑开挖采用放坡无法保证施工安全或场地无放坡条件时,一般采用支护结构临时支挡,以保证基坑的土壁稳定。基坑支护结构既要确保坑壁稳定、邻近建筑物与构筑物和管线的安全,又要考虑支护结构施工方便、经济合理、有利于土方开挖和地下室的建造。

支护结构体系主要由挡土结构(或称围护结构)和支撑结构(或称撑锚结构)两部分组成。挡土结构主要承担土压力、水压力、边坡上的荷载,并将这些荷载传递到支撑结构。支撑结构除承受围护结构传递来的荷载外,还要承受施工荷载(如施工机具、堆放的材料、堆土等)和自重。

1.挡土结构的类型

挡土结构的类型主要有:排桩或地下连续墙(包括钢板桩、钢筋混凝土板桩、H形钢支柱或钢筋混凝土桩支柱、钻孔灌注桩、地下连续墙)、水泥土墙(包括旋喷桩挡墙、深层搅拌水泥土挡墙)、土钉墙、逆作拱墙,其它尚有组合式挡土结构(包括 SMW 工法、灌注桩与搅拌桩结合)、沉井等,如图 2-22 所示。

排桩或地下连续墙按有无支撑又分为悬臂式、锚撑式。

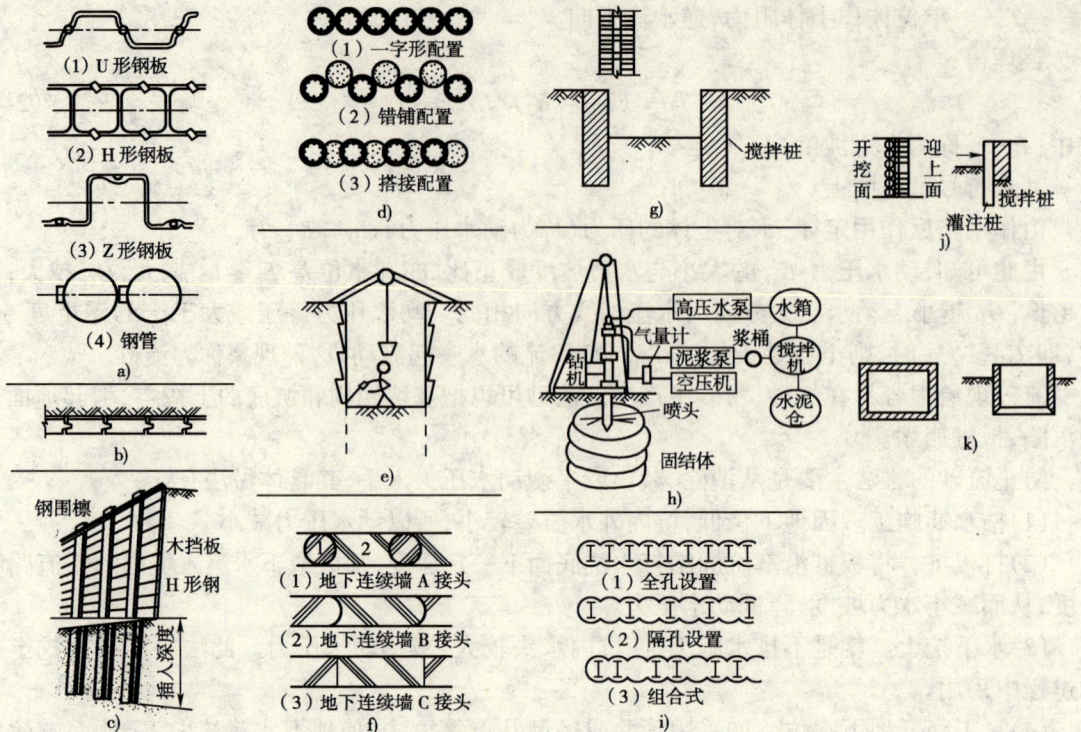

图 2-22 挡土结构的类型

a)钢板桩;b)钢筋混凝土板桩;c)主桩横挡板;d)钻孔灌注桩;e)挖孔灌注桩;f)地下连续墙;g)水泥土搅拌桩挡墙;h)高压旋喷桩挡墙;i)SMW 工法;j)灌注桩与搅拌桩结合;k)沉井

围护结构一般为临时结构,待建筑物或构筑物的基础施工完毕,或管道下埋完毕即失去作用,所以常采用可回收再利用的材料,如木桩、钢板桩等;也可使用永久埋在地下的材料,如钢筋混凝土板桩、灌注桩、旋喷桩、深层搅拌水泥土墙和地下连续墙,但费用要尽量低,在较深的基坑中,如采用地下连续墙或灌注桩,由于其所受土压力、水压力较大,配筋较多,因而费用较高,为了充分发挥地下连续墙的强度、刚度和整体性及抗渗性,可将其作为地下结构的一部分按永久受力结构复核计算;而灌注桩也可作为基础工程桩使用,这样可降低基础工程造价。

2.支撑结构的形式

支撑结构分为基坑内部受压体系、基坑外部受拉体系。其常用形式如图 2-23 所示。

3.支护结构计算

对深基坑进行支护是 20 世纪 60 年代后的土力学课题,我国 80 年代后深基坑工程陆续增加,使深基坑支护计算理论与方法不断丰富与完善,基坑工程主要验算项目包括:

①稳定性 倾覆、滑移(水平推移)、整体滑动、坑底隆起、坑底渗流稳定性(含承压水)、挡土结构"踢脚"、锚杆深部破裂、支撑稳定。

②强度 挡土结构强度、支撑结构强度、地基承载力。

③变形 挡土结构变形、基坑变形(两者不同但有密切关系)。

支护结构的荷载计算项目包括:土压力;水压力(静水压力、渗流压力、承压水压力);超载(坑边加载、临近建筑物、吊车等车辆);施工荷载及温度应力(主要为支撑上);永久结构的荷载(支护结构兼作永久结构时);临水永久结构的波浪作用退落水流的渗透力。

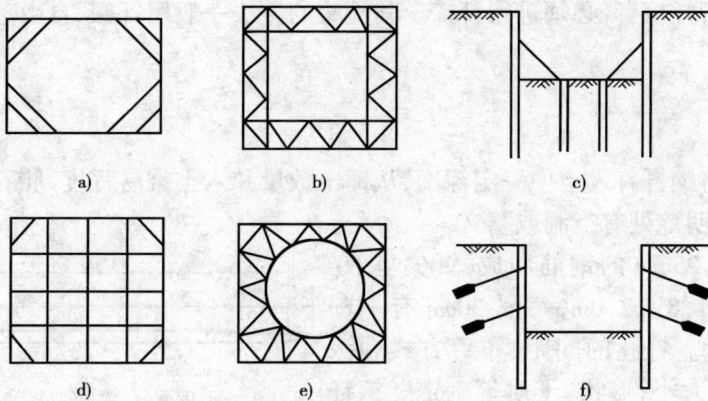

图 2-23 支撑结构的常用形式

a)斜角撑;b)桁架;c)斜撑;d)直撑;e)圆撑;f)斜拉锚

目前,支护结构的土压力计算在不同种类的相关规范中的规定并不统一。以下为《建筑地基基础设计规范》(GB 50007—2002)关于支护结构土压力的算法:

①饱和粘性土应采用在土的有效自重压力下预固结的不固结不排水三轴试验确定抗剪强度指标。

②对砂性土宜按水土分算,对粘性土宜按水土合算;也可按地区经验确定。

③主动土压力、被动土压力可采用库仑或朗肯土压力理论计算。当对支护结构水平位移有严格限制时,应采用静止土压力计算。

④当按变形控制原则设计支护结构时,作用在支护结构的土压力可按支护结构与土体的相互作用原理确定;也可按地区经验确定。

⑤当地下水有渗流作用时,地下水的作用应通过渗流计算。

四、坑槽土方开挖

基坑(槽)开挖应有排水措施,防止地面水流入坑内,以免边坡塌方或地基受影响。采用机械开挖基坑(槽)时,为使不破坏基底土的结构,应在基底高程以上预留一层用人工清理。使用铲运机、推土机或多斗挖土机施工时,应保留 20cm;使用拉铲、正铲或反铲施工时,应保留 30cm 厚土层不挖。如人工挖土后不能立即砌筑基础时,可保留 15~30cm 一层不挖,待下一工序开始前挖除。

在软土地区开挖基坑(槽)时,施工前必须做好地面排水和降低地下水位工作,地下水位应降至基底以下 0.5~1.0m 后方可开挖。降水工作应持续至回填完毕。相邻基坑(槽)开挖时,应遵循先深后浅或同时进行的施工顺序,并应及时做好基础,尽量防止对基土的扰动。挖出的土不得堆放在边坡顶上。

基坑(槽)的开挖过程中,应对土质情况、地下水位和高程等的变化经常检查,作好原始记录及绘出断面图。如发现基底土质与设计不符时,需经有关人员研究处理,并作出隐蔽工程记录。

五、钎探与验槽

当全部的基槽(坑)土方挖好后,应进行全面而详细的检验,观察土质是否与地质资料相符,主要检验基坑底下有无空洞、墓穴、枯井及其他对建筑物不利的情况存在,特别是技术勘测报告中注明要进行钎探者,必须进行钎探。其检验的方法一般用钎探、自由落锤式钎探和洛阳铲等进行。

1.钎探

钎探是用锤将钢钎打入土中一定深度,从锤击数量和入土难易程度判断土的软硬程度,如钢钎急剧下沉,说明该处有空洞或墓穴。

钢钎用 $\phi22\sim25mm$ 的钢筋制成,钎尖呈 $60°$ 尖锥状。钢钎长 $1.8\sim2.0m$,每隔 30cm 有一刻度,如图 2-24 所示。钎孔的间距、布置方式和深度,要根据基坑的大小、形状、土质等确定。钢钎

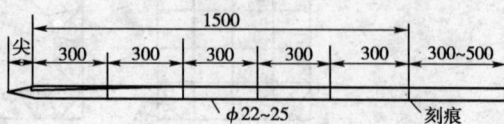

图 2-24 钢钎(尺寸单位:mm)

用人工打入时,可用8磅或10磅的大锤,锤离钎顶 $50\sim70cm$,将钢钎垂直打入土中。采用三角架上悬挂吊锤打入时,每次将锤提至钎顶 60cm 左右,让锤自由下落,将钢钎打入土中。

施工时要做好记录,将钢钎每打入土中 30cm 的锤击数记下来,每打完一个孔,填入钎探记录表内,表格包括探孔号、打入长度、若干 30cm 的锤击数、总锤击数、打钎人等内容。

2.洛阳铲探孔

洛阳铲的形状如图 2-25 所示,它由铲头、铁杆和探杆三部分组成。铲头的刃端呈月牙形,

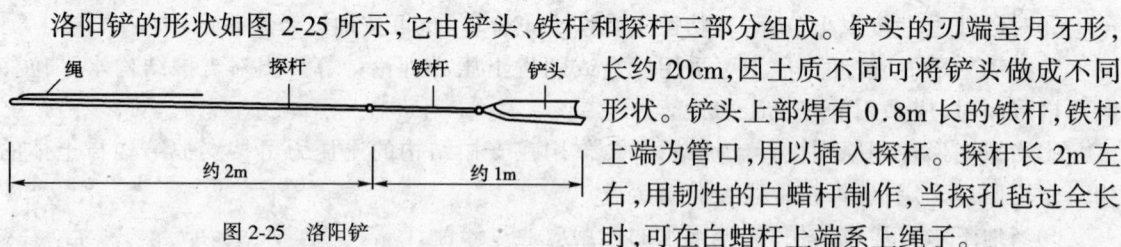

图 2-25 洛阳铲

长约20cm,因土质不同可将铲头做成不同形状。铲头上部焊有 0.8m 长的铁杆,铁杆上端为管口,用以插入探杆。探杆长 2m 左右,用韧性的白蜡杆制作,当探孔毡过全长时,可在白蜡杆上端系上绳子。

探孔的布置见表 2-5 所列。探孔距离 L 不小于 $1.5\sim2.0m$。面积较大的基坑内采用梅花形布置时,最外两排为深探,中间的探孔均为浅探。根据土质及建筑物重要性决定钎探深度,一般为 $3\sim7m$,浅探只要探到天然土层以下 0.5m 处即可。探查时要做好记录,将探出的空洞、墓穴、枯井的大小和深度记录下来,以便进行处理。

探 孔 的 布 置　　　　　　　　　　　　　表 2-5

基槽宽(cm)	排列方式及图示	间距 L(m)	探孔深度(m)
小于200		1.5～2.0	3.0
大于200		1.5～2.0	3.0

基槽宽(cm)	排列方式及图示	间距 L(m)	探孔深度(m)
柱基	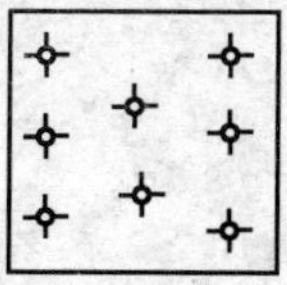	1.5～2.0	3.0(荷重较大时为4.0～5.0)
加孔	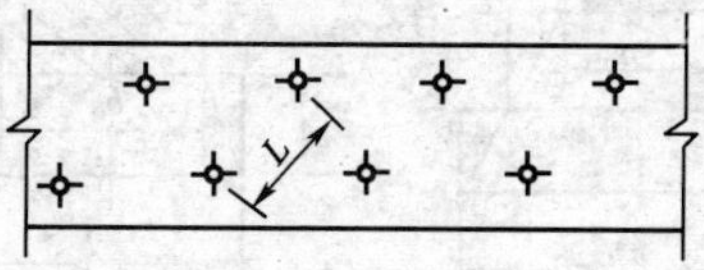	<2.0(如基础过宽时中间再加孔)	3.0

3.夯探

夯探较之以上三种方法更为方便,不用复杂的设备而是用铁碖和蛙式打夯机对基槽进行夯击,凭夯击时的声响来判断下卧后的强弱或有否土洞或暗墓。

4.钎探记录和结果分析

(1)先绘制基础平面图,并在图上注明钎探点的位置及编号;

(2)在钎探时按平面图标定的钎探点顺序进行,并按要求项目填写记录。

5.验槽

钎探后应组织有关人员进行验槽,其进行方式各地有所不同,检查内容为:基槽(坑)高程及平面尺寸,打钎记录,软(或硬)下卧层,坟、井、坑等情况,以及提出的处理方案。如槽底有局部土质过硬或过软以及废井,要进行处理。

第四节　基础工程施工

建筑物或构筑物的基础根据埋深可分为浅基础和深基础。浅基础包括灰土基础、三合土基础、砖基础、毛石基础、混凝土和毛石混凝土基础、钢筋混凝土独立基础(包括现浇和预制杯口基础)、钢筋混凝土条形基础、片筏式钢筋混凝土基础和箱形基础(包括逆作法施工技术),其中灰土基础、三合土基础、砖基础、毛石基础、混凝土和毛石混凝土基础由于能承受的弯矩较小,一般称之为刚性基础,如图2-26～图2-32所示。深基础一般指桩基础或桩箱复合基础。

一、浅基础施工

浅基础施工方法一般为开敞式施工,即大开口放坡开挖,或用支护结构围护后垂直开挖基坑土方,挖至设计高程后,验槽,放轴线、检验基坑(槽)尺寸和土质是否符合设计规定。通过后做基础垫层,然后由下而上进行基础主体的施工。灰土基础施工、三合土基础施工,详见本章

第二节"换填垫层法"施工。砖、石基础施工详见本书"砌筑工程"有关部分。混凝土与钢筋混凝土基础的施工详见本书第四章的有关内容。

实际上,当基础工程施工受到场地、工期、技术等环境条件的限制时,不能或不方便开敞式施工,也可以采用逆作法施工。

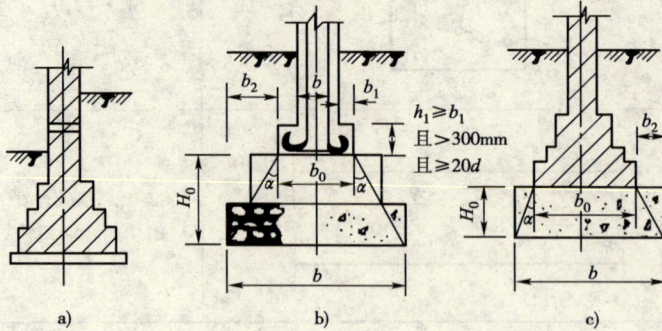

图 2-26　刚性基础构造示意
a)砖基础;b)毛石或混凝土基础;c)灰土或三合土基础
d-柱中纵向钢筋直径

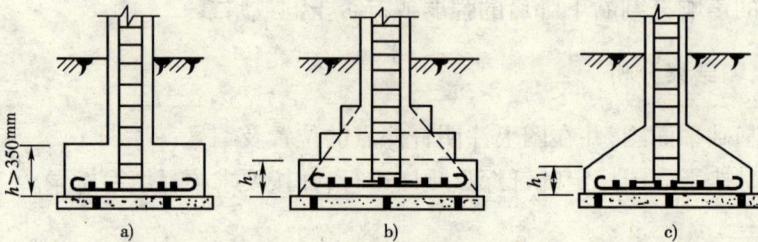

图 2-27　柱下钢筋混凝土独立基础
a)、b)阶梯形;c)锥形

所谓逆作法施工是先沿建筑物地下室轴线或周围施工地下连续墙或其他支护结构,同时在建筑物内部的有关位置(柱子或隔墙相交处等,根据需要计算确定)浇筑或打下中间支承柱,作为施工期间于底板封底之前承受上部结构自重和施工荷载的支撑。然后施工地面一层的梁板楼面结构,作为地下连续墙刚度很大的支持,随后逐层向下开挖土方和浇筑各层地下结构,直至底板封底。与此同时,由于地面一层的楼面结构已完成,为上部结构施工创造了条件,所以可以同时向上逐层进行地上结构的施工。如此地面上、下同时进行施工,直至工程结束(图 2-33 所示)。

与传统施工方法比较,用逆作法施工多层地下结构有下述优点:

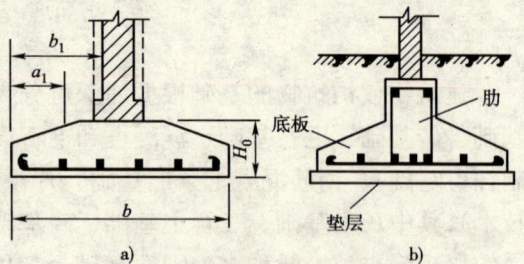

图 2-28　柱下钢筋混凝土条形基础
a)无肋;b)有肋

(1)缩短工期

用逆作法施工,一般情况下只有 -1 层占绝对工期,其他各层地下室可与地上结构同时施工,不占绝对工期,因此可以缩短工程的总工期。

(2)基坑变形小,相邻建筑物沉降少

采用逆作法施工,是利用逐层浇筑的地下室结构作为周围支护结构地下连续墙的内部支撑。由于地下室结构与临时支撑相比刚度大得多,所以地下连续墙在侧压力作用下的变形就小得多。

(3)使底板设计趋向合理

钢筋混凝土底板要满足抗浮要求。用逆作法施工,在施工时底板的支点增多,跨度减小,较易满足抗浮要求,甚至可减少底板配筋,使底板的结构设计趋向合理。

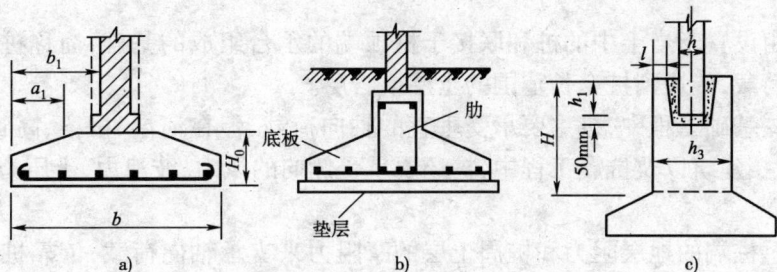

图 2-29 杯形基础形式和构造示意
a)一般杯口基础;b)双杯口基础;c)高杯口基础

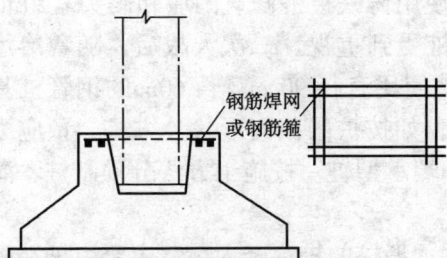

图 2-30 杯壁内配筋示意

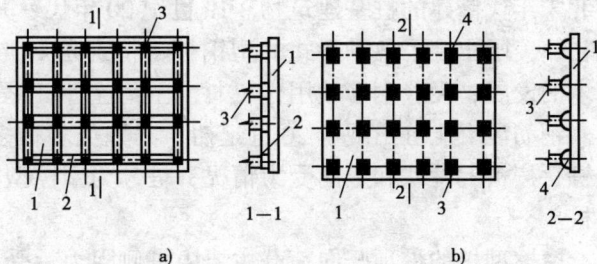

图 2-31 筏形基础
a)梁板式;b)平板式
1-底板;2-梁;3-柱;4-支墩

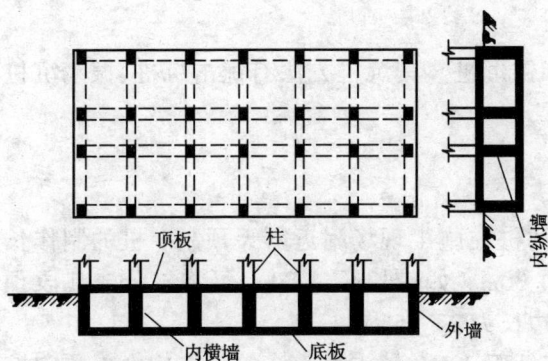

图 2-32 箱形基础

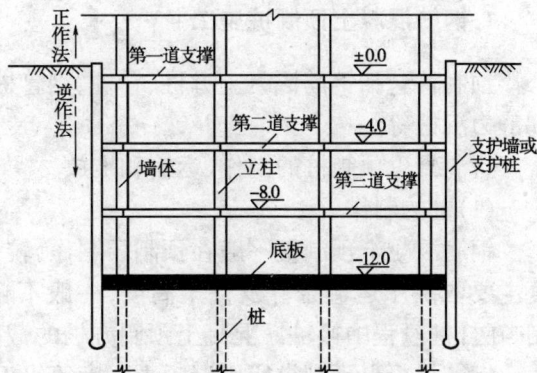

图 2-33 逆作法的工艺原理

(4)可节省支护结构的支撑

深度较大的多层地下结构,用逆作法施工,土方开挖后可利用地下结构本身来支撑支护结构,可省去支护结构的临时支撑。

逆作法是施工高层建筑多层地下室和其他多层地下结构的有效方法。国外如美、日、德、法等国家,在多层地下结构施工中已广泛应用,收到较好的效果。如美国75层、高203m的芝加哥水塔广场大厦的4层地下室,就是用18m深的地下连续墙和144根大直径钻孔灌注桩做中间支承柱,以逆作法进行施工的。我国上海高116m的电信大楼的3层地下室等,成功地应用了逆作法进行施工。

二、桩基础施工

桩基础是由设置于岩土中的桩和联接于桩顶端的承台组成的基础,简称桩基。其作用是将上部结构的荷载,传递到桩全长范围的土层或岩层。

在一般房屋基础工程中,桩主要承受垂直的轴向荷载,但在河港、桥梁、高耸塔型建筑、近海钻采平台、支挡建筑以及抗震工程中,桩还要承受侧向的风力、波浪力、土压力和地震力等水平荷载。

桩基础通过桩端的地层阻力和桩周土层的摩阻力来支承轴向荷载,依靠桩侧土层的侧阻力支承水平荷载。

木桩最早被人们使用。新石器时代,人类在湖泊和沼泽地里栽木桩搭台,作为水上住所。汉朝已用木桩修桥。到宋代,桩基技术已比较成熟,如现今山西太原的晋祠圣母殿,即为北宋年代修建的桩基建筑物。19世纪20年代,开始使用铸铁板桩修筑围堰和码头。20世纪初,美国出现了各种形式的型钢桩,特别是H形钢桩受到重视。二次大战后,随着冶炼技术的发展,无缝钢管被用作桩材。上海宝钢工程中曾使用直径90cm、长60m的钢管桩基础。钢筋混凝土桩出现于20世纪初,其种类多种多样,如按桩的截面形状分方桩、预应力管桩;按桩的性状和竖向受力情况,桩分为摩擦型桩和端承型桩。按施工方法分预制桩、灌注桩。

摩擦型桩的桩顶竖向荷载主要由桩侧阻力承受。端承型桩的桩顶竖向荷载主要由桩端阻力承受。预制桩是在工厂或施工现场制成的各种材料和形式的桩,如钢筋混凝土桩、钢桩、木桩等。灌注桩是在施工现场的桩位上先成孔,然后在孔内灌注混凝土,或者加入钢筋后再灌注混凝土而形成。

1.钢筋混凝土预制桩施工

预制桩包括钢筋混凝土方桩、管桩、钢管桩和锥形桩。其沉桩方法有锤击沉桩、振动沉桩和静力沉桩等。

1)混凝土预制桩的制作、运输和堆放

(1)桩的制作

钢筋混凝土预制桩一般在预制厂制作,较长的桩在施工现场附近露天预制。桩的制作长度主要取决于运输条件及桩架高度,一般不超过30m。如桩长超过30m,可将桩分成几段预制,在打桩过程中接桩。混凝土预制方桩的截面边长为25~55cm。

钢筋混凝土预制桩所用混凝土强度等级不宜低于30MPa。混凝土浇筑工作应由桩顶向桩尖连续进行,严禁中断,并应防止另一端的砂浆积聚过多,以防桩顶击碎。桩顶和桩尖处不得有蜂窝、麻面、裂缝和掉角。桩的制作偏差应符合规范的规定。

钢筋混凝土预制桩主筋应根据桩截面大小确定,一般为4~8根,直径为12~25mm。主筋连接宜采用对焊或电弧焊;主筋接头配置在同一截面内的数量,当采用闪光对焊和电弧焊时,不超过50%;相邻两根主筋接头截面的间距应大于35d(主筋直径),并不小于500mm。预制桩箍筋直径为 6~8mm,间距不大于 20cm。预制桩骨架的允许偏差应符合规范的规定。桩顶和桩尖处的配筋应加强。如图 2-34 所示。

(2)桩的起吊、运输和堆放

钢筋混凝土预制桩应在混凝土达到设计强度的 70% 方可起吊;达到设计强度的 100% 才能运输,达到要求强度与龄期后方可打桩。如提前吊运,应采取措施并经验算合格后方可进行。

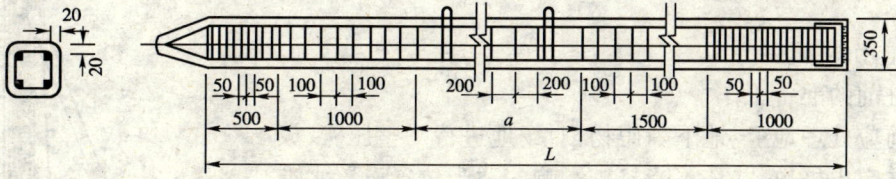

图 2-34　钢筋混凝土预制桩(尺寸单位:mm)

桩在起吊和搬运时,吊点应符合设计规定。如无吊环,吊点位置的选择随桩长而异,并应符合起吊弯矩最小的原则,如图 2-35 所示。

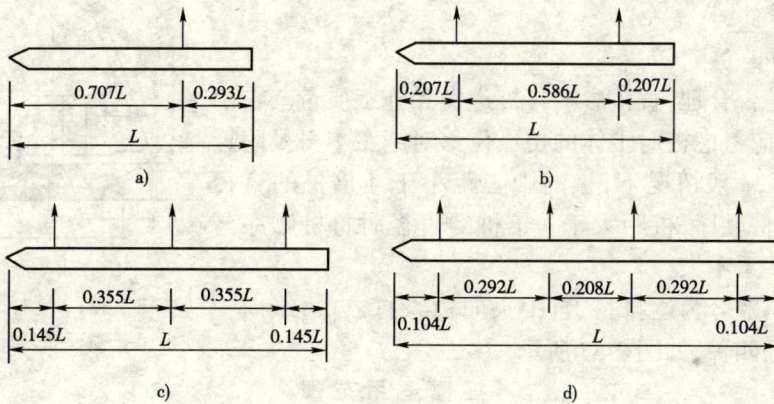

图 2-35　桩的吊点位置
a)1 个吊点;b)2 个吊点;c)3 个吊点;d)4 个吊点

当运距不大时,可采用滚筒、卷扬机等拖动桩身运输;当运距较大时可采用小平台车运输。运输过程中支点应与吊点位置一致。

桩在施工现场的堆放场地应平整、坚实,并不得产生不均匀沉陷。堆放时应设垫木,垫木的位置与吊点位置相同,各层垫木应上、下对齐,堆放层数不宜超过 4 层。

2)锤击沉桩

(1)打桩机械

打桩机具主要包括桩锤、桩架和动力装置三个部分。桩锤是对桩施加冲击力,将桩打入土中的机具;桩架的作用是将桩吊到打桩位置,并在打桩过程中引导桩的方向,保证桩锤能沿要求的方向冲击;动力装置包括驱动桩锤及卷扬机用的动力设备。

在选择打桩机具时,应根据地基土壤的性质、工程的大小、桩的种类、施工期限、动力供应条件和现场情况确定。

桩架主要由底盘、导向杆、斜撑、滑轮组等组成。桩架应能前后左右灵活移动,以便于对准桩位。桩架行走移动装置有撬滑、拖板滚轮、滚筒、轮轨、轮胎、履带、步履等方式。履带式桩架如图 2-36 所示。

施工中常用的桩锤有落锤、单动汽锤、双动汽锤、柴油桩锤和振动桩锤；液压锤是最新型桩锤。桩锤的适用范围及优缺点见表2-6。

选择桩锤应根据地质条件、桩的类型、桩身结构强度、桩的长度、桩群密集程度以及施工条件因素来确定，其中尤以地质条件影响最大。土的密实程度不同所需桩锤的冲击能量可能相差很大。实践证明：当桩锤重大于桩重的1.5~2倍，能取得较好的效果。

(2)锤击沉桩施工

①打桩前的准备工作

打桩前应处理地上、地下障碍物，对场地进行平整压实，放出桩基线并定出桩位，并在不受打桩影响的适当位置设置水准点，以便控制桩的入土高程；接通现场的水、电管线，准备好施工机具；做好对桩的质量检验。

正式打桩前，还可选择进行打桩试验，以便检验设备和工艺是否符合要求。

②打桩顺序

打桩顺序是否合理，直接影响打桩进度和施工质量。在确定打桩顺序时，应考虑桩对土体的挤压位移对施工本身及附近建筑物的影响。一般情况下，桩的中心距小于4倍桩的直径时，就要拟定打桩顺序，桩距大于4倍桩的直径时打桩顺序与土壤挤压情况关系不大。

打桩顺序一般分为逐排打、自中央向边缘打、自边缘向中央打和分段打等四种，如图2-37所示。

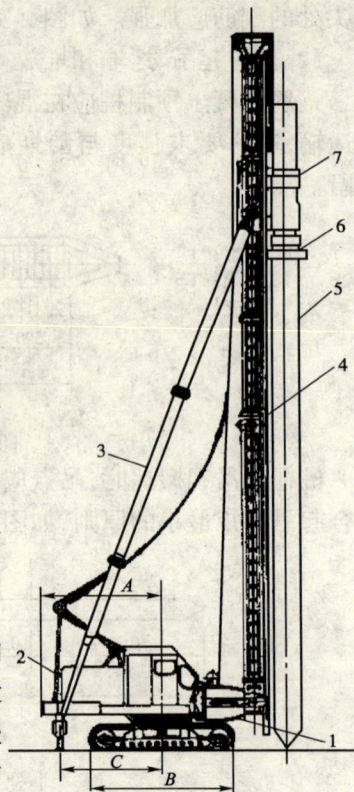

图2-36 履带式桩架
1-立柱支撑；2-导杆；3-斜撑；4-立柱；5-桩；6-桩帽；7-桩锤

桩 锤 适 用 范 围   表2-6

桩锤种类	适用范围	优缺点	附注
落锤	(1)适宜打各种桩； (2)粘土、含砾石的土和一般土层均可使用	构造简单、使用方便、冲击力大，能随意调整落距，但锤打速度慢，效率较低	落锤是指桩锤用人力或机械拉升，然后自由落下，利用自重夯击桩顶
单动汽锤	适于打各种桩	构造简单、落距短，不易损坏设备和桩头，打桩速度及冲击力较落锤大，效率较高	利用蒸气或压缩空气的压力将锤头上举，然后由锤的自重向下冲击沉桩
双动汽锤	(1)适宜打各种桩，便于打斜桩； (2)使用压缩空气时可在水下打桩； (3)可用于拔桩	冲击次数多、冲击力大、工作效率高，可不用桩架打桩，但需锅炉或空压机，设备笨重，移动较困难	利用蒸气或压缩空气的压力将锤头上举及下冲，增加夯击能量
柴油锤	(1)最宜用于打木桩、钢板桩； (2)不适于在过硬或过软的土中打桩	附有桩架、动力等设备，机架轻、移动便利、打桩快、燃料消耗少，有重量轻和不需要外部能源等优点	利用燃油爆炸，推动活塞，引起锤头跳动

桩锤种类	适 用 范 围	优 缺 点	附 注
振动桩锤	(1)适宜于打钢板桩、钢管桩、钢筋混凝土和土桩； (2)宜用于砂土、塑性粘土及松软砂粘土； (3)在卵石夹砂及紧密粘土中效果较差	沉桩速度快,适应性大,施工操作简易安全,能打各种桩并帮助卷扬机拔桩	利用偏心轮引起激振,通过刚性连接的桩帽传到桩上

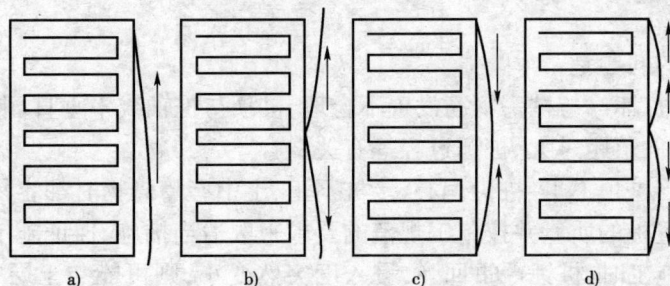

图 2-37　打桩顺序和土壤挤压情况

a)逐排打；b)自中央向边缘打；c)自边缘向中央打；d)分段打

逐排打桩,桩架系单向移动,桩的就位与起吊均很方便,故打桩效率较高；但它会使土壤向一个方向挤压,导致土壤挤压不均匀,后面桩的打入深度将因而逐渐减小,最终会引起建筑物的不均匀沉降。自边缘向中央打,则中间部分土壤挤压较密实,不仅使桩难以打入,而且在打中间桩时,还有可能使外侧各桩被挤压而浮起,因此上述两种打法均适用于桩距较大(≥4 倍桩距)即桩不太密集时施工。自中央向边缘打、分段打是比较合理的施工方法,一般情况下均可采用。

另外,当一侧毗邻建筑物时,由毗邻建筑物处向另一方向施打；根据桩的设计高程,先深后浅；根据桩的规格,先大后小,先长后短。

③打桩施工

打桩过程包括桩架移动和定位、吊桩和定桩、打桩、截桩和接桩等。

桩机就位时桩架应垂直,导杆中心线与打桩方向一致,校核无误后将其固定。然后,将桩锤和桩帽吊升起来,其高度超过桩顶,再吊起桩身,送至导杆内,对准桩位调整垂直偏差,合格后,将桩帽或桩箍在桩顶固定,并将桩锤缓落到桩顶上,在桩锤的重量作用下,桩沉入土中一定深度达稳定位置,再校正桩位及垂直度,此谓定桩。然后才能进行打桩。打桩开始时,用短落距轻击数锤至桩入土一定深度后,观察桩身与桩架、桩锤是否在同一垂直线上,然后再以全落距施打,这样可以保证桩位准确桩身垂直。桩的施打原则是"重锤低击",这样可使桩锤对桩头的冲击小,回弹也小,桩头不易损坏,大部分能量都能用于沉桩。

打桩是隐蔽工程,应做好打桩隐蔽工程记录。开始打桩时,若采用落锤、单动汽锤或柴油锤应测量记录桩身每沉落 1m 所需锤击的次数及桩锤落距的平均高度,当桩下沉接近设计高程时,则应实测 10 击的桩入土深度,该贯入度适逢停锤时称为最后贯入度；当采用双动汽锤或振动桩锤时,开始应记录桩每沉入 1m 的工作时间(但每分钟锤击次数记入备注栏),当桩下沉接近设计高程时,应记录每分钟的沉入量。设计和施工中所控制的贯入度是以合格的试桩数据为准,如无试桩资料,可按类似桩沉入类似土的贯入度作为参考。桩端位于一般土层时,控制桩的入土深度应以设计高程为主,而以贯入度作为参考;桩端位于坚硬、硬塑的粘性土、中密以上的粉土、砂土、碎石类土、风化岩时,控制桩的入土深度,则以贯入度为主,而以设计高程作为参考;贯入度已达到而设计高程未达到时,应继续锤击3阵,按每阵10击的贯入度不大于设计值加以确认。

各种预制桩打桩完毕后,为使桩顶符合设计高程,应将桩头或无法打入的桩身截去。

④打桩过程中常遇到的问题

由于桩要穿过构造复杂的土层,所以在打桩过程中要随时注意观察,凡发生贯入度突变、桩身突然倾斜、移位或有严重回弹、桩顶或桩身出现严重裂缝或破碎等应暂停施工,及时与有关单位研究处理。

施工中常遇到的问题是:

a.桩顶、桩身被打坏　与桩头钢筋设置不合理、桩顶与桩轴线不垂直、混凝土强度不足、桩尖通过过硬土层、锤的落距过大、桩锤过轻等有关。

b.桩位偏斜　当桩顶不平、桩尖偏心、接桩不正、土中有障碍物时都容易发生桩位偏斜,因此施工时应严格检查桩的质量并按施工规范的要求采取适当措施,保证施工质量。

c.滞桩现象　施工时,桩锤严重回弹,贯入度突然变小,则可能与土层中夹有较厚砂层或其他硬土层以及钢渣,孤石等障碍物有关。当桩顶或桩身已被打坏,锤的冲击能不能有效传给桩时,也会发生桩打不下的现象。有时因特殊原因,停歇一段时间后再打,则由于土的固结作用,桩也往往不能顺利地被打入土中。所以打桩施工中,必须在各方面作好准备,保证施打的连续进行。

d.浮桩现象　桩贯入土中,使土体受到急剧挤压和扰动,其靠近地面的部分将在地表隆起和水平移动,当桩较密,打桩顺序又欠合理时,土体被压缩到极限,就会发生一桩打下,周围土体带动邻桩上升的现象。

3)静力压桩

静力压桩是在均匀软弱土中利用压桩架(型钢制作)的自重和配重,将桩逐节压入土中的一种沉桩方法,如图2-38所示。这种沉桩方法无振动、无噪声、对周围环境影响小,适合在城市中施工。

压桩施工,一般情况下都采用分段压入、逐节接长的方法,如图2-39所示。施工时,先将第一节桩压入土中,当其上端与压桩机操作平台齐平时,进行接桩。接桩的方法有焊接结合、管式结合、硫磺砂浆钢筋结合、管桩螺栓结合(图2-40所示)等,接桩后,将第二节桩继续压入土中。每节桩的长度根据压桩架的高度而定,一般高为16～20m。

压桩施工时应随时注意使桩保持轴心受压,接桩时也应保证上下接桩的轴线一致,并使接桩时间尽可能的缩短,否则,间歇时间过长会由于压桩阻力过大导致发生压不下去的事故。当桩接近设计高程时,不可过早停压,否则,在补压时也会发生压不下去或压入过少的现象。

压桩过程中,当桩尖碰到夹砂层时,压桩阻力可能突然增大,甚至超过压桩能力而使桩机上抬。这时可以最大的压桩力作用在桩顶,采取停车再开、忽停忽开的办法,使桩有可能缓慢下沉穿过砂层。如果工程中有少量桩确实不能压至设计高程而相差不多时,可以采取截去桩顶的办法。

压桩与打桩相比,由于避免了锤击应力,桩的混凝土强度及其配筋只要满足吊装弯矩和使用期受力要求就可以,因而桩的断面和配筋可以减小,同时压桩引起的桩周土体和水平挤动也小的多,因此压桩是软土地区一种较好的沉桩方法。

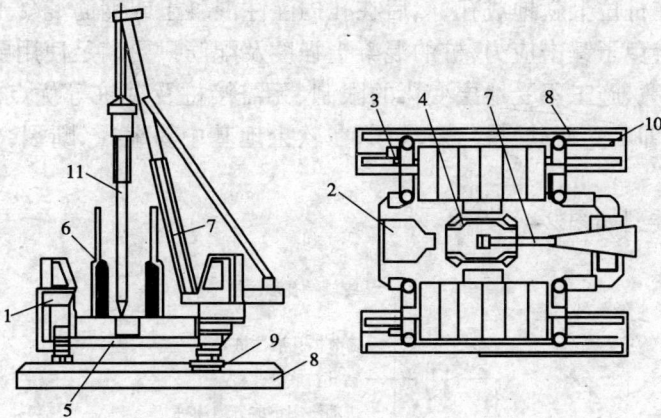

图 2-38 液压静力压桩机构造示意图

1-操纵室;2-液压控制台;3-液压系统;4-导向架;5-配重;6-夹持装置 7-吊装把杆;8-支腿平台;9-横向行走及回转装置;

10-纵向行走装置;11-桩

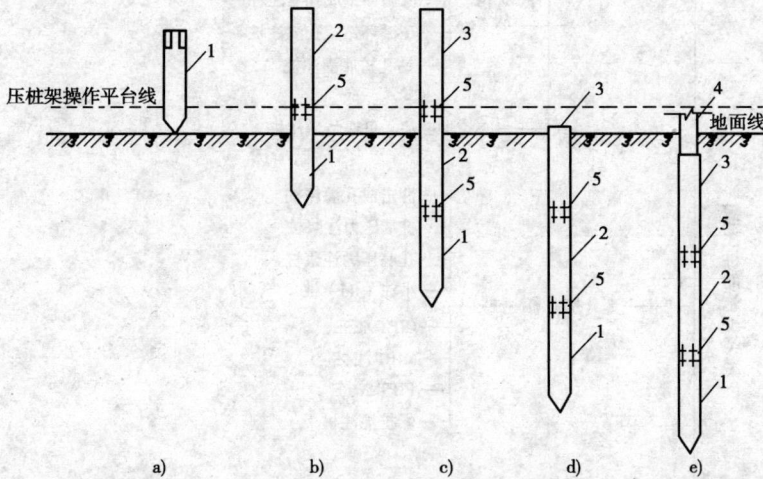

图 2-39 静力压桩工作程序

a)准备压第一段桩;b)接第二段桩;c)接第三段桩;d)整根桩压入地面;e)送桩

1-第一段桩;2-第二段桩;3-第三段桩;4-送桩;5-接桩处

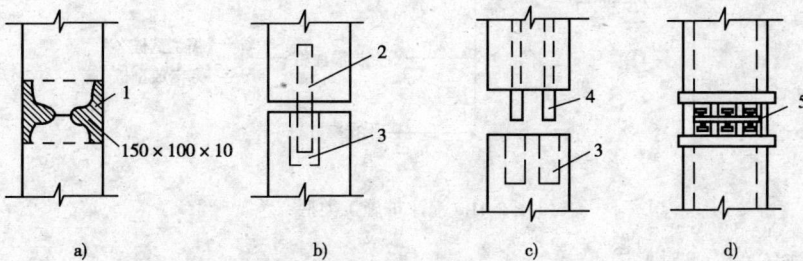

图 2-40 桩的接头形式

a)焊接结合;b)管式结合;c)硫磺砂浆钢筋结合;d)管桩螺栓结合

1-L50×100×10;2-预埋钢管;3-预留孔洞;4-预埋钢筋;5-法兰螺栓连接

2.混凝土灌注桩施工

灌注桩是直接在桩位上就地成孔,然后在孔内灌注混凝土或钢筋混凝土的一种成桩方法。与预制桩相比由于避免了锤击应力,桩的混凝土强度及配筋只要满足使用要求就可以,因而具有节约材料、成本低廉、施工不受地层变化的限制、无需接桩及截桩等优点。但也存在着技术间隔时间长,不能立即承受荷载,操作要求严,在软土地基中易缩径、断裂,在冬季施工较困难等缺点。

灌注桩的施工类型如图 2-41 所示。

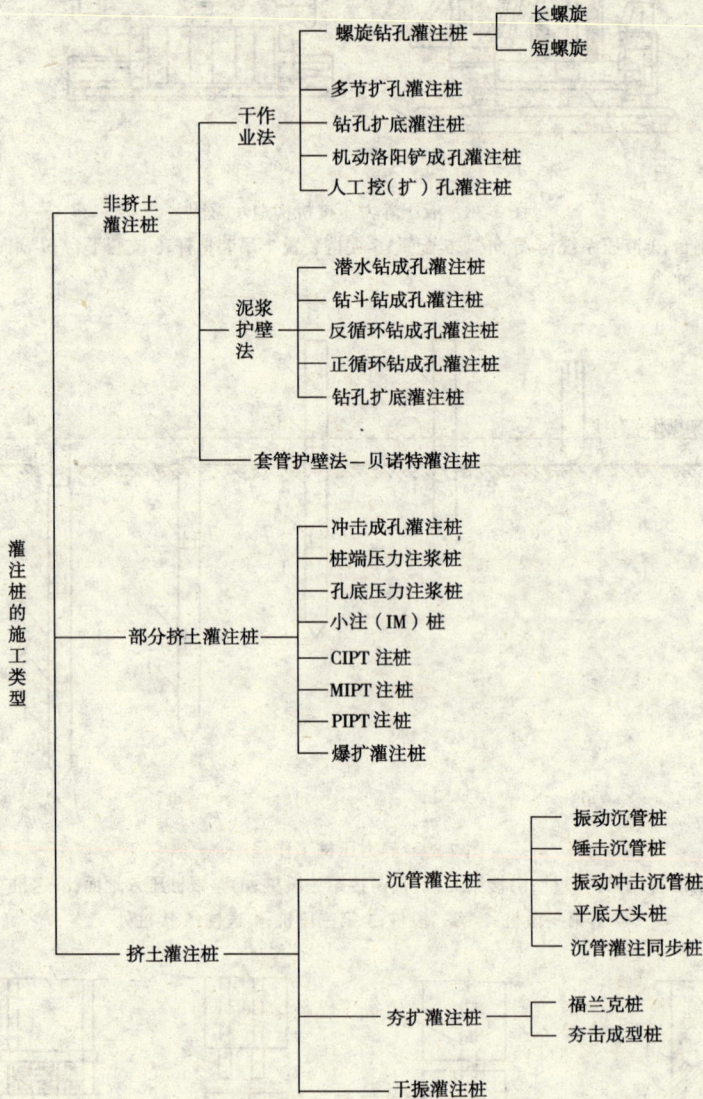

```
                                                            ┌─ 长螺旋
                                   ┌─ 螺旋钻孔灌注桩 ────────┤
                                   │                        └─ 短螺旋
                                   ├─ 多节扩孔灌注桩
                            ┌─ 干作│
                            │  业法├─ 钻孔扩底灌注桩
                            │     ├─ 机动洛阳铲成孔灌注桩
                            │     └─ 人工挖(扩)孔灌注桩
                   ┌─ 非挤土│
                   │  灌注桩│     ┌─ 潜水钻成孔灌注桩
                   │        │     ├─ 钻斗钻成孔灌注桩
                   │        ├─ 泥浆├─ 反循环钻成孔灌注桩
                   │        │  壁法│
                   │        │  法  ├─ 正循环钻成孔灌注桩
                   │        │     └─ 钻孔扩底灌注桩
                   │        │
                   │        └─ 套管护壁法—贝诺特灌注桩
        灌         │
        注         │              ┌─ 冲击成孔灌注桩
        桩         │              ├─ 桩端压力注浆桩
        的   ──────┤              ├─ 孔底压力注浆桩
        施         ├─ 部分挤土灌注桩├─ 小注(IM)桩
        工         │              ├─ CIPT 注桩
        类         │              ├─ MIPT 注桩
        型         │              ├─ PIPT 注桩
                   │              └─ 爆扩灌注桩
                   │
                   │                        ┌─ 振动沉管桩
                   │                        ├─ 锤击沉管桩
                   │              ┌─ 沉管灌注桩├─ 振动冲击沉管桩
                   │              │          ├─ 平底大头桩
                   │              │          └─ 沉管灌注同步桩
                   └─ 挤土灌注桩──┤
                                  │          ┌─ 福兰克桩
                                  ├─ 夯扩灌注桩┤
                                  │          └─ 夯击成型桩
                                  └─ 干振灌注桩
```

图 2-41 灌注桩施工类型

1)灌注桩施工的一般规定

进行灌注桩基础施工前应取得的资料主要有:

(1)建筑场地的桩基岩土工程报告书。

(2)桩基础工程施工图,包括桩的类型与尺寸,桩位平面布置图,桩与承台连接,桩的配筋与混凝土标号以及承台构造等。

(3)桩试成孔、试灌注、桩工机械试运转报告。

试成孔的数量不得少于2个,以便核对地资料,检验所选的设备、施工工艺以及技术要求是否适宜。如果出现缩颈、坍孔、回淤、吊脚、贯穿力不足、贯入度(或贯入速度)不能满足设计要求的情况时,应拟定补救技术措施,或重考虑施工工艺,或选择更合适的桩型。

(4)桩的静载试验和动测试验资料。

(5)主要施工机械及配套设备的技术性能。

2)灌注桩施工准备工作

(1)现场施工和管理人员应了解成孔工艺、施工方法和操作要点,以及可能出现的事故和应采取的预防处理措施。

(2)为防止桩孔发生移动或倾斜,应检查机具设备的运转情况、机架有无松动或移位,成孔设备容许垂直偏差为0.3%。

(3)钢筋笼制作与安放

①钢筋笼的绑扎场地应选择在运输和就位等都比较方便的场所,最好设置在现场内。

②钢筋的种类、钢号及尺寸规格应符合设计要求。

③钢筋进场后应按钢筋的不同型号、不同直径、不同长度分别堆放。

④钢筋笼绑扎顺序大致是先将主筋等间距布置好,待固定住架立筋(即加强箍筋)后,再按规定间距安设箍筋。箍筋、架立筋与主筋之间的接点可用电弧焊接等方法固定。在直径为2~3m级的大直径桩中,可使用角钢作为架立钢筋,以增大钢筋笼刚度。

⑤从加工、组装精度,控制变形要求以及起吊等综合因素考虑,钢筋笼分段长度一般宜定在8m左右。但对于长桩,当采取一些辅助措施后也可定为12m左右或更长一些。

⑥钢筋笼下端部的加工应适应钻孔情况。在贝诺特法中,为防止在拔出套管时将钢筋笼带上来,在钢筋笼底部加上架立筋,有时可将φ13~19的钢筋安装成井字型钢筋。在反循环钻成孔和钻斗钻成孔法中,应将箍筋及架立筋预先牢固地焊到钢筋笼端部上。这样当将钢筋笼插到孔底时,可有效地防止架立筋插到桩端处的地基中。

⑦为了防止钢筋笼在装卸、运输和安装过程中产生不同的变形,可采取下列措施:在适当的间隔处应布置架立筋,并与主筋焊接牢固,以增大钢筋笼刚度;在钢筋笼内侧暂放支撑梁,以补强加固,等将钢筋笼插入桩孔时,再卸掉该支撑梁;在钢筋笼外侧或内侧的轴线方向安设支柱。

⑧钢筋笼的保护层。为确保桩身混凝土保护层的厚度,一般都在主筋外侧安设钢筋定位器,其处形呈圆弧状突起。定位器在贝诺特法中通常使用直径9~13mm左右的普通圆钢,而在反循环钻成孔法和钻斗钻成孔法中,为了防止桩孔侧面受到损坏,大多使用宽度为50mm左右的钢板,长度400~500mm(图2-42所示)。在同一断面上定位器有4~6处,沿桩长的间距2~10m。

⑨钢筋笼堆放,应考虑安装顺序、钢筋笼变形和防止事故等因素,以堆放两层为好。如果能合理地使用架立筋牢固绑扎,可以堆放3层。

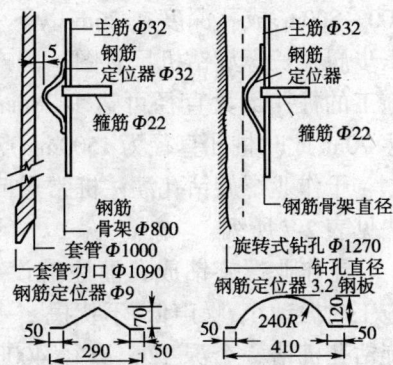

图 2-42 钢筋定位器(尺寸单位:mm)

(4)成孔的控制深度

为准确控制成孔深度,应在桩架或桩管上作出控制深度的标尺,以便在施工中进行观测、记录。

①对于摩擦桩必须保证设计桩长,当采用沉管法成孔时,桩管入土深度的控制以高程为主,并以贯入度(或贯入速度)为辅;

②对于端摩擦桩、摩擦端承桩和端承桩,当采用钻、挖、冲成孔时,必须保证桩孔进入桩端持力层达到设计要求的深度,并将孔底清理干净。当采用沉管法成孔时,桩管入深度的控制以贯入度(或贯入速度)为主,与设计持力层高程相对照为辅。

3)灌注桩的施工工艺

灌注桩施工应保证各个工序如成孔、清孔、拔管、复打,钢筋笼制作、安放,混凝土配制、灌注等工艺过程的施工质量。每个工序完工后,必须严格按质量标准进行质量检测,并认真做好记录。

常见的灌注桩的成孔方法是:

(1)干作业螺旋钻成孔灌注桩

干作业螺旋钻成孔灌注桩适用于地下水位以上的填土层、粘性土层、粉土层、砂土层和粒径不大的砾砂层。但不宜用于地下水位以下的上述各类土层以及碎石土层、淤泥层、淤泥质土层。对非均质含碎砖、混凝土块、条块石的杂填土层及大卵砾石层,成孔困难大。

干作业螺旋钻孔灌注桩按成孔方法可分为长螺旋钻孔灌注桩和短螺旋钻孔灌注桩。

长螺旋钻成孔施工法是用长螺旋钻孔机的螺旋钻头,在桩位处就地切削土层,被切土块钻屑随钻头旋转,沿着带有长螺旋叶片的钻杆上升,输送到出土器后自动排出孔外,然后装卸到小型机动翻斗车(或手推车)中运走,其成孔工艺可实现全部机械化。

短螺旋钻成孔施工法是用短螺旋钻孔机的螺旋钻头,在桩位处就地切削土层,被切土块钻屑随钻头旋转,沿着带有数量不多的螺旋叶片的钻杆上长,积聚在短螺旋叶片上,形成"土柱",此后靠提钻、反转、甩土,将钻屑散落在孔周。一般每钻进 0.5~1.0m 就要提钻甩土一次。

国产长螺旋钻孔机,多与轨道式,步履式和悬臂式履带式打桩架配套使用。可施工的桩孔直径为300~800m,成孔深度在 26m 以下。图 2-43 为国产液压步履式长螺旋钻机示意图。国产短螺旋钻孔机,可施工的桩孔最大直径可达 1828mm,最大成孔深度可达 70m(此时桩孔直径为 1500mm)。

干作业螺旋钻孔灌注桩常遇问题、原因和处理方法见表 2-7 所列。

干作业螺旋钻成孔灌注桩设备简单,施工方便,施工时振动小,噪声低,不扰民。一般土层中,用长螺旋钻孔机钻一个深 12m、直径 400mm 的桩孔,作业时间只需 7~8min,正常情况下,长螺旋钻孔机一个台班

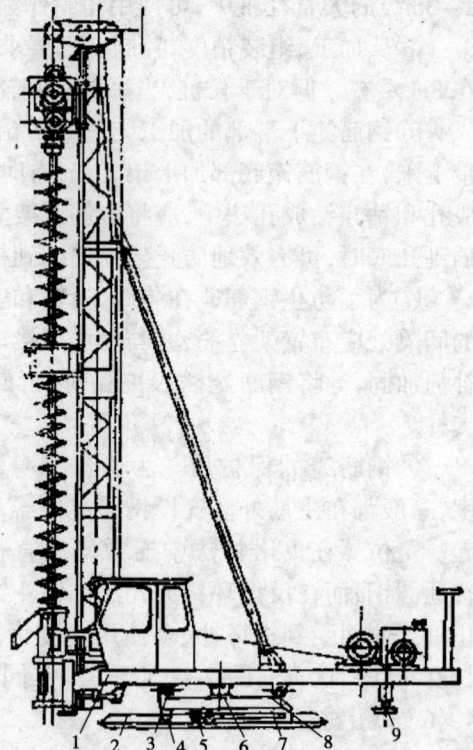

图 2-43　液压步履式长螺旋钻机

1-上盘;2-下盘;3-回转滚轮;4-行车滚轮;5-钢丝滑轮;6-回转中心轴;7-行车油缸;8-中盘;9-支盘

可钻成深 12m、直径 400mm 的桩孔 20～25 个，钻进效率高。干作业螺旋钻成孔时无泥浆污染，造价低，混凝土灌注质量较好。其缺点是桩端或多或少留有虚土，因此单方承载力（即桩单位体积所提供的承载力）较打入式预制桩低。同时适用范围限制也较大。

干作业螺旋钻孔灌注桩常遇问题、原因和处理方法   表 2-7

常遇问题	主 要 原 因	处 理 方 法
桩孔倾斜	场地不平	保持地面平整
	桩架导杆不竖直	调整导杆垂直度
	钻机缺少调平装置	钻机需备有底盘调平手段
	钻杆弯曲	将钻杆调直，保持钻杆不直不钻进
	钻具连接不同心	调整钻具使其同心
	钻头导向尖与钻杆轴线不同心	调整同心度
	长螺旋钻孔未带导向圈作业，钻具下端自由摆动	坚持无导向圈不钻进
	钻头底两侧土层软硬不均	钻进时应减轻钻压，控制给进速度
	遇地下障碍物、孤石等	可采用筒式钻头钻进，如还不行则挪位另行钻孔；如障碍物位置较浅，清除后填土再钻
钻进困难	遇坚硬土层	换钻头
	遇地下障碍物（如石块、混凝土块等）	障碍物埋得较浅时，清除后填土再钻；障碍物埋得较深时，移位重钻
	钻进速度太快造成憋钻	控制钻进速度，对于饱和粘性土层可采用慢速高扭矩方式钻孔，在硬土层中钻孔时，可适当往孔中加水
	钻杆倾斜太大造成憋钻	调正钻杆垂直度
	钻机功率不够，钻头倾角和转速选择不合适	根据工程地质条件，选择合适的钻机、钻头和转速
塌孔	地表水通过地表松散填土层窜入孔内	疏干地表积存的天然水
	流塑淤泥质土夹层中成孔，孔壁不能直立而塌落	尽量选用其他有效成孔方法，塌孔处理采取投入黄土及灰土，捣实后重新钻进，也可先钻至塌孔以下 1～2m，用豆石低等级混凝土（C5～C10）填至进塌孔以上 1m，待混凝土初凝后再钻至设计高程
	局部有上层滞水渗漏	采用电渗井降水，可在该区域内，先钻若干个孔，深度透过隔水层到砂层，在孔内填入级配卵石，让上层滞水渗漏到桩孔下砂层后钻孔
	孔底部的砂卵石、卵石造成孔壁不能直立	采用深钻方法，任其塌落，但要保证设计桩长
	钻具弯曲	严格选配同心度高的钻具
	钻压不足，长时间空转虚钻，造成对稳定性差的土层的强力机械扰动，由局部孔段超径而演化成孔壁坍塌	正确选用成孔技术参数

常遇问题	主要原因	处 理 方 法
孔底虚土过多	在松散填土或含有大量炉灰、砖头、垃圾等杂填土层或在流塑淤泥、松砂、砂卵石、卵石夹层中钻孔,成孔过程中或成孔后土体容易坍塌	探明地质条件,避开可能大量塌孔的地点施工,或选用不同工艺
	孔口土未及时清理,甚至在孔口周围堆积大量钻出的土,提钻或踩踏回落孔底	及时清理孔口土
	成孔后,孔口为放盖板,孔口土回落孔底;成孔后未及时灌注	成孔后及时加盖板,当天成孔必须当天灌注混凝土
	钻杆加工不直,或使用中变形,或钻连接法兰不平而使钻杆连接后弯曲,因此钻进过程中钻杆晃动,造成局部扩径,提钻后回落	校直钻杆,填平法兰
	放混凝土漏斗或钢筋笼时,孔口土或孔壁土被碰撞掉入孔底	竖直放混凝土漏斗或钢筋笼
桩身混凝土质量差	分段放置钢筋笼,分段灌注	通长放置钢筋笼,然后灌注,以避免桩身夹土
	水泥过期,集料含泥量大,配比不当	按规范控制材料及配比质量
	混凝土振捣不密实,出现蜂窝、空洞	桩顶下 4~5m 内的混凝土必须用振捣棒振实

用以上两种螺旋钻孔机成孔后,在桩孔中放置钢筋笼或插筋,然后灌注混凝土成桩。

(2)反循环钻成孔灌注桩

反循环钻成孔灌注桩是湿作业成孔灌注桩的一种作业形式。其施工方法是在桩顶处设置护筒(其直径比桩径大 15% 左右),护筒内的水位要高出自然地下水位 2m 以上,以确保孔壁的任何部分均保持 0.02MPa 以上的静水压力使孔壁不坍塌。钻机工作时,旋转盘带动钻杆端部的钻头钻挖孔内土。在钻进过程中,冲洗液从钻杆与孔壁间的环状间隙中流入孔底,并携带被钻挖下来的岩土钻渣,由钻杆内腔返回地面。与此同时,冲洗液又返回孔内形成循环,这种钻进方法称为反循环钻进。

反循环钻成孔施工按冲洗液(指水或泥浆)循环输送的方式、动力来源和工作原理可分为泵吸、气举和喷射等方法。气举反循环,因钻杆下端喷嘴喷出压缩空气,使泥浆与气在钻杆内形成比重比水还轻的混合物,而被钻杆外水柱压升。喷射反循环,利用射流泵在钻杆顶端射出的高速水流在钻杆内产生负压,而使钻杆内泥浆上升。国内的钻孔灌注桩施工由于桩孔深度较浅,多采用泵吸反循环钻进成孔(图2-44 所示)。

反循环钻进成孔适用于填土、淤泥、粘土、粉土、

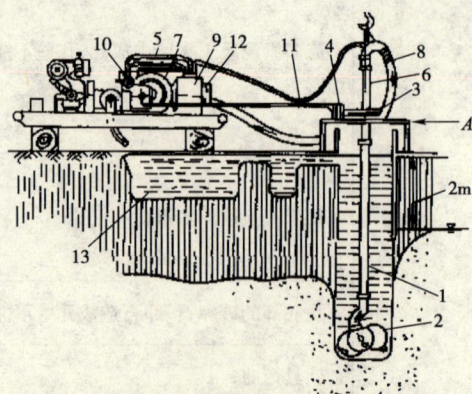

图 2-44 泵吸反循环钻进成孔
1-钻杆;2-钻头;3-旋转台盘;4-液压马达;5-液压泵;6-方形传动杆;7-砂石泵;8-吸渣软管;9-真空柜;10-真空泵;11-真空软管;12-冷却水槽;13-泥浆沉淀池

砂土、砂砾等地层;当采用圆锥式钻头可进入软岩;当采用滚轮式(又称牙轮式)钻头可进入硬岩。反循环钻进成孔不适用于自重湿陷性黄土层,也不宜用于无地下水的地层。

反循环钻进成孔施工工艺主要是:

①设置护筒

反循环施工法是在静水压力下进行钻挖作业的,故护筒的埋设是反循环施工作业中的关键。

护筒的直径一般比桩径大 15%左右,护筒端部应打入在粘土层或粉土层中,一般不应打入在填土层或砂层或砂砾层中,以保证筒不漏水。如确实需要将护筒端部打入在填土、砂或砂砾层中时,应在护筒外侧回填粘土,分层夯实,以防漏水。

②安装反循环钻

③钻挖

开始钻进时,应先轻压慢转,待钻头正常工作后,逐渐加大转速,调整压力,并使钻头吸口不产生堵水。钻进参数应根据地层、桩径、砂石泵的合理排量和钻机的经济钻速等加以选择和调整。钻进参数和钻速的选择见表 2-8 所列。

泵吸反循环钻进推荐参数和钻速表 表 2-8

钻进参数和钻速地层	钻压 (kN)	钻头转速 (r/min)	砂石泵排量 (m³/h)	钻进速度 (m/h)
粘土层	10 ~ 25	30 ~ 50	180	4 ~ 6
砂土层	5 ~ 15	20 ~ 40	160 ~ 180	6 ~ 10
砂层、砂砾层、砂卵石层	3 ~ 10	20 ~ 40	160 ~ 180	8 ~ 12
中硬以下基岩、风化基岩	20 ~ 40	10 ~ 30	140 ~ 160	0.5 ~ 1

注:①本表摘自江西地矿局"钻孔灌注桩施工规程"。

②本表钻进参数以 GPS-15 型钻机为例;砂石泵排量要考虑孔径大小和地层情况灵活选择调整,一般外环间隙冲液流速不宜大于 10m/min,钻杆内上返流速应大于 2.4m/s。

③桩孔下直径较大时,钻压宜选用上限,钻头转速宜选用下限,获得下限钻进速度;桩孔直径较小时,钻压宜选用下限,钻头转速宜选用上限,获得上限钻进速度。

加接钻杆时,应先停止钻进,将钻具提离孔底 80 ~ 100mm,维持冲洗液循环境 1 ~ 2min,以清洗孔底并将管道内的钻渣携出排净,然后停泵加接钻杆。钻杆连接应拧紧上牢,防止螺栓、螺母、拧卸工具等掉入孔内。

钻进时如孔内出现坍孔、涌砂等异常情况,应立即将钻具提离孔底,控制泵量,保持冲洗液循环,吸除坍落物和涌砂;同时向孔内输送性能符合要求的泥浆,保持水头压力以抑制继续涌砂和坍孔,恢复钻进后,泵排量不宜过大,以防吸坍孔壁。

反循环施工中一般采用泥浆护壁的方法进行钻挖。泥浆的作用为:在钻挖中,孔内泥浆一面循环,一面对孔壁形成一层泥浆膜,将钻孔内不同土层中的空隙渗填密实,使孔内漏水减少到最低限度;保持孔内有一定水压以稳定孔壁;延缓砂粒等悬浮状土颗粒的沉降,易于处理沉渣。为此应保持一定的泥浆比重,在粘土和粉土层中钻挖时泥浆比重可取 1.02 ~ 1.04,在砂和砂砾等容易坍孔的土地层中挖掘时,泥浆比重保持在 1.05 ~ 1.08。当泥浆比重超过 1.08 时,则钻挖困难,效率降低,易使泥浆泵产生堵塞或使混凝土的置换产生困难,要用水适当稀释,以调整泥浆比重。

在不含粘土或粉土的纯砂层中钻挖时,还须在贮水槽和贮水池中加入粘土,并搅拌成适当比重的泥浆,造浆粘土应符合下列技术要求:胶体率不低于95%,含砂率不大于4%,造浆率不低于0.006~0.008m³/kg。

成孔时,若由于地下水稀释等因素使泥浆比重减少,可添加膨润土等来增大比重。膨润土溶液的浓度与比重的关系见表2-9所列。

膨润土溶液的浓度与比重的关系 表2-9

浓度(%)	6	7	8	9	10	11	12	13	14
比重	1.035	1.040	1.045	1.050	1.055	1.060	1.065	1.070	1.075

注:膨润土比重按2.3计。

钻进时应认真仔细观察进尺和砂石泵排水出渣的情况。排量减少或出水中含钻渣量较多时,应控制给进速度,防止因循环液比重太大而中断反循环。在砂砾、砂卵、卵砾石地层中钻进时,为防止钻渣过多,卵砾石堵塞管路,可采用间断钻进,间断回转的方法来控制钻进速度。钻挖速度同桩径、钻深、土质、钻头的种类与钻速以及泵的扬水能力有关。在砂层中钻挖需考虑泥膜形成所需的时间。在粘性土中钻挖则需考虑泥浆泵的能力并要防止泥浆浓度的增加。表2-10为钻挖速度与钻头转速关系的参考表。

反循环法钻挖速度与钻头转速的参考表 表2-10

土 质	钻挖速度 (m/min)	钻头转速 (r/min)	土 质	钻挖速度 (m/min)	钻头转速 (r/min)
粘土	3~5	9~12	中砂	5~8	4~6
粉土	4~5	9~12	砾砂	6~10	3~5
细砂	4~7	6~8			

注:本表摘自日本基础建设协会"灌注桩施工指针"。

④第一次处理孔底虚土(沉渣)

钻进达到要求孔深停钻时,仍要维持冲洗液正常循环,清洗吸除孔底沉渣直到返出冲洗液的钻渣含量小于4%为止。起钻时应注意操作轻稳,防止钻头拖刮孔壁,并向孔内补入适量冲洗液,稳定孔内水头高度。

清孔要求:清孔过程中应观测孔底沉渣厚度和冲洗液含渣量,当冲洗液含渣小于4%,孔底沉渣厚度符合设计要求时即可停止清孔,并应保持孔内水头高度,防止塌孔。

第一次沉渣处理:在终孔时停止钻具回转,将钻头提离孔底500~800mm,维持冲洗液的循环,并向孔中注入含砂量小于4%的新泥浆或清水,令钻头在原地空转10min左右,直至达到清孔要求为止。

⑤移走反循环钻机

⑥测定孔壁

⑦将钢筋笼放入孔中

钢筋笼沉放要对准孔位,扶稳、缓慢,避免碰撞孔壁,到位后应立即固定。大直径桩的钢筋笼通常是利用吊车将钢筋笼吊入桩孔内。

当桩长度较大时,钢筋笼可采用逐段接长法放入孔内。即先将第一段钢筋笼放入孔中,利用其上部架立筋暂固定在护筒上部。此时主筋位置要正确、竖直。然后吊起第二段钢筋笼,对准位置后用绑扎或焊接等方法接长后放入钻孔中。如此逐段接长后放入到预定位置。

待钢筋笼安设完毕后,一定要检测确认钢筋顶端的高度。

⑧插入导管

⑨第二次处理孔底虚土

在灌注混凝土之前进行第二次沉渣处理,通常采用普通导管的空气升液排渣法。空气升液排渣法方式是将头部带有 1m 多长管子的气管插入到导管之内,管子的底部插入水下至少 10m,气管至导管底部的最小距离为 2m 左右。压缩空气从气管底部喷出,如使导管底部在桩孔底部不停地移动,就能全部排除沉渣。在急骤地抽取孔内的水,为不降低孔内水位,必须不断地向孔内补充清水。

⑩水下灌注混凝土,拔出导管

检查成孔质量合格后应尽快灌注混凝土,每根桩的混凝土灌注应连续进行。在灌注过程中应用浮标或测锤测定混凝土的灌注高度,以检查灌注质量。灌注混凝土至桩顶时,应适当超过桩顶设计高程,以保证在凿除浮浆层后,桩顶高程和桩顶混凝土质量能符合设计要求。

当气温低于 0℃时,灌注混凝土应采取保温措施,灌注时的混凝土温度不应低于 3℃;桩顶混凝土未达到设计强度的 50% 前不得受冻。当气温高于 30℃时,应根据具体情况对混凝土采取缓凝措施。

混凝土灌注充盈系数(实际灌注混凝土体积与按设计桩身直径计算体积之比)不得小于 1;一般土质为 1.1;软土为 1.2~1.3。桩身混凝土必须留有试件,直径大于 1m 的桩,每根桩应有 1 组试块,且每个灌注台班不得少于 1 组,每组 3 件。

灌注结束后,应设专人做好记录。

⑪拔出护筒

泵吸反循环钻成孔灌注桩常遇问题、原因和处理方法见表 2-11 所列。

泵吸反循环钻成孔灌注桩常遇问题、原因和处理方法　　　　　表 2-11

常遇问题	主要原因	处理方法
真空泵起动时,系统真空度达不到要求	起动时间不够	适当延长起动时间,但不宜超过 10min
	气水分离器中未加足清水	向气水分离器中加足清水
	管路系统漏气,密封不好	检修管路系统,尤其是砂石泵塞线和水龙头处
	真空泵机械故障	检修或更换
	操作方法不当	按正确操作方法操作
真空泵起动时不吸水;或吸水但起动砂石泵时不上水	真空管路或循环管路被堵	检修管路,注意检查真空管路上的阀是否打开
	钻头进水口被堵住	将钻头提离孔底,并冲堵
	吸程过大	降低吸程,吸程不宜超过 6.5m
灌注阻力大,孔口不返水	管路系统被堵塞物堵死	清除堵塞物
	钻头水口被埋	把钻具提离孔底,用正循环冲堵
砂石泵起动,正常循环后循环突然(或逐渐)中断	管路系统漏气	检修管路,紧固砂石泵塞线压盖或水龙头压盖
	管路突然被堵	冲堵管路
	钻头水口被堵	清除钻头水口堵塞物
	吸水胶管内层脱胶损坏	更换吸水胶管
在粘土层中钻进时,进尺缓慢,甚至不进尺	钻头有缺陷	检修或更换钻头
	钻头有泥包或糊钻	清除泥包,调节冲洗液的比重和粘度,适当增大泵量或向孔内投入适量砂石解除泥包糊钻
	钻进参数不合理	调整钻进参数

常遇问题	主要原因	处理方法
在基岩中钻进时,进尺很慢甚至不进尺	岩石较硬,钻压不够	加大钻压(可用加重块)调整钻进参数
	钻头切削刃崩落,钻头有缺陷或损坏	修复或更换钻头
在砂层、砂砾层或卵石层中钻进时有时循环突然中断或排量突然中断或排量突然减少;钻头在孔内跳动厉害	进尺过快,管路被砂石堵死	控制钻进速度
	冲洗液的比重过大	立即稍提升钻具,调整冲洗液比重至符合要求
	管路被石头堵死	起闭砂石泵出水阀,以造成管路内较大的瞬时压力波动,可清除堵塞物,或用正循环冲堵,清除堵塞物;如无效,则应起钻予以排除
	冲洗液中钻渣含量过大	降低钻速,加大排量,及时清渣
	孔底有较大的活动卵砾石	起钻用专门工具清除大块砾石
钻头脱落	钻管的连接螺栓松动或破损	及时将螺栓拧紧,破损者及时更换
转台不能旋转	液压泵或液压马达发生故障	修理或更换
	工作油不足	及时补充液压油
孔壁坍塌	水头压力保持不够	应维持 0.02MPa 静水压力。孔内水位必须比地下水位高 2m 以上
	护筒的埋深位置不合适,护筒埋设在砂或粗砂层中,砂土由于水压漏水后容易坍塌;而且由于振动与冲击影响,使护筒的周围与底部地基土松软而造成坍塌	将护筒的底贯入粘土中约 0.5m 以上
	因把旋转台盘直接安装在护筒上,由于钻进中的振动,使护筒周围与底部地基土松动,钻孔内的水也将漏失,引起孔壁坍塌	把旋转台盘设置在固定台上
	(静水压)水头太大,超过需要时,护筒底部的水压将比该深度外覆盖土重为大,而使钻孔外侧的土发生涌起翻砂以致破坏	孔内静水压力原则上应取地下水头 + 2.0m
	有粗颗粒砂砾层等强透水层,当钻孔达该土层时,由于漏水使孔内水急剧下降而孔壁坍塌	最好不采用钻孔桩,选用打入式桩。如已选用钻孔桩,则应预先注入化学药液以加固地基或采用稳定液
	有较强的承压水并且水头甚高,特别是比内水压还大时,孔底发生翻砂和孔壁坍塌	反循环法施工很难成功,宜选用其他合适的施工方法
	地面上重型施工机械的重量和它作业时的振动与地基土层自重应力影响常导致地面以下 10~15m 左右处发生孔壁坍塌	事前应充分调查在地面下 10~15m 附近的土质是否是松砂等易坍塌的土层。施工时采用稳定液,尽量减少施工作业振动等影响
	泥浆的比重和浓度不足,使孔壁坍塌	按不同地层土质采用不同的泥浆比重和浓度
	成孔速度太快,在孔壁上还来不及形成泥膜,容易使孔壁坍塌	成孔速度视地质情况而异
	排除较大障碍物(例如 40cm 大小的漂石),形成大空洞而漏水致使孔壁坍塌	采用比重为 1.06~1.08 浓度的泥浆,在保持泥浆循环的同时,考虑各种加强保护孔壁不坍的措施

常遇问题	主要原因	处理方法
孔壁坍塌	松散地层泵量过大,造成抽吸塌孔	调整泵量,减少抽吸
	护筒变形过大,或形状不合适,使钻孔内的水漏失,引起孔壁坍塌	护筒形状应符合要求
	放钢筋笼时碰撞了孔壁,破坏了泥膜和孔壁	从钢筋笼绑扎、吊插以及定位垫板设置安装等环节均应予以充分注意
	给水泵、软管类的故障	及时修理或更换

反循环钻成孔灌注桩施工振动小、噪声低,施工速度较快。例如,对于普通土质、直径 1m,深度 30～40m 左右的桩,每天可完成一根。除个别特殊情况外,一般使用天然泥浆即可保护孔壁。因钻挖钻头不必每次上下排弃钻渣,只要接长钻杆,就可以进行深层钻挖。目前最大成孔直径为 4.0m,最大成孔深度为 90m。反循环钻成孔采用旋转切削方式,钻挖靠钻头平稳的旋转,同时将土砂和水吸升;钻孔内的泥浆压力抵消了孔隙水压力,从而避免涌砂等现象。因此,反循环钻孔是对付砂土层最适宜的成孔方式,可钻挖地下水位下厚细砂层(厚度 5m 以上)。用特殊钻头可钻岩石,同时还可进行水上施工。

反循环钻成孔灌注桩施工的缺点是很难钻挖比钻头的吸泥口径大的卵石(150mm 以上)层。当土层中有较高压力的水或地下水流时,施工比较困难(针对这种情况,需加大泥浆压力方可钻进)。如果水压头和泥水比重等管理不当,还会引起坍孔。废泥水处理量大,钻挖出来的土砂中水分多,弃土困难。由于土质不同,钻挖时桩径扩大 10%～20% 左右,混凝土的数量将随之增大。

(3)正循环钻成孔灌注桩

正循环钻成孔施工法是由钻机回转装置带动转杆和钻头回转切削破碎岩土,钻进时用泥浆护壁、排渣;泥浆由泥浆泵输进钻杆内腔后,经钻头的出浆口射出,带动钻渣沿钻杆与孔壁之间的环状空间上升,到孔口溢进沉淀池后返回泥浆池中净化,再供使用。这样,泥浆在泥浆泵、钻杆、钻孔和泥浆池之间反复循环运行(图 2-45 所示)。

正循环钻进成孔适用于填土层、淤泥层、粘土层,也可在卵砾石含量不大于 15%、粒径小于 10mm 的部分砂卵砾石层和软质基岩、较硬基岩中使用。桩孔直径一般不宜大于 1000mm,钻孔深度一般约为 40m 为限,某些情况下,钻孔深度可达 100m。

正循环钻成孔灌注桩施工设备简单,可直接或稍加改进地借用地质岩心钻探设备或水文水井钻探设备,钻机小,重量轻,设备故障相对较少,工艺技术成熟、操作简单,易于掌握,噪声低,振动小,狭窄工地也能使用。有的正循环钻机(如日本利根 THS-70 钻机)可打倾角 10° 的斜桩。还能有效地使用于托换基础工程。工程费用较低。

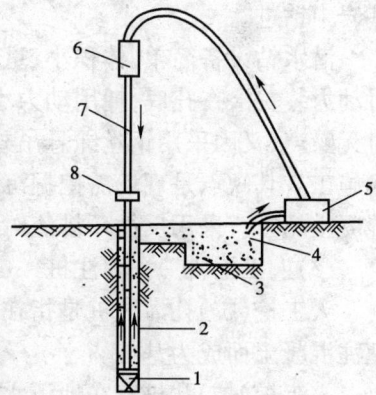

图 2-45　正循环钻成孔
1-钻头;2-泥浆循环方向;3-沉淀池及沉渣;4-泥浆池及泥浆;5-泥浆泵;6-水龙头;7-钻杆;8-钻机回转装置

正循环钻成孔灌注桩施工由于桩孔直径大,正循环回转钻进时,其钻杆与孔壁之间的环状断面积大,泥浆上返速度低,挟带泥砂颗粒直径较小,排除钻渣能力差,岩土重复破碎现象严重。因此从使用效果看,正循环钻进劣于反循环钻进。反循环钻进时,冲洗液是从钻杆与孔壁间的环状空间中流入孔底,并携带钻渣,经由钻杆内腔返回地面的;由于钻杆内腔断面积比钻杆与孔壁间的环状断面积小得多,故冲洗液在钻杆内腔能获得较大的上返速度。而正循环钻进时,泥浆运行方向是从泥浆泵输进钻杆内腔,再带动钻渣沿钻杆与孔壁间的环状空间上升到泥浆池,故冲洗液的上返速度低,一般情况,反循环冲洗液的上返速度比正循环快 40 倍以上。

(4)潜水钻成孔灌注桩

潜水钻成孔施工法是在桩位采用潜水钻机钻进成孔、钻孔作业时,钻机主轴连同钻头一起潜入水中,由孔底动力直接带动钻头钻进。从钻进工艺来说,潜水钻机属旋转钻进类型。其冲洗液排渣方式有正循环排渣和反循环排渣两种(图 2-46、图 2-47 所示)。

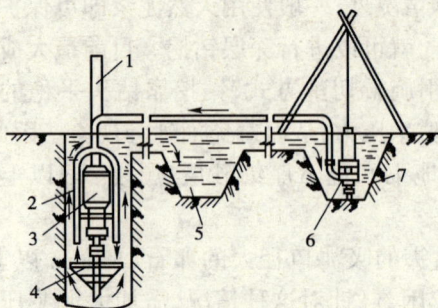

图 2-46　正循环排渣

1-钻杆;2-送水管;3-主机;4-钻头;5-沉淀池;

6-潜水泥浆泵;7-泥浆池

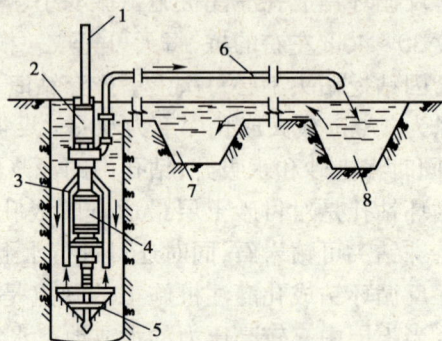

图 2-47　泵举反循环排渣

1-钻杆;2-砂石泵;3-抽渣管;4-主机;5-钻头;

6-排渣胶管;7-泥浆泵;8-沉淀池

潜水钻成孔适用于填土、淤泥、粘土、砂土等地层,也可在强风化基岩中使用,但不宜用于碎石土层。潜水钻机尤其适于在地下水位较高的土层中成孔。这种钻机由于不能在地面变速,且动力输出全部采用刚性传动,对非均质的不良地层适应性较差,加之转速较高,不适合在基岩中钻进。

潜水钻设备简单,体积小,重量轻,施工转移方便,适合于城市狭小场地施工。潜水钻工作时动力装置潜在孔底,耗用动力小,钻孔时不需要提钻排渣,钻孔效率较高。整机潜入水中钻时无噪声,又因采用钢丝绳悬吊式钻进,整机钻进时无振动,不扰民,适合于城市住宅区、商业区施工。其缺点是现场需挖掘沉淀池和处理排放的泥浆,施工场地泥泞。桩径易扩大,使灌注混凝土超方。采用反循环排渣时,土中若有大石块,容易卡管。

(5)人工挖(扩)孔灌注桩

人工挖(扩)孔灌注桩是指在桩位采用人工挖掘方法成孔(或桩端扩大),然后安放钢筋笼、灌注混凝土而成为基桩。

人工挖(扩)孔桩宜在地下水位以上施工,适用于人工填土层、粘土层、粉土层、砂土层、碎石土层和风化岩,也可在黄土、膨胀土和冻土中使用,适应性较强。在覆盖层较深且具有起伏较大的基岩面的山区和丘陵地区建设中,采用不同深度的挖孔桩,将上部荷载通过桩身传给基岩,技术可靠,受力合理。因地层或地下水的原因,以下情况挖掘困难或挖掘不能进行:地下水的涌水量多且难以抽水的地层;有松砂层,尤其是在地下水位下有松砂层;孔中氧气缺乏或有毒气发生的地层。

人工挖(扩)孔桩的桩身直径一般为 800～2000mm,最大直径可达 3500mm。桩端可采取不扩底和扩底两种方法。视桩端土层情况,扩底直径一般为桩身直径的 1.3～2.5 倍,最大扩底直径可达 4500mm。当高层建筑采用大直径钢筋混凝土灌注桩时,人工挖孔往往比机械成孔具有更大的适应性。

人工挖(扩)孔灌注桩施工用的机具设备比较简单,主要有:电动葫芦(或手摇辘轳)和提土桶(用于材料和弃土的垂直运输以及供施工人员上下);扶壁钢模板(国内常用)或波纹模板(日本施工人工挖孔桩时用);潜水泵(用于抽出桩孔中的积水);鼓风机和送风管(用于向桩孔中强制送入新鲜空气);镐、锹、土筐等挖土工具,若遇到硬土或岩石还需准备风镐;插捣工具(以插捣护壁混凝土);应急软爬梯。

为确保人工挖(扩)孔桩施工过程中的安全,必须考虑防止土体坍滑的支护措施。支护的方法很多,例如可采用现浇混凝土护壁、喷射混凝土护壁和波纹钢模板工具式护壁等。采用现浇混凝土分段护壁的人工挖孔桩的施工工艺流程如下:放线定位→开挖土方→测量控制→支设护壁模板→设置操作平台→灌注护壁混凝土→拆除模板继续下一段的施工→钢筋笼沉放→排除孔底积水,灌注桩身混凝土。

人工挖(扩)孔灌注桩施工成孔机具简单,作业时无振动、无噪声,当施工场地狭窄,邻近建筑物密集或桩数较少时尤为适用。人工挖(扩)孔灌注桩人工挖掘,便于清底和检查孔壁和孔底,可以核实桩孔地层土质情况,施工质量可靠。人工挖(扩)孔灌注桩的桩径和桩深可随承载力的情况而变化,桩端可以人工扩大,以获得较大的承载力,满足一柱一桩的要求,造价也较低。

人工挖(扩)孔灌注桩施工的缺点是桩孔内空间狭小,劳动条件差,施工文明程度低。人员在孔内上下作业,稍一疏忽,容易发生人身伤亡事故,混凝土用量较大。

(6)套管成孔灌注桩

套管成孔灌注桩又称为打拔管灌注桩。是利用一根与桩的设计尺寸相适应的钢管,其下端带有桩尖。采用锤击或振动的方法将其沉入土中,然后将钢筋笼子放入钢管内,再灌注混凝土,并随灌随将钢管拔出,利用拔管时的振动将混凝土捣实。

锤击沉管时采用柴油锤将钢管打入土中(图 2-48 所示)。振动沉管时是将钢管上端与振动沉桩机刚性连接,利用振动力将钢管打入土中(图 2-49 所示)。

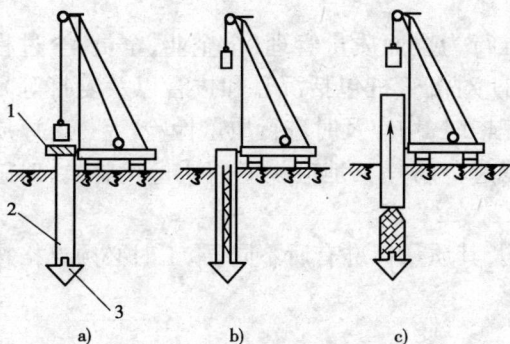

图 2-48 锤击套管成孔灌注桩
a)钢管打入土中;b)放入钢筋骨架;c)随浇混凝土拔出钢管
1-桩帽;2-钢管;3-桩靴

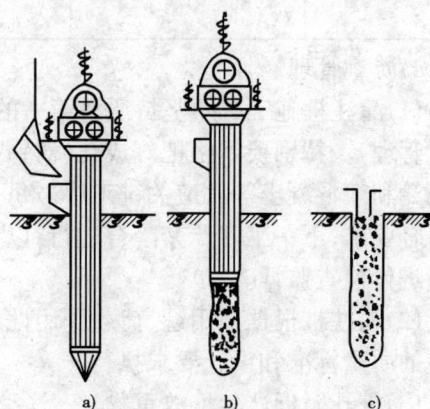

图 2-49 振动套管成孔灌注桩
a)沉管后浇注混凝土;b)拔管;c)桩浇完后插入钢筋

钢管下端有两种构造:一种是开口,在沉管时套以钢筋混凝土预制桩尖,拔管时,桩尖留在桩底土中;另一种是管端带有活瓣桩尖,其构造如图 2-50 所示。沉管时,桩尖活瓣合拢,灌注混凝土及拔管时活瓣打开。

拔管的方法有单打法、复打法和翻插法。

①单打法　即一次拔管法。拔管时每提升 0.5 ~ 1.0m,振动 5 ~ 10s 后,再拔管 0.5 ~ 1.0m,如此反复进行,直到全部拔出为止。

②复打法　在同一桩孔内进行两次单打,或根据要求进行局部复打。

③翻插法　将钢管每提升 0.5m,再下沉 0.3m(或提升 1m,下沉 0.5m),如此反复进行,直至拔离地面。此种方法,在淤泥层中可消除缩颈现象,但在坚硬土层中易损坏桩尖,不宜采用。

套管成孔灌注桩施工中常会出现一些质量问题,包括:①有隔层:灌注桩混凝土中部有空隔层或泥水层、桩身不连续;②缩径:桩身某处桩径缩减,小于设计断面。③断桩;④吊脚桩:桩底部混凝土隔空或混进泥砂而形成松软层。见表 2-12 所列。

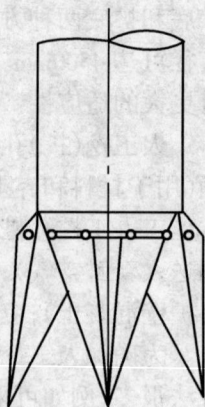

图 2-50　活瓣桩尖示意

套管成孔灌注桩施工常见质量问题分析与防治　　表 2-12

	隔 层	缩 颈	断 桩	吊 脚 桩
用动测、测锤识别	√	√	动测	√
成因	混凝土和易性差,拔管速度过快	高孔压;土太软	临桩挤压或终凝不久受外力	泥砂、水挤入桩管;桩尖打开晚
预防方法	改善和易性;密振	控制拔管速度;管内混凝土高度≥2m	桩距≥4 桩径;跳打法;间歇打;避免近距离外力作用	提高桩尖密封性;测锤监测并配合密振
防治	反插、复打、补桩	复打;补桩	补桩	填砂重打;反插、复打;补桩

4)质量管理

(1)灌注桩施工必须坚持质量第一的原则,推行为全面质量管理(全企业、全员、全过程的质量管理)。特别要严格把好成孔(对钻孔和清孔,对沉管桩包括沉管和拔管以及复打等)、下钢筋笼和灌混凝土等几道关键工序。每一工序完毕时,均应及时进行质量检验,上一工序质量不符合要求,下一工序严禁凑合进行,以免存留隐患。每一工地应设专职质量检验员,对施工质量进行检查监督。

(2)灌注桩根据其用途、荷载作用性质的不同,其质量标准有所不同,施工时必须严格按其相应的质量标准和设计要求执行。

(3)桩孔附近严禁堆放重物。

(4)随时查看桩施工附近地面有无开裂现象,防止机架和护筒等发生倾斜或下沉。

(5)每根钻孔桩的施工应连续进行,如因故停机,应及时提上钻具,保护孔壁,防止造成塌孔事故。同时应记录停机时间和原因。

(6)钻孔桩的孔口必须加盖。

思考题

1. 试述轻型井点的布置方案和设计步骤。

2. 轻型井点系统有哪几部分组成？

3. 何为无压完整井？

4. 井点降水的作用有何优点？

5. 试述流砂产生的机理及防治途径。

6. 试分析土壁塌方的原因和预防塌方的措施。

7. 进行明排水和人工降水时应注意什么问题？

8. 试述管井井点、轻型井点、喷射井点、电渗井点的构造及适用范围。

9. 试述水井的类型及涌水量计算方法。在哪种情况下容易产生"管涌冒砂"，如何防治？

10. 试分析产生流砂的外因和内因及防治流砂的途径和方法。

11. 试述地基处理的方法有哪些？有哪些特点？适用范围是什么？

12. 浅基础施工时应注意哪些问题？逆作法施工的程序是怎样的？

13. 常用的锤击沉桩机有哪几种？试述它们的优缺点。

14. 试述预制混凝土打入桩质量控制要点。

15. 灌注桩的成孔方法有哪几种？各适用于什么范围？

16. 试述泥浆护壁成孔灌注桩的施工工艺流程及埋设护筒应注意事项。

17. 套管成孔灌注桩的施工工艺是怎样的？套管成孔灌注桩施工常遇问题及其处理方法是什么？

18. 试述钢筋混凝土预制桩的制作、起吊、运输、堆放等环节的主要工艺要求。

19. 为什么要确定打桩顺序？打桩顺序和哪些因素有关？试分析打桩顺序、土壤挤压与桩距的关系。

20. 打桩的质量从哪几个方面进行衡量？在什么情况下控制贯入度或桩头设计高程？

21. 正循环回转钻成孔和反循环回转钻成孔，泥浆循环有何区别？有何优缺点？

22. 什么是沉管灌注桩的复打法？起什么作用？

23. 围堰施工时有哪些基本要求？

24. 预制桩的起吊点如何设置？

25. 桩锤有哪几种类型？桩锤的工作原理和适用范围是什么？

26. 如何确定桩架的高度？

27. 灌注桩的成孔方法有哪几种？各种方法的特点及适用范围如何？

28. 接桩的方法有哪些？各适用什么情况？

29. 沉桩的方法有几种？各有什么特点？分别适用于何种情况？

30. 如何控制打桩的质量？

31. 预制桩和灌注桩的特点和各自的适用范围是什么？

32. 湿作业成孔灌注桩中,泥浆起何作用? 如何制备?

33. 简述人工挖孔灌注桩的施工工艺及主要注意事项。

34. 试述沉管灌注桩的施工工艺及其常见的质量问题有哪些?

35. 什么是单打法? 什么是复打法? 什么是反插法?

36. 按受力情况桩分为几类? 桩上的荷载由哪部分承受?

37. 试分析各种打桩顺序的利弊。

第三章 脚手架工程

DISANZHANG

在建筑施工中,脚手架是不可缺少的施工设施。脚手架为高处作业的工人提供材料存放和进行操作的条件,为工程搭设安全防护措施,或用于模板、吊装工程和设备安装工程的支撑架以及搭设其他临时构架设施,因此对于施工安全、施工速度及工程成本有重要影响,需要认真进行脚手架的选型和设计,并需严格保证脚手架的搭设质量。

第一节 概 述

一、脚手架的分类

1. 按脚手架的用途分

(1)结构工程作业脚手架 是为满足结构作业需要而设置的脚手架。

(2)装修工程作业脚手架 是为满足装修施工作业需要而设置的脚手架。

(3)支撑和承重脚手架 是为支撑模板及其荷载或其他承重要求而设的脚手架。

(4)防护脚手架 包括做围护用墙式单排脚手架和通道防护棚等。

2. 按脚手架的设置状态分

(1)落地式脚手架 脚手架荷载通过立杆传给架设脚手架的地面、楼面、屋面或者其他支持结构物。

(2)挑脚手架 从建筑物内伸出的固定于工程结构外侧的悬挑梁或悬挑结构上向上搭设的脚手架。

(3)挂脚手架 使用预埋托挂件或挑出悬挂结构将定型作业架悬挂于建筑物的外墙面。

(4)吊脚手架 悬吊于屋面结构或屋面悬挑梁之下的脚手架。当脚手架为篮式构造时,就称为"吊篮"。

(5)桥式脚手架 由桥式工作台及其两端支柱(一般为格构柱)构成的脚手架。

(6)移动式脚手架 自身具有稳定结构、可移动使用的脚手架。

3.按材料和连接方式分

(1)木脚手架　以木杆为主要杆件,采用铁丝绑扎而成的脚手架。

(2)竹脚手架　以竹竿为主要杆件,采用竹篾、铁丝、塑料篾绑扎而成的脚手架。

(3)扣件式钢管脚手架　有钢管和扣件组成的脚手架。

(4)碗扣式钢管脚手架　由带齿碗扣接头连接的各种杆件组成的脚手架。

(5)门式钢管脚手架　由门架、交叉支撑、连接棒、挂扣式脚手板或水平架、锁臂等基本构配件组成的脚手架。

(6)其他连接形式的脚手架。

二、脚手架的组成

脚手架包括基本结构、整体拉结杆件、作业层杆配件、其他安全防护措施以及附墙拉结、卸载和支承措施等组成部分。

基本结构是脚手架直接承受和传递垂直荷载及其内力的构架部分,由基本结构单元组合而成。基本结构单元是脚手架基本结构的最小组成部分,是可以承受和传递脚手架垂直荷载及其内力的杆件,包括矩形平面构格(常用于单排脚手架、防护栏杆)、矩形立体格构(常用于双排脚手架、空间脚手结构)、三角形平面构架(常用于悬挑脚手架的支架、大型模板的支承架等)、不规则平面构架(常用于爬升脚手架的爬架、挂、挑脚手架的竖向承力架、脚手架的水平承力行架等)、门式构架(常用于双排脚手架、满堂脚手架、安全防护棚等)、单杆式格构立柱(常用于各类脚手架的立杆)等。

整体拉结杆件能使脚手架形成稳定构架,加强脚手架整体、局部或某一薄弱方向的刚度,加强脚手架抵抗侧向力的能力。包括斜杆、剪刀撑和水平加强杆等构件。

作业层杆配件包括脚手板、挡脚板、栏杆等架面和外侧防护材料。

其他安全防护措施为除作业层防护之外的安全防护措施,包括进出口的防护和各种安全栅栏、安全栏网等。

附墙拉结是提高脚手架稳定承载力和防止倾覆的重要措施,一般应采用刚性拉结构造,即使用可以承受拉力和压力作用的刚性杆件和连接构造,亦可采用柔性拉结和刚性支顶杆合用的办法。常见的附墙拉结构造形式有属于柔性拉结的铁丝拉结、花篮螺丝拉结、带花篮螺丝的钢丝绳或拉杆拉结、链索拉结等,属刚性拉结的钢管拉结、穿墙螺栓拉结等形式。

支承设施用于支承脚手架并将脚手架荷载传给工程结构承受的构造部分,按其支承方式可分为悬挑式(主要用于挑脚手架)、靠挂式(用于挂脚手架)和悬吊式(用于吊篮)。

三、脚手架的设置要求

一般情况下,建筑脚手架的设置和构架应满足以下基本要求:

(1)脚手架的设置应确保结构稳定、受力明确、承载可靠和使用安全。

(2)脚手架作业层的架面宽度根据施工需要确定,一般情况下,结构工程脚手架和外装修脚手架的架面宽度不小于0.9m,里装修脚手架不得小于0.6m。铺板的里边缘距墙不得大于150mm。

(3)脚手架的步距、单双排脚手架的立杆纵距和满堂脚手架的立杆间距,应根据脚手架的搭设高度、施工要求、承载和构架的需要确定,且均不宜大于1.8m。对于洞口、通道口、荷载加大部位、拉结和卸载措施设置处等部位均应增设加强构造。

（4）架高超过 6m 时，脚手架与工程结构之间必须设置拉结措施——连墙点。连墙点应按竖向架面均匀分布，竖向间距最大不超过 8m，每点覆盖面积最大不超过 40m²。

（5）一般情况下，禁止不同材料和连接方式的脚手架的杆配件混用。但由于所用脚手架材料的构架能力不能完全满足施工的需要，而要采用其他杆配件或材料予以加强时，若其规格或连接方式与原构架不同，则不得取代原脚手架构架结构的基本杆配件，且混用的加强立杆，必须自地面（楼面）或其他承重结构起向上连续搭设并进行可靠连接。

（6）当架高超过 20m；构架尺寸、荷载和受力状态有显著改变的部位（局部脚手架）；做模板支撑和其他承重用途的脚手架；实际使用的施工荷载或作业层数超过二层或相应规范的规定；尚未制订规范的新型脚手架、特种和特殊造型脚手架以及其他无可靠安全依据搭设的脚手架，必须进行设计、验算或实物荷载检验，以确保其达到安全使用的要求。

（7）单排脚手架不得用于墙厚小于 180mm 的砌体；也不得用于土坯墙、空斗砌墙、轻质砖墙以及靠脚手架一侧实体厚度小于 180mm 的空心墙和有轻质保温层的复合墙体中。

（8）各种落地式脚手架的搭设高度一般不应超过表 3-1 的规定。

脚手架搭设高度的一般限制　　　　　　　　　　　　　　表 3-1

序　号	脚手架种类	搭设高度的一般限制(m)	
		单排脚手架	双排脚手架
1	木脚手架	20	30
2	竹脚手架	30	30
3	扣件式钢管脚手架	25	50
4	碗扣式钢管脚手架	30	60
5	门式钢管脚手架	当架面施工荷载标准值≤3kN/m² 时为 60m；当架面施工荷载标准值＞3kN/m² 而≤5kN/m² 时为 45m	

（9）外脚手架应周边交圈设置并确保脚手架在墙转角处的连接。不能交圈设置的"一字形"脚手架段，在其两端应加强整体性、抗侧力和与墙体拉结杆件，或采取其他措施加强。

（10）门式钢管脚手架的两个侧面必须满设交叉撑（十字拉杆）和一定数量的长杆剪刀撑；碗扣式钢管脚手架应按架高规定设置斜杆和一定数量的剪刀撑；木、竹脚手架和扣件式钢管脚手架应设置剪刀撑，剪刀撑的水平投影宽度应不小于 4 跨或 6m，斜杆的倾角宜在 45°～60°之间。斜杆和剪刀撑的数量应符合表 3-2 的规定。

斜杆和剪刀撑的设置要求　　　　　　　　　　　　　　表 3-2

项　目	脚手架种类	架　高 (m)	设置要求
斜杆	碗扣式钢管脚手架	架高＜30m	不少于框格总数的 1/4
		架高＝30～50m	不少于框格总数的 1/3
		架高＞50m	不少于框格总数的 1/2
	其他脚手架		视需要设置
剪刀撑	木、竹脚手架，扣件式钢管脚手架	≤24m	两端各设一道，其间按净距不大于 15m 间距设置，并自底至顶连续设置
		＞24m	在全宽和全宽上连续设置
	门式钢管脚手架，碗扣式钢管脚手架	＞30m	两端各设一道，按净距不大于 15m 间距设置，并自底至顶连续设置

（11）在确定脚手架的设置方案时，应充分考虑工程结构和建筑构造中的外形变化、凸挑构造、洞口以及其他对脚手架设置有影响和有要求的因素，选择合宜的留洞、拉结、挑挂和支顶部位，同时考虑结构的承受能力。对持力较大部位应进行结构验算。对高层和重载脚手架，应根据施工条件和合理性的要求，选择采取缩小立杆间距、下部使用双立杆或分段卸载措施。

第二节　扣件式钢管脚手架

扣件式钢管脚手架是目前我国使用最普遍的脚手架，用扣件连接钢管杆件而成。其主要优点是装拆灵活，搬运方便，通用性强。除了用来搭设各种型式脚手架外还可用于搭设模板支撑架，上料平台等。但是扣件脚手架也存在一些问题：第一，扣件式钢管脚手架搭设过程中需要拧紧大量螺纹扣件，用工量较大，而且需要精心操作，否则将形成安全隐患。第二，日常维修费用较高。脚手架钢管及零配件的寿命长短直接影响施工成本。目前有的企业对新购入的钢管内外壁进行防锈处理，在以后使用过程中每隔三年定期油漆一次，使用寿命约 12 年，而维修费约占购置费的 15%。另外有的企业购置脚手架后不进行表面防锈处理，使用过程中锈蚀严重，壁厚仅 3.5mm 的钢管迅速减薄。第三，零配件损耗率较高，根据调查，扣件式脚手架零配件丢失现象较严重，螺栓损坏程度大，周转 10 次的损耗率达 32%。

一、扣件式钢管脚手架基本杆件及部件

1.钢管杆件

如图 3-1 所示，钢管杆件包括立杆、纵向水平杆、横向水平杆、剪刀撑、斜杆、抛撑（在脚手架立面以外设置的斜撑）、扫地杆（贴地面设置的平杆）以及栏杆（用于护栏的平杆）等。

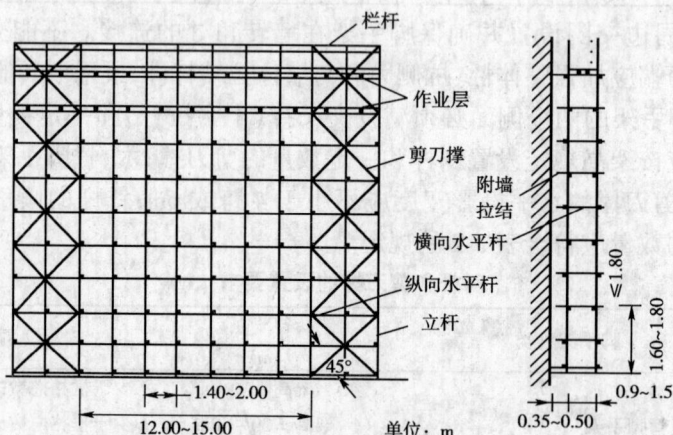

图 3-1　扣件式双排钢管外脚手架

钢管杆件多采用外径 48～51mm，壁厚 3～3.5mm 的焊接钢管。用于立杆、纵向水平杆、剪刀撑和斜杆的钢管长度为 4～6.5m，杆件重量不超过 25kg，以便于人工操作。用于横向水平杆的钢管长度 1.8～2.2m，以适应脚手架宽度的要求。材质宜采用力学性能适中的 Q235 钢，材性应符合规范要求。钢管必须进行防锈处理，即先行除锈然后内壁涂防锈漆两道，外壁涂防锈漆一道和面漆两道。国外亦有采用热浸镀锌法作防锈处理。

1)立杆构造

单立杆双排脚手架的搭设限高为50m。50m以上的脚手架,宜下部(35m以下)采用双立杆、上部采用单立杆,单立杆的高度应小于30m。立杆接头除了顶层可用搭接外。其余均必须用对接。接头位置应交错布置。两根相邻立杆接头不应在同步内。当采用双立杆时必须用扣件将双立杆与同一根纵向水平杆扣紧,不得只扣紧1根以避免其计算长度成倍增长。单立杆和双立杆的连接方法有两种:单立杆与双立杆之中的一根对接;单立杆同时与两根双立杆用不少于3道旋转扣件搭接,其底部支于横向水平杆上,在立杆与纵向水平杆的连接扣件下加设两道扣件(扣在立杆上),且三道扣件紧接,以加强对纵向水平杆支持力(图3-2所示)。

立杆间距:横距0.9~1.2m,纵距1.4~2.0m。当用单立杆时高度35m以下的脚手架为1.4~2.0m,35m以上的脚手架为1.4~1.6m,当用双立杆时,为1.5~2.0m。

2)纵向水平杆构造

纵向水平杆步距为1.5~1.8m,长度不宜小于三跨。接头应采用对接扣件连接。

上下横杆的接长位置应错开布置在不同的立杆纵距内,与相近立杆的距离不大于纵距的三分之一(图3-3所示)。相邻步架的纵向水平杆应错开布置在立杆的里侧和外侧,以减少立杆的偏心受荷情况。

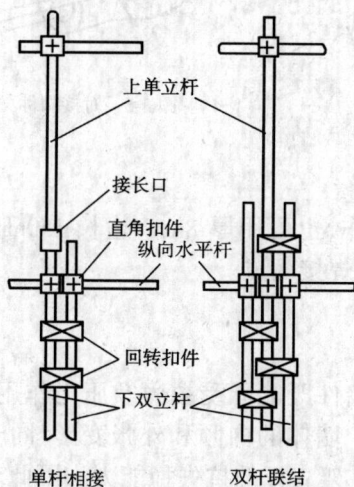

图3-2 单立杆和双立杆的连接方式

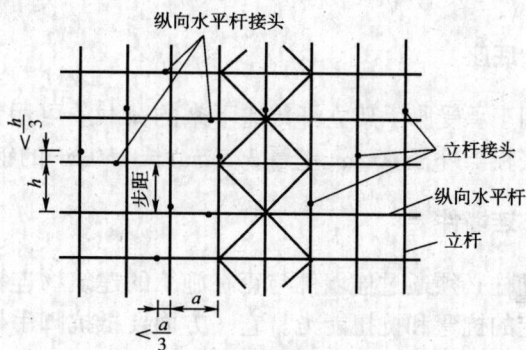

图3-3 立杆纵向水平杆的接头位置

立杆与纵向水平杆必须用直角扣件扣紧(因纵向水平杆对立杆起约束作用,对立杆承载能力有重要影响),不得隔步设置或遗漏。

3)横向水平杆构造

作为双排脚手架基本构架构件的横向水平杆贴近立杆布置(对于双立杆则设于双立杆之间),并搭于纵向水平杆之上用直角扣件扣紧。在任何情况下,上述作为基本构架构件的横向水平杆均不得拆除。至于在作业层作为脚手板支点的横向水平杆则根据脚手板的需要,等间距设置。

4)剪刀撑构造

高度35m以下的脚手架除在两端设置剪刀撑外,每隔12~15m在中间设置一道。高度35m以上的脚手架,沿脚手架两端和转角处起每7~9根立柱设置一道,且每片脚手架不少于三道。剪刀撑应联系3~4根立杆,剪刀撑斜杆与水平夹角为45°~60°。剪刀撑应沿脚手架高度连续布置,在相邻两排剪刀撑之间,每隔10~15m高加设一组长剪刀撑(图3-1所示)。剪刀撑的斜杆除两端用旋转扣件与脚手架的立杆或纵向水平杆扣紧外,在中间应增加 2~4 个扣结点。剪刀撑下端应落地,支撑在垫板上。

2.扣件

扣件有可锻铸铁铸造扣件及钢板压制扣件两种。扣件与钢管扣紧时应保证贴合面接触良好;扣件夹紧钢管时,开口处的最小距离应不小于 5mm;螺栓拧紧力矩达 20N·m 时,扣件不得破坏;表面不得有裂纹、气孔、砂眼或其他影响使用功能的缺陷。

常用扣件的基本型式有:

(1)直角扣件(十字扣),用于两根垂直交叉钢管的连接(图 3-4 所示)。

(2)旋转扣件(回转扣),用于两根呈任意角度交叉钢管的连接(图 3-5 所示)。

(3)对接扣件(筒扣,一字扣),用于两根钢管对接连接(图 3-6 所示)。

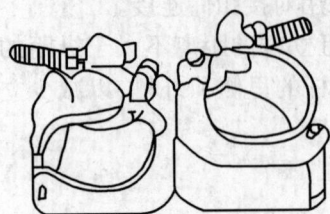

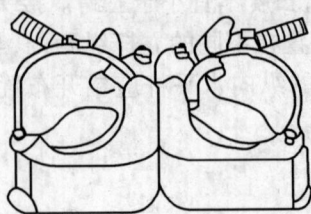

图 3-4　直角扣件　　　　　图 3-5　旋转扣件　　　　　图 3-6　对接扣件

3.底座

用于承受脚手架立杆传递下来的荷载。可用铸铁制作,也可用厚 8mm,边长 150mm 的钢板作底板与外径 60mm、壁厚 3.5mm、长 150mm 的钢管套筒焊接而成。

4.连墙件

立柱必须通过连墙件与正在施工的建筑物连接。连墙件既能承受拉力及压力作用,又要有一定的抗弯和抗扭能力。它一方面要抵抗脚手架相对于墙体的内倾和外张变形,同时也要能对立杆的纵向弯曲变形有一定的约束作用从而提高脚手架立杆的抗失稳能力。因此对提高脚手架的横向稳定性,承受水平荷载及偏心荷载具有重要作用。实际工程中由于连墙件设置数量不足,构造不符合要求或被任意拆除等所造成的脚手架倒坍事故屡有发生,必须引起高度重视并确保其设置要求。

1)连墙件构造

扣件式钢管外脚手架的连墙件有以下 4 种型式:

(1)穿墙夹固式(图 3-7a)所示)

单根或两根横向水平杆穿过墙体,在墙体两侧用短钢管(长度≥0.6m,立放或平放)塞以垫木固定。

(2)窗口夹固式(图 3-7b)所示)

单根或两根横向水平杆通过窗洞口,在洞口两侧用适长钢管(立放或平放)塞以垫本固定。

(3)箍柱式(图 3-7c)所示)

包括:单杆箍柱即用适当长度的单根横向水平杆紧贴结构的柱子,并用三根短横杆将其固定于柱侧;双杆箍柱:用适当长度的横向水平杆和短钢管各两根,抱紧柱子固定。

(4)埋件固定式(图 3-7d)、e)所示)

在混凝土墙体或框架的柱梁中埋设连墙件,用扣件与脚手架立杆或纵向水平杆连接固定。预埋的连墙件有以下两种型式:

①带短钢管埋件

在结构的普通预埋件的钢板上,焊以适长的短钢管,钢管长度以能与立杆或纵向水平杆可靠连接为度。拆除时需用气割从钢管焊接处割开。

②预埋螺栓和套管

将一端带适长弯头的 M12 ~ M16 螺栓埋入混凝土结构中,将底端带中心孔支承板的套管套在螺栓上,在套管另一端加垫板并以螺母拧紧固定在螺栓上。

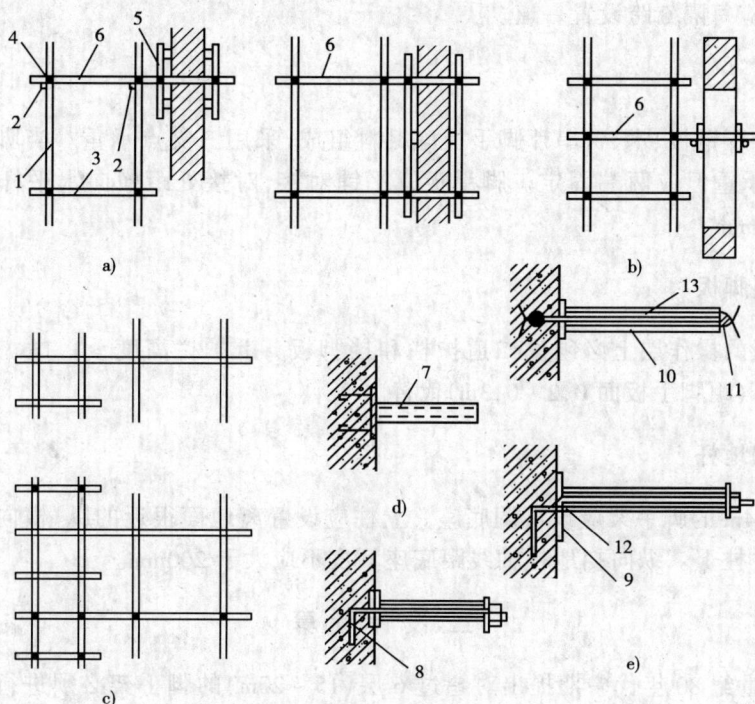

图 3-7　刚性连墙件

a)穿墙夹固式;b)窗口夹固式;c)箍柱式;d)埋件固定式(带短钢管埋件);e)埋件固定件式(预埋螺栓和套管)

1-立杆;2-纵向水平杆;3-横向水平杆;4-直角扣件;5-短钢管;6-适长钢管(或横向水平杆);7-带短钢管预埋件;8-带长弯头的预埋螺栓;9-带短弯头螺栓;10-带支撑板的 $\phi48$ 钢套管;11-$\phi16$ 短钢筋;12-预埋 $\phi6$ 挂环;13-双股绞结 8 号钢丝

2)连墙件的设置

连墙件一般应设置在横向刚度较大的结构部位(如框架梁,楼板附近)。在布置连接件位置时,需从底部第一根纵向水平杆处开始设置。连墙杆宜呈菱形布置,也可采用方形、矩形布置。连墙杆间距不应超过表 3-3 所示尺寸(可按二步三跨或三步三跨设置)。一字型、开口型

双排脚手架连墙件的布置　表 3-3

脚手架高度(m)	竖向间距	水平间距	每根连墙件覆盖面积(m²)
≤50m	$3h$	$3la$	≤40
>50m	$2h$	$3la$	≤27

注:h = 步距,la = 立杆纵距

脚手架必须设置两端连墙件,连墙件的垂直间距不应大于建筑物的层高,并不应大于 4m (2 步)。连墙杆宜与脚手架水平连接,和脚手架连接位置宜靠近主柱与纵向水平杆相交处,偏离最大距离应小于 300mm。

5.横向斜撑

横向斜撑是与双排脚手架内外立杆或水平杆斜交的呈之字形的斜杆。横向斜撑应在同一节间由底至顶层呈之字形连续布置。斜杆宜采用旋转扣件固定在与之相交的横向水平杆的伸出端上,旋转扣件中心线至主节点的距离不宜大于 150mm。一字型开口型双排脚手架的两端均必须设横向斜撑,中间宜每隔 6 跨设置一道。高度在 24m 以上的封闭脚手架除拐角应设横向斜撑外,中间应每隔 6 跨设置一道。

6.脚手板

脚手板由冲压钢板、木、竹串片脚手板等材料组成,采用三支点承重。当脚手板长度小于 2m 时可两支点承重但应两端固定。脚手板宜平铺对接,对接处距横向水平杆的轴线应大于 100mm,小于 150mm。

7.护栏和挡脚板

在铺脚手板的操作层上必须设二道护栏和挡脚板。上护栏高度 ≥1.1m。挡脚板也可用加设一道低栏杆(距脚手板面 0.2~0.3m)代替。

8.底座及扫地杆

高度大于 24m 的脚手架应设可调底座。立柱应设置离地面很近的纵、横向扫地杆并用直角扣件固定在立柱上。纵向扫地杆轴线距底座下皮不应大于 200mm。

二、设 计 计 算

我国从 20 世纪 80 年代中期提出对超过 6 层(15~20m)的脚手架必须进行设计计算的要求,改变了我国长期以来搭设脚手架依靠经验而不作设计计算的状况。由于脚手架的受力和工作状况受许多变化因素的影响,不同于工程结构,因此扣件式脚手架的计算有其特殊考虑。

1.设计原则

(1)根据承载能力极限状态的要求,应计算内容有:
①脚手板、纵向水平杆、横向水平杆等受弯构件根据正常使用极限状态的要求验算强度及变形;
②轴心受压构件的稳定性;
③脚手架与主体结构的连接强度;
④脚手架地基基础的承载力。
(2)计算构件的强度、稳定性及连接强度时,采用荷载设计值。验算构件变形时采用荷载标准值。
荷载设计值 = 荷载标准值×荷载分项系数(永久荷载的分项系数 = 1.2;可变荷载的分项系数 = 1.4)

(3)当纵向水平杆及横向水平杆的轴线对立杆的偏心距不大于 55mm 时,立杆稳定性按轴心受压构件计算。

(4)受压受拉构件的长细比不应超过表 3-4 规定的容许值 $[\lambda]$:

受压受拉构件的容许长细比   表 3-4

构 件 类 别	$[\lambda]$	构 件 类 别	$[\lambda]$
悬挑脚手架压杆、门洞桁架受压腹杆	150	横向斜撑、剪刀撑的压杆	250
立杆(双排脚手架)	210	拉杆	350

(5)受弯构件允许挠度

①脚手板、纵向水平杆、横向水平杆:$l/150$ 及 10mm(l 为受弯构件计算跨度)

②竖向分段悬挑结构的受弯构件:$l/400$

(6)扣件的抗滑移承载力设计值

①对接扣件抗滑:一个扣件 2.5kN;

②直角扣件、旋转扣件抗滑:一个扣件 6.0kN,二个扣件 11.0kN。

(7)螺栓、焊缝连接的强度设计值

螺栓、焊缝连接的强度设计值,按规范中规定的强度设计值乘以 0.75 采用。

2.荷载

1)永久荷载(恒荷载)

指脚手架(包括立柱、纵向水平杆、横向水平杆、支撑和扣件等)的自重。脚手架立杆验算截面承受的钩架自重荷载可按下式计算:

$$G_K = aH_0(g_{K1} + g_{K2} + g_{K3}) \tag{3-1}$$

式中:　　H_0——力杆验算截面以上脚手架钩架自重荷载的计算高度(m);

　　　　　a——力杆纵距(m);

$g_{K1}、g_{K2}、g_{K3}$——分别为按单位竖向架面计算的基本构架杆配件、整体作用杆配件和局部作用杆配件的平均自重(kN/m²)。

$\phi48 \times 3.5$ 扣件式钢管双排脚手架每米立杆承受的结构自重标准值见表 3-5 所列。

2)可变荷载(活荷载)

可变荷载包括施工荷载和各种钩配件重量,可按下式计算:

$$Q_K = \frac{1}{2}na[b(q_{K1} + q_{K2}) + 2q_{K3}] \tag{3-2}$$

式中:Q_K——可变荷载计算值;

　　n——作业层数;

　　q_{K1}——施工荷载标准值(kN/m²);

　　q_{K2}——用于架面的构配件材料自重计算值(kN/m²);

　　q_{K3}——用于防护的构配件材料自重计算值(kN/m²);

　　$a、b$——分别为立杆纵距、立杆横距(m)。

(1)施工荷载

包括材料、人及施工工具等。下列 4 种情况下施工均布荷载标准值为:维修脚手架 1kN/m²;装修脚手架 2kN/m²;结构脚手架 3kN/m²;斜道不小于 2kN/m²。

上述数值中不包括脚手板重量。

步距(m)	立柱纵距(m)				
	1.2	1.5	1.8	2.0	2.1
1.20	0.1489	0.1611	0.1734	0.1815	0.1856
1.35	0.1379	0.1491	0.1495	0.1674	0.1711
1.50	0.1291	0.1394	0.1601	0.1562	0.1596
1.80	0.1161	0.1248	0.1337	0.1395	0.1424
2.00	0.1094	0.1176	0.1259	0.1312	0.1338

注:采用 φ51×3 钢管时,表中数值乘以 0.96。

(2)构配件重量

包括脚手板、安全网、栏杆和挡脚板等。

脚手板均布荷载标准值:对于冲压钢板和竹串片脚手板为 0.3kN/m²;对于木脚手板为 0.4kN/m²。

栏杆挡脚板均布荷载标准值:对于冲压钢板或竹串片挡脚板及栏杆为 0.11kN/m²;对于木脚手板及栏杆为 0.14kN/m²。

安全网可根据实际情况计算。

3)风荷载

作用于钢管脚手架上的风荷标准值 W_K 为:

$$W_K = 0.7\mu_z \cdot \mu_S \cdot W_0 \tag{3-3}$$

式中:W_0——基本风压(kN/m²);

μ_z——风压高度变化系数,按《建筑结构荷载规范》规定采用;

μ_S——脚手架风荷载体型系数,按《建筑结构荷载规范》规定采用。

4)计算脚手架时的荷载效应组合

(1)任何情况下均不组合各种偶然荷载(特殊荷载),如爆炸力撞击力等。

(2)计算纵向水平杆及横向水平杆时忽略杆件自重和风荷载,只采用施工荷载,构配件重量的荷载效应组合;

(3)计算立杆稳定时,要计算两种荷载效应组合:构配件重量 + 施工荷载;构配件重量 + 0.85(施工荷载 + 风荷载);

(4)计算连墙件时,只考虑垂直于墙面的风荷载及其他水平的荷载效应组合。

3.计算方法

1)纵向水平杆、横向水平杆、脚手板等受弯构件计算

(1)纵向水平杆按三跨连续梁计算,计算跨度等于柱距,并考虑最不利荷载组合;

(2)横向水平杆:双排脚手架横向水平杆按图 3-8 所示简图计算。外伸长度 a 不得大于 $0.4l_b$,否则应计算支座负弯矩及端点的变形;

(3)脚手架按承受均布荷载简支梁计算,脚手架计算跨度取横向水平杆的间距;

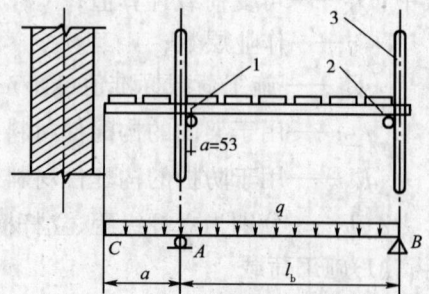

图 3-8　横向水平杆计算荷载图
1-横向水平杆;2-纵向水平杆;3-立杆

(4)求得最大弯矩 M_{max} 后,按下式验算抗弯强度:

$$\sigma = \frac{M_{max}}{W_n} \leqslant f$$ (3-4)

$$M_{max} = 1.2 M_{GK} + 1.4 \sum_{i=1}^{n} M_{QiK}$$

式中:M_{GK}——永久荷载标准值产生的弯矩;

M_{QiK}——第 i 个可变荷载标准值产生的弯矩;

W_n——净截面抵抗矩;

f——水平杆配件材料的抗弯强度设计值。

(5)纵向水平杆、横向水平杆与立杆连接的扣件抗滑移承载力应满足:

$$R_{max} \leqslant N_V^C$$ (3-5)

式中:R_{max}——纵向水平杆或横向水平杆传给立杆的最大竖向力;

N_V^C——扣件抗滑移承载力设计值。

2)立杆计算

落地式扣件钢管脚手架主要承受竖向荷载,其整体结构或单肢立杆的抗失稳能力远低于相应的强度承载能力。当立杆计算长度(等于节点间的实际长度乘以计算长度系数 μ)较大和所受轴心荷载作用较大时将会出现失稳破坏,因此稳定性是主要验算项目。

立柱的稳定性验算分别按不组合风荷载和组合风荷载两种情况考虑。

(1)不组合风荷载时

$$\frac{N}{\varphi A} \leqslant f$$

$$N = 1.2 N_{GK} + 1.4 N_{QK}$$ (3-6)

(2)组合风载时

$$\frac{N}{\varphi A} + \frac{M_W}{W} \leqslant f$$

$$N = 1.2 N_{GK} + 0.85 \times 1.4 N_{QK}$$

$$M_W = 1.4 \times 0.85 M_{WK}$$ (3-7)

式中:N、M_W——分别为立杆的轴向力设计值和风载弯矩设计值;

N_{GK}、N_{QK}——分别为由恒载、施工荷载产生的立杆轴向力标准值;

W——立杆的截面抵抗矩;

A——立杆的截面面积。$\phi 48 \times 3.5$ 钢管 $A = 4.89 \text{cm}^2$;$\phi 51 \times 3$ 钢管 $A = 4.52 \text{cm}^2$;

φ——轴心受压构件的稳定系数,根据长细比 $\lambda = l_0 / i$ 查得;

l_0——立杆计算长度,$l_0 = k \mu h$;

μ——考虑脚手架整体稳定因素的立杆计算长度系数,按表3-6采用;

k——计算长度附加系数,取1.155;

i——截面回转半径;

h——立杆步距;

f——钢材的抗压强度设计值。

立杆横距 （m）	连墙件布置	
	2 步 3 跨	3 步 3 跨
1.05	1.50	1.70
1.30	1.55	1.75
1.55	1.60	1.80

3）连墙件计算

连墙件一般按承受水平力进行设计，为自由风荷载产生的连墙件轴向力（或水平力），在计算时，可将脚手架视为支承于连墙件上的三跨连续梁，梁的跨度取连墙件的垂直方向间距，其所受水平力 N_L 按下式计算：

$$N_L = 1.4 W_k A_W + 3kN \tag{3-8}$$

式中：W_k——风荷载代表值；

    A_W——连墙件作用范围内的脚手架的挡风面积；

    3kN——脚手架平面外变形所引起的连墙件轴向力。

当连墙件采用脚手架钢管并以扣件和脚手架连接时，应验算脚手架钢管的抗弯能力，并且同时验算扣件的抗滑移承载力，即：

$$N_L \leqslant N_V^C \tag{3-9}$$

式中：N_V^C——扣件的抗滑移承载力设计值。

4）地基承载力验算

脚手架立杆基础底面的承载力按下式验算：

$$P = \frac{N}{A} \leqslant f \tag{3-10}$$

式中：P——脚手架立杆基础底面的平均压力设计值；

    N——脚手架立杆传至基础顶面的轴力设计值；

    A——基础底面面积；

    f——地基承载力设计值（kN/m²）按下式确定：$f = K f_K$；

    f_K——地基承载力标准值，按《建筑地基基础设计规范》的规定采用；

    K——调整系数；碎石土、砂土、回填土 $K = 0.4$；粘土 $K = 0.5$；岩石、混凝土 $K = 1.0$。

4. 扣件式钢管脚手架的计算项目要求和不需进行计算的条件（表 3-7）

扣件式钢管脚手架的计算项目、要求和不需进行计算的条件   表 3-7

计 算 项 目	计 算 要 求	不需进行计算的条件
脚手架（立杆）整体稳定承载力	转化为验算立杆的稳定承载力，验算截面一般取立杆底部	1. 符合表 3-8 构架规定者可不进行计算 2. 基本风压小于 0.35N/m² 地区，高 50m 以内敞开式脚手架，构造符合要求者，可不计算风载作用
横向水平杆，纵向水平杆，脚手板	在"跨度界值"（表 3-9 及表 3-10）之内验算抗弯强度；在"跨度界值"之外验算挠度	在"控制跨度"（表 3-11）或控制荷载（表 3-14、表 3-15、表 3-16）之内（及其相应条件者），可不计算

计 算 项 目	计 算 要 求	不需进行计算的条件
连墙件,扣件抗滑	按相应公式验算	无
地基	按相应公式验算	符合表 3-17 要求者不计算
单肢稳定	按相应公式验算	无局部构架和荷载的不利性变化者不计算

常用敞开式双排脚手架设计几何尺寸(m)　　　　　　　表 3-8

连墙设置	立杆横距 (l_b)	步距 (h)	下列荷载(kN/m²)时的立杆纵距				脚手架设计高度
			$2+4\times0.35$	$2+2+4\times0.35$	$3+4\times0.35$	$3+2+4\times0.35$	
二步三跨	1.05	1.2~1.35	2.0	1.8	1.5	1.5	50
		1.8	2.0	1.8	1.5	1.5	50
	1.30	1.2~1.35	1.8	1.5	1.5	1.5	50
		1.8	1.8	1.5	1.5	1.2	50
	1.55	1.2~1.35	1.8	1.5	1.5	1.5	50
		1.8	1.8	1.5	1.5	1.2	37
三步三跨	1.05	1.2~1.35	2.0	1.8	1.5	1.5	50
		1.8	2.0	1.5	1.5	1.5	34
	1.55	1.2~1.35	1.8	1.5	1.5	1.5	50
		1.8	1.8	1.5	1.5	1.2	30

注:①表中 2+2+4×0.35 含义为:2+2 代表二层装修荷载每层荷载为 2.0kN/m²;4×0.35 代表 4 层脚手板自重,每层为 0.35kN/m²;

　　3+2×0.35 含义为:3 代表一层结构脚手架荷载,每层荷载为 3.0kN/m²;2×0.35 代表 2 层脚手板自重;

②操作层横向水平杆间距应按 0.5l_a 采用;

③敞开式脚手架指仅设作业层栏杆和挡脚板无其他遮挡设施的脚手架。

φ48×3.5 钢管杆件的跨度界值(L_j)及界值荷载　　　　　　　表 3-9

荷 载 情 况	跨度界值(mm)	界值均布荷载 q_j(N/mm) 或界值集中荷载 [F_j(N)]
单跨均布荷载	2162	1.2726
单跨集中荷载(荷载施加跨中)	2702	[1101]
双跨均布荷载	5402	0.2039
双跨集中荷载(荷载施加跨中)	4646	[851]
三跨均布荷载	3326	0.6722
三跨集中荷载(荷载施加跨中)	3438	[1236]

注:①当水平杆件的支承跨度为一特定值 L_j 时,它将同时达到按承载能力极限状态确定的抗弯设计能力和按正常使用极限状态确定的允许变形限值。该特定跨度值称为"跨度界值",相应的荷载值称为"界值荷载";

②当使用跨度小于 L_j,而且使用荷载小于 F_j/r_m' 或 q_j/r_m' 时,既不必计算抗弯强度也不必验算允许挠度;r_m' 为材料强度附加分项系数;

③当使用跨度小于 L_j,使用荷载大于 F_j/r_m' 或 q_j/r_m',验算抗弯强度;

④当使用跨度大于 L_j,使用荷载小于 F_j/r_m' 或 q_j/r_m',验算挠度。

常用脚手板的跨度界值 L_j 及均布界值荷载 q_j 表3-10

脚手板种类	截面尺寸（mm）	L_j（mm）	q_j（N/mm）
松木脚手板	220×50	1551	2.8308
	250×55	1706	3.2160
冲压钢脚手板 A 型	250×50	1485	10.5090
冲压钢脚手板 B 型	220×50	1242	14.0793
槽钢框钢木脚手板	250×50	2251	4.8087

$\phi48×3.5$ 钢管横向水平杆的控制跨度 表3-11

相邻横向水平杆间距（mm）	当施工荷载（kN/m²）为下值时的控制跨度（mm）	
	3	2
750	1536	1833
1000	1330	1587
1500	1086	1296
2000	941	1122

常用脚手板的控制跨度（mm） 表3-12

荷载情况	类别	规格 60×8（mm）	荷载（kN/m²） 3	2
单跨均布荷载	木脚手板	220×50	2565	3060
		250×55	2821	3366
	冲压 A 型	250×50	4441	5299
	冲压 B 型	220×50	4580	5465
	槽钢框	250×50	4551	5465
两跨均布荷载	木脚手板	220×50	2565	3060
		250×55	2821	3366
	冲压 A 型	250×50	4441	5299
	冲压 B 型	220×50	4580	5465
	槽钢框	250×50	4551	5465
三跨均布荷载	木脚手板	220×50	2867	3420
		250×55	3153	3758
	冲压 A 型	250×50	4964	5923
	冲压 B 型	220×50	5119	6109
	槽钢框	250×50	5087	6109

$\phi48×3.5$ 纵向水平杆的控制跨度 表3-13

立杆横距 l_b（mm）	当施工荷载为下值时的控制跨度	
	3kN/m²	2kN/m²
900	1676	2000
1200	1452	1732
1500	1298	1549

$\phi48×3.5$ 横向水平杆的控制荷载（kN/m²） 表3-14

相邻小横间距（mm）	当跨度 l_b 为下值控制荷载		
	900mm	1200mm	1500mm
750	9.43	5.15	3.17
100	6.98	3.77	2.28
1500	4.54	2.39	1.40
2000	3.31	1.71	0.96

$\phi48×3.5$ 纵向水平杆的控制荷载（kN/m²） 表3-15

立杆纵距 l_a（mm）	当立杆横距 l_b（mm）为下值控制荷载		
	900	1200	1500
1000	18.53	13.8	10.97
1500	8.03	5.94	4.68
2000	4.36	3.16	2.47

脚手板的均布控制荷载（N/mm²） 表3-16

类别	规格 60×8（mm）	当横向水平杆间距为下值时控制荷载			
		750	1000	1500	2000
松木脚手板	220×50	0.05469	0.03059	0.01340	-
	250×55	0.06620	0.03708	0.01628	-
冲压钢板脚手板	A250×50	0.16466	0.09246	0.04090	-
	B220×50	0.17514	0.09886		-
槽钢框钢木	250×50	0.17291	0.09710	0.04296	0.02401

搭设高度 *H*	中低压缩性且压缩性均匀	回填土	高压缩性或压缩性不均匀
25～35m	夯实原土,立杆底座置于面积不小于 0.1m² 的垫块垫木上	夹砂石回填夯实。立柱底座置于面积不小于 0.1m² 的混凝土垫块或垫木上	夯实原土,铺厚度不小于 200mm 砂垫层再铺设宽度不小于 200mm 的通长槽钢或垫木
36～50m	垫块垫木面积不小于 0.15m² 或铺通长槽钢或木板,其他同上	砂夹石回填夯实,垫块垫木,面积小于 0.15m² 或铺通长槽钢或木板	夯实原土,铺 150mm 厚道渣夯实,再铺宽度不小于 200mm 的通长槽钢或垫木

第三节　碗扣式钢管脚手架

20 世纪 80 年代中期,我国有关单位在吸收国外相关脚手架及门式钢管脚手架优点的基础上,研制成功了承插式的钢管脚手架,即碗扣式钢管脚手架。该脚手架独创了带齿碗扣接头,具有一系列优点,取得了显著的经济效益,在全国得到迅速推广。

一、杆配件性能特点及承载能力

1.杆配件

碗扣式钢管脚手架采用每隔 0.6m 设一套碗扣接头的定型立杆和两端焊有接头的定型横杆,并实现杆件的系列标准化。

1)碗扣接头(图 3-9 所示)

是该脚手架系统的核心部件,它由上、下碗扣,横杆接头和上碗扣的限位销组成。上、下碗扣和限位销按 600mm 间距设置在钢管立杆,其中下碗扣和限位销直接焊在立杆上。

进行杆件连接时,先将上碗扣的缺口对准限位销,将上碗扣沿立杆向上拉起,然后将固定于横杆上的横杆接头插入下碗扣的圆槽内,随后将上碗扣沿限位销滑下,并沿顺时针方向旋转以扣紧横杆,再用小锤轻击几下即可达到扣紧的目的。接头的拼接完全避免了拧螺栓的作业。

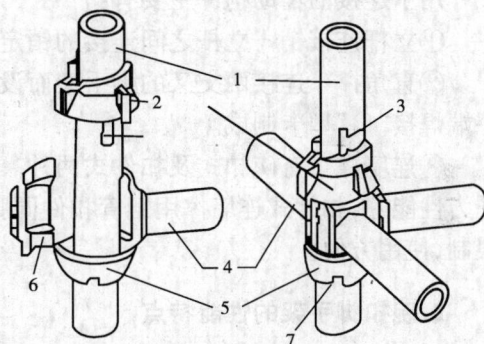

图 3-9　碗扣接头

1-立杆;2-上碗扣;3-限位销;4-横杆;5-下碗扣;6-横杆接头;7-泄水槽

碗扣式接头可同时连接四根横杆,横杆可互相垂直亦可偏转一定角度因而可搭设各种形式的脚手架,尤其适于搭设曲线形状脚手架。

2)杆配件

分为主构件和辅助构件等。

(1)主构件　以组成脚手架主体的杆部件,作为双排脚手架,主要包括以下几种:

①立杆　脚手架的主要受力杆件,在 $\phi 48 \times 3.5$ 钢管上每隔 600mm 安装一套碗扣接头,并在杆的顶端焊接立杆连接管,立杆连接管是内销管,靠内销实现立杆之间的连接。立杆有 3.0m 和 1.8m 二种长度规格。

②横杆　组成框架的横向连接杆件,由一定长度的 $\phi 48 \times 3.5$ 钢管两端焊接横杆接头制

成。有 2.4m、1.8m、1.5m、1.2m、0.9m、0.6m、0.3m 等七种规格。

③斜杆　为了增强脚手架稳定强度而设计的系列构件。在 $\phi 48 \times 2.2$ 钢管两端铆接斜杆接头而制成。斜杆接头可转动,和横杆接头一样可装在下碗扣内,形成节点斜杆。有 1.69m、2.163m、2.343m、2.546m、3.0m 等五种规格,分别用于 1.20m×1.20m、1.20m×1.80m、1.50m×1.80m、1.80m×1.80m、1.80m×2.40m 五种框架平面。

④底座　安装在立杆根部,将上部荷载分散传递给地基基础。

(2)辅助构件　用于作业面及附壁连接的杆构件。

用于作业面的构件主要有:

①间横杆　为了满足其他普通脚手架板和木脚手板的需要而设的构件,由 $\phi 48 \times 3.5$ 钢管两端焊接"∩"形钢板制成。可搭设于主架之间任意部位,用以减小脚手板支承间距或支撑挑头脚手板。有 1.2m、1.2+0.3m、1.2+0.6m 三种规格。

②脚手板　为碗扣脚手架配套的脚手板由 2mm 厚钢板压制、宽度 270mm。其面板上冲有防滑孔,两端焊有挂钩可牢靠地挂在横杆,不会滑动。

③挡脚板　由 2mm 钢板压制,有长度 1.2m、1.5m、1.8m 三种规格,分别适用于立杆间距 1.2m、1.5m、1.8m。

④挑梁　为扩展作业平台而设置的构件,有窄挑梁和宽挑梁两种规格。窄挑梁由一端焊有横杆接头的钢管制成,悬挑宽度 0.3m,可在需要位置与碗扣接头连接。宽挑梁由水平杆、斜杆、垂直杆组成,悬挑宽度为 0.6m,用碗扣接头与脚手架连成一体,其外侧垂直杆上可再接立杆。

用于连接的辅助构件主要有:

①立杆连接销　立杆之间连接的销定构件,为弹簧钢销扣结构,由 $\phi 10$ 的钢筋制成。

②直角撑　连接两交叉的脚手架而设置的构件,由 $\phi 48 \times 3.5$ 钢管一端焊接横杆接头,另一端焊接"∩"型卡制成。

③连墙撑　有碗扣式及扣件式两种。碗扣式连墙撑可直接用碗扣接头同脚手架连在一起受力性能好,扣件式连墙撑用钢管扣件同脚手架相连,位置可任意设置,不受碗扣接头位置的限制,使用方便。

2.碗扣脚手架的性能特点

(1)承载力大

立杆连接是同轴心承插,横杆与立杆之间连接是碗扣接头,接头具有可靠的抗弯、抗剪、抗扭力学性能,而且各杆件轴心线交于一点,节点在框架平面内。因此结构稳固可靠,承载力大。

(2)安全可靠

接头设计时考虑到上碗扣螺旋摩擦力和自重力作用,使接头具有可靠的自锁能力。作用于横杆上的荷载通过下碗扣传递给立杆,下碗扣具有很强的抗剪能力(最大为 199kN),上碗扣即使未被压紧,横杆接头也不至于脱出而造成事故,同时所配备的各种构件的连接构造上均考虑到具有较好的安全可靠性。

(3)高功效

碗扣脚手架拼拆快速省力,使用一把铁锤即可完成全部作业,避免了螺栓操作的诸多不便。此外常用杆件中最长为 3130mm,重 17.07kg。因此整架拼拆速度比扣件或脚手架快 3~5 倍。

（4）便于管理

碗扣脚手架维修少,易于运输,该脚手架不需要零散而易于丢失的扣件;而且不需要螺栓连接,构件即使经受一定程度碰撞或一般的锈蚀也不影响使用及拼拆;相对来说养护及维修工作量减少。构件系列标准化,构件长度较小,重量较轻,便于搬运。

3.杆配件和脚手架的承载能力

对碗扣式钢管脚手架主要杆配件和试验架可进行如下承载力试验:下碗扣轴心极限承载力试验、上碗扣偏心张拉极限强度试验、接头抗弯极限强度试验、接头抗扭极限强度试验、横杆承载强度试验、单元脚手架整体承载试验、多单元脚手架整体承载试验、带连墙撑的多元脚手架整体承载试验,结果表明碗扣式钢管脚手架具有足够的承载能力,能够满足建筑工程施工的一般需要。

二、双排外脚手架

碗扣式钢管双排脚手架,特别适合于搭设曲面脚手架和高层脚手架。目前一杆到顶(即脚手架全高均采用单立杆)的落地式脚手架最大高度已达90.3m。但一般来说双排脚手架最大高度为60m。

1.脚手架类型

一般立杆横向间距1.2m,横杆步距取1.80m,立杆纵向间距根据建筑物结构、脚手架搭设高度及作业荷载等具体要求可选用0.9m、1.2m、1.5m、1.8m、2.4m等,并选用相应横杆。根据使用要求可有以下几种构造类型。

1)重型架

较小的立杆纵距(0.90m或1.2m),用于重载作业或高层外脚手架的底部架。为了提高高层脚手架搭设高度,采取上下分段,每段立杆纵距不等的组架方式(图3-10所示)。下段立杆纵距0.90m(或1.20m),上段立杆纵距为1.80m(或2.40m)。

2)普通架

立杆纵距1.5m或1.8m,当脚手架高度大于30m时,立杆纵距不大于1.5m,构造尺寸为1.50m(立杆纵距)×1.20m(立杆横距)×1.80m(横杆步距),或1.80m×1.20m×1.80m,是最常用的作为结构施工用的脚手架。

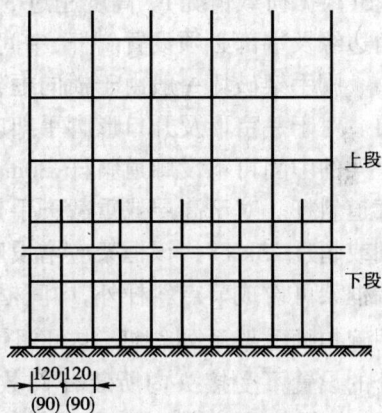

图3-10 上下分段的组架布置
（尺寸单位:mm）

3)轻型架

立杆纵距2.40m。构架尺寸为2.40m×1.2m×1.80m,用于装修、维护等作业。

此外,也可根据场地和作业条件要求搭设窄脚手架(立杆横距0.90m)和宽脚手架(立杆横距1.50m)。

2.杆部件设置

1)斜杆

斜杆可增强脚手架稳定,合理设置斜杆对提高脚手架承载力,保证施工安全有重要意义。

（1）斜杆的连接

斜杆和立杆的连接与横杆和立杆的连接相同。其节点构造如图 3-11 所示。对于不同尺寸的框架应配备相应长度斜杆。斜杆可安装成节点斜杆（即斜杆接头与横杆接头安装在同一碗扣接头内），或安装成非节点斜杆（即斜杆接头与横杆接头不安装在同一碗扣接头内），其布置如图 3-12 所示。

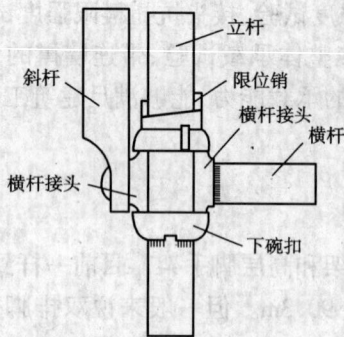

图 3-11　斜杆节点构造

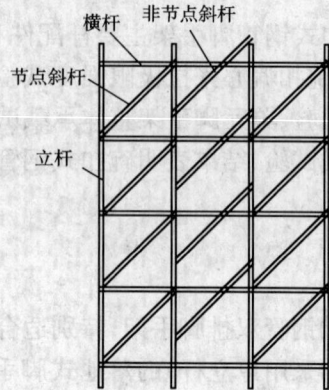

图 3-12　斜杆连接

（2）斜杆的布置

斜杆应尽量布置在框架节点上。其布置包括在脚手架立面（纵向）及横向。

在脚手架立面布置斜杆时，高度 30m 以下脚手架设置斜杆面积为整架立面面积的 1/2 ～ 1/5（根据荷载情况）。高度超过 30m 的脚手架，设置斜杆面积应不小于整架面积的 1/2。在拐角边缘及端部必须设置斜杆，中间可均匀间隔布置。

脚手架破坏一般由于横向框架失稳。因此在横向框架内布置斜杆（称为廊道斜杆）尤为重要。对于一字形及开口形脚手架应在两端横向框架内沿全高连续设置节点斜杆。30m 以下脚手架的中间可不设廊道斜杆；30m 以上脚手架的中间应每隔 5 ～ 6 跨设一道沿全高设置的连续廊道斜杆。对于高层或重载脚手架除按上述要求设置外。当横向平面框架所承受的总荷载达到或超过 25kN 时，该框架应增设廊道斜杆。但是用碗扣式斜杆设置廊道斜杆时，除脚手架两端框架可设成节点斜杆外，中间框架只能设成非节点斜杆。为了使斜杆的设置更灵活，既可使用碗扣脚手架系列斜杆，也可用钢管和扣件代替，这样斜杆的设置不受接头内所装杆件数量的限制。特别是用钢管和扣件设置大剪刀撑，既可减少碗扣式斜杆用量，又能改善脚手架受力性能。

（3）剪刀撑

剪刀撑包括竖向剪刀撑和纵向水平剪刀撑。

竖向剪刀撑的设置应与碗扣式斜杆的设置相配合。高度 30m 以下的脚手架，每隔 4 ～ 6 跨设一组沿全高连续搭设的剪刀撑（每道剪刀撑跨越 5 ～ 7 根立杆），设剪刀撑的跨内不再设碗扣式斜杆。高度 30m 以上的脚手架沿脚手架外侧及全高连续设置，两组剪刀撑之间设碗扣式斜杆（图 3-13 所示）。

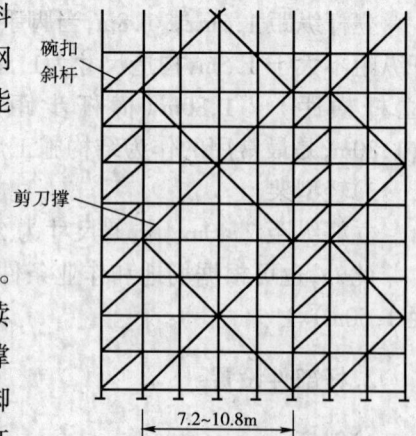

图 3-13　剪刀撑布置

纵向水平剪刀撑对于增强水平框架的整体性,均匀传递连墙撑的作用具有重要意义。30m 以上脚手架应隔 3~5 步架设置一层连续闭合的纵向水平剪刀撑。

2)连墙撑

连墙撑的设置按承受全部水平荷载,并且竖向间距满足整架稳定的要求而设计。连墙撑计算和扣件式脚手架相同。

高度 30m 以下的脚手架可四跨三步设置一个连墙撑(约 40m²)。对于高层或重载脚手架要适当加密。高度 50m 以下至少应三跨三步布置一个(约 25 m²)。连墙撑尽量采用梅花布置方式。

连墙撑应尽量连接在横杆层碗扣接头内,同脚手架、墙体保持垂直,并随建筑物及架子的升高及时设置,设置时要注意调整间距使脚手架竖向平面保持垂直。

连墙撑可分为碗扣式和扣件式。碗扣式连墙撑和脚手架的连接与横杆同立杆连接相同(图 3-14 所示)。扣件式连墙撑的设置和扣件式脚手架相同。

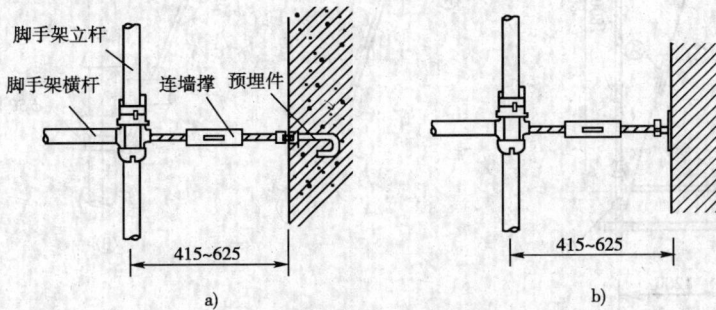

图 3-14　碗扣式连墙撑构造
a)混凝土墙固定墙撑;b)砖墙固定墙撑(尺寸单位:mm)

3)脚手板

可用配套的钢脚手板也可用其他脚手板。当使用配套的钢脚手板时,必须将其两端的挂钩牢固地挂在横杆上,不得有翘曲或浮放。当使用其他类型脚手板时,应配合间横杆来安设。即当脚手板端头正好处于两个横向杆之间而需要另外的杆件来支承时,在该处设间横杆。在作业层及其下面一层要满铺脚手板。当作业层升高一层时,将下面一层脚手板移至上面作为作业层脚手板,两层交错上升。

4)高层卸荷拉结杆(图 3-15 所示)

高层卸荷拉结杆是为了减轻脚手架荷载而设置的构件。由预埋件、拉结杆、花篮螺丝和管卡等组成。拉结杆一端用预埋件固定在建筑物上,另一端用卡环固定在脚手架横杆层下碗扣底下,中间用花篮螺丝调整拉力,以达到悬吊脚手架在建筑物上而卸荷的目的。一般每 30m 高卸荷一次,但总高度在 50m 以下的脚手架可不用卸荷。卸荷拉结杆所卸荷载的大小,取决于拉结杆的几何性能及装配时的预紧力。可通过选择拉杆截面尺寸,吊点位置及调整花篮螺丝来调整卸荷的大小。一般选择拉杆及花篮螺丝时按承受卸荷层以上全部荷载来设计;而在确定脚手架卸荷层及其位置时按使卸荷层以上全部荷载的 1/3 卸荷来考虑。

三、碗扣脚手架搭设

1.杆件组装顺序

在已处理好的地基上按设计位置安放立杆底座,在底座上交错安装 3.0m 和 1.8m 长立杆,然后上面各层均采用 3.0m 长立杆接长,以避免立杆接头在同一水平面上。调整立杆可调底座使立柱的碗扣接头处于同一平面上,以便安装横杆。装立杆时应及时设置扫地横杆,将所装立杆连成整体,以保证稳定性。组装顺序是:立杆底座→立杆→横杆→斜杆→接头锁紧→脚手板→上层立杆→立杆连接锁→横杆。

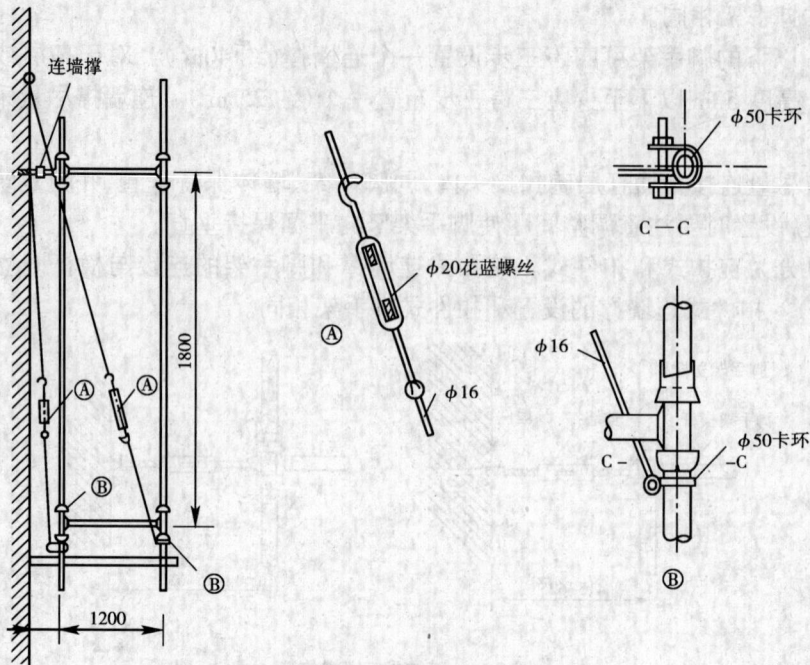

图 3-15　高层卸荷拉结杆(尺寸单位:mm)

组装时要求至多二层向同一方向组装或由中间向两边推进。不得从两边向中间合拢组装,以防止因为两侧架子刚度太大而难以安装中间杆件。

2.注意事项

(1)严格控制底层组架(第 1～2 步)的组装质量。因为它关系到整架安装质量及整架的组装速度。搭设头两步架时,必须保证立杆的垂直度及横杆的水平度,使碗扣接头连接牢靠,将头两步架调整好后,将碗扣接头锁紧。再继续搭设上部脚手架。

(2)在搭设过程中注意调整整架的垂直度,一般通过调整连墙撑长度来实现。整架垂直度偏差应小于 $H/500$,但最大允许偏差为 100mm。此外对于直线布置的脚手架其纵向线偏差应小于 $1/200L$;横杆的水平度(横杆两端高度偏差)应小于 $1/400L$。

(3)连墙撑应随着脚手架的搭设而及时在设计位置上设置,并尽量与脚手架及建筑物外表垂直。

(4)搭设拆除时禁止无关人员进入危险地区。

(5)脚手架应随建筑物升高而随时设置,一般不应高出建筑物两步架。

四、碗扣脚手架的整体稳定性验算

碗扣脚手架整体稳定性试验目前仍在进行中,但从其与扣件式钢管脚手架相类似的试验结果的分析中可看出,由于碗扣式脚手架的杆件采用轴心连接等因素,使其稳定承载能力比相

应构架情况的扣件式脚手架提高 15% 以上。

第四节 门型组合式脚手架

1953 年美国首先开发了门型脚手架,不久欧洲各国也先后引进并发展此种脚手架。1955 年日本开始引进,但当时在日本扣件式脚手架仍占主导地位。以后由于扣件式脚手架的安全事故不断发生,曾在一年内伤亡人数达 2856 人,所以 1958 年在日本扣件式脚手架再次发生倒坍事故后,脚手架的安全性被提到日程上来。由于门型脚手架装拆方便,承载性能好,安全可靠,在一些工程中开始大量应用。20 世纪 60 年代至 70 年代,在日本门型脚手架应用量迅速增长。于 20 世纪 80 年代中期从日本传到中国。

门型脚手架可用于高层建筑外脚手架,也可用作模板支架、工具式里脚手架。

在一个跨距内各施工层均布施工荷载标准值总和 ≤3kN/m² 时限制搭设高度 ≤45m。当用于轻荷载时(施工荷载标准值总和 ≤5kN/m²),限制搭设高度 ≤60m。脚手架上不宜走手推车。

一、基 本 结 构

门型组合式脚手架由底座、门式框架、十字剪刀撑、水平架或脚手板组成基本单元。将基本单元相互连接起来并增梯子,栏杆扶手等构件构成整片脚手架(图 3-16 所示)。

二、主 要 部 件

1. 基本部件

基本部件包括门架、十字剪刀撑和水平架。

(1)门架

门架有多种不同型式。构成脚手架基本单元的主要是标准型门架,宽度 1.219m,高度 1.7m;当使用高强薄壁钢管时重量为 13 ~ 16kg,使用普通钢管时为 20 ~ 25kg。门架之间连接在垂直方向使用连接棒及自锁的腕臂锁扣,在脚手架纵向采用十字剪刀撑,在架顶水平面使用水平架或脚手板。

(2)十字剪刀撑

十字剪刀撑的规格根据门架的间距来选择,一般多采用 1.8m。剪刀撑的杆件长细比 ≤220。当剪刀撑符合产品标准时不必验算其刚度,否则应该按下式验算:

$$\frac{I_b}{L_b} \geq 0.3 \frac{I}{h_0}$$

式中:I_b、L_b——分别为剪刀撑的截面惯性矩及长度;

I、h_0——分别为门架立柱的等效截面惯性矩及门架高度。

(3)水平架

水平架是挂扣在门架横杆上的水平构件,其规格根据门架间距选择,一般为 1.8m。

2. 底座

底座有三种,分别为简易底座、可调底座和带脚轮底座。

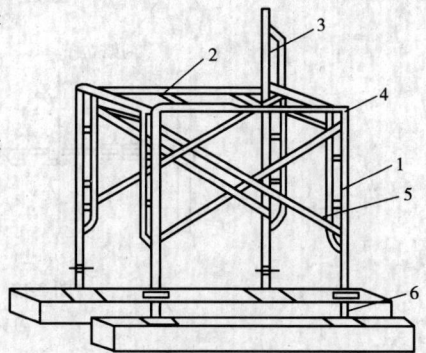

图 3-16 门型组合式脚手架
1-门型架;2-水平框架;3-臂扣;4-连接棒;5-剪刀撑;6-调节螺栓底座

(1)简易底座

简易底座只起支承作用,无调整高度功能,使用时要求地面平整。

(2)可调底座

可调底座可调高 200~550mm,用于外脚手架时能适应不平的地面,可用它将各门架顶部调整到同一水平面上。

(3)带脚轮底座

带脚轮底座用于操作平台。

3.其他部件

(1)脚手板

脚手板一般是钢制的,两端带有挂扣,搁置在门架横梁上并扣紧。脚手板不仅供作业层上人员操作使用,而且是加强脚手架水平刚度的主要构件。因此脚手架每隔 3~5 层应设置一层脚手板。

当使用荷载(标准值)满足以下要求时:均布荷载 $\leqslant 3kN/m^2$,跨中集中荷载 $\leqslant 2kN$;可不必验算脚手板。按正常使用极限荷载验算时,脚手板挠度应 $\leqslant 10mm$。

(2)连墙件

连墙件是确保脚手架整体稳定的拉结件。常用的连墙件是花兰螺栓构造,一端用扣件与门架立柱扣紧,另一端固定在墙内。旋紧花兰螺栓,即可拉紧连墙件。连墙件与墙固定方式如图 3-17 所示。

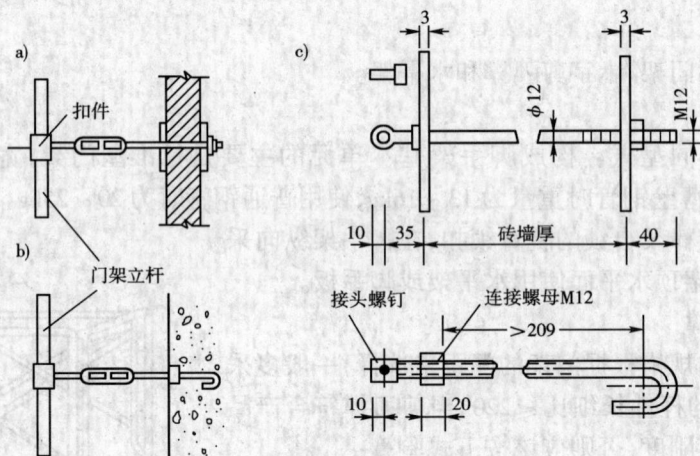

图 3-17 连墙点的一般做法(尺寸单位:mm)
a)夹固式;b)锚固式;c)预埋连墙件

三、搭 设 要 求

1.基底处理

当采用可调底座时,基底处理以及加设基本(板)的要求同扣件式钢管脚手架。当采用不可调底座时,基底必须严格夯实抄平。当基底处于较深填土层之上或者架高超过 40m 时,应加设厚度不小于 400mm 的灰土层或厚度不小于 200mm 的钢筋混凝土基础梁(沿纵向),其上再加设垫板(木)。

2.脚手架搭设程序

铺放垫木(板)→拉线、放底座→自一端起竖立门架并随即安装十字剪刀撑→装水平架(或脚手板)→装梯子→(需要时装设加强用的纵向水平杆)→装设连墙器→照上述步骤逐层向上安装→装加强整体刚度用的长剪刀撑→装设顶部栏杆。

3.脚手架垂直度和水平度的调整

脚手架的垂直度及水平度对于确保脚手架的承载能力十分重要(尤其对于高层脚手架)。

(1)严格控制首层门型架的垂直度及水平度,装上后要逐片地仔细调整使每步架门架立杆在两个方向的垂直偏差都控制在 2mm 以内,门架顶部的水平偏差控制在 3mm 以内,随后在脚手架底部加设纵向水平杆以及门架内外两侧设扫地杆加以固定,以加强门架的整体性,防止不均匀沉降(图 3-18 所示)。

(2)接门架时,上下门架立杆之间要对齐,对中的偏差不宜大于 3mm,同时注意调整门架的垂直度和水平度。脚手架整体水平允许偏差为 ±L/600(L 为脚手架长度)及 ±50mm。整体垂直度允许偏差为 H/600(H 为脚手架高度)及 ±50mm。

(3)及时装设连墙件,以避免脚手架在横向发生偏斜。

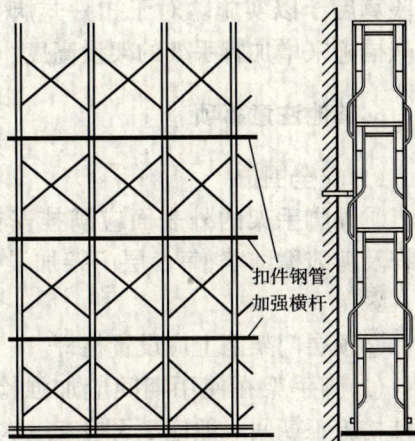

图 3-18　用纵向水平杆进行整体加固

扣件钢管加强横杆

4.确保脚手架的整体刚度

(1)门架之间必须铺设水平架。当脚手架 ≤45m 时,可两步设一道水平架,架高 >45m 每步设水平架。水平架在其设置层面内应连续设置。不论脚手架多高,均应在脚手架的转角处,端部及间断处的一个跨距范围内每步设水平架。水平架可用挂扣式脚手板或门架两侧设置的纵向水平杆代替。

(2)因施工需要,临时局部拆除脚手架内侧十字剪刀撑时,应在拆除剪刀撑的门架上方及下方设置水平架。作业完毕后立即将该剪刀撑重新装上。

(3)当脚手架高度超过 20m 时,应在脚手架外侧每隔 4 步纵向连续设置一道纵向水平杆,形成水平闭合圈。并宜在有连墙件的水平层设置。

(4)必须采用连墙件与建筑物可靠连接,连墙件的间距见表 3-18 所列。在脚手架的转角

连 墙 件 间 距　　　　　　　　　　　　　　　　　　　　表 3-18

落地脚手架架设高度 (m)	基本风压 W_0 (kN/m²)	连墙件间距(m)	
		竖向	水平向
≤45	≤0.55	≤6.0	≤8.0
	>0.55	≤4.0	≤6.0
>45			

处,不闭合(如一字型、槽型)脚手架的两端应增设连墙件。其竖向间距不大于4.0m。脚手架外侧因设置防护棚或安全网而承受偏心荷载的部位应增设连墙件,其水平间距不应大于4.0m。

(5)做好脚手架的转角处理。在建筑物转角处的脚手架内外两侧应按步设置钢管水平连接杆,将转角处的两门架连成一体。

5.搭设高度超过规定的落地脚手架

落地脚手架搭设高度超过规定(即≤45m或≤60m)时,宜采用从楼板伸出悬挑构件的分段搭设或支挑分段卸荷方式(图3-19所示)。并需在悬挑构件所在层及其上两层加设通长纵向水平杆。以上措施需经过严格设计,对支承建筑结构验算后予以实施。对于扣件式脚手架也可采用类似措施来增加脚手架的架设高度。

6.其他注意事项

(1)安全围护

①外脚手架的外表面应满挂安全网并与门架立杆及剪刀撑结牢,每5层门架加设一道水平安全网。

②顶层门架之上应设置栏杆。

(2)脚手架在使用期间应加强检查工作,在主

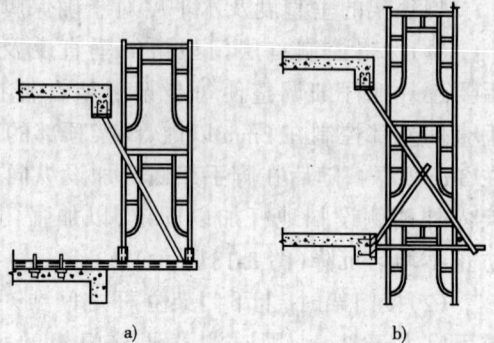

图3-19 搭设高度超过规定时的措施
a)分段搭设;b)分段卸荷

体结构施工期间一般应3天检查一次。主体结构完工后7天也要检查一次。每次检查都应对杆件有无变形,连接点是否松动,连墙拉结是否可靠以及地基沉降等进行全面检查,以确保使用安全。

(3)拆除脚手架的应自上而下进行,部件拆除顺序与安装顺序相反。不允许将拆除的部件直接从高空掷下。应将拆下的部件分品种捆绑,吊运至地面集中堆放管理。

四、门式脚手架的稳定性及搭设高度计算

1.稳定性计算

当门式脚手架搭设高度符合规定、构造符合要求时可不进行稳定性计算。

当计算单榀门架的稳定性时,其轴向力设计值计算考虑两种情况:

当不组合风荷载时:

$$N = 1.2(N_{GK1} + N_{GK2})H + 1.4\sum N_{QiK} \tag{3-11}$$

式中:N_{GK1}——每米高度脚手架构配件自重产生的轴向力标准值;

N_{GK2}——每米高度脚手架附件自重产生的轴向力标准值;

H——脚手架高度(m);

$\sum N_{QiK}$——各施工层施工荷载作用于一榀门架的轴向力标准值总和。

当组合风荷载时:

$$N = 1.2(N_{GK1} + N_{GK2})H + 1.4(\sum N_{QiK} + 2M_K/b) \tag{3-12}$$

$$M_K = \frac{q_K H_1^2}{10} \tag{3-13}$$

式中：M_K——风荷载产生的弯矩标准值；

　　　q_K——风线荷载标准值；

　　　b——门架宽度；

　　　H_1——连墙件竖向间距。

若　　　　　　　　　　　　　　$N \leqslant N^d$　　　　　　　　　　　　　　(3-14)

则稳定性满足要求。

式中：N^d——一榀门架的稳定承载力设计值，$N^d = \varphi A f$；　　　　　　(3-15)

　　　φ——门架立杆稳定系数，按 $\lambda = K h_0 / i$，查《建筑施工门式钢管脚手架安全技术规范》确定；

　　　A——一榀门架立杆的毛截面积；

　　　f——门架钢材强度设计值，对 Q235 钢采用 205N/mm^2；

　　　K——调整系数，见表 3-19 所列；

　　　λ——门架立杆长细比；

　　　h_0——门架高度；

　　　i——门架立杆换算截面回转半径。

调整系数 K　　　表 3-19

脚手架高度(m)	$\leqslant 30$	31 ~ 45	46 ~ 60
K	1.13	1.17	1.22

2.脚手架搭设高度

脚手架搭设高度按以下两种情况计算并取其计算结果的较小者。

不组合风荷载时：
$$H^d = \frac{\varphi A f - 1.4 \sum N_{QiK}}{1.2(N_{GK1} + N_{GK2})} \tag{3-16}$$

组合风荷载时：
$$H_W^d = \frac{\varphi A f - 0.85 \times 1.4 \left(\sum N_{QiK} + \dfrac{2M_K}{b} \right)}{1.2(N_{GK1} + N_{GK2})} \tag{3-17}$$

第五节　附着升降脚手架

　　沿建筑物外围搭设落地式脚手架耗费大量工料，并且对高层建筑施工工期有一定影响，搭设高度还有一定限制。挑脚手架和挂脚手架不能自行升降，吊篮不能用于结构工程施工。附着式脚手架克服了上述各种缺点，对高层建筑施工有很好的适应性及经济性。附着升降脚手架是一种工具式脚手架，多利用穿入结构预留孔洞中的螺栓外挂在墙面上或框架上，借助于自身携带的简易起重工具随着结构施工向上逐层提升，以满足结构施工的需要。待结构工程施工结束，开始进行建筑物外装饰施工时，附着升降脚手架仍借助提升工具再逐层下降。因此得到广泛应用。但是附着升降脚手架是具有高安全要求的用于高空作业的施工设备和专项施工技术，一旦出现坠落等意外事故时，往往会造成非常严重的后果，因此必须确保设计可靠和使用安全。目前附着升降脚手架处于继续发展与不断完善过程中。

一、附着升降脚手架的类型

1.整体提升式脚手架(图 3-20 所示)

1)构造

脚手架架体高度为建筑物层数的 4 ~ 5 层高度。每层建筑结构构件设预埋铁件以固定斜拉挑梁式吊架(提升机承力架)。电动葫芦的上钩挂于斜拉挑梁端部,下钩钩住脚手架的承力架。开动电动葫芦将脚手架整体提升一层,提升到位后用双斜拉杆将脚手架与建筑物拉结固定。再用手拉葫芦将挑梁式吊梁及电动葫芦提升一层并斜拉固定。

2)特点

此种脚手架附件量少,能适应变层高;整体提升时省时;不仅可应用于剪力墙结构而且可用于框架结构,完成从结构施工到装修阶段(逐步下滑)的全过程。适用于平面形状规整,易形成外周闭合圈的建筑物的施工。

3)应注意问题

(1)提升点间距

主要由提升设备的能力决定。考虑到布置间距的不均匀性,施工时堆料超载,提升差异等不利因素,提升点间距宜控制在 9m 左右。

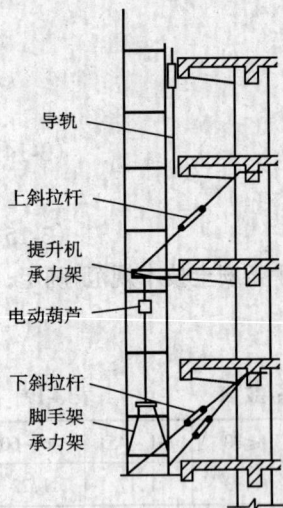
图 3-20 整体提升式脚手架

导轨
上斜拉杆
提升机承力架
电动葫芦
下斜拉杆
脚手架承力架

(2)加强脚手架的整体刚度

整体提升脚手架的底部需构成刚度大的桁架,在桁架上形成立柱间距 1.5m、排距 0.8m 的双排脚手架。为了保证脚手架整体提升时外侧面的纵向稳定性,需设剪刀撑。

(3)防外倾装置

由于脚手架外侧有栏杆以及半封闭的安全网等使整个脚手架横向重心离开中点外移约 50mm,而在横向提升点正好位于提升笼中点,因此整体提升脚手架有不可避免的外倾趋势,经计算外倾力可达 5~10kN,必须设置可靠的防外倾装置。可采用刚度较大的工字钢,也可用钢丝绳。

(4)保证脚手架与建筑物拉结固定的安全性

预埋钢件、挑梁、拉杆、悬挂螺栓、吊环、焊缝等部件及部位必须精心设计、制作、安装。

(5)防坠装置:此种脚手架多无防坠装置是一重要缺陷。

2. 套架式爬脚手架(图 3-21 所示)

套架式爬脚手架可在施工现场自行制作,爬架片间仅用纵向水平杆连接,在脚手架外侧不设剪刀撑,因此整体较柔,虽使用状态下(作业层脚手架施工活载为 1.5kN/m^2)挠度略大,但在升降状态下,这种具有一定柔性的脚手架即使有 100mm 的升降差异也不会有过大的超载。套架式爬脚手架提升设备为手动葫芦,可分段升降,且有套架作防倾导轨,不产生外倾。由于高层住宅平面凹凸不平,加之有阳台,全现浇剪力墙住宅楼的层数一般在 30 层以下可优先选用分段提升的套架式爬脚手架,安全有保证,经济性也优于整体提升脚手架及导轨式爬脚手架。

套架式爬脚手架虽一次性投资很小,装拆速度快,但焊接量较大,不适用于变换楼层高度,一个楼层分二次或

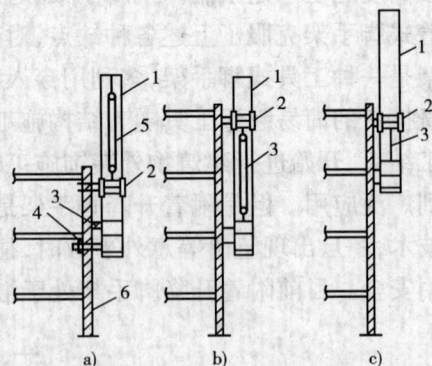
图 3-21 套架式爬脚手架原理图
a)准备提升外套架;b)外套架提升完毕;c)内套架提升完毕
1-内套架;2-外套架;3-套架支座;4-穿墙螺栓;5-滑轮组;6-墙体

三次爬升,爬升速度略慢。提升时由于套架间存在摩擦力,可能使提升力大大增加。

3.导轨式爬脚手架

导轨式爬脚手架是将脚手架体通过穿墙螺栓固定于建筑物墙体后,利用滑轮组导轨提升到上一层。然后将导轨固定在建筑物墙体上,并松开固定脚手架体的穿墙螺栓,再用滑轮组把脚手架体提升到上一层。

导轨式爬脚手架和套架式爬脚手架相同但不采用套架,而采用导轨。利用导轨和架体本身与建筑结构交互固定相互提升而达到爬升的目的。其提升过程如图3-22所示。

导轨式爬脚手架由于具备导轨,可采用夹轨式的防坠落装置,升降作业时安全性好。适用于楼层高度变化的情况;可分段升降,提升设备以手动葫芦为主,费用低。

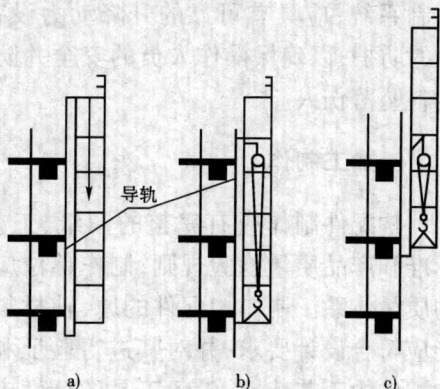

图 3-22　导轨式爬架操作过程
a)导轨提升前;b)导轨提升就位;c)架体提升就位

4.互升降脚手架(图3-23所示)

按单元安设脚手架体,单元间隔200mm。间隔提升或下降各单元。相邻架段互为支承,交替升降。即甲架段固定在建筑物结构构件上,利用起重设备(手动葫芦,滑轮组)将乙段提升到上一层。然后乙段固定在建筑物上,松开甲段的固定,将甲段提升到上层,实现单元脚手架升单元脚手架。

其特点是爬脚手架中所需的定型附件及加工量最小,但搭设单元的高度不宜过大,在凹凸转角处及转角等部位难以处理,因此使用有一定局限。

二、附着升降脚手架设计、制作和使用应注意事项要点

1.设计计算

(1)架体结构和附着支承结构应按"概率极限状态法"进行设计计算。

(2)升降结构中的升降动力设备,吊具、索具按"容许应力设计法"进行设计计算,执行有关起重吊装的现行规范。

(3)各组成部分应按其结构形式、工作状态和受力情况,分别确定在使用升降和坠落三种不同状态下的计算简图,并按最不利情况进行计算和验算。必要时应通过整体模型试验验证脚手架架体结构的设计承载能力。

(4)脚手架设计中荷载标准值应分使用、升降及坠落三种状况分别确定。

(5)附着支承结构的平面布置必须依据安全要求和工程情况设计,避免出现超过其设计承载能力的工作状态。

2.构造与装置

架体高度不应大于5倍楼层高;架体宽度不应大于1.2m;直线布置的架体支承跨度不大于8m;折线或曲线布置的架体不大于5.4m;架体的悬挑长度,对于整体式附着升降脚手架不大于1/2水平支承跨度和3m;对于单片式不大于1/4水平支承跨度;升降和使用工况下,架体

悬臂高度均不应大于 6m 和 2/5 架体高度；架体全高与支承跨度的乘积不应大于 110m²。

附着升降脚手架应具有足够强度和适当刚度的架体结构；应具有安全可靠的能适应建筑物结构特点的附着支承结构；应具有安全可靠的防倾覆装置、防坠落装置；应具有保证架体同步升降荷载的控制系统；应具有可靠的升降动力设备；应设置有效的防护，以确保操作人员的安全并防止架体上的物料坠落伤人。

3.加工制作

构配件制作应有完整的图纸、工艺文件、产品标准和产品质量检验规则；制作单位应有完善有效的质量体系。制作构配件的原、辅材料的材质及性能应符合设计要求，并对其进行验证和检查。加工构配件的工艺装置、设备工具的精度应满足制作精度要求，并定期进行检查。构配件加工工艺应满足有关标准规定。所用螺栓连接件严禁采用板牙套丝及螺纹锥攻丝。构配件应按要求检验。关键部件的加工件必须进行 100% 检验，并有可追溯性标识。

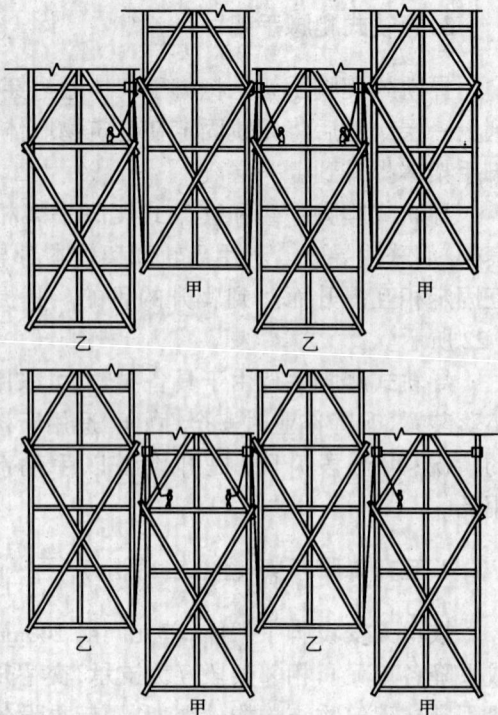

图 3-23　互升降脚手架

4.安装、使用和拆卸

使用前应编制"专项施工组织设计"，并办理使用手续，备齐相关文件资料、施工人员必须经过专业培训。组装前配备合格人员，明确岗位职责。组装前，每次升降以及拆卸前，应对施工人员进行安全技术交底。脚手架所用材料、工具设备应具有质量合格证，材质单等，使用前应对其进行检验。

附着升降脚手架的安装应符合以下规定：水平梁架及竖向主框架在两相邻附着支承结构处的高差应不大于 20mm；竖向主框架和防倾导向装置的垂直偏差应不大于 5‰和 60mm；预留穿墙螺栓孔和预埋件应垂直于结构外表面，其中心误差应小于 15mm。脚手架组装完毕，必须进行检查，合格后方可进行升降操作。

脚手架的使用必须遵守设计性能指标，不得扩大使用范围；严禁架体上施工荷载超载；严禁放置影响局部杆件安全的集中荷载。使用过程中每月进行一次全面安全检查，螺栓连接件，升降动力设备、防倾装置、防坠装置、电控设备至少每月维修保养一次。预计停用超过一个月时，停用前采取加固措施。停用超过一个月或遇六级大风后复工时必须进行检查。

拆卸工作必须按专项施工组织设计的要求进行，拆除工作前进行安全交底。拆除时应有可靠防止人员与物料坠落措施，严禁抛扔物料。拆下的材料及设备及时进行全面检修保养。

思考题

1. 试述高层建筑扣件式双排钢管外脚手架的基本构造。
2. 试述扣件式钢管外脚手架搭设要求。
3. 扣件式钢管外脚手架的荷载种类有哪些?
4. 试述碗扣脚手架的搭设。
5. 附着升降脚手架使用时应注意的问题是什么?

第四章 钢筋混凝土结构工程
DISIZHANG

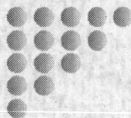

钢筋混凝土是一种复合性材料,它通过钢筋和混凝土的共同工作,使这两种不同性质的材料都能较好地发挥作用,同时使自己的不足得到弥补。混凝土属于脆性材料,抗压强度很高,但抗拉强度较低(约为抗压强度的 1/10),受拉时极易开裂,钢筋的加入改善了混凝土构件的受拉性能,提高了承载能力同时延缓了裂缝的发生。

混凝土的各种原材料来源广泛,价格便宜,随着混凝土强度等级的不断提高,高强低合金钢的生产应用,混凝土施工工艺的不断改进和发展,钢筋混凝土结构工程已经占据了土木工程的主导地位,应用非常普遍,是当今土木工程中不可缺少的建筑材料。随着科学技术的进一步发展,它的生产工艺、技术性能、适用范围和原材料来源等方面都能得到不断的提高和完善,钢筋混凝土结构工程的应用会越来越普及。

混凝土结构工程一般由模板工程、钢筋工程和混凝土工程三部分组成,其施工工艺程序如图 4-1 所示。

本章将从原材料选择、施工工艺、施工技术、质量控制等方面作一些介绍。

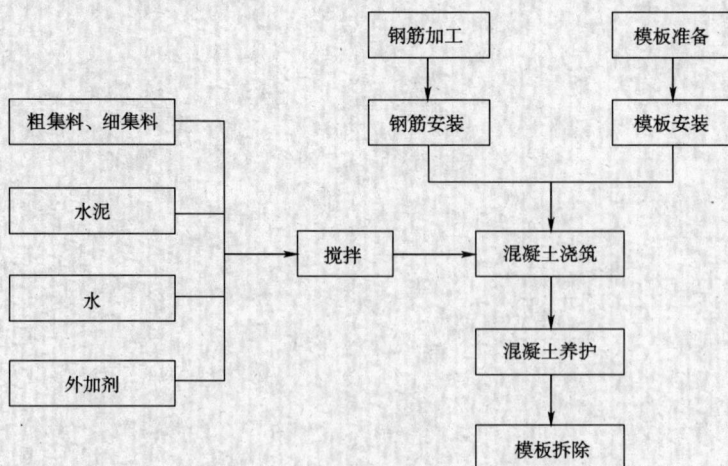

图 4-1 混凝土结构工程的工艺程序

第一节 模 板 工 程

一、模板系统的基本要求和分类

模板系统由模板和支架两部分组成。模板的作用就是形成混凝土构件所需要的形状和几何尺寸;支架则是用来保持模板的设计位置。模板系统的搭设和拆除过程占用了混凝土结构工程施工的大部分工期,因此先进合理的模板系统可保证工程的提前或按时完工。模板系统的费用一般要占混凝土结构工程费用的30%以上,它对工程造价的影响也是不容忽视的。因此尽管模板系统只是混凝土结构工程施工过程中的临时性设施,但它对混凝土结构工程的质量、工期及成本都有着重要影响。

1.对模板系统的基本要求

(1)保证工程结构的构件各部分形状尺寸和相互位置的正确。

(2)具有足够的承载能力、刚度和稳定性,能可靠地承受新浇筑混凝土的自重和侧压力,以及在施工过程中所产生的荷载。

(3)构造简单、装拆方便,并便于钢筋的绑扎、安装和混凝土的浇筑、养护等要求。

(4)模板的接缝严密、不漏浆。

2.模板系统的分类

1)按材料分类

模板按所用的材料不同,可分为木模板、钢木模板、胶合板模板、钢竹模板、钢模板、塑料模板、玻璃钢模板及铝合金模板等。

(1)木模板一般多选用松木和杉木。由于木模板木材消耗量大,重复使用率低,为节约木材,在现浇钢筋混凝土结构中应尽量少用或不用木模板。

(2)钢木模板是以角钢为边框,以木板作面板的定型模板,其优点是可以充分利用短木料,并能多次周转使用。

(3)胶合板模板是以胶合板为面板,角钢为边框的定型模板。以胶合板为面板,克服了木材的不等方向性的缺点,受力性能好。这种模板具有强度高、自重小、不翘曲、不开裂及板幅大、接缝少的优点。

(4)钢竹模板是以角钢为边框,以竹编胶合板为面板的定型模板。这种模板刚度较大,不易变形,重量轻、操作方便。

(5)钢模板一般均做成定型模板。用连接构件拼装成各种形状和尺寸,适用于多种结构形式,在现浇钢筋混凝土结构施工中被广泛应用。钢模板一次投资量大,但周转率高,在使用过程中应注意保管和维护,防止生锈,以延长钢模板的使用寿命。

(6)塑料模板、玻璃钢模板、铝合金模板重量轻,刚度大,拼装方便,周转率高,但由于造价较高,在施工中尚未普遍使用。

2)按结构类型分类

各种现浇钢筋混凝土结构构件,其形状、尺寸、构造不同,模板的构造及组装方法也不同,形成各自的特点。按结构类型分类,可分为基础模板、柱模板、梁模板、楼板模板、楼梯模板、墙模板、壳模板、烟囱模板等多种。

3)按施工方法分类

(1)现场装拆式模板。在施工现场按照设计要求的结构形状、尺寸及空间位置,现场组装的模板。当混凝土达到拆模强度后拆除模板。现场装拆式模板多用定型模板和工具式支撑。

(2)固定式模板。制作预制构件用的模板。按照构件的形状、尺寸在现场或预制厂制作模板,涂刷隔离剂,再制作下一批构件。各种胎模(土胎模、砖胎模、混凝土胎模)即属固定式模板。

(3)移动式模板。随着混凝土的浇筑,模板可沿垂直方向或水平方向移动,称为移动式模板。如烟囱、水塔、墙柱混凝土浇筑采用的滑升模板、提升模板;筒壳浇筑混凝土采用的水平移动式模板等。

二、模板系统的构造、安装与拆除

1.木模板

木模板通常事先做成拼板或定型板形式的基本构件,再把它们进行拼装形成所需要的模板系统。

拼板一般用宽度小于 200mm 的木板,再用 25mm × 35mm 的拼条钉成。由于使用位置不同,荷载差异较大,拼板的厚度也不一致。作梁侧模使用时,荷载较小,一般采用 25mm 厚的木板制作;作承受较大荷载的梁底模使用时,拼板厚度加大到 40 ~ 50mm。拼板的尺寸应与混凝土构件的尺寸相适应,同时考虑拼接时相互搭接的情况,应对一部分拼板增加长度或宽度。

定型板则是将木板钉在边框上,制成固定尺寸的模板。定型板的尺寸一般长度为 700 ~ 1200mm,宽度为 200 ~ 400mm。定型板可用短料制作,刚度也较好,不易损坏,利用率高。

1)木模板的构造

对于混凝土结构不同部位的构件,模板的拼装方法也有所不同,下面介绍几种常见结构构件的模板构造。

(1)基础模板

如图 4-2 所示,为一阶梯形基础模板。如果地质良好、地下水位较低,可取消阶梯形模板的最下一阶进行原槽浇筑。模板安装时应牢固可靠,保证混凝土浇筑后不变形和发生位移。

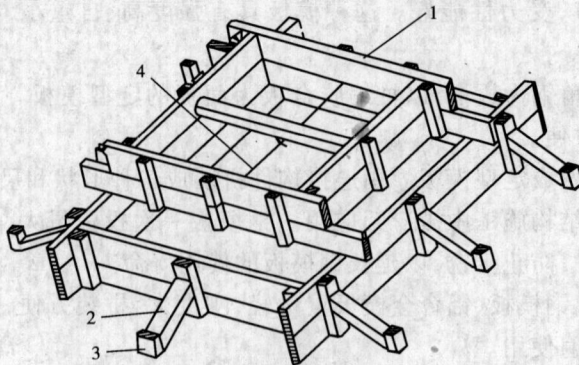

图 4-2　阶梯形基础模板
1-拼板;2-斜撑;3-木桩;4-铁丝

（2）柱模板

柱模板由内、外拼板（共四块）组成，如图4-3所示。两块内拼板宽度与柱截面相同。两块外拼板的宽度则为柱截面宽度与两块内拼板厚度之和。拼板长度等于基础面（或楼面）至上一层楼板底面的距离，若柱与梁相接，还应该留出梁的缺口。

（3）梁模板

梁模板主要由侧模、底模及支撑系统组成，如图4-4所示。

底模板的宽度同梁宽，侧模的高度则与其所处位置有关；边梁外侧模高度为梁高加梁底模厚度，一般梁侧模则为梁高加底模厚度再减去混凝土板厚，梁模板的长度则为梁净长减去两块柱模厚度。

梁下支撑常采用木支柱、钢管支架（图4-8a）所示）、组合钢支架和钢管支架（图4-8c）所示）、金属支架（图4-8d）所示）、工具式钢桁架（图4-7所示）等。

（4）现浇楼板模板

楼板的特点是面积大、厚度薄，因而模板产生的侧压力较小，底模所受荷载也不大，故模板的厚度一般为2.5mm，安装时多采用定型板，以提高安装效率。尺寸不足处用零星木材补足。模板支撑在楞木上，其端面尺寸一般为60mm×120mm，间距不大于600mm，楞木再支撑在梁侧模的托板上，通过托板把力传给梁的支撑系统，如板的跨度大于2m，楞木中间应增设几排支撑排架，如图4-4所示。

2）木模板的安装与拆除

按图纸尺寸制作模板后，弹出构件中心线、边线，将模板对准边线和中心线进行安装，并用水准仪抄测校正，经检测无误后，按放线位置用斜撑、水平撑及拉撑钉牢。最后检查模板是否稳固，校核模板几何尺寸及轴线位置。

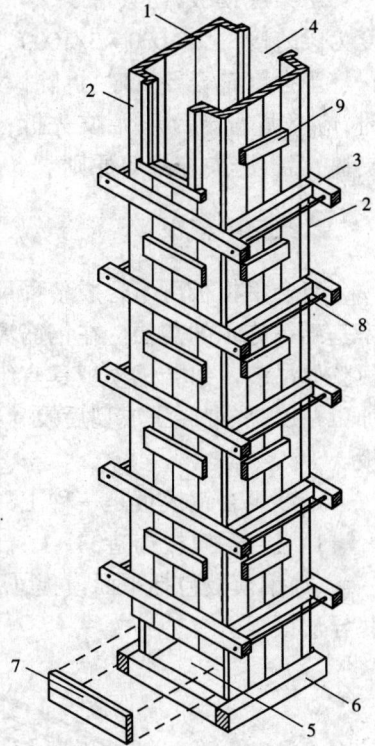

图4-3 矩形柱模板

1-内拼板；2-外拼板；3-柱箍；4-梁缺口；5-清理孔；6-底部木框；7-盖板；8-拉紧螺栓；9-拼条

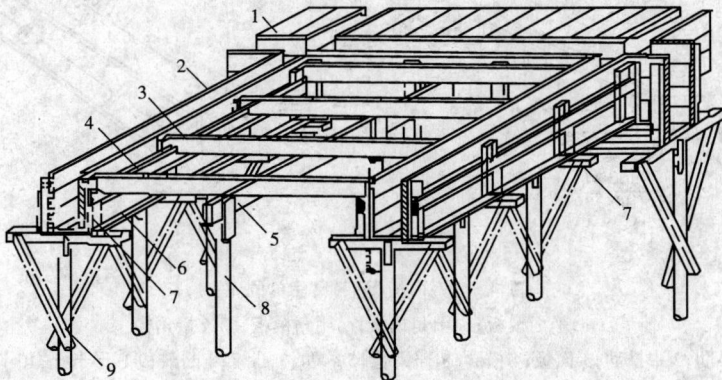

图4-4 梁、楼板模板

1-楼板模板；2-梁侧模板；3-搁栅；4-横档；5-牵杠；6-夹条；7-短撑木；8-牵杠撑；9-支撑

当模板支承在基土面上时,应对基土平整夯实,满足承载力要求,并加木垫板或混凝土垫板等有效措施,确保混凝土在浇筑过程中不会发生支撑下沉。

对梁底模板,当其跨度≥4m时,跨中梁底处应按设计要求起拱,如设计无要求时,起拱高度为梁跨度的 1/1000～3/1000。主次梁交接时,先主梁起拱,后次梁起拱。

当强度符合要求时,拆除模板的顺序和方法应按照模板设计的规定进行。若设计无规定时,应遵循先支后拆,后支先拆;先拆不承重的模板,后拆承重部分的模板;自上而下,先拆侧向支撑,后拆竖向支撑等原则。

2.组合钢模板

组合钢模板可组合成多种尺寸和几何形状,以适应各种类型建筑的柱、梁、板、墙基础和设备基础等施工的需要。在钢筋混凝土结构施工中,可在现场直接组装,也可预先拼装成大块模板整体吊装。组合钢模板具有组装灵活、通用性强、装拆方便、工效高、周转次数多、成本较低、加工精度高、混凝土成型后尺寸准确、棱角整齐、表面光滑等特点,这是目前使用广泛的一种模板。

定型组合钢模板是一种工具式定型模板,由钢模板、连接件和支承件等部分组成。

1)组合钢模板构造

(1)钢模板包括平面模板、阴角模板、阳角模板和连接角模,如图 4-5 所示。此外,还有一些异形模板。

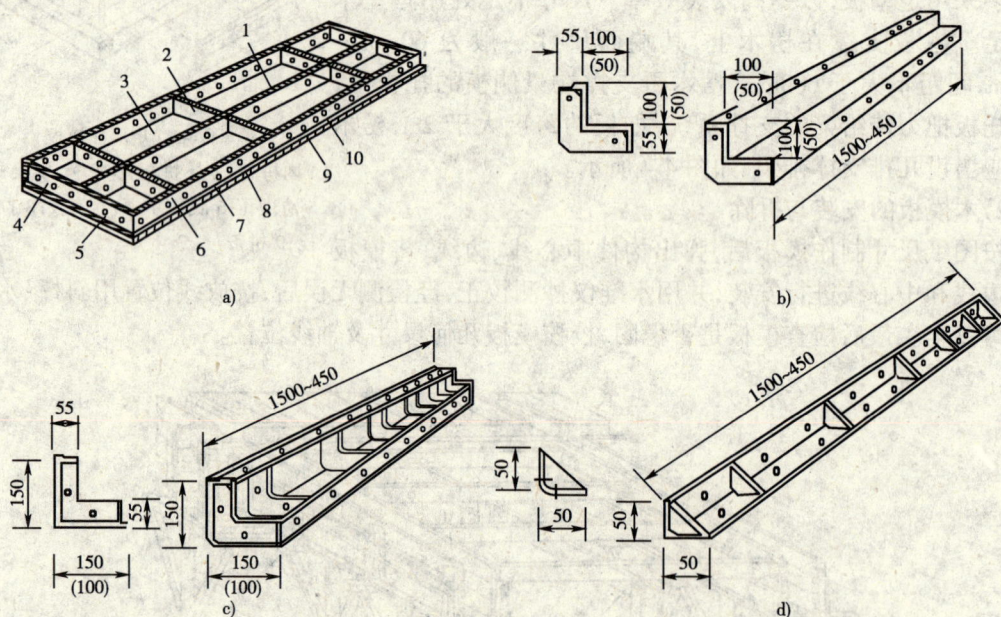

图 4-5　钢模板类型(尺寸单位:mm)

a)平面模板;b)阳角模板;c)阴角模板;d)连接角模

1-中纵肋;2-中横肋;3-面板;4-横肋;5-插销孔;6-纵肋;7-凸棱;8-凸鼓;9-U 形卡孔;10-钉子孔

钢模板采用模数制设计,宽度模数以 50mm 进级,长度模数以 150mm 进级,可以拼接成以 50mm 进级的任何尺寸的模板。钢模板的规格见表 4-1 所列。如拼装时出现不足模数的空缺,则用镶嵌木条补缺,用钉子或螺栓将木条与钢模板边框上的孔洞连接。

表 4-1

钢模板规格编码表

模板名称	宽度(mm)	450 代号	450 尺寸	600 代号	600 尺寸	750 代号	750 尺寸	900 代号	900 尺寸	1200 代号	1200 尺寸	1500 代号	1500 尺寸	1800 代号	1800 尺寸
平面模板(代号P)	600	P6004	600×450	P606	600×600	P6007	600×750	P6009	600×900	P6012	600×1200	P6015	600×1500	P6018	600×1800
	550	P5504	550×450	P5506	550×600	P5507	550×750	P5509	550×900	P5512	550×1200	P5515	550×1500	P5518	550×1800
	500	P5004	500×450	P5006	500×600	P5007	500×750	P5009	500×900	P5012	500×1200	P5015	500×1500	P5018	500×1800
	450	P4504	450×450	P4506	450×600	P4507	450×750	P4509	450×900	P4512	450×1200	P4515	450×1500	P4518	450×1800
	400	P4004	400×450	P4006	400×600	P4007	400×750	P4009	400×900	P4012	400×1200	P4015	400×1500	P4018	400×1800
	350	P3504	350×450	P3506	350×600	P3507	350×750	P3509	350×900	P3512	350×1200	P3515	350×1500	P3518	350×1800
	300	P3004	300×450	P3006	300×600	P3007	300×750	P3009	300×900	P3012	300×1200	P3015	300×1500	P3018	300×1800
	250	P2504	250×450	P2506	250×600	P2507	250×750	P2509	250×900	P2512	250×1200	P2515	250×1500	P2518	250×1800
	200	P2004	200×450	P2006	200×600	P2007	200×750	P2009	200×900	P2012	200×1200	P2015	200×1500	P2018	200×1800
	150	P1504	150×450	P1506	150×600	P1507	150×750	P1509	150×900	P1512	150×1200	P1515	150×1500	P1518	150×1800
	100	P1004	100×450	P1006	100×600	P1007	100×750	P1009	100×900	P1012	100×1200	P1015	100×1500	P1018	100×1800
阴角模板(代号 E)		E1504	150×150×450	E1506	150×150×600	E1507	150×150×750	E1509	150×150×900	E1512	150×150×1200	E1515	150×150×1500	E1518	150×150×1800
		E1004	100×150×450	E1006	100×150×600	E1007	100×150×750	E1009	100×150×900	E1012	100×150×1200	E1015	100×150×1500	E1018	100×150×1800
阳角模板(代号 Y)		Y1004	100×100×450	Y1006	100×100×600	Y1007	100×100×750	Y1009	100×100×900	Y1012	100×100×1200	Y1015	100×100×1500	Y1018	100×100×1800
		Y0504	50×50×450	Y0506	50×50×600	Y0507	50×50×750	Y0509	50×50×900	Y0512	50×50×1200	Y0515	50×50×1500	Y0518	50×50×1800
连接角模(代号 J)		J0004	50×50×450	J0006	50×50×600	J007	50×50×750	J0009	50×50×900	J0012	50×50×1200	J0015	50×50×1500	J0018	50×50×1800

为了便于板块之间的连接,钢模板边框上设连接孔,孔距均为 150mm,端部孔距边肋为 75mm。

(2)连接件。定型组合钢模板的连接件包括 U 形卡、L 形插销、钩头螺栓、对位螺栓、紧固螺栓和扣件等。

①U 形卡。如图 4-6a)所示,用于相邻模板的拼接。其安装的距离不大于 300mm,即每隔一孔卡插一个,安装方向一顺一倒相互交错,以抵消因打紧 U 形卡可能产生的位移。

②L 形插销。如图 4-6b)所示,用于插入钢模板端部横肋的插孔内,以加强两相邻模板接头处的刚度和保证接头处板面平整。

③钩头螺栓。钩头螺栓用于钢模板与内外钢楞的加固。安装间距一般不大于 600mm,长度应与采用的钢楞尺寸相适应,如图 4-6c)所示。

④紧固螺栓。紧固螺栓用于紧固内外钢楞,长度应与采用的钢楞尺寸相适应,如图 4-6d)所示。

⑤对拉螺栓。对拉螺栓用于连接墙壁两侧模扳,保持模板与模板之间的设计厚度,并承受混凝土侧压力及水平荷载,使模板不致变形,如图 4-6e)所示。

⑥扣件。扣件用于钢楞与钢楞或钢楞与钢模板之间的扣紧。按钢楞的不同形状,分别采用蝶形扣件和"3"形扣件,如图 4-6c)中的件 2、5 所示。

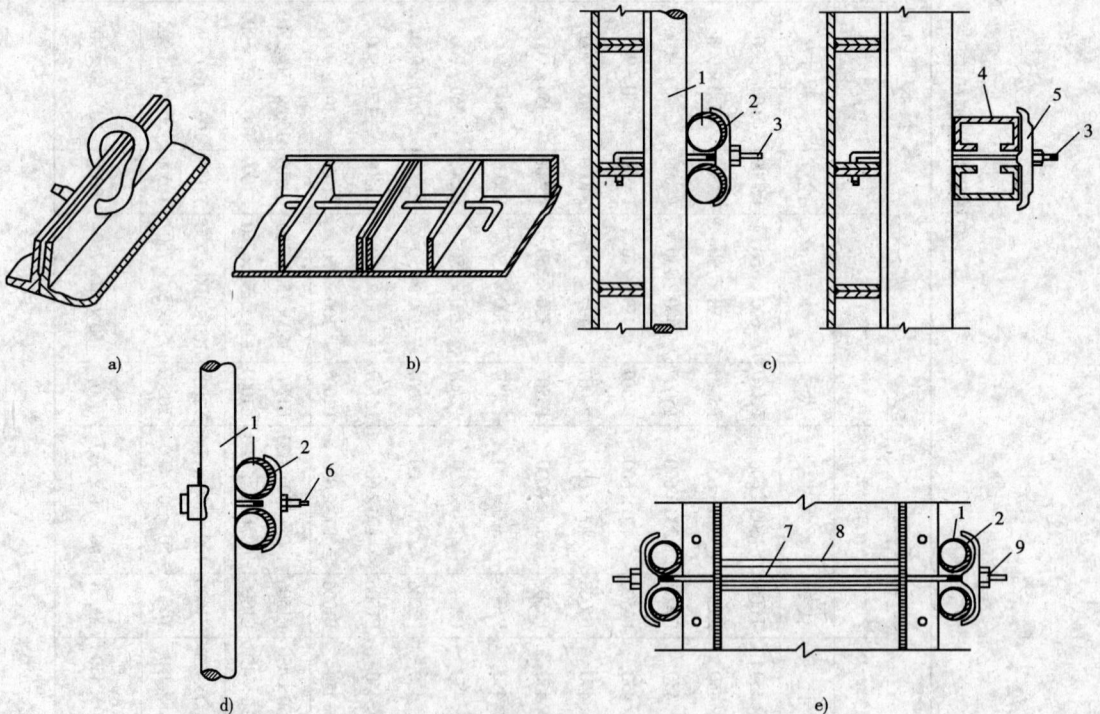

图 4-6 钢模板连接件

a)U 形卡连接;b)L 形插销连接;c)钩头螺栓连接;d)紧固螺栓连接;e)对拉螺栓连接

1-圆钢管钢楞;2-"3"形扣件;3- 钩头螺栓;4-内卷边槽钢钢楞;5-碟形扣件;6-紧固螺栓;7-对拉螺栓;8-塑料套管;9-螺母

(3)支承件。定型组合钢模板的支承件包括柱箍、钢楞、支架、斜撑、工具式钢桁架等。

①工具式钢桁架。如图 4-7 所示,其两端可支承在钢筋托具、墙和梁侧模板的横档以及柱顶梁底横档上,以支承梁或板的模板。图 4-7a)所示为整榀式,一个桁架的承载能力约为 30kN

(均匀放置);图 4-7b)所示为组合式桁架,可调范围为 2.5 ~ 3.5m,一榀桁架的承载能力约为 20kN(均匀放置)。

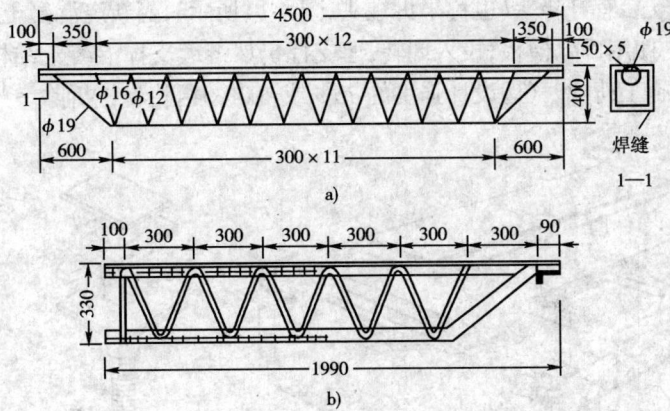

图 4-7 钢桁架示意图(尺寸单位:mm)

a)整榀式;b)组合式

②钢支架。常用钢支架如图 4-8a)所示,它由内外两节钢管制成,其高低调节距模数为 100mm,支架底部除垫板外,均用木楔调整,以利于拆除。另一种钢管支架本身装有调节螺杆,能调节一个孔距的高度,使用方便,但成本较高,如图 4-8b)所示。当荷载较大单根支架承载力不足时,可用组合钢支架或钢管井架,如图 4-8c)所示。还可以用扣件式钢管脚手架、门型脚手架作支架,如图 4-8d)所示。钢管之间的连接采用的扣件及碗扣接头。

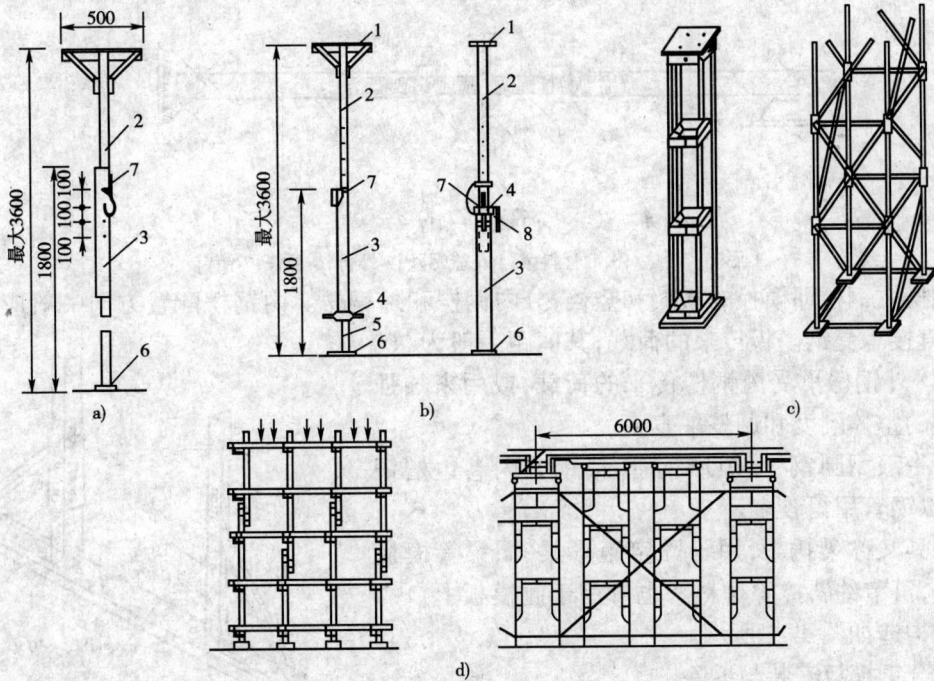

图 4-8 钢支架(尺寸单位:mm)

a)钢管支架;b)调节螺杆钢管支架;c)组合钢支架和钢管支架;d)扣件式钢管和门型脚手架支架

1-顶板;2-插管;3-套管;4-转盘;5-螺杆;6-底板;7-插销;8-转动手柄

近些年在建筑工程中广泛使用的早拆模板体系,可以加快模板的周转速度、缩短工期。由模板块、托梁、升降头、可调支柱、支撑系统等组成(图4-9所示)。可调钢支柱是其主要部件之一。可调支柱支撑系统的上端安装有升降头(也称早拆柱头,图4-10所示),当新浇混凝土达设计强度的50%时,既可通过升降头的使用拆除模板,投入周转,但支柱仍然继续支撑混凝土结构,待混凝土强度增长到足以承担自重和施工荷载时(达设计强度的75%或100%)再将支柱拆除。

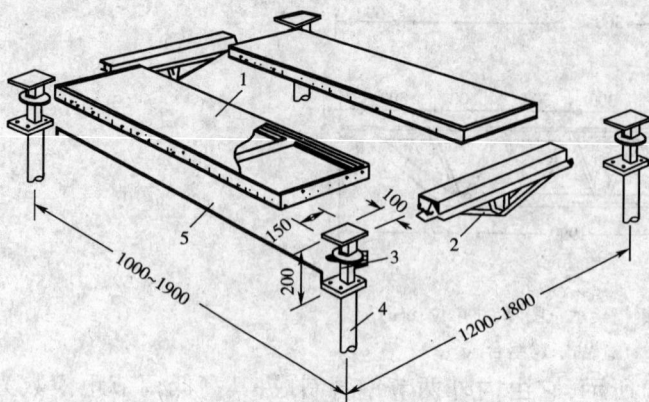

图4-9 早拆模板体系(尺寸单位:mm)
1-模板块;2-托梁;3-升降头;4-可调支柱;5-跨度定位杆

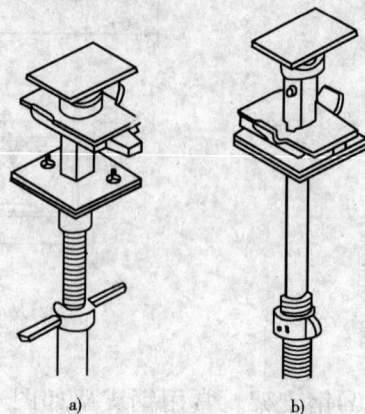

图4-10 升降头外形图
a)使用状态;b)降落状态

③斜撑。由组合钢模板拼成的整片墙模或柱模,在吊装就位后,应用斜撑调整和固定其垂直位置。斜撑构造如图4-11所示。

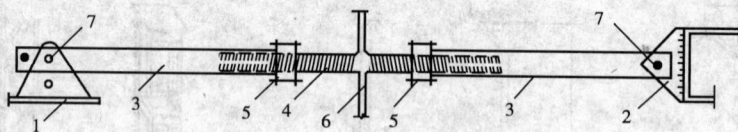

图4-11 斜撑
1-底座;2-顶撑;3-钢管斜撑;4-花篮螺丝;5-螺母;6-悬杆;7-销钉

④钢楞。钢楞即模板的横档和竖档,分内钢楞和外钢楞。内钢楞配置方向一般应与钢模板垂直,直接承受钢模板传来的荷载,其间距一般为700~900mm。外钢楞承受内钢楞传来的荷载,或用来加强模板结构的整体刚度和调整平直度。

钢楞一般用圆钢管、矩形钢管、槽钢或内卷边槽钢制作,而以钢管用得较多。

梁卡具又称梁托架,用于固定矩形梁、圈梁等模板的侧模板,可节约斜撑等材料。也可用于侧模板上口的固定。其构造如图4-12所示。

2)组合钢模板安装与拆除

模板安装前应做好施工准备工作,并认真复查所弹的模板中心线、边线及标高位置;模板安装位置、截面尺寸、标高、预埋件和预留孔洞位置等;模板安装要

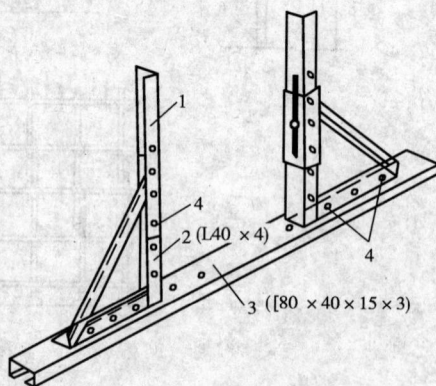

图4-12 组合梁卡具
1-调节杆;2-三脚架;3-底座;4-螺栓

牢固,做到横平竖直,支撑平稳,受力均匀;要便于模板拆除,模板内侧应刷涂隔离剂;要与相关工种密切配合。

模板安装的程序应根据构件类型和特点、施工方法和机械选择、施工条件和环境等确定。一般为先下后上,先内后外,先支模,后支撑,再紧固。

基础模板安装一般是分层安装阶梯模板,并用角钢三角撑分层固定。如果土质较好,下层可利用原土削平不另支模,但开挖基坑(槽)必须准确。

柱模板安装前先在模板底面用水泥砂浆找平,并调整好柱模板安装底面的标高。或设木框,在木框上安装钢模板。边柱外侧模板需支承在承垫板条上,板条要用螺栓固定在下层结构上,如图 4-13 所示;柱模板下端应设清理口,由楼地面起每隔 1~2m 留一道浇筑口。

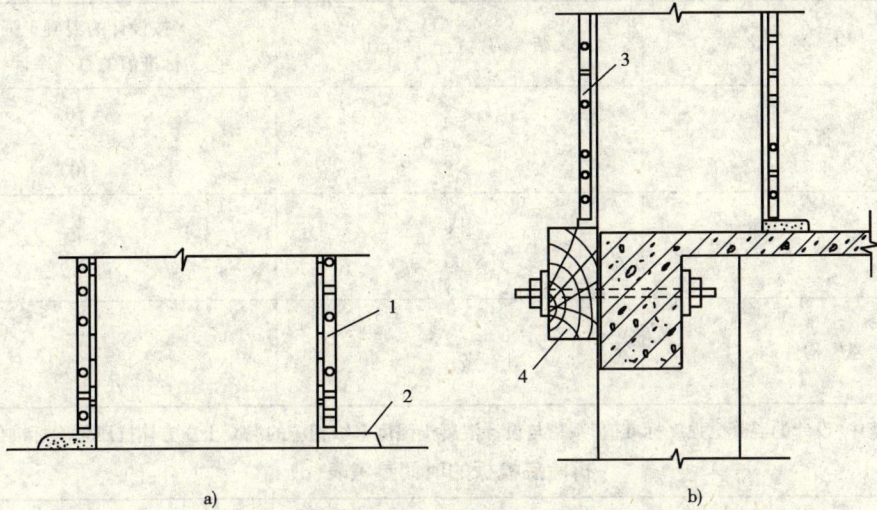

图 4-13 柱模板安装
a)柱模板安装底面处理;b)边柱外侧模板的固定方法
1-柱模板;2-砂浆找平层;3-边柱外侧模板;4-承垫板条

有梁楼板模板安装时要注意桁架之间要设拉结,以保持桁架垂直;模板两端应牢固,中间尽量少设或不设固定点,以便拆模,如图 4-14 所示。

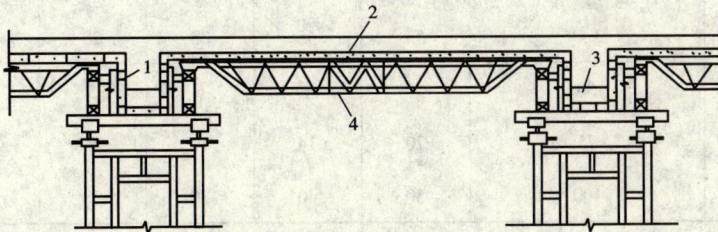

图 4-14 梁楼板模板
1-梁模板;2-楼板模板;3-对拉螺栓;4-伸缩式桁架

模板拆除时,应根据混凝土的强度、各个模板的用途、结构的性质、水泥品种及混凝土硬化时的气温等确定。侧模板为非承重模板,可在混凝土强度能保证其表面及棱角不因拆除而损坏时将侧模板拆除。具体时间可参考表 4-2 所列。底模板在与混凝土结构同条件养护的试件达到表 4-3 规定强度标准值时,方可拆除。达到规定强度标准值所需时间可参考表 4-4 所列。

水泥品种	混凝土强度等级	混凝土的平均硬化强度（℃）					
		5	10	15	20	25	30
		混凝土强度达到 2.5MPa 所需天数					
普通水泥	C10	5	4	3	2	1.5	1
	C15	4.5	3	2.5	2	1.5	1
	≥C20	3	2.5	2	1.5	1.0	1
矿渣及火山灰质水泥	C10	8	6	4.5	3.5	2.5	2
	C15	6	4.5	3.5	2.5	2	1.5

结 构 类 型	结 构 跨 度（m）	按设计的混凝土强度标准值的百分率计（%）
板	≤2	50
	>2, ≤8	75
	>8	100
梁、拱、壳	≤8	75
	100	>8
悬臂构件	≤2	75
	100	>2

注：本规范中"设计的混凝土强度标准值"系指与设计混凝土强度等级相应的混凝土立方体抗压强度标准值。

水泥的强度等级及品种	混凝土达到设计强度标准值的百分率（%）	硬化时昼夜平均温度（℃）					
		5	10	15	20	25	30
32.5级普通水泥	50	12	8	6	4	3	2
	75	26	18	14	9	7	6
	100	55	45	35	28	21	18
42.5级普通水泥	50	10	7	6	5	4	3
	75	20	14	11	8	7	6
	100	50	40	30	28	20	18

3.大模板

大模板是采用定型化的设计和工业化加工制作而成的一种工具式模板，它的单块模板面积较大，通常是以一面现浇混凝土墙体为一块模板。施工时配以相应的吊装和运输机械，用于现浇钢筋混凝土墙体。它具有安装和拆除简便、施工速度快、尺寸准确、板面平整、结构整体性和抗震性能好并可以减少装修抹灰湿作业等特点。由于它的工业化、机械化施工程度高，综合经济技术效益好，因而被广泛应用于各种剪力墙结构的多高层建筑、桥墩和筒仓等结构体系中。

采用大模板进行建筑施工的工艺特点是:利用工业化建筑施工的原理,以建筑物的开间、进深、层高的标准化为基础,以大模板为主要施工手段,以现浇钢筋混凝土墙体为主导工序,组织有节奏的均衡施工。

1)大模板的组成

大模板一般由板面构架系统、支撑调整系统、操作平台和锚固连接件等部分组成。根据大模板对墙面的分块方式的不同,可分为平模、角模和筒形模(又称筒子模)三种类型,现按模板类型分述其构造如下:

(1)平模

平模(图4-15所示)一般取房间的一个墙面为一块模板,其板面构架系统由面板、横肋和竖肋组成。面板所用的材料有钢板、胶合板、木板、木纤维板、铝板等。以钢板(厚3~5mm)和胶合板用得最普遍。横肋和竖肋一般用6.5~8号槽钢。

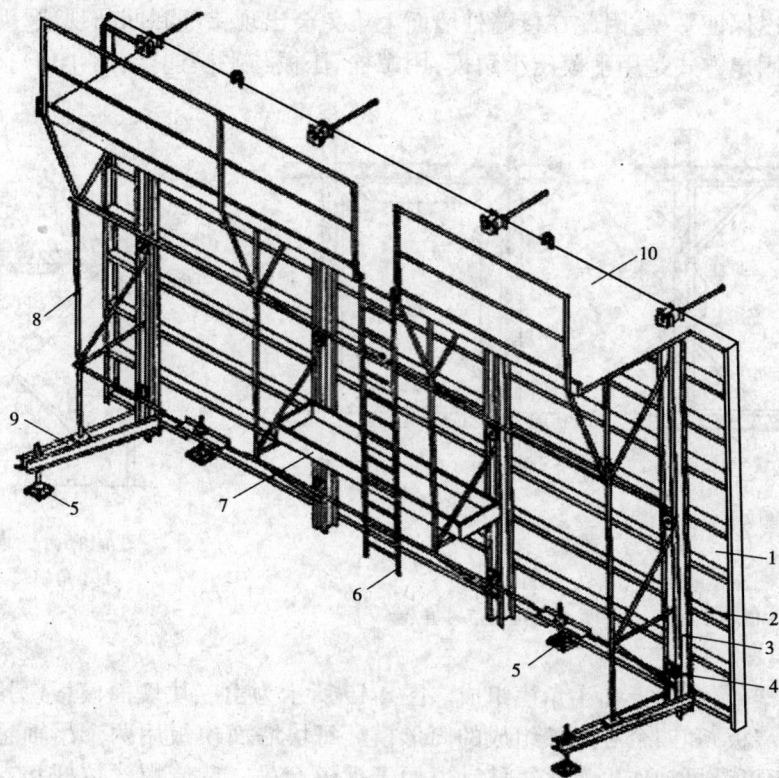

图4-15 平模构造示意图

1-面板;2-横肋;3-竖肋;4-穿墙螺栓;5-调整螺栓;6-爬梯;7-工具箱;8-支撑桁架;9-支腿;10-操作平台

支撑调整系统的作用,是用以保证模板堆放时的稳定性和调整模板的垂直度,由支撑桁架、支腿和调整螺栓组成。支撑桁架由角钢构成,桁架与竖肋相连接,借以加强竖肋的刚度。在模板两侧的支撑桁架底部各伸出一支腿,支腿端部装设一调整螺栓。另在模板下部横肋的两端也各设一调整螺栓。利用这四个调整螺栓即可在模板安装时调整模板的垂直度、水平度和标高,在堆放时可保证模板有一定的倾斜度以防止倾覆。脱模时,只要将支腿端部的两个调整螺栓提起,使模板后斜,待模板脱离混凝土表面后,即可起吊脱模。

操作平台是利用支撑桁架在其上满铺脚手板构成。平台外围有护身栏杆,以保证安全。

为便于操作人员上下，在每块模板背后可设上人爬梯。

主要的锚固连接件是穿墙螺栓(图 4-16 所示)。它是用以固定墙体两侧模板之间的间距，以保证墙体的准确厚度，并承受混凝土作用于模板的侧压力。在模板各竖肋的上、中、下部各设一道。中间和下部穿墙螺栓因穿过墙体，为了抽卸方便和保证墙体厚度，可在穿墙螺栓外加硬塑料套管(或钢管、预制混凝土管)。竖肋上部的穿墙螺栓一般设在面板高度之外。穿墙螺栓一般用圆钢制成，端部车有丝扣，用螺母拧紧。

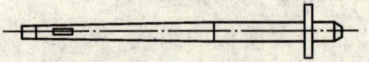

图 4-16　穿墙螺栓

(2)角模

角模可分为大角模和小角模两种。大角模是由两块平模组成(图 4-17 a)所示)，模板拼缝在墙面中间，影响美观，装拆也较麻烦，已很少采用。小角模则是一个房间由四块平模和四个等边角钢组装而成(图 4-17b)所示)，模板拼缝在房间四角。采用角模施工，房间墙角方正。但模板拼接处难以保证平整，因此在接缝处墙面上难免会出现错缝和凹凸现象，拆模后需加以修补。小角模的固定方式是用平模压小角模，用螺栓、压板与平模连接(图 4-18)。

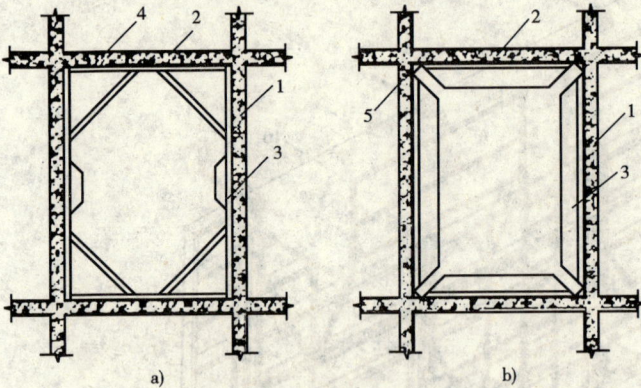

图 4-17　角模示意图
a)大角模；b)小角模
1-横墙；2-纵墙；3-平模；4-大角模；5-小角模

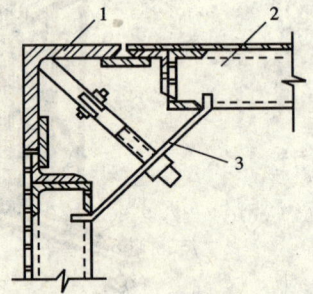

图 4-18　小角模与平模连接图
1-小角模；2-平模；3-压板

(3)筒形模

主要由钢架、墙面模板和小角模组成。图 4-19 所示为由三块墙面模板(另一墙面为外墙，采用预制大型墙板)和四个小角模组成的筒形模。每块墙面模板用两个吊轴悬挂在钢架的立柱上，墙面模板可沿吊轴作少量水平移动以便于拆模起吊。花篮螺丝拉杆和支杆用以调整和固定墙面模板与钢架之间的相对位置。钢架上部铺上木板即为操作平台。钢架四根立柱下端各设有一个调整螺栓，用以调整模板高度和垂直度。

2)大模板的安装与拆除

门窗框一般是直接安设在大模板上，与墙体混凝土浇筑成一整体。安设时，用螺栓将一侧夹框模架固定在大模板内面门窗洞位置处，然后装上门窗框，再覆上另一侧夹框模架。门窗框应注意加横撑顶牢，防止浇筑混凝土时，由于混凝土的侧压力而造成变形。

现浇外墙外模板的支承方式一般采用外承式，是指外墙外模板支承在附墙外脚手架上(图 4-20 所示)。附墙外脚手架通过上挂钩和下卡具固定在墙面上。外脚手架、外模板自重、风力和其他施工荷载，皆通过上挂钩传给外墙承受，下卡具主要用来固定脚手架，并防止在风力作用下外模板和脚手架朝建筑物里面倾倒。

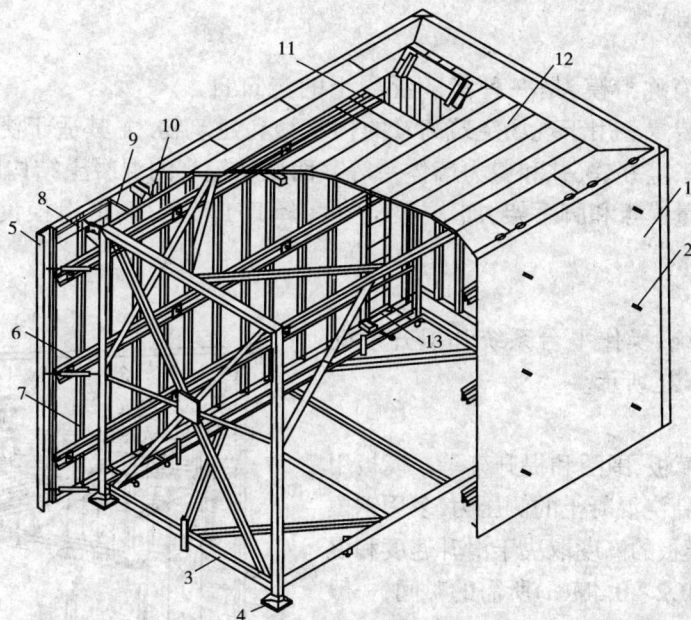

图 4-19　筒形模构造示意图

1-墙面模板；2-穿墙螺栓；3-钢架；4-调整螺栓；5-小角模；6-横肋；7-纵肋；8-吊轴；9-拉杆；10-支杆；11-出入孔；12-操作平台；13-爬梯

　　当墙体钢筋绑扎与水电预埋管件安装完毕，即可安装墙体大模板；大模板安装前，必须做好平放线工作；安装大模板时，关键要做好各个节点部位的处理；模板的安装必须保证位置准确、立面垂直；模板安装后接缝部位必须严密，防止漏浆。

　　外墙大模板安装之前，必须先安装三角挂架和平台板；要放好模板的位置线，保证大模板就位准确；外侧大模板经校正固定后，以外侧模板为准，安装内侧大模板。当外墙采取后浇混凝土时，应在内墙外墙留好连接钢筋，并用堵头模板将内墙端部封严，外墙大模板上的门窗洞口模板必须安装牢固，垂直方正。

　　装饰混凝土衬模要安装牢固，在大模板安装前认真进行检查，发现松动应及时进行修理，防止在施工中发生位移和变形，防止拆模时将衬模拔出。

　　大模板的拆除顺序：拆除内侧外墙大模板的连接固定装置→拆除穿墙螺栓及上口卡子→拆除相邻模板之间的连接→拆除门窗洞口模板与大模板的连接件→松开外侧大模板滑动轨道的地脚螺丝紧固件→用撬棍向外侧拨动大模板，使其平稳脱离墙面→松动大模板地脚螺栓，使模板外倾→拆除内侧大模板→拆除门窗洞口模板→清理模板、刷脱模剂→拆除平台板及三角挂架。

　　脱模后要及时清理模板及衬模上的残渣，刷好脱模剂。

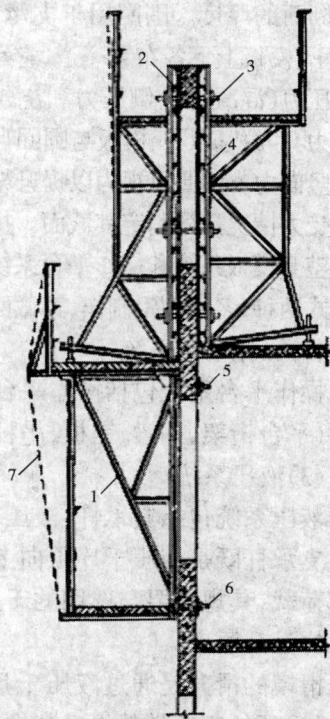

图 4-20　外模板的外承式支撑

1-附墙外脚手架；2-外模板；3-穿墙螺栓；4-内模板；5-上挂钩；6-下卡具；7-安全网

4.液压滑升模板

液压滑升模板简称滑模,是一种能随混凝土的浇筑自行向上滑升的模板装置。用于现场浇筑高耸的构筑物和建筑物,尤其适于浇筑烟囱、筒仓、电视塔、双曲线冷却塔、竖井、沉井和剪力墙体系等截面变动较小的混凝土结构。

滑模可节省大量模板和脚手架,加快施工进度,降低工程费用,但滑模设备一次性投资较多,耗钢量较大。

1)滑模的构造

滑模由模板系统、操作平台系统和提升系统三部分组成,如图4-21所示。

(1)模板系统

模板系统包括模板、围圈和提升架等。模板用于成型混凝土,承受新浇混凝土的侧压力,多用钢模或钢木组合模板。模板的高度取决于滑升速度和混凝土达到出模强度(0.2~0.4MPa)所需的时间,一般高1.0~1.2m。为防止滑升过程中混凝土与模板的粘结引起滑升困难,应将模板做成上口小、下口大的锥形,单面锥度约0.2%~0.5%。两块模板的间距控制则以模板上口以下2/3模板高度处的净间距为结构断面的厚度。围圈用于支承和固定模板,一般情况下,模板上下各布置一道,它承受模板传来的水平侧压力(混凝土的侧压力和浇筑混凝土时的水平

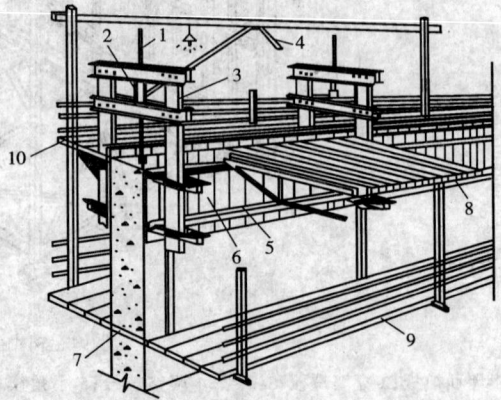

图4-21 滑升模板

1-支承杆;2-液压千斤顶;3-油管;4-提升架;5-围圈;6-模板;7-混凝土墙体;8-操作平台桁架;9-内吊脚手架;10-外脚手架

冲击力)和由摩阻力、模板与围圈自重(如操作平台支承在围圈上,还包括平台自重和施工荷载)等产生的竖向力。围圈可视为以提升架为支承的双向弯曲的多跨连续梁,材料多用角钢或槽钢,以其最不利受力情况计算确定其截面。提升架的作用是固定围圈,把模板系统和操作平台系统连成整体,承受整个模板系统和操作平台系统的全部荷载并将其传递给液压千斤顶。提升架分单横梁式与双横梁式两种,多用型钢制作,其截面按框架计算确定。

(2)操作平台系统

操作平台系统包括操作平台、内外吊脚手架和外挑脚手架,它是施工操作的场所。其承重构件(平台桁架、钢梁、铺板,吊杆等)根据其受力情况按一般的钢结构进行计算。

(3)液压系统

液压系统包括支承杆、液压千斤顶和液压操纵装置等,它是使滑升模板向上滑升的动力装置。支承杆既是液压千斤顶向上爬升的轨道,又是滑升模板的承重支柱,它承受施工过程中的全部荷载,其规格要与选用的千斤顶相适应。

2)滑升原理

滑模的滑升是通过液压千斤顶在支承杆上的爬升。由于千斤顶是与提升架连接在一起的,千斤顶的爬升带动提升架向上,并使模板沿墙体滑升。

目前滑升模板所用的液压千斤顶,有以钢珠作卡头的GYD-35型和以楔块作卡头的QYD-35型等起重力为35kN的小型液压千斤顶,还有起重力为60kN及100kN的中型液压千斤顶YL50-10型等。GYD-35型目前仍应用较多。滑升模板滑升原理如图4-22所示。施工时,将液

压千斤顶安装在提升架横梁上与之联成一体,支承杆穿入千斤顶的中心孔内。当高压油压入活塞与缸盖之间(图4-22a)所示),在高压油作用下,由于上卡头(与活塞相连)内的小钢珠与支承杆产生自锁作用,使上卡头与支承杆锁紧,因而,活塞不能下行。于是在油压作用下,迫使缸体连带底座和下卡头一起向上升起,由此带动提升架等整个滑升模板上升。当上升到下卡头紧碰着上卡头时,即完成一个工作进程(图4-22b)所示)。此时排油弹簧处于压缩状态,上卡头承受滑升模板的全部荷载。当回油时,油压力消失,在排油弹簧的弹力作用下,把活塞与上卡头一起向上推动,油即从进油口排出。在排油开始的瞬间,下卡头又由于其小钢珠与支承杆间的自锁作用,与支承杆锁紧,使缸筒和底座不能下降,接替上卡头所承受的荷载(图4-22c)所示)。当活塞上升到极限后,排油工作完毕,千斤顶便完成一个上升的工作循环。一次上升的行程为20~30mm。排油时,千斤顶保持不动。如此不断循环,千斤顶就沿着支承杆不断上升,模板也就被带着不断向上滑升。

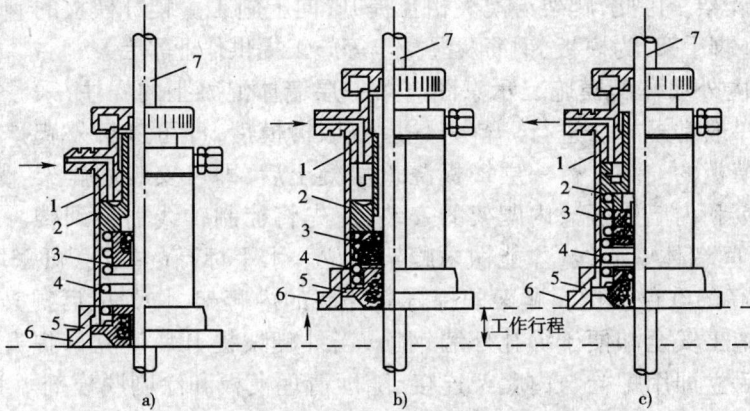

图4-22 液压千斤顶工作原理
a)进油;b)加压上升;c)回油
1-缸筒;2-活塞;3-上卡头;4-排油弹簧;5-下卡头;6-底座;7-支承杆

液压千斤顶的进油、回油是由油泵、油箱、电动机和换向阀、溢流阀等集中安装在一起的液压控制台操纵进行。液压控制台放在操作平台上,随滑升模板装置一起同时上升。

滑升模板施工一般为连续作业,中途不作停歇,机械化程度较高。因此,要求有严密的施工组织,施工机具、劳动力和材料应按连续施工的要求作好充分准备,供水、供电必须安全可靠,施工过程中必须加强施工管理,各工种要紧密配合协作,精心操作,才能确保工程质量、施工进度和施工安全。

施工时,先进行滑升模板装置的组装工作。组装工作完成,经过检查核对,证明组装质量符合要求后,即可进入混凝土的浇筑等滑升施工阶段。

在滑升模板施工过程中,绑扎钢筋、浇筑混凝土、提升模板这三个工序是相互配合地进行工作的。在上述主要工序之间,穿插进行其他各项工作,如接长支承杆,留设门窗孔洞和预埋件,支设梁底模板,特殊部位处理,修饰混凝土表面,养护混凝土,观测和控制建筑物垂直度的偏差等。滑升完毕后,最后进行模板装置的拆除。

5.爬升模板

爬升模板简称爬模,它是施工剪力墙和筒体结构的混凝土结构高层建筑和桥墩、桥塔等的一种有效的模板体系,在我国已推广应用。由于模板能自爬,不需起重运输机械吊运,减少了施工中的起重运输机械的工作量，能避免大模板受大风的影响。由于自爬的模板上还可悬挂脚手架，所以可省去结构施工阶段的外脚手架，因此其经济效益较好。

爬升工艺可选用模板与爬架互爬、模板与模板互爬及整体爬升等。模板与爬架互爬称为有爬架爬模，模板与模板互爬称为无爬架爬模。

1）有爬架爬模

有爬架爬模一般由爬升模板、爬架和爬升设备三部分组成。如图 4-23 所示为一种有爬架爬模。其下部设有附墙架，附墙架用螺栓固定在下层混凝土结构上；上部支承立柱坐落在附墙架上，与之成为整体。支承立柱上端有挑横梁，用以悬吊提升爬升模板用的动力装置（如电动葫芦等），通过动力装置起动模板提升。模板顶端有提升爬架用动力设备，在模板固定后，通过它提升爬架。由此，爬架与模板相互提升，向上施工。爬升模板的背面还可悬挂外脚手架，为模板、钢筋及混凝土等施工提供作业平台。

图 4-24 为内外墙体爬模施工示意图。第一层墙体混凝土的浇注，采用大模板工程一般常规方法进行。待第一层外墙拆模后，即可进行外爬架和外侧外墙模板的安装。待一层楼板浇筑混凝土后，即可安装内爬架及外墙外侧模板和内墙模板。内爬架的安装，应先将控制轴线引测到楼层，并弹出各开间墙体中心线，才能做内爬架限位。水平标高的控制，可采取在每根内爬架上画出 500mm 高的红色标记。爬架的提升靠外墙的内爬架，作为以后提升内、外模板的连接依靠。为了施工安全和便于绑扎外墙钢筋，当外爬架提升后应立即提升外墙外侧模板，并在模板到位后立即用螺栓与内爬架连接，随即清理模板和涂刷脱模剂。

2）无爬架爬模

无爬架爬模的特点是取消了爬架，模板有甲乙两类组成，爬升时两类模板互为依托，用提升设备使两类相邻模板交替爬升。

无爬架爬模的甲型模板为窄板，高度大于两个层高，乙型模板要按建筑物外墙尺寸配制，高度略大于层高，与下层外墙稍有搭接，避免漏浆和错台。两种模板交替布置，甲型模板布置在内外墙交接处，或大开间外墙的中部，每块模板的左右均拼接有调节板缝的钢板以调节板缝，并使模板两侧形成轨槽以利模板的爬升。模板的背部设有背楞，作为模板爬升繁荣依托，并能加强模板的整体刚度。内外模板用直径 16mm 的一级钢筋做穿墙螺栓连接固定。在乙型模板的下面用竖向背楞做生根处理，背楞上端设有连接板，用以支持其上的乙型模板（图 4-25 所示）。连接板与模板、生根背楞均用螺栓连接，以便调整模板的垂直度。

无爬架爬模的爬升装置由三角爬架、爬杆、卡座和液压千斤顶组成。三角爬架插在模板上口两端套筒内，套筒用"U"形螺栓与竖向背楞连接，三角爬架可自由回转，用以支承卡座和爬杆。爬杆用直径为 25mm 的圆钢制成，上端用卡座固定在三角爬架上。每块模板上装两台起重量为 3.5t 的液压千斤顶，甲型模板安装在模板中间偏下处，乙型模板安装在模板上口两端。供油用齿轮泵，输油管用高压胶管。

无爬架爬模的操作平台用三角挑架作支撑。安装在乙型模板竖向背楞和它下面的生根背楞上，共设置三道，上面铺脚手板，外测设护栏和安全网。上、中层平台供安装、拆除模板时使用，并在中层平台上加设模板支撑一道，使模板、挑架和支撑形成稳固的整体，并用来调整模板的角度，也便于拆模时松动模板；下层平台供修理墙面用。

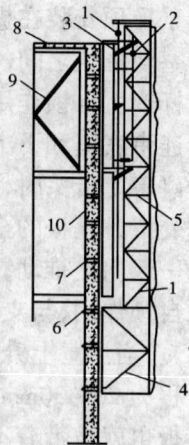

图 4-23 有爬架爬升模板
1-提升模板的动力装置；2-提升爬架的动力装置；3-外模板；4-爬架的附属架；5-爬架的支承立柱；6-附属螺栓；7-预留孔；8-楼板模板；9-楼板模板支架；10-混凝土墙体

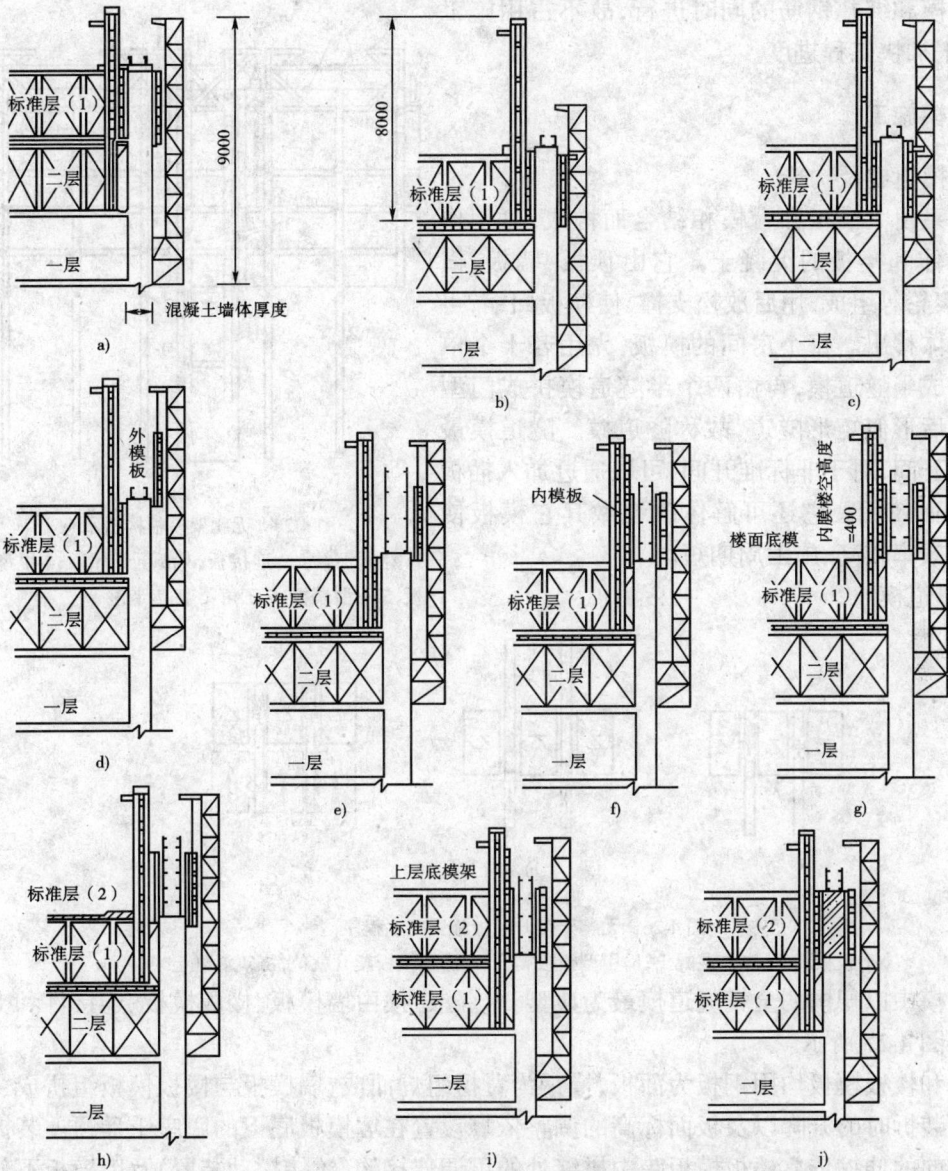

图 4-24　内、外墙体爬模施工示意图

a)弹线浇导墙；b)升内架(外墙边)；c)升外架；d)升外模；e)扎筋；f)升内模；g)铺楼面底模；h)扎楼板钢筋浇模板混凝土；i)校正内外模搭底模架；j)浇上层混凝土

无爬架爬升模板施工的爬升程序如图 4-26 所示。

爬升前先松开穿墙螺栓,拆除内模板,并使外墙外侧的甲乙型模板与混凝土脱离,但穿墙螺栓未拆除。调整乙型模板上三角架的角度,装上爬杆并用卡座卡紧,爬杆下端穿入甲型模板中部的千斤顶中。然后拆除甲型模板底部的穿墙螺栓,装好限位卡,启动液压泵,将甲型模板爬至预定高度,随即用穿墙螺栓与墙体固定。待甲型模板爬升后,再爬升乙型模板,首先松开卡座,取出乙型模板上的爬杆,然后调整甲型模板三角爬架的角度,装上爬杆,用卡座卡紧,并使爬杆下端穿入乙型模板上端的千斤顶中,再拆除乙型模板上上口的穿墙螺栓,使模板与墙体脱离,即可爬升乙型模板。校正甲乙两种模板,安装好内模,装好穿墙螺栓并紧固,即可浇注混凝土。施工时,应使每个流水段内的乙型模板同时爬升,模板不得单块爬升,模板的爬升,可安排在楼板支模和绑扎钢筋的同时进行,故不占用施工工期,有利于加快工程进度。

6.隧道模施工

1)隧道模组成及构造

隧道模系由大模板和台模相结合而构成,可用作同时浇筑墙体和楼板的混凝土。它由顶板、墙板、横梁、支撑和滚轮等组成,用后放松支撑,使模板回缩,可从开间内整体移出。每个房间的模板,先用若干个单元角模联结成半隧道模,再由两个半隧道模拼成门型模板。脱模后形似矩形隧道,故称隧道模。隧道模最适用于标准开间,对于非标准开间,可以通过加入插板或台模结合而使用。它还可解体改装做其它模板使用。其使用效率较高、施工周期短。

(1)全隧道模

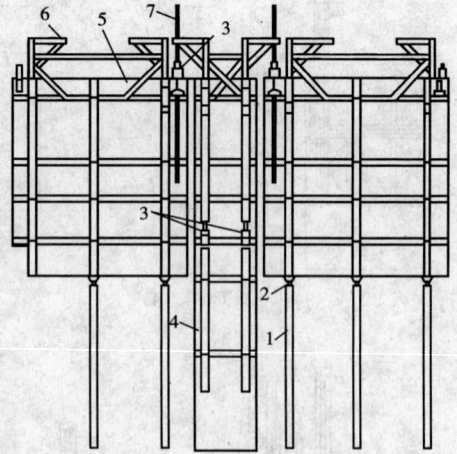

图 4-25 无爬架模板构造示意
1-"生根"背楞;2-连接板;3-液压千斤顶;4-甲型模板;5-乙型模板;6-三角爬架;7-卡座

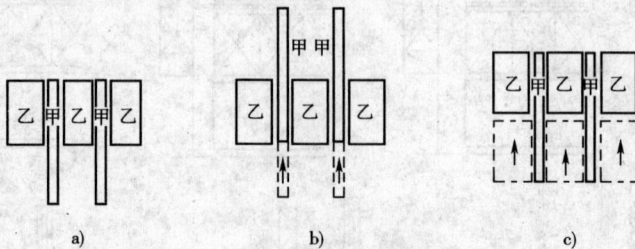

图 4-26 无爬架爬升模板施工爬生程序
a)模板就位、浇筑混凝土;b)甲型模板爬升;c)乙型模板爬升就位、浇筑混凝土

全隧道模中以德国的全钢隧道模最为典型。该隧道模由墙模板、楼板模板、连接件和支撑件等组成如图 4-27 所示。

墙模板和楼板模板均用钢板为面板,槽钢为背楞组焊而成,墙模板与楼板模板组拼成"[ ]"形。隧道模装拆时的升降以及板面标高的调整依靠设置在墙模板底下的底座千斤顶。装拆模板时水平方向的伸缩依靠楼板模板跨中拼缝处的可调连接钩(铰接松动装置)及墙模板下部的水平可调支撑。楼板模扳的撑紧和起拱依靠墙模和楼板模间的可调斜撑。隧道模拆除降落后,依靠设置在墙模底部的滚轮移出吊运至新的支模位置。

(2)半隧道模

半隧道模墙模板与不到二分之一楼板宽度的楼板模板组合拼接成"["形整体模板,即组合式半隧道模,如图 4-28 所示。墙模所受侧压力较大,可选用 18mm 厚的覆膜胶合板,楼板模板可选用 15mm 厚的胶合板。半隧道模整装整拆,尽管与全隧道模相比,自重减轻一半以上,但仍须解决竖向升降就位的承重装置。在墙模底下设置 2~4 个千斤顶,就位调整时升起千斤顶,拆模时降下千斤顶。为便于水平方向就位,在模板长度方向沿墙模板设置 2 个轮子,在模板宽度方向设置 1 个轮子,3 个轮子位置对称于模板长度的中心线,以保证行走稳定。拆模时,中间模板带保留,两侧隧道模降落拆除,使楼板的拆模跨度减少一半,即半隧道模比全隧道模能够做到提早拆模。

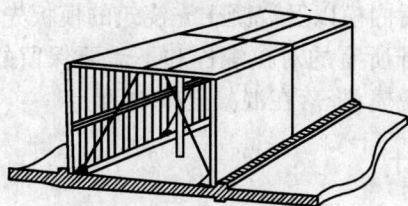

图 4-27 全隧道模

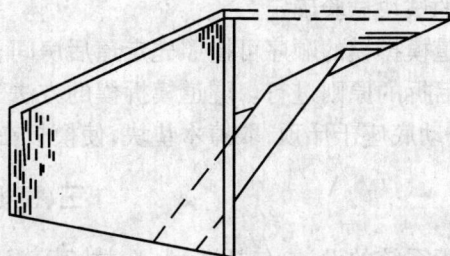

图 4-28 半隧道模

2）隧道模安装

全隧道模与半隧道模的施工工艺流程大致相同,其流程如下:

施工放线→导墙支模、浇混凝土、拆模→绑扎墙体钢筋→安装走道芯模、门窗及各种预留孔洞模框→隧道模吊装就位、校正、紧固连接件和支承件等→绑扎楼板钢筋→浇筑墙、板混凝土→养护(同时做上一层的导墙)→脱模、吊运至下一个支模位置。

（1）导墙施工

隧道模就位位置正确与否决定于导墙。导墙是先于隧道模安装而浇筑的,墙下部距楼地面约 100mm 高范围内的一段混凝土墙。

导墙施工要控制其几何尺寸、中线标高、门洞尺寸等,并注意保证混凝土浇筑质量。每个楼层施工前,均应用经纬仪将纵横轴线投测到楼地面上,并认真弹好各墙边线及门洞位置线。支模时内撑及外夹具应对称设置,撑夹牢固。拆模时应避免损伤边角。拆模后,用水准仪将楼层标高线投测在导墙两侧并弹上墨线,作为安装隧道模时控制标高的依据。

（2）模板安装

隧道模的组装选择在施工现场的平整场地上进行。对于半隧道模,先立墙模板,在其下面用方木或混凝土垫块垫三个支点,并设防止倾倒的临时支撑,装上行走机构,然后吊装楼板模板,架设临时垂直支撑,用螺栓临时将墙模和楼板模两端连接,最后安装垂直和水平模板的斜撑,调平楼板模板,拧紧全部连接螺栓。

在墙钢筋绑扎后,按顺序逐个房间安装隧道模。将隧道模吊装就位后,先放置于方垫木上,再调整底座千斤顶,使墙模离开短方垫木,模板下口与导墙的水平标高控制线平齐,用木楔对楔紧,调紧水平支撑杆和斜撑杆等。相邻两房间的隧道模安装后,即可用穿墙对拉螺栓将两墙模拉结紧固在一起。

全套隧道模安装完毕后,必须对模板间的几何尺寸、模板的垂直度和水平偏差等进行详细检查,并进行校正。

（3）墙、板混凝土浇筑

浇筑混凝土按先墙后板的顺序进行。为防止或减少隧道模在浇筑混凝土过程中移位和变形,浇筑墙体混凝土时,先浇走道墙,后浇横墙;先浇中部墙,后浇边缘墙;并注意分组对称浇筑。在浇筑墙体混凝土时,可穿插楼面上的埋设电线管以及受绑扎板面负弯矩钢筋等作业,在浇完墙体混凝土后,即可着手浇筑楼板混凝土。楼板混凝土浇筑按先走道后房间、先中部后边缘的次序进行。

3）模板拆除

隧道模的拆模时间由楼板混凝土实际强度控制。按照规范规定,现浇混凝土板,当板跨为 2～8m 时,实际混凝土强度必须达到设计混凝土强度标准值的 75% 时,方可拆模;当板跨小于 2m 时,只要达到设计混凝土强度标准值的 50% 即可拆模。全隧道模必须满足前者要求,半隧道模因设置了保留的中间模板带,只要满足后者要求即可拆模。具体拆模时间的把握由同条件养护的试块试验确定。

　　隧道模拆模的顺序可按照先走道后房间,先外模后内模以及混凝土先浇筑的模板先拆,后浇筑的后拆的原则进行。隧道模拆模的方法为:先松开所有的对拉螺栓和不需要保留的垂直支撑,松动底座千斤顶,取掉木垫块,使模板在自重下脱模,降落在混凝土楼地面上。

三、模板系统设计

　　模板系统的设计,包括选型、选材、荷载计算、拟定制作安装和拆除方案、绘制模板图等。常用定型模板在其适用范围内一般勿需进行设计或验算。而对一些特殊结构、新型体系模板、或超出适用范围的一般模板,则应进行设计或验算。

1.组合钢模板配板设计

　　组合钢模板的配板设计是指根据需要对不同规格的模板进行合理组合的过程,配板设计的原则是要保证构件的形状尺寸及相互位置尺寸的正确,使模板能够承担新浇筑混凝土的重量和侧压力及施工荷载。模板配置应优先选用通用、大块模板,使其达到型号少、数量少、镶拼木条数量少,结构简单、拆装方便、不妨碍其他工序的施工。模板沿板长方向拼接应错开布置,以增强模板的整体性;模板的支撑系统应能够承担模板的荷载,保证模板在各种荷载作用下的变形在允许范围以内。

　　钢模板的配板组合排列,要结合工程实际参照表4-5和表4-6选配模板。两表均是以长度为 1500mm、900mm、600mm、450mm,宽度为 300mm、200mm、150mm、100mm 的常用规格为例,并以 300mm×1500mm×55mm 的钢模板为主规格模板的配板表。

横排时基本长度配板表(长度单位:mm)　　　　　　　　　　表 4-5

配模长度序号 \ 主板块数	0 / 1	1 / 2	2 / 3	3 / 4	4 / 5	5 / 6	6 / 7	7 / 8	8 / 9	其余规格块数	备注
1	1500	3000	4500	6000	7500	9000	10500	12000	13500		
2	1650	3150	4650	6150	7650	9150	10650	12150	13650	2×600+1×450 =1650	△
3	1800	3300	4800	6300	7800	9300	10800	12300	13800	2×900=1800	☆
4	1950	3450	4950	6450	7950	9450	10950	12450	12450	1×450=450	
5	2100	3600	5100	6600	8100	9600	11100	12600	14100	1×600=600	
6	2250	3750	5250	6750	8250	9750	11250	12750	14250	2×900+1×450 =2250	△
7	2400	3900	5400	6900	8400	9900	11400	12900	14400	1×900=900	☆
8	2550	4050	5550	7050	8550	10050	11550	13050	14550	1×600+1×450 =1050	△
9	2700	4200	5700	7200	8700	10200	11700	13200	14700	2×600=1200	
10	2850	4350	5850	7350	8850	10350	11850	13350	14850	1×900+1×450 =1350	

配模长度 主板块数 序号	0 1	1 2	2 3	3 4	4 5	5 6	6 7	7 8	8 9	9 10	其余规格块数
1	300	600	900	1200	1500	1800	2100	2400	2700	3000	
2	350	650	950	1250	1550	1850	2150	2450	2750	3050	$1×200+1$ $×150=350$
3	400	700	1000	1300	1600	1900	2200	2500	2800	3100	$1×100=100$
4	450	750	1050	1350	1650	1950	2250	2550	2850	3150	$1×150=150$
5	500	800	1100	1400	1700	2000	2300	2600	2900	3200	$1×200=200$
6	550	850	1150	1450	1750	2050	2350	2650	2950	3250	$1×150+1$ $×100=250$

注：高度3.3m以上照此类推。

（1）模板横向排列合理方式的选用

当模板以300mm×1500mm×55mm为主板做横向排列时，各适用长度列于表4-5中。使用此表时，首先从上而下、从左到右，找到配板长度的范围，然后由最上一行找到所需钢模板主规格的模板数量，不足之处，再由其余规格数栏中查找。表中斜线分为两种情况，分别对应采用。

（2）模板竖向排列合理方式的选用

当模板竖排时，可看作将该配板平面旋转90°，即将高度当作横向长度，仍可采用表4-5配板。然后将长度方向当作高度，再按表4-6查出主规格模板块数，不足部分，再以200mm、150mm、100mm宽的钢模板补足，其组合方式及所需块数由其余规格块数一列中查出。任何高度需镶拼的木板的宽度，均不超过40mm。

（3）梁、柱模板的排列

梁、柱模板的排列，可按梁、柱及条形基础的配板平面，接构件长度方向配置。表4-7按边宽或边高列出模板数量最少的排列方案，另外列出三种参考方案供选用。

梁、柱端面按模板宽度的配板表（单位：mm） 表4-7

序号	断面边长	排列方案	参考方案 I	II	III
1	150	150			
2	300	200			
3	350	150+100			
4	300	300	200+100	150×2	
5	350	200+150	150+100×2		
6	400	300+100	200×2	150×2+100	
7	450	300+150	200+150+100	150×3	
8	500	300+200	300+100×2	200×2+100	200+150×2
9	550	300+150+100	200×2+150	150×3+100	
10	600	300×2	300+200+100	200×3	
11	650	300+200+150	200+150×3	200×2+150+100	300+150+100×2
12	700	300×2+100	300+200×2	200×3+100	
13	750	300×2+150	300+200+150+100	200×3+150	

序号	断面边长	排列方案	参考方案		
			I	II	III
14	800	300×2+200	300+200×2+100	300+200+150×2	300+200×2+100
15	850	300×2+150+100	300+200×2+150	200×3+150+100	
16	900	300×3	300×2+200+100	300+200×3	200×4+100
17	950	300×2+200+150	300+200×2+150+100	300+200+150×3	150+200×4
18	1000	300×3+100	300×2+200×2	300+200×3+100	200×5
19	1050	300×3+150	300×2+200+150+100	300×2+150×3	

(4)钢模板配板示例

【例 4-1】 某钢筋混凝土柱的断面尺寸为 600mm × 500mm,净高为 3.24m,试做配板设计。

解:(1)按表 4-5,高度方向选用 2×1500mm,即选用 2 块长度为 1500mm 的钢模板。在柱宽 600mm 方向上,设置横向 200mm × 600mm 的钢模板一块,这样,配板总高为 3.2m,余下 40mm 拼接木板;在宽度 500mm 方向上,设置横向 200mm × 450mm 的钢模板一块,余 40mm 及模板旁 200mm × 50mm 处均拼接木板。

(2)按表 4-7,宽度 600mm 方向用 2×300mm,即选用 2 块宽度为 300mm 的钢模板并列,宽度 500mm 方向用 300mm + 200mm,即选用宽度为 300mm 和 200mm 的钢模板各一块并列。配板方法如图 4-29 所示。

柱模板的配板应沿柱高竖向配板,具体方法为:首先根据柱高尺寸,按照表 4-5 选用长度方向的模板规格组配方案;再依照柱的断面尺寸,按照表 4-7 选用宽度方向的模板规格组配方案。

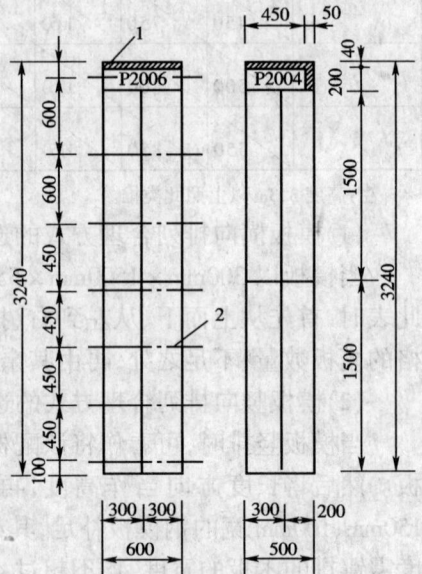

图 4-29 柱模配板(尺寸单位:mm)
1-拼镶木料;2-柱箍

2.模板结构荷载设计

1)荷载

计算模板及其支架的荷载,应根据构件的特点及模板的用途考虑下列荷载的标准值。

(1)模板及支架自重标准值。肋形楼板及无梁楼板模板的自重标准值见表 4-8。

模板及支架自重标准值(kN/m³) 表 4-8

模板构件的名称	木模板	组合钢模板	钢框胶合板模板
平板的模板及小楞	0.30	0.50	0.40
楼板模板(其中包括梁的模板)	0.50	0.75	0.60
楼板模板及其支架(楼层高度为4m以下)	0.75	1.10	0.95

(2)新浇混凝土自重标准值——对普通混凝土,可采用 24kN/m³;对其他混凝土,可根据实际重力密度确定。

(3)钢筋自重标准值——按设计图纸计算确定。一般可按每立方米混凝土含量计算:框架梁为 1.5kN/m³;楼板为 1.1kN/m³。

(4)施工人员及设备荷载标准值取值如下:

计算模板及直接支承模板的小楞时,对均布荷载取 2.5kN/m²,另应以集中荷载 2.5kN 再

行验算,比较两者所得的弯矩值,接其中较大者采用;

计算直接支承小楞结构构件时,均布活荷载取 $1.5kN/m^2$;

计算支架立柱及其他支承结构构件时,均布活荷载取 $1.0kN/m^2$。

对大型浇筑设备如上料平台、混凝土输送泵等,按实际情况计算。混凝土堆集料高度超过 100mm 以上者,按实际高度计算。模板单块宽度小于 150mm 时,集中荷载可分布在相邻的两块板上。

(5)振捣混凝土时产生的荷载标准值——对水平面模板可采用 $2.0kN/m^2$;对垂直面模板可采用 $4.0kN/m^2$(作用范围在新浇筑混凝土侧压力的有效压头高度以内)。

(6)新浇筑混凝土对模板侧面的压力标准值——采用内部振捣器时,可按以下两式计算,并取其较小值:

$$F = 0.22\gamma_c t_0 \beta_1 \beta_2 V^{1/2} \tag{4-1}$$

$$F = \gamma_c H \tag{4-2}$$

式中:F——新浇筑混凝土对模板的最大侧压力(kN/m^2);

γ_c——混凝土的重力密度(kN/m^3);

t_0——新浇筑混凝土的初凝时间(h),可按实测确定。当缺乏试验资料时,可采用 $t_0 = 200/(T+15)$计算(T 为混凝土的温度,℃);

V——混凝土的浇筑速度(m/h);

H——混凝土侧压力计算位置处至新浇筑混凝土顶面的总高度(m);

β_1——外加剂影响修正系数,不掺外加剂时取 1.0;掺具有缓凝作用的外加剂时取 1.2;

β_2——混凝土坍落度影响修正系数,当坍落度小于 30mm 时,取 0.85;50~90mm 时,取1.0;110~150mm 时,取 1.15。

混凝土侧压力的计算分布图形,如图 4-30 所示。图中 h 为有效压头高度:$h = F/\gamma_c(m)$。

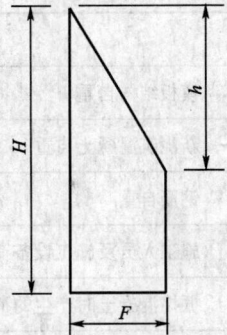

(7)倾倒混凝土时产生的荷裁标准值——侧倒混凝土时对垂直面模板产生的水平荷载标准值,可按表 4-9 采用。

图 4-30 侧压力计算分布图

倾倒混凝土时产生的水平荷载标准值(kN/m^2)　　　　表 4-9

向模板内供料方法	水平荷载	向模板内供料方法	水平荷载
编槽、串筒或导管	2	容积为 $0.2 \sim 0.8m^3$ 的运输器具	4
容积为小于 $0.2m^3$ 的运输器具	2	容积为大于 $0.8m^3$ 的运输器具	6

注:作用范围在有效压头高度以内。

除上述 7 项荷载外,当水平模板支撑结构的上部继续浇筑混凝土时,还应考虑由上部传递下来的荷载。

计算模板及其支架的荷载设计值,应为荷载标准值乘以相应的荷载分项系数,见表 4-10 所列。

模板及支架荷载分项系数   表 4-10

项次	荷 载 类 别	r_i
1	模板及支架自重	1.2
2	新浇筑混凝土自重	
3	钢筋自重	
4	施工人员及施工设备荷载	1.4
5	振捣混凝土时产生的荷载	
6	新浇筑混凝土对模板侧面的压力	1.2
7	倾倒混凝土时产生的荷载	1.4

2) 荷载折减(调整)系数

由于模板工程属临时性工程,因此对钢模板及其支架的设计,其荷载设计值可乘以 0.85 系数予以折减,但其截面塑性发展系数取 1.0;采用冷弯薄壁型钢材,荷载设计值不予折减;对木模板及其支架的设计,当木材含水率小于 25% 时,其荷载设计值可乘以 0.9 系数予以折减;在风荷载作用下,验算模板及其支架的稳定性时,其基本风压值可乘以 0.8 系数予以折减。

3) 荷载组合

荷载类别及编号见表 4-11 所列;荷载组合见表 4-12 所列。

荷载类别及编号   表 4-11

名 称	类 别	编 号
模板结构自重	恒载	①
新浇筑混凝土自重	恒载	②
钢筋自重	恒载	③
施工人员及施工设备荷载	活载	④
振捣混凝土时产生的荷载	活载	⑤
新浇筑混凝土对模板侧面的压力	恒载	⑥
倾倒混凝土时产生的荷载	活载	⑦

荷 载 组 合   表 4-12

构件模板组成	参与组合的荷载项	
	计算承载能力	验算刚度
平板和薄壳的模板及其支架	①+②+③+④	①+②+③
梁和拱模板的底板及支架	①+②+③+⑤	①+②+③
梁、拱、柱(边长≤300 mm)、墙(厚≤100mm)的侧面模板	⑤+⑥	⑥
厚大结构、柱(边长>300mm)、墙(厚>100mm)的侧面模板	⑥+⑦	⑥

4) 模板结构的挠度要求

模板结构除必须保证足够的承载能力外,还应保证有足够的刚度。因此,应验算模板及其

支架的挠度,其最大变形值不得超过下列允值:

(1)对结构表面外露(不做装修)的模板,为模板构件计算跨度的1/400。

(2)对结构表面隐蔽(做装修)的模板,为模板构件计算跨度的1/250。

(3)支架的压缩变形值或弹性挠度,为相应的结构计算跨度的1/1000。

当梁板跨度≥4m时,模板应接设计要求起拱;如无设计要求,起拱高度宜为全长跨度的1/1000～3/1000,钢模板取小值(1/1000～2/1000)。

第二节　钢筋工程

一、钢筋的种类及性能

1.钢筋的种类

(1)按化学成分划分

钢筋按化学成分划分可分为碳素钢钢筋和普通低合金钢钢筋。

碳素钢钢筋按其含碳量多少又可分为低碳钢钢筋(含碳量小于0.25%)、中碳钢钢筋(0.25%～0.60%)和高碳钢钢筋(含碳量大于0.60%)。普通低合金钢钢筋是在低碳钢和中碳钢中加入某些合金元素(如钛、钒、锰等,其含量一般不超过总量的3%)冶炼而成,锰(Mn)可提高钢筋的强度、硬度,改善其焊接性能;钛(Ti)和钒(v)可提高钢筋的强度,改善其塑性、韧性和可焊性;硅(Si)能增强钢筋的弹性、强度和硬度,但会降低钢筋的塑性和韧性。

(2)钢筋按轧制外形划分

钢筋按轧制外形可分为光面钢筋、变形钢筋(螺纹、人字纹及月牙纹)。

(3)钢筋按生产加工工艺划分

钢筋按生产加工工艺可分为热轧钢筋、热处理钢筋、冷轧扭钢筋、精轧螺旋钢筋、刻痕钢丝及钢绞线等。

(4)钢筋按供应方式划分

为便于运输,通常将直径为6～10mm的钢筋卷成圆盘,称盘条钢筋;将直径大于12mm的钢筋轧成6～12m长一根,称直条或定尺钢筋。

(5)钢筋按强度划分

钢筋按强度分为HPB235、HRB335、HRB400及RRB400等,而且级别越高,其强度及硬度越高,塑性逐级降低。为便于识别,在不同级别的钢材端头涂有不同颜色的油漆。

(6)钢筋按直径大小划分

钢筋按直径大小可分为钢丝(直径3～5mm)、细钢筋(直径6～10mm)、中粗钢筋(12～20mm)和粗钢筋(直径大于20mm)。

此外,按钢筋在结构中的作用不同可分为受力钢筋、架立钢筋和分布钢筋。

2.钢筋的性能

钢筋的性能包括钢筋的化学成分及力学性能(如屈服点、抗拉强度伸长率及冷弯指标)。

常用钢筋的力学性能见表 4-13 和表 4-14 所列。

普通钢筋强度标准值(单位:N/mm²)　　　表 4-13

种　类		符　号	d(mm)	f_{ck}
热轧钢筋	HRB235(Q235)	ϕ	8~20	235
	HRB335(20MnSi)	ϕ	6~50	335
	HRB400(20MnSiV、20MnSiNb、20MnTi)	ϕ	6~50	400
	RRB400(20MnSi)	ϕ^R	8~40	400

钢筋弹性模量(单位:N/mm²)　　　表 4-14

种　类	E_s
HPB 235 级钢筋	2.1×10^5
HRB 335 级钢筋、HRB 400 级钢筋、RRB 400 级钢筋、热处理钢筋	2.0×10^5
消除应力钢丝、螺旋肋钢丝、刻痕钢丝	2.05×10^5
钢绞线	1.95×10^5

注:必要时钢绞线可采用实测的弹性模量。

钢筋进场应有出厂质量证明书或实验报告,并按照品种、批号及直径分批验收。每批热轧钢筋重量不超过 60t,钢绞线为 20t,验收内容包括钢筋标牌和外观检查,并按照有关规定取样,进行机械性能试验。外观检查要求热轧钢筋表面不得有裂缝、结疤和折叠,表面凸块不得超过横肋的最大高度,外形尺寸应符合规定;钢绞线表面不得有折断、横裂和相互交叉的钢丝,并无润滑剂、油渍和锈坑。

做机械性能试验时,热轧钢筋、钢绞线应从每批外观尺寸检查合格的钢筋中任选两根,每根取两个试件分别进行拉力试验(包括屈服点、抗拉强度和伸长率的测定)和冷弯或反弯次数试验。如有一项试验结果不符合规定,则应从同一批钢筋另取双倍数量的试件重做各项试验,如果仍有一个试件不合格,则该批钢筋为不合格品,应不予验收或降级使用。

钢筋在加工使用中如发现焊接性能或机械性能不良,还应进行化学成分分析,检验有害成分如硫(s)、磷(P)、砷(As)的含量是否超过规定范围。

进场后钢筋在运输和储存时,不得损坏标志,并应根据品种、规格按批分别挂牌堆放,并标明数量。

二、钢筋的加工

钢筋加工过程包括调直、切断、镦头、弯曲、焊接、机械连接和绑扎等。

1.钢筋除锈

钢筋的表面应洁净。油渍、漆污和用锤敲击时能剥落的浮皮、铁锈等应在使用前清除干净。在焊接前,焊点处的水锈应清除干净。

钢筋的除锈,一般可通过以下两个途径:一是在钢筋冷拉或钢丝调直过程中除锈,对大量钢筋的除锈较为经济省力;二是用机械方法除锈,如采用电动除锈机(图 4-31)除锈,对钢筋的局部除锈较为方便。此外,还可采用手工除锈(用钢丝刷、砂盘)、喷砂和酸洗除锈等。

在除锈过程中发现钢筋表面的氧化铁皮鳞落现象严重并已损伤钢筋截面,或在除锈后钢筋表面有严重的麻坑、斑点伤蚀截面时,应降级使用或剔除不用。

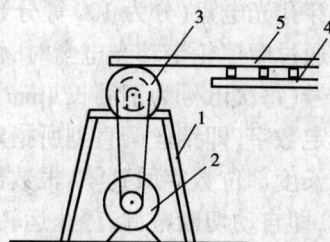

图 4-31 电动除锈机
1-支架;2-电动机;3-圆盘钢丝刷;4-滚轴台;5-钢筋

2.钢筋调直

(1)钢筋调直机

钢筋调直机的技术性能,见表 4-15 所列。图 4-32 为 GT3/8 型钢筋调直机外形。

钢筋调直机技术性能

表 4-15

机 械 型 号	钢筋直径 (mm)	调直速度 (m/min)	断料长度 (mm)	电机功率 (kW)	外形尺寸(mm) 长×宽×高	机 重 (kg)
GT3/8	3~8	40、65	300~6500	9.25	1854×741×1400	1280
GT6/12	6~12	36、54、72	300~6500	12.6	1770×535×1457	1230

注:表中所列的钢筋调直机断料长度误差均≤3mm。

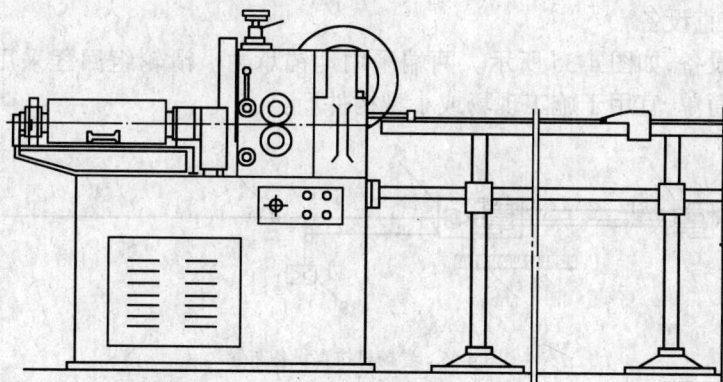

图 4-32 GT3/8 型钢筋调直机

在调直细钢筋时,要根据钢筋的直径选用调直模和传送压辊,并要正确掌握调直模的偏移量和压辊的压紧程度。调直模的偏移量如图 4-33 所示,根据其磨耗程度及钢筋品种通过试验确定;调直筒两端的调直模一定要在调直前后导孔的轴心线上,这是钢筋能否调直的一个关键。如果发现钢筋调得不直就要从以上两方面检查原因,并及时调整调直模的偏移量。

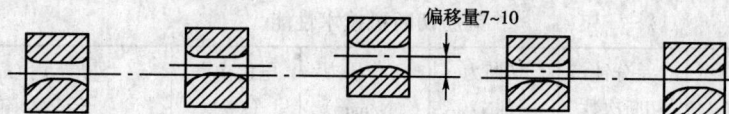

图 4-33 调直模的安装

(2)数控钢筋调直切断机

数控钢筋调直切断机是在原有调直机的基础上应用电子控制仪,准确控制钢丝断料长度,并自动计数。该机的工作原理,如图 4-34 所示。在该机摩擦轮(周长 100mm)的同轴上装有一

123

个穿孔光电盘(分为100等分),光电盘的一侧装有一只小灯泡,另一侧装有一只光电管,当钢筋通过摩擦轮带动光电盘时,灯泡光线通过每个小孔照射光电管,就被光电管接收而产生脉冲讯号(每次讯号为钢筋长1mm),控制仪长度部位数字上立即显示出相应读数。当信号积累到给定数字(即钢丝调直到所指定长度)时,控制仪立即发出指令,使切断装置切断钢丝。与此同时长度部位数字回到零,根数部位数字示出根数,这样连续作业,当根数信号积累至给定数字时,即自动切断电源,停止运转。

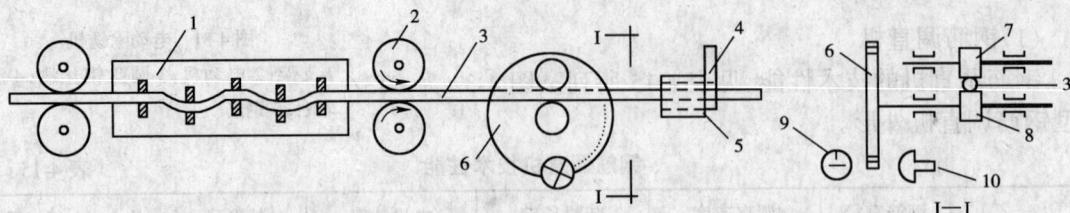

图 4-34　数控钢筋调直切断机工作简图

1-调直装置;2-牵引轮;3-钢筋;4-上刀口;5-下刀口;6-光电盘;7-压轮;8-摩擦轮;9-灯泡;10-光电管

钢筋数控调直切断机断料精度高(偏差仅约1~2mm),并实现了钢丝调直切断自动化。采用此机时,要求钢丝表面光洁,截面均匀,以免钢丝移动时速度不匀,影响切断长度的精确性。

(3)卷扬机拉直设备

卷扬机拉直设备,如图4-35所示。两端采用地锚承力。滑轮组回程采用荷重架,标尺量伸长。该法设备简单,宜用于施工现场或小型构件厂。

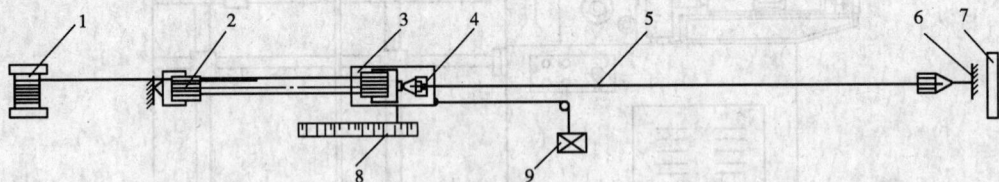

图 4-35　卷扬机拉直设备布置

1-卷扬机;2-滑轮组;3-冷拉小车;4-钢筋夹具;5-钢筋;6-地锚;7-防护壁;8-标尺;9-荷重架

3.钢筋切断

钢筋切断时应将同规格钢筋根据不同长度长短搭配,统筹排料;一般应先断长料,后断短料,减少短头,减少损耗。

1)钢筋切断机

钢筋切断机的技术性能,见表4-16。图4-36与图4-37为钢筋切断机外形。

钢筋切断机技术性能　　　　　　　　　　　　　　　　　　　表 4-16

机械型号	钢筋直径 (mm)	每分钟 切断次数	切断力 (kN)	工作压力 (N/mm²)	电机功率 (kW)	外形尺寸(mm) 长×宽×高	重量 (kg)
GQ40	6~40	40	—	—	3.0	1150×430×750	600
GQ40B	6~40	40	—	—	3.0	1200×490×570	450
GQ50	6~50	30	—	—	5.5	1600×690×915	950
DYQ32B	6~32	—	320	45.5	3.0	900×340×380	145

124

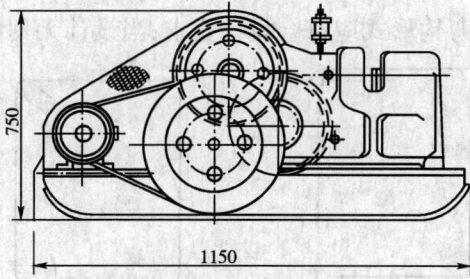

图 4-36 CQ40型钢筋切断机

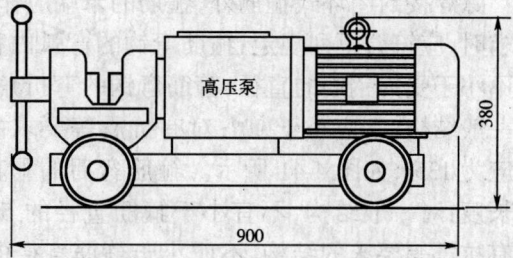

图 4-37 DYQ32B电动液压切断机

2)手动液压切断器

手动液压切断器,如图 4-38 所示。型号为 GJ5Y-16,切断力 80kN,活塞行程为 30mm,压柄作用力 220N,总重量 6.5kg,可切断直径 16mm 以下的钢筋。这种机具体积小、重量轻,操作简单,便于携带。

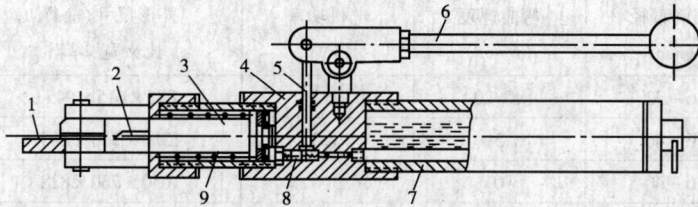

图 4-38 手动液压切断器

1-滑轴;2-刀片;3-活塞;4-缸体;5-柱塞;6-压杆;7-储油筒;8-吸油阀;9-复位弹簧

4.钢筋弯曲成型

1)钢筋弯钩和弯折的有关规定

(1)受力钢筋

HPB235 级钢筋末端应作 180°弯钩,其弯心直径 D 不应小于钢筋直径的 2.5 倍,弯钩的弯后平直部分长度不应小于钢筋直径的 3 倍,如图 4-39 所示。

钢筋作不大于 90°的弯折时(图 4-40a)所示),弯折处的弯心直径 D 不应小于钢筋直径的 5 倍。

当设计要求钢筋末端需作 135°弯钩时(图 4-40b)所示),HRB335 级、HRB400 级钢筋的弯心直径 D 不应小于钢筋直径的 4 倍,弯钩的弯后平直部分长度应符合设计要求。

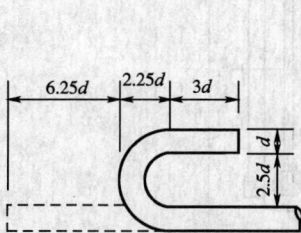

图 4-39 钢筋半圆弯钩简图

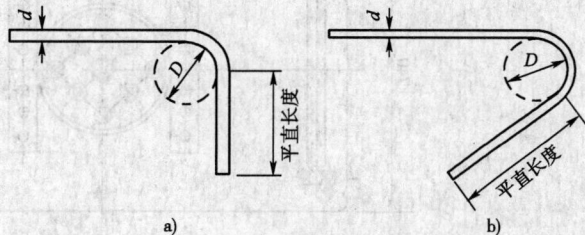

图 4-40 受力钢筋弯折

a)90°;b)135°

（2）箍筋

除焊接封闭环式箍筋外,箍筋的末端应作弯钩。弯钩形式应符合设计要求;当设计无具体要求时,应符合下列规定:箍筋弯钩的弯弧内直径应不小于受力钢筋的直径;箍筋弯钩的弯折角度:对一般结构,不应小于90°;对有抗震等要求的结构应为135°,如图4-41所示。箍筋弯后的平直部分长度:对一般结构,不宜小于箍筋直径的5倍;对有抗震等要求的结构,不应小于箍筋直径的10倍。

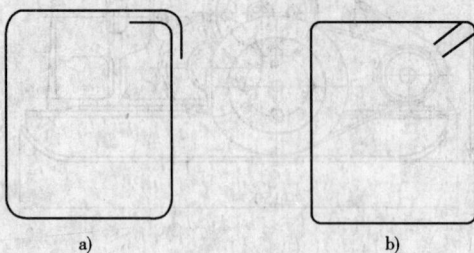

图 4-41　箍筋示意

a)90°/90°钩;b)135°/135°钩

2)机具设备

（1）钢筋弯曲机

钢筋弯曲机的技术性能,见表4-17所列。图4-42为GW-40型钢筋弯曲机外形。

钢筋弯曲机技术性能　　　　　　表 4-17

弯曲机类型	钢筋直径（mm）	弯曲速度（r/min）	电机功率（kW）	外形尺寸(mm)　长×宽×高	重　量（kg）
GW32	6～32	10/20	2.2	875×615×945	340
GW40	6～40	5	3.0	1360×740×865	400
GW40A	6～40	0	3.0	1050×760×828	450
GW50	25～50	2.5	4.0	1450×760×800	580

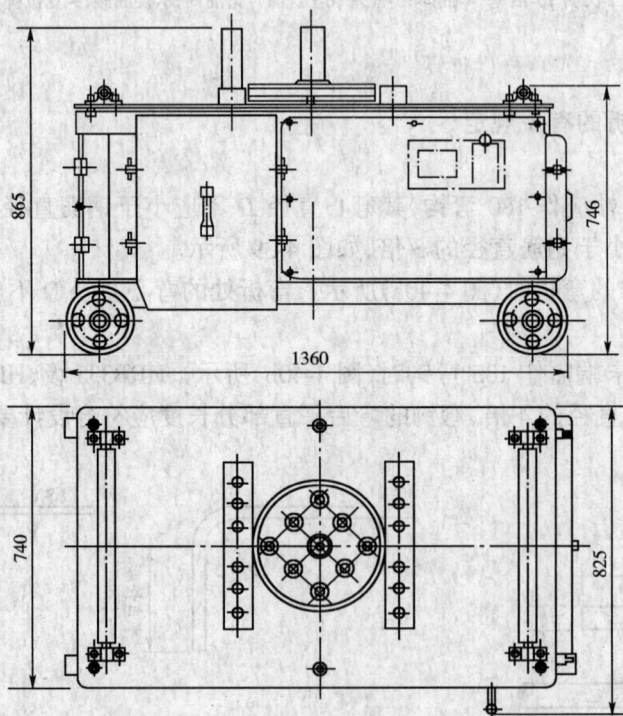

图 4-42　GW-40型钢筋弯曲机(尺寸单位:mm)

（2）四头弯筋机

四头弯筋机，如图 4-43 所示，是由一台电动机通过三级变速带动圆盘，再通过圆盘上的偏心铰带动连杆与齿条，使四个工作盘转动。每个工作盘上装有心轴与成型轴，但与钢筋弯曲机不同的是：工作盘不停地往复运动，且转动角度一定（事先可调整）。

四头弯筋机工效比手工操作提高约 7 倍，加工质量稳定，弯折角度偏差小。

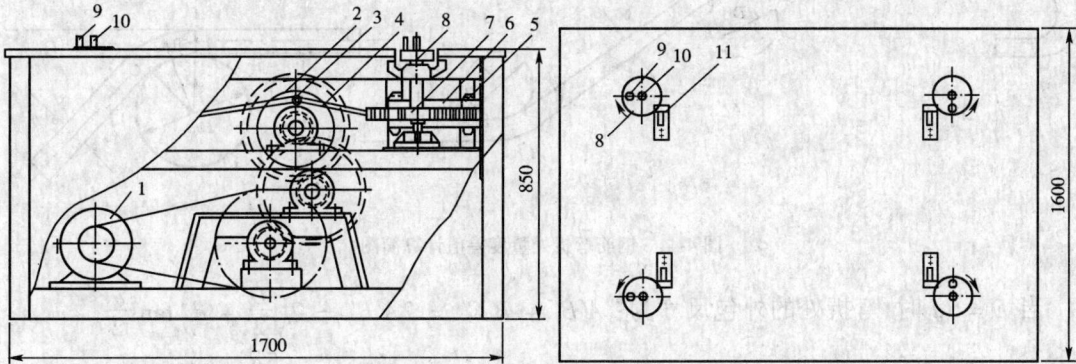

图 4-43　四头弯筋机（尺寸单位：mm）

1-电动机；2-偏心圆盘；3-偏心铰；4-连杆；5-齿条；6-滑道；7-正齿轮；8-工作盘；9-成型轴；10-心轴；11-挡铁

3）手工弯曲工具

在缺机具设备条件下，也可采用手摇扳手弯制钢筋、卡筋与扳头弯制粗钢筋。手动弯曲工具的尺寸，详见表 4-18。

手摇扳手主要尺寸（mm）　　　　　　　　　　　　　　　表 4-18

项　　次	钢筋直径	a	b	c	d
1	$\phi 6$	500	18	16	16
2	$\phi 8 \sim 10$	600	22	18	20

三、钢筋配料

钢筋加工前应根据图样进行配料计算，算出各种钢筋的下料长度、总根数及钢筋总重量，然后编制钢筋配料单，作为钢筋备料、加工的依据。

施工图中注明的钢筋尺寸是钢筋的外轮廓尺寸（即从钢筋的外皮到外皮量得的尺寸），称为钢筋的外包尺寸。在钢筋制备安装后，也是按外包尺寸验收。

钢筋在制备前是按直线下料，如果下料长度按外包尺寸总和进行计算，则加工后钢筋的尺寸必然大于设计要求的外包尺寸，这是因为钢筋在弯曲时，外皮伸长，内皮缩短，只有中轴线长度不变，钢筋的外包尺寸和轴线长度之间存在一个差值，称为"量度差值"，按外包尺寸总和下料是不准确的。只有钢筋的直线段部分，其外包尺寸等于轴线长度，二者无量度差值。因此，钢筋下料时，其下料长度应为各段外包尺寸之和减去弯曲处的量度差值，再加上两端弯钩的增长值。

1. 钢筋中部弯曲处的量度差值

钢筋中部弯曲处的量度差值与钢筋弯心直径及弯曲角度有关。

弯起钢筋中间部位弯折处的弯心直径 D，不小于钢筋直径 d 的 5 倍，如图 4-44 所示。

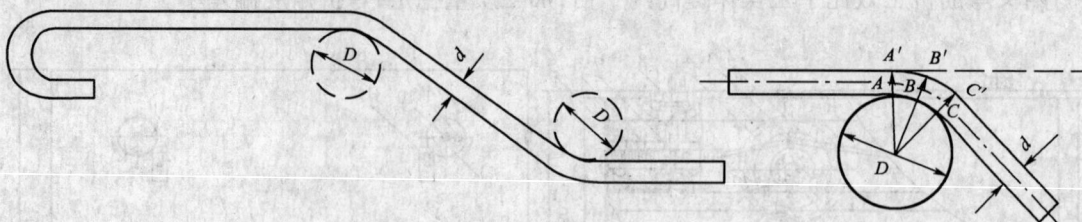

图 4-44　钢筋弯折处量度差值计算简图

当 $D=5d$ 时，弯折处的外包尺寸为：$A'B' + B'C' = 2A'B' = 2\left(\dfrac{D}{2} + d\right)\tan\dfrac{\alpha}{2}$

$$= 2\left(\dfrac{5d}{2} + d\right)\tan\dfrac{\alpha}{2} = 7d\tan\dfrac{\alpha}{2}$$

钢筋弯折处中线长度 ABC 为：$ABC = (D + d)\cdot\dfrac{2\pi}{360°} = (5d + d)\cdot\dfrac{2\pi}{360°} = 6d\pi\dfrac{\alpha}{360°}$

则弯折处量度差值为：$7d\tan\dfrac{\alpha}{2} - 6\pi d\dfrac{\alpha}{360°} = \left(7\tan\dfrac{\alpha}{2} - 6\pi\dfrac{\alpha}{360°}\right)d$

由上式，当弯曲 45°时，即以 $\alpha = 45°$ 代入。

量度差值为：$\left(7\tan\dfrac{45°}{2} - 6\pi\dfrac{45°}{360°}\right)d = \left(7\times0.414 - 6\times3.14\times\dfrac{1}{8}\right)d$

$$= (2.898\times2.355)d = 0.543d$$

取为 $0.5d$。

同理，当弯折 30°时，量度差值为 $0.306d$，取 $0.3d$；

当弯折 60°时，量度差值为 $0.90d$，取 $1d$；

当弯折 90°时，量度差值为 $2.29d$，取 $2d$；

当弯折 135°时，量度差值为 $3d$。

2. 钢筋末端弯钩时下料长度的增长值

1）I 级钢筋末端需要作 180°弯钩，其圆弧弯心直径 D 不应小于钢筋直径 d 的 2.5 倍，平直部分长度不宜小于钢筋直径 d 的 3 倍（用于轻骨料混凝土结构时，其弯心直径 D 不应小于钢筋直径 d 的 3.5 倍），如图 4-45 所示。

当弯曲直径 $D=2.5d$ 时：$AE' = \dfrac{\pi}{2}(2.5d + d) + 3d$

$$= 8.5d$$

钢筋的外包尺寸是 A 量到 F'：$AF' = \dfrac{D}{2} + d$

$$= \dfrac{1}{2}(2.5d) + d$$

$$= 2.25d$$

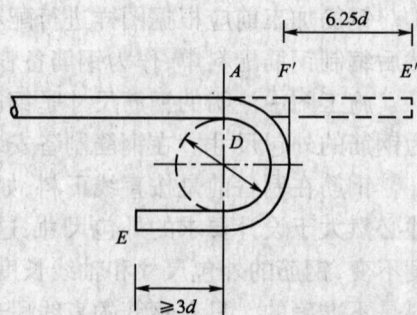

图 4-45　钢筋末端 180°弯钩示意图

故每一个180°弯钩,钢筋下料时应增加的长度(增长值)为:

$$AE' - AF' = 8.5d - 2.25d = 6.25d(包括量度差值)$$

2)箍筋弯钩增长值

箍筋弯钩的形式,无抗震要求的结构可按图 4-40a)加工;有抗震要求的结构应按图 4-40b)加工。

当箍筋弯 90°弯钩时下料长度增长值可按图 4-46 计算。

一个弯钩增长值为:$AC - AB = (AD' + 5d) - \dfrac{D}{2} + d = \dfrac{\pi}{4}(D + d) + 5d - \dfrac{D}{2} + d$

$$= 0.785D + 0.785d + 5d - 0.5D - d$$

$$= 0.285D + 4.785d$$

可近似取 $0.3D + 5d$。

式中:D——弯钩的弯曲直径,应大于受力钢筋直径,且不小于箍筋直径的 5 倍;

　　　d——箍筋直径。

当箍筋弯 135°弯钩时下料长度增长值可按图 4-47 计算。

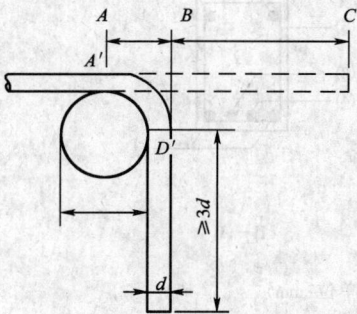

图 4-46　箍筋端部 90°弯钩计算简图　　　　图 4-47　箍筋端部 135°弯钩计算简图

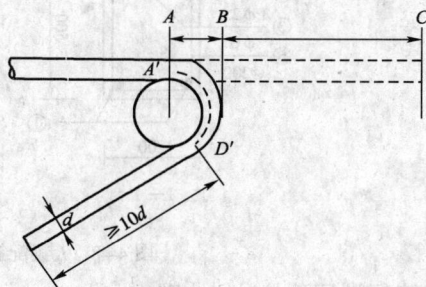

一个弯钩增长值为:$AC - AB = (AD' + 10d) - \dfrac{D}{2} + d = \dfrac{135°}{360°}\pi(D + d) + 10d - \dfrac{D}{2} + d$

$$= 1.18(D + d) + 10d - \dfrac{D}{2} + d$$

$$= 1.18D + 1.18d + 10d - 0.5D - d$$

$$= 0.68D + 10.18d$$

可近似取 $0.7D + 10d$。

式中:D——弯钩的弯曲直径,应大于受力钢筋直径,且不小于箍筋直径的 5 倍;

　　　d——箍筋直径。

计算箍筋下料长度时,一个弯钩增长值可按上式计算,也可查表 4-19 取近似值。

箍筋两个弯钩下料增长值　　　　　　　　　　　　　　　　　　表 4-19

受力钢筋 直径(mm)	90°/90°弯钩					135°/135°弯钩				
	箍筋直径(mm)					箍筋直径(mm)				
	5	6	8	10	12	5	6	8	10	12
≤25	70	80	100	120	140	140	160	200	240	280
>25	80	100	120	140	150	160	180	210	260	300

【例 4-2】 某建筑物一层共有 10 根编号为 L 的梁（图 4-48 所示），试计算各钢筋下料长度并绘制钢筋配料单。

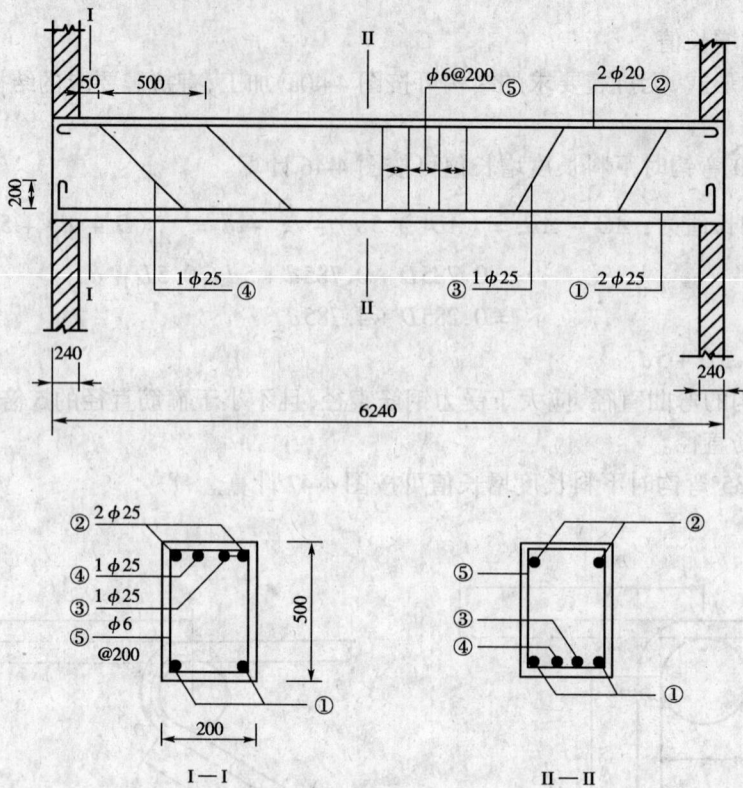

图 4-48 *L* 梁配筋图（尺寸单位：mm）

解：钢筋保护层取 25mm。则有：

①号钢筋外包尺寸：6240 + 2 × 200 − 2 × 25 = 6590mm

下料长度：6590 − 2 × 2d + 2 × 6.25d = 6590 − 2 × 2 × 25 + 2 × 6.25 × 25 = 6802mm

②号钢筋外包尺寸：6240 − 2 × 25 = 6190mm

下料长度：6190 + 2 × 6.25d = 6190 + 2 × 6.25 × 12 = 6340mm

③号弯起钢筋外包尺寸分段计算：

端面平直段长度：240 + 50 + 500 − 25 = 765mm

斜段长：(500 − 2 × 25) × 1.414 = 636mm

中间直段长：6240 − 2 × (240 + 50 + 500 + 450) = 3760mm

外包尺寸为：(765 + 636) × 2 − 3760 = 6562mm

下料长度：6562 − 4 × 0.5 × d + 2 × 6.25d = 6562 − 4 × 0.5 × 25 + 2 × 6.25 × 25 = 6824mm

④号弯起钢筋外包尺寸分段计算：

端部平直段长度：240 + 50 − 25 = 265mm

斜段长同③号钢筋为：636mm

中间直段长：6240 − 2(240 + 50 − 450) = 4760mm

外包尺寸：(265 + 636) × 2 − 4760 = 6562mm

下料长度：6562 − 4 × 0.5d + 2 × 6.25d = 6562 − 4 × 0.5 × 25 + 2 × 6.25 × 25 = 6824mm

⑤号箍筋

外包尺寸：宽度 $200 - 2 \times 25 + 2 \times 6 = 162mm$

高度 $500 - 2 \times 25 + 2 \times 6 = 462mm$

外包尺寸为：$(162 + 462) \times 2 = 1248mm$

⑤号筋端部为两个 90°/90°弯钩，主筋直径为 25mm，箍筋直径为 6mm，查表 4-19 两个弯钩增长值为 80mm。

⑤号筋下料长度 $1248 - 3 \times 2d + 80 = 1248 - 3 \times 2 \times 6 - 80 = 1292mm$

配料单见表 4-20。

例题的钢筋配料单 表 4-20

项次	构件名称	简　图	直径 (mm)	钢号	下料长度 (mm)	单位根数	合计根数	重量 (kg)
1		200 ⌐—6240—⌐ 200	25	ϕ	6 802	2	20	523.75
2		⌐—6240—⌐	12	ϕ	6 340	2	20	112.60
3	L_1 梁 共 10 根	765 765 636 3760 636	25	ϕ	6 824	1	10	262.72
4		265 265 4760 636	25	ϕ	6 824	1	10	262.72
5		202 462 602 162	6	ϕ	1 292	32	320	91.78
6	合计				$\phi6$　4 691.78kg；$\phi12$　112.60kg；$\phi25$　1 049.16kg			

四、钢筋的连接

钢筋作为一种重要建筑材料受运输工具长度的限制，当钢筋直径 ≤12mm 时，一般以圆盘形式供货；当钢筋直径 >12mm 时，则以直条形式供货。直条长度一般为 6~12m，由此带来了混凝土结构施工中不可避免的钢筋连接问题。目前钢筋的连接方法有机械连接、焊接连接和绑扎连接三类。机械连接由于其具有连接可靠、作业不受气候影响、连接速度快等优点，目前已广泛应用于粗钢筋的连接。焊接连接和绑扎连接是传统的钢筋连接方法。与绑扎连接相比，焊接连接可节约钢材、改善结构受力性能、提高工效、降低成本，目前对直径 >28mm 的受拉钢筋和直径 >32mm 的受压钢筋已不推荐采用绑扎连接。本小节介绍机械连接和焊接连接，绑扎连接的内容在下一小节钢筋的绑扎中介绍。

1. 焊接连接

焊接连接是利用焊接技术将钢筋连接起来的传统钢筋连接方法，与机械连接相比最大的优点是接头成本低。但焊接是一项专门技术,要求对焊工进行专门培训,持证上岗;施工受气候、电流稳定性的影响;接头质量也不如机械连接可靠。

钢筋焊接常用方法有电焊、闪光对焊、电阻点焊和电渣压力焊。此外,还有气压焊、埋弧压力焊等。

1)电弧焊

电弧焊是利用弧焊机使焊条与焊件之间产生高温电弧,使焊条和电弧燃烧范围内的焊件熔化,待其凝固后便形成焊缝或接头,如图 4-49 所示。其应用较广,如整体式钢筋混凝土结构中钢筋的接长、装配式钢筋接头、钢筋骨架焊接及钢筋与钢板的焊接等。

电弧焊所使用的弧焊机有直流与交流之分,常用的交流弧焊机有:BX-300、BX-500 型;直流电弧焊机有:AX-300、AX-500 型。电弧焊所用焊条,其直径为 1.6 ~ 5.8mm,长度为 215 ~ 400mm。

电弧焊的接头形式有搭接接头(图 4-50 所示)、帮条接头(图 4-51 所示)、坡口(剖口)接头(图 4-52 所示)等。

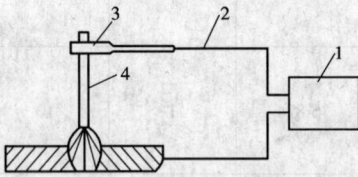

图 4-49 电弧焊示意图
1-电源;2-导线;3-焊钳;4-焊条

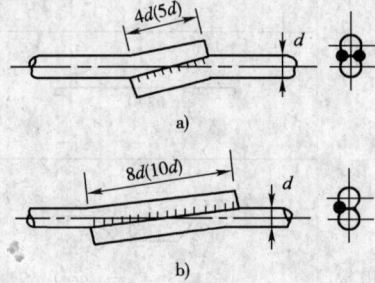

图 4-50 搭接接头
a)双面焊缝;b)单面焊缝

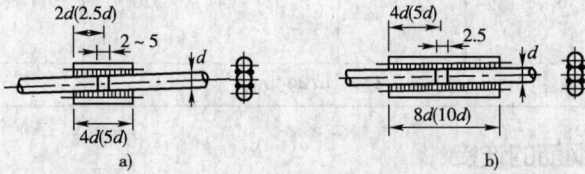

图 4-51 帮条接头
a)双面焊缝;b)单面焊缝

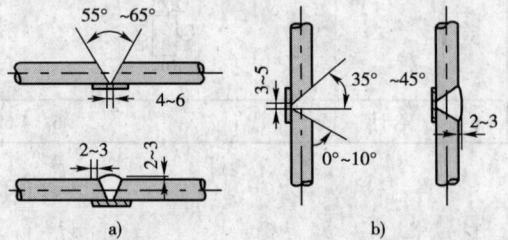

图 4-52 坡口接头(尺寸单位:mm)

搭接接头适用于直径 10 ~ 40mm 的 HPB235,HRB335 级钢筋连接。帮条接头适用于直径 10 ~ 40mm 的 HPB235、HRB335、HRB400 和 HRB500 级钢筋连接。帮条钢筋宜与被连接主筋同级别、同直径。坡口(剖口)接头适用于直径 10 ~ 40mm 的 HPB235、HRB335、HRB400 和 HRB500 级钢筋连接。有平焊和立焊两种。坡口接头较以上两种接头节约钢材。

钢筋与预埋件接头。可分对接接头和搭接接头两种。对接接头又分为角焊和穿孔塞焊,如图 4-53 所示。当钢筋直径为 10 ~ 25mm 时,可采用角焊;当钢筋直径为 20 ~ 40 mm 时,宜采用穿孔塞焊。角焊缝焊脚 K 不小于 0.5d(HPB235 级钢筋)

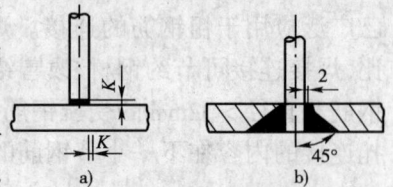

图 4-53 钢筋与预埋件焊接
a)角焊;b)穿孔塞焊

$\sim 0.6d$(HRB335 级以上钢筋)。

电弧焊接头的质量检验主要是外观检查,外观检查时逐个进行目测或量测。其要求是:焊缝要平顺,不得有裂纹;没有明显的咬边、凹陷、焊瘤、夹渣及气孔;用小锤敲击焊缝时,应发出与其本身金属同样的清脆声;外观检查不合格的接头,经修整或补强后,可提交二次验收。

2)闪光对焊

闪光对焊是利用对焊机使两段钢筋接触,通过低电压强电流,把电能转化为热能,待钢筋加热到一定温度后,再施以轴向压力顶锻,使两根钢筋焊合在一起,如图 4-54 所示。闪光对焊可分为连续闪光焊、预热闪光焊、闪光—预热—闪光焊三种工艺。可根据钢筋品种、直径和所用焊机功率等选用。

①连续闪光焊。工艺过程包括连续闪光和顶锻过程,即先将钢筋夹在焊机电极钳口上(钢筋与电极接触处应清除锈污,电极内应通入循环冷却水),然后闭合电源,使两端钢筋轻微接触,由于钢筋端部凸凹不平,开始仅有一点或数点接触,接触面很小,故电流强度和接触电阻很大,接触点很快熔化,形成"金属过梁"。过梁进一步加热,产生金属蒸气飞溅形成闪光现象。然后再徐徐移动钢筋,保持接头轻微接触,形成连续闪光过程,接头也同时被加热。直至接头

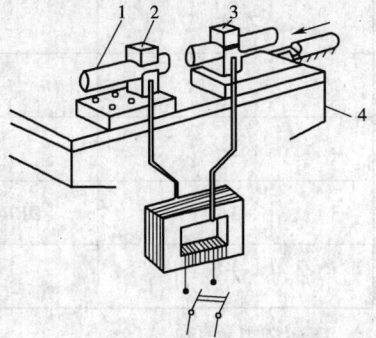

图 4-54　钢筋闪光对焊
1-钢筋;2-固定电极;3-可动电极;
4-机座

端面烧平、杂质闪掉、接头熔化后,随即施加适当的轴向压力迅速顶锻,先带电顶锻,随之断电顶锻到一定长度,使两根钢筋对焊成为一体。在焊接过程中,由于闪光的作用,使空气不能进入接头处;同时又闪去接口中原有的杂质和氧化膜,通过挤压,把已熔化的氧化物全部挤出,因而接头质量得到保证。连续闪光焊一般用于焊接直径在 22mm 以内的 HPB235、HRB335、HRB400 和 RRB400 级钢筋和直径在 16mm 以内的 HRB500 级钢筋。不同直径钢筋焊接时,截面比不宜超过 1.5。

②预热闪光焊。即在连续闪光焊接之前,增加一次预热过程,方法是在闭合电源后使两钢筋端面交替地接触和分开,这时在钢筋端面的间隙中即发出断续的闪光而形成预热过程。适于焊接直径 16 ~ 32mm 的 HRB335、HRB400 和 RRB400 级钢筋及直径 12 ~ 28mm 的 HRB500 级钢筋。特别适用于直径为 25mm 以上且端面较平整的钢筋。

③闪光—预热—闪光焊。即在预热闪光焊前再增加一次闪光过程,使钢筋预热均匀。闪光—预热—闪光焊比较适应焊接直径大于 25mm、且端面不够平整的钢筋,这是闪光对焊中最常用的一种方法。

钢筋闪光对焊接头的外观检查,每批抽查 10% 的接头,并不得少于 10 个。闪光对焊接头处不得有横向裂纹;与电极接触处的钢筋表面,对于 HPB235、HRB335、HRB400 和 RRB400 级钢筋,不得有明显的烧伤,对于 HRB500 级钢筋不得有烧伤;低温对焊时,对于 HRB335、HRB400 和 RRB400、HRB500 级钢筋,均不得有烧伤;接头处的弯折不得大于 4°;接头处的钢筋轴线偏移量不得大于 0.1 倍钢筋直径,也不得大于 2mm。当有一个接头外观质量不符合要求时,应对全部接头进行检查,剔出不合格品。不合格接头经切除重焊后,可提交二次验收。

钢筋闪光对焊接头的力学性能试验包括拉伸试验和弯曲试验。应从每批成品中切取 6 个

试样,3 个进行拉伸试验,3 个进行弯曲试验。进行拉伸试验时要求 3 个热轧钢筋接头试件的抗拉强度均不得小于该级别钢筋规定的抗拉强度标准值;RRB400 级钢筋接头试件的抗拉强度不得小于 570MPa。进行钢筋闪光对焊接头弯曲试验时,应将受压面的金属毛刺和微粗变形部分去掉,与母材的外表齐平。弯曲试验可在万能材料试验机或其它弯曲机上进行,焊缝应处于弯曲的中心点,弯心直径见表 4-21。弯曲至 90°时,接头外侧不得出现宽度大于 0.15mm 的横向裂纹。

钢筋对焊接头弯曲试验指标 表 4-21

项次	钢筋级别	弯心直径(mm)	弯曲角(°)
1	HPB235	2d	90
2	HRB335	4d	90
3	HRB400 和 RRB400	5d	90
4	HRB500	7d	90

注:d 为钢筋直径。

直径大于 28mm 的钢筋对焊接头,作弯曲实验时弯心直径应增加一个钢筋直径,弯曲试验结果如有两个试件未达到上述要求,应取双倍数量的试件进行复验,复验结果如有三个试件不符合要求,该批试件即为不合格品。

闪光对焊具有成本低、质量好、工效高、并对各种钢筋均能适用的特点,因而得到普遍的应用。

3)电阻点焊

电阻点焊就是将已除锈的钢筋交叉点放在点焊机的两电极间,钢筋通电发热至一定温度后,加压使焊点金属焊合,如图 4-55 所示。适用于 6 ~ 14mm 的 HPB235、HRB335 级钢筋及冷拔低碳钢丝的交叉焊接。不同直径钢筋点焊时,大小钢筋直径之比,在小钢筋直径小于 10mm 时,不宜大于 3;在小钢筋直径为 10 ~ 14mm 时,不宜大于 2。

在各种预制构件中,利用点焊机进行交叉钢筋焊接,使若干单根钢筋成型为各种网片、骨架,以代替人工绑扎,是实现生产机械化、提高工效、节约劳动力和材料(因钢筋端部不需弯钩)、保证质量、降低成本的一种有效措施。而且采用焊接骨架和焊接网,可使钢筋在混凝土中能更好地锚固,可提高构件的刚度和抗裂性,因此钢筋网片成型应优先采用点焊。

4)电渣压力焊

电渣压力焊是利用电流通过渣池产生的电阻热将钢筋端部熔化,然后施加压力使钢筋焊合,如图 4-56a)所示。主要用于现浇结构中直径差在 9mm 以内,直径为 14 ~ 40mm 的 HPB235,HRB335,HRB400 级竖向或斜向(倾斜度在 4:1 内)钢筋的接长。这种焊接方法操作简单、工作条件好、工效高、成本低,比电弧焊接头节电 80% 以上,比绑扎连接和帮条焊接节约钢筋约 30%,提高工效 6 ~ 10 倍。

电渣压力焊是目前工程中竖向或斜向钢筋接长应用最广泛的连接方法之一。但它不

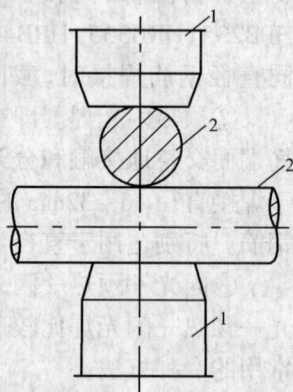

图 4-55　钢筋电阻点焊
1-电极;2-钢筋

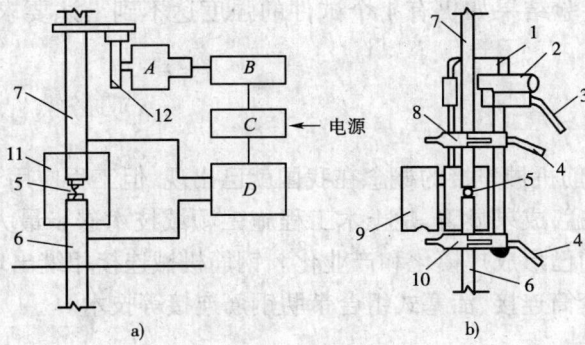

图 4-56　电动凸轮式钢筋自动电渣压力焊示意图
a)焊接原理;b)机头
1-把子;2-电机传动部分;3-电源线;4-焊把线;5-铁丝圈;6-下钢
筋;7-上钢筋;8-上夹头;9-焊药盒;10-下夹头;11-焊剂;12-凸轮;
A-电机与减速箱;*B*-操作箱;*C*-控制箱;*D*-焊接变压器

宜用于 RRB400 级钢筋的连接;在供电条件差、电压不稳、雨季或防火要求高的场合应慎用。

电渣压力焊焊接工艺包括引弧、造渣、电渣和挤压四个过程,如图 4-57 所示。

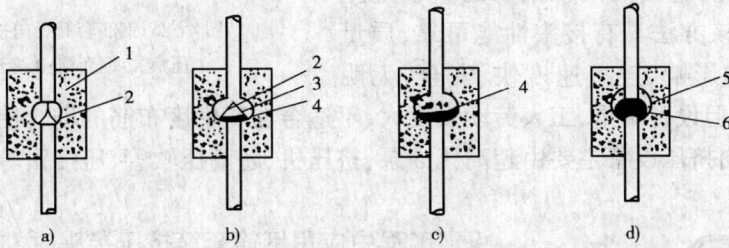

图 4-57　钢筋电渣压力焊工艺过程
a)引弧过程;b)造渣过程;c)电渣过程;d)挤压过程
1-焊剂;2-电弧;3-渣池;4-熔池;5-渣壳;6-熔化的钢筋

引弧过程是在通电后迅速将上钢筋提起,使两端头之间的距离为 2~4mm 以引弧。造渣过程是靠电弧的高温作用,将钢筋端头的凸出部分不断烧化;同时将接口周围的焊剂充分熔化,形成一定深度的渣池。电渣过程是在渣池形成一定深度后,将上钢筋缓缓插入渣池中,由于电流直接通过渣池,产生大量的电阻热,使渣池温度升到近 2000℃,将钢筋端头迅速而均匀地熔化。熔化后的上钢筋端面呈微凸形,并在钢筋的端面上形成一个由液态向固态转化的过渡薄层。电渣压力焊的接头,是利用过渡层使钢筋端部的分子与原子产生巨大的结合力完成的。挤压过程是在停止供电的瞬间,对钢筋施加挤压力,把焊口部分熔化的金属、熔渣及氧化物等杂质全部挤出结合面。

钢筋电渣压力焊接头应逐个进行外观检查,并应符合下列要求:接头焊包应饱满和比较均匀,钢筋表面无明显烧伤等缺陷;接头处钢筋轴线的偏移不得超过钢筋直径的 0.1 倍,同时不得大于 2mm;接头处弯折不得大于 4°;四周焊包凸出钢筋表面的高度至少 4mm。外观检查不合格的接头,应切除重焊或采取补强措施。

强度检验一般从每批成品中切取 3 个试件进行拉伸试验。3 个试件的抗拉强度均不得低于该级别钢筋的抗拉强度标准值;如有 1 个试件的抗拉强度低于规定数值,应取双倍数量的试件进行复验。复验结果如仍有 1 个试件的强度达不到上述要求，则该批接头为不合格品。

2.机械连接

20 世纪 80 年代，钢筋机械连接的概念在我国就已出现，但工程应用不多。到 90 年代机械连接技术在我国发展迅猛，成果显著，是土木工程施工领域技术进步最大的方面之一，技术达到了国际先进水平，目前已形成规模化和产业化。钢筋机械连接相继出现了套筒挤压连接、锥螺纹套筒连接、直螺纹套筒连接、活塞式组合带肋钢筋连接等技术。

1)套筒挤压连接

这是我国最早出现的一种钢筋机械连接方法。按挤压方向不同，分为套筒径向挤压连接和套筒轴向挤压连接两种，以套筒径向挤压连接为多用。

(1)套筒径向挤压连接。套筒径向挤压连接是将两根待接钢筋插入优质钢套筒，用挤压设备沿径向挤压钢套筒，使之产生塑性变形，依靠变形后的钢套筒与被连接钢筋纵、横肋产生的机械咬合作用使套筒与钢筋成为整体的连接方法。如图 4-58 所示。这种方法适用于直径 18～40mm 的带肋钢筋的连接，所连接的两根钢筋的直径之差不宜大于 5mm。该方法具有接头性能可靠、质量稳定、不受气候的影响、连接速度快、安全、无明火、节能等优点。但设备笨重，工人劳动强度大，不适合在高密度布筋的场合使用。

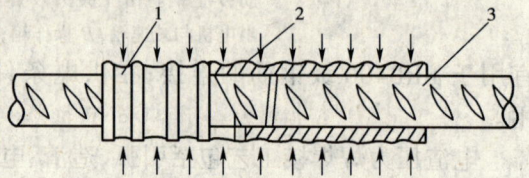

图 4-58　钢筋套筒径向挤压连接
1-压痕；2-钢套筒；3-变形钢筋

钢筋套筒径向挤压设备主要由超高压油泵、挤压机、超高压软管、压接钳等组成，如图 4-59 所示。

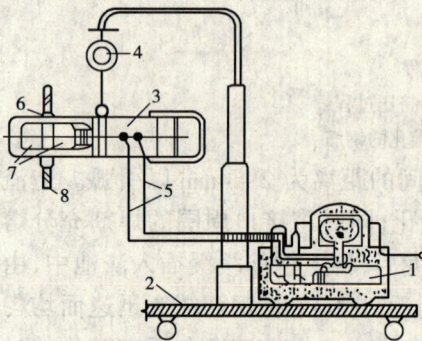

图 4-59　钢筋套筒径向挤压设备示意图
1-超高压油泵；2-吊挂小车；3-挤压机；4-平衡器；5-超高压软管；6-钢套管；7-压接钳；8-被连接的钢筋

工程中应用钢筋套筒挤压接头时，应由技术单位提交有效的型式检验报告的套筒出厂合格证。现场检验，一般只进行接头外观检查和单向拉伸试验。外观检查是在自检基础上每批随机抽取 10% 的接头进行。应符合下列要求：挤压后套筒长度应为原长度的 1.10～1.15 倍，或压痕处套筒的外径为原套筒外径的 0.8～0.9；挤压接头的压痕道数应符合型式检验确定的道数；接头处弯折不得大于 4°；挤压后的套筒不得有肉眼可见的裂缝。拉伸试验时 3 个接头试件的抗拉强度均应满足《钢筋机械连接通用技术规程》中对 A 级或 B 级抗拉强度的要求。对 A 级接头，试件抗拉强度尚应大于等于 0.9 倍钢筋母材的实际抗拉强度(计算实际抗拉强度时，应采用钢筋的实际横截面面积)。如有一个试件的抗拉强度不符合要求，则加倍抽样复检。

(2)套筒轴向挤压连接。套筒轴向挤压连接是将两根待接钢筋插入优质钢套筒，用挤压设备沿轴向挤压钢套筒，使之产生塑性变形，依靠变形后的钢套筒与被连接钢筋纵、横肋产生的机械咬合作用使套筒与钢筋成为整体的连接方法，如图 4-60 所示。这种方法一般用于直径 25～32mm 的同直径或相差一个型号直径的带肋钢筋连接。

钢套筒应符合优质碳素结构钢要求,与钢筋直径要配套。挤压用设备主要有挤压机、超高压泵等。挤压机由油缸、压模、压模座、导杆等组成,如图4-61所示。

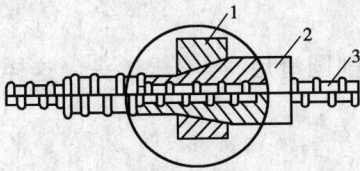

图 4-60　钢筋套筒轴向挤压连接
1-压模;2-钢套筒;3-变形钢筋

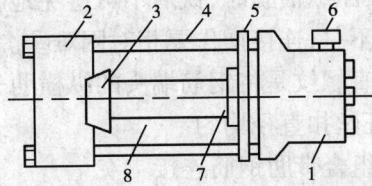

图 4-61　GTZ32 型挤压机简图
1-油缸;2-压模座;3-压模;4-导杆;5-撑力架;6-接头;7-垫块座;8-钢套筒

2)锥螺纹套筒连接

锥螺纹套筒连接是将两根待接钢筋端头用套丝机做出锥形丝扣,然后用带锥形内丝的钢套筒将钢筋两端拧紧的连接方法,如图4-62所示。这种方法适用于直径16~40mm的各种钢筋的连接,所连接钢筋的直径之差不宜大于9mm。该方法具有接头可靠、操作简单、不用电源、全天候施工、对中性好、施工速度快等优点。接头的价格适中,低于挤压套筒接头,高于电渣压力焊和气压焊接头。

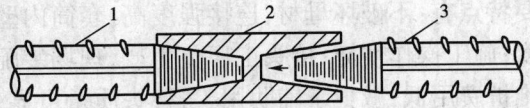

图 4-62　钢筋锥螺纹套筒连接
1-已连接的钢筋;2-锥螺纹套筒;3-未连接的钢筋

钢筋锥螺纹的加工是在钢筋套丝机上进行。为保证丝扣精度,对已加工的丝扣端要用牙形规及卡规逐个进行自检,要求钢筋丝扣的牙形必须与牙形规吻合,小端直径不超过卡规的允许误差,丝扣完整牙数不得小于规定值。锥螺纹套筒的加工宜在专业工厂进行,以保证产品质量。

钢筋锥螺纹连接预先将套筒拧入钢筋的一端,在施工现场再拧入待接钢筋。连接钢筋前,将钢筋未拧套筒的一端的塑料保护帽拧下来露出丝扣,并将丝扣上的污物清理干净。连接钢筋时,将已拧套筒的钢筋拧到被连接的钢筋上,并用扭力扳手按规定的力矩值连接钢筋,扭力扳手是保证钢筋连接质量的测力扳手,它可以按照钢筋直径大小规定的力矩值,把钢筋与连接套筒拧紧,直至扭力扳手在调定的力矩值发出响声,并随手画上油漆标记,以防有的钢筋接头漏拧。力矩扳手应每半年标定一次。

3)直螺纹套筒连接

直螺纹套筒连接是将两根待接钢筋端头切削或滚压出直螺纹,然后用带直内丝的钢套筒将钢筋两端拧紧的连接方法。这种方法适用直径16~40mm的各种钢筋的连接。该方法是综合了套筒挤压连接和锥螺纹连接的优点,于20世纪90年代后期才发展起来的一种钢筋连接新技术。它具有接头强度高、质量稳定、施工方便、不用电源、全天候施工、对中性好、施工速度快等优点。是目前工程应用最广泛的粗钢筋连接方法。

按螺纹丝扣加工工艺不同,可分为镦粗直螺纹套筒连接、滚压直螺纹套筒连接和剥肋滚压直螺纹套筒连接三种。

镦粗直螺纹是将钢筋端头冷镦扩粗,再在镦粗段上切削直螺纹,目的是使切削直螺纹不会造成钢筋母材横截面的削弱,因而能保证充分发挥钢筋母材的强度。但钢筋端头经冷镦扩粗后,金相组织发生了变化,延伸率降低,易产生脆断;此外,加工工艺复杂,增加了辅助用工,加大了接头成本。

滚压直螺纹是先在一平台上将钢筋端头的纵横肋滚掉,然后再滚压出丝头。较镦粗直螺纹经济,但因滚压纵横肋时,铁屑不可避免地会挤压在钢筋表面上,使滚压丝扣时易产生虚扣,造成丝扣直径不一,连接操作要相对困难些。

剥肋滚压直螺纹是将钢筋端头的纵横肋先行切削圆滑后,再滚压丝头。这样可避免产生虚扣,从而保证丝扣直径均匀。

4)活塞式组合带肋钢筋连接

活塞式组合带肋钢筋连接的接头是由两个特制的半圆形套筒和箍所组成。连接时将半圆形套筒扣合在两根待接的钢筋端头上,再将套筒两端的箍用专用压钳沿轴向压紧,使之与钢筋母材形成一个整体,达到与钢筋共同作用。这是最近研制和开发的又一种新型的钢筋机械连接方式,是对等强钢筋连接技术又一次质的飞跃,比较适合我国的工程现状,也是迄今为止除精轧螺纹钢筋连接外,唯一一种不改变钢筋母材几何形状及机械力学性能的连接方式。其主要特点有:不破坏母材,连接强度高;套筒内壁凹槽与钢筋肋吻合,呈锁紧状态,提高了接头强度;施工操作便捷;接头工厂化生产,现场装配,不占用施工场地;压接工具简单,设备投资少,维护费用低;减少了辅助用工;接头质量可靠,易于检验和控制。

五、钢 筋 代 换

当钢筋的品种、级别或规格需作变更时,应办理设计变更文件。

1.代换原则

当施工中遇有钢筋的品种或规格与设计要求不符时,可参照以下原则进行钢筋代换:

(1)等强度代换。当构件受强度控制时,钢筋可按强度相等原则进行代换。

(2)等面积代换。当构件按最小配筋率配筋时,钢筋可按面积相等原则进行代换。

(3)当构件受裂缝宽度或挠度控制时,代换后应进行裂缝宽度或挠度验算。

2.等强代换方法

$$n_2 \geq \frac{n_1 d_1^2 f_{y1}}{d_2^2 f_{y2}} \qquad (4\text{-}3)$$

式中:n_2——代换钢筋根数;

n_1——原设计钢筋根数;

d_2——代换钢筋直径;

d_1——原设计钢筋直径;

f_{y2}——代换钢筋抗拉强度设计值;

f_{y1}——原设计钢筋抗拉强度设计值。

3.等面积代换方法

$$A_{s1} = A_{s2} \qquad (4\text{-}4)$$

式中:A_{s1}——原设计钢筋的截面计算面积;

A_{s2}——拟代换钢筋的截面计算面积。

4.构件截面的有效高度影响

钢筋代换后,有时由于受力钢筋直径加大或根数增多而需要增加排数,则构件截面的有效高度 h_0 减小,截面强度降低。通常对这种影响可凭经验适当增加钢筋面积,然后再作截面强度复核。

对矩形截面的受弯构件,可根据弯矩相等,按下式复核截面强度:

$$N_2\left(h_{02} - \frac{N_2}{2f_c b}\right) \geqslant N_1\left(h_{01} - \frac{N_1}{2f_c b}\right) \tag{4-5}$$

式中:N_1——原设计的钢筋拉力,等于 $A_{S1}f_{y1}$(A_{s1} 为原设计钢筋的截面面积,f_{y1} 为原设计钢筋的抗拉强度设计值);

N_2——代换钢筋拉力;

h_{01}——原设计钢筋的合力点至构件截面受压边缘的距离;

h_{02}——代换钢筋的合力点至构件截面受压边缘的距离;

f_c——混凝土的抗压强度设计值。对 C20 混凝土为 9.6N/mm^2,对 C25 混凝土为 11.9N/mm^2,对 C30 混凝土为 14.3N/mm^2;

b——构件截面宽度。

5.代换注意事项

钢筋代换时,必须充分了解设计意图和代换材料性能,并严格遵守现行混凝土结构设计规范的各项规定;凡重要结构中的钢筋代换应征得设计单位同意。

(1)对某些重要构件,如吊车梁、薄腹梁、桁架下弦等,不宜用 HPB235 级光圆钢筋代替 HRB335 和 HRB400 级带肋钢筋。

(2)钢筋代换后,应满足配筋构造规定,如钢筋的最小直径、间距、根数、锚固长度等。

(3)同一截面内,可同时配有不同种类和直径的代换钢筋,但每根钢筋的拉力差不应过大(如同品种钢筋的直径差值一般不大于 5mm),以免构件受力不均。

(4)梁的纵向受力钢筋与弯起钢筋应分别代换,以保证正截面与斜截面强度。

(5)偏心受压构件(如框架柱、有吊车厂房柱、桁架上弦等)或偏心受拉构件作钢筋代换时,不取整个截面配筋量计算,应按受力面(受压或受拉)分别代换。

(6)当构件受裂缝宽度控制时,如以小直径钢筋代换大直径钢筋,强度等级低的钢筋代替强度等级高的钢筋,则可不作裂缝宽度验算。

六、钢筋的安装

在钢筋混凝土的浇筑、振捣过程中,为了使钢筋不发生变形和位移,充分发挥钢筋在混凝土中的作用,必须采用绑扎或焊接的方法把不同形状的若干单根钢筋组合成钢筋网片或骨架。钢筋网片、骨架的制作方法有预制法和现场绑扎法两种。钢筋网片和骨架绑扎成型,简便易行,是土木工程中普遍采用的方法。

1.钢筋网片、骨架制作的准备工作

钢筋网片、骨架制作成型的正确与否,直接影响着结构构件的受力性能。因此必须重视并妥善组织这一技术工作。

(1)熟悉施工图纸。在学习施工图纸时,要明确各个单根钢筋的形状及各个细部的尺寸,确定各类结构的绑扎程序。如发现图纸中有错误或不当之处,应及时与工程设计部门联系解决。

(2)核对钢筋配料单及料牌。学习施工图纸的同时,应核对钢筋配料单及料牌,再根据料单和料牌,核对钢筋半成品的钢号、形状、直径和规格数量是否正确,有无错配、漏配及变形。如发现问题,应及时整修增补。

(3)工具、附件的准备。绑扎钢筋用的工具和附件主要有扳手、铁丝、小撬棒、马架、划线尺等,还要准备水泥砂浆垫块或塑料卡等保证保护层厚度的附件,以及钢筋撑脚或混凝土撑脚等保证钢筋网片位置正确的附件等。

钢筋绑扎用的铁丝,可采用 20 ~ 22 号铁丝或镀锌铁丝,其中 22 号铁丝只用于绑扎直径 12mm 以下的钢筋。

水泥砂浆垫块的厚度,应等于保护层厚度。垫块的平面尺寸为:当保护层厚度等于或小于 20mm 时为 30mm × 30mm,大于 20mm 时为 50mm × 50mm。当在垂直方向使用垫块时,可在垫块中埋入 20 号铁丝,以便将垫块捆绑在钢筋上。水泥砂浆垫块呈梅花形均匀布置。

塑料卡的形状有两种:塑料垫块和塑料环圈。塑料垫块在两个方向均有凹槽,能适应两种保护层厚度,用于水平构件(如梁、板)。塑料环圈用于垂直构件(如柱、墙),使用时钢筋从卡嘴进入卡腔。由于塑料环圈有弹性,可使卡腔的大小能适应钢筋直径的变化。

钢筋撑脚所用钢筋直径根据浇筑的混凝土构件的厚度确定。通常每隔 1m 放置一个,呈梅花形交错布置。

(4)划钢筋位置线。平板或墙板的钢筋,在模板上划线;柱的箍筋,在两根对角线主筋上划点;梁的箍筋,在架立筋上划点;基础的钢筋,在两向各取一根钢筋上划点或在固定架上划线。

钢筋接头的划线,应根据到料规格,结合规范对有关接头位置、数量的规定,使其错开,并在模板上划线。

(5)研究钢筋安装顺序,确定施工方法。在熟悉施工图纸的基础上,要仔细研究钢筋安装的顺序,特别是在比较复杂的钢筋安装工程中,应先研究逐根钢筋穿插就位的顺序,并与模板工联系讨论支模与绑扎钢筋的配合关系,以减少绑扎困难。

2.钢筋网片骨架的制作与安装

(1)钢筋网片、骨架的钢筋搭接长度

①当纵向受拉钢筋的绑扎搭接接头面积百分率不大于 25% 时,其最小搭接长度应符合表 4-22 的规定。接头面积百分率是连接区段内搭接钢筋的面积与全部钢筋面积的比值。连接区段为 $1.3L_1$(L_1 为搭接长度)。当纵向受拉钢筋搭接接头面积百分率大于 25%,但不大于 50% 时,其最小搭接长度应按表 4-22 中的数值乘以系数 1.2 取用;当接头面积百分率大于 50% 时,应按表 4-22 中的数值乘以系数 1.35 取用。任何情况下,受拉钢筋的搭接长度不应小于 300mm。

纵向受拉钢筋的最小搭接长度 表 4-22

钢筋类型级别		混凝土强度等级			
		C10	C20 ~ 25	C30 ~ 35	≥ C40
光圆钢筋	HPB235	45d	35d	30d	25d
带肋钢筋	HRB335	55d	45d	35d	30d
	HRB400 和 RRB400		55d	40d	35d

注:d 为钢筋直径;两个直径不同钢筋的搭接长度,以较粗钢筋的直径计算。

②纵向受压钢筋搭接时,其最小搭接长度应根据上述规定确定相应数值后,再乘以系数 0.7 取用。在任何情况下,受压钢筋的搭接长度不应小于 200mm。

③焊接钢筋骨架和焊接钢筋网片采用绑扎搭接连接时,接头不宜设置在受力较大处。焊接钢筋骨架和焊接钢筋网片在受力方向的搭接长度不应小于表 4-22 中相应数值的 0.7 倍,且在受拉区不得小于 250mm,在受压区不宜小于 200mm。焊接钢筋网片在非受力方向的搭接长度不宜小于 100mm。

(2)钢筋网片、骨架的现场制作与安装

由于受到钢筋网片、骨架运输条件和变形控制的限制,多采用在现场进行绑扎安装钢筋的方法。现场绑扎安装钢筋时,要根据不同构件的特点和现场条件,确定绑扎顺序。如:厂房柱,一般是先绑下柱,再绑牛腿,后绑上柱;桁架,一般是先绑腹杆,再绑上、下弦,后绑结点;在框架结构中总是先绑柱,其次是主梁、次梁、过梁,再最后是楼板钢筋。

(3)大型钢筋网片、骨架的吊装

预制钢筋网片和钢筋骨架应根据结构配筋特点及起重运输能力来分段,一般钢筋网片的分块面积为 6~20m², 钢筋骨架分段长度为 6~12m。为了防止钢筋网片、骨架在运输和安装过程中发生歪斜变形,应采取临时加固措施。钢筋网片和骨架的吊点应根据其尺寸、重量、刚度确定。宽度大于 1m 的水平钢筋网片采用四点起吊;跨度小于 6m 的钢筋骨架采用两点起吊;跨度大,刚度差的钢筋骨架应采用横吊梁四点起吊。

3. 钢筋网片、骨架的验收

钢筋网片、骨架绑扎安装完毕后,浇筑混凝土前应进行验收,并作好隐蔽工程记录。检查的内容主要有以下几方面:

(1)钢筋的级别、直径、根数、间距、位置和预埋件的规格、位置、数量是否与设计图相符,要特别注意悬挑结构如阳台、挑梁、雨篷等的上部钢筋位置是否正确,浇筑混凝土时是否会被踩下。

(2)钢筋接头位置、数量、搭接长度是否符合规定。

(3)钢筋绑扎是否牢固,钢筋表面是否清洁,有无污物、铁锈等。

(4)混凝土保护层是否符合要求等。

第三节　混凝土工程

混凝土是以胶凝材料、水、细集料、粗集料,需要时掺入外加剂和矿物掺合料,按适当比例配合,经过均匀拌制、密实成型及养护硬化而成的人工石材。

混凝土按施工工艺分,主要有预拌混凝土、现场搅拌混凝土、离心成型混凝土、喷射混凝土、泵送混凝土等;按拌合料的流动度分,有干硬性混凝土、半干硬性混凝土、塑性混凝土、流动性混凝土、大流动性混凝土、自流平混凝土等。本节主要介绍用于一般工业与民用建筑、构筑物等的普通混凝土的施工。

一、混凝土的配料

1. 原材料的选择

(1)水泥

常用的水泥的种类有硅酸盐水泥、普通硅酸盐水泥、矿渣硅酸盐水泥、火山灰质硅酸盐水泥、粉煤灰硅酸盐水泥和复合硅酸盐水泥。各种水泥的适用范围见表 4-23 所列。

常用水泥的选用　　　　　　　　　　　　表 4-23

混凝土工程特点或所处环境条件		优先选用	可以使用	不得使用
环境条件	在普通气候环境中的混凝土	普通硅酸盐水泥	矿渣硅酸盐水泥、火山灰质硅酸盐水泥、粉煤灰硅酸盐水泥	
	在干燥环境中的混凝土	普通硅酸盐水泥	矿渣硅酸盐水泥	火山灰质硅酸盐水泥、粉煤灰硅酸盐水泥
	在高湿度环境中或永远处在水下的混凝土	矿渣硅酸盐水泥	普通硅酸盐水泥、火山灰质硅酸盐水泥、粉煤灰硅酸盐水泥	
	严寒地区的露天混凝土、寒冷地区的处在水位升降范围内的混凝土	普通硅酸盐水泥	矿渣硅酸盐水泥	火山灰质硅酸盐水泥、粉煤灰硅酸盐水泥
	严寒地区处在水位升降范围内的混凝土	普通硅酸盐水泥		火山灰质硅酸盐水泥、粉煤灰硅酸盐水泥、矿渣硅酸盐水泥
	受侵蚀性环境水或侵蚀性气体作用的混凝土	根据侵蚀性介质的种类、浓度等具体条件按专门(或设计)规定选用		
	厚大体积的混凝土	粉煤灰硅酸盐水泥、矿渣硅酸盐水泥	普通硅酸盐水泥、火山灰质硅酸盐水泥	硅酸盐水泥、快硬硅酸盐水泥
工程特点	要求快硬的混凝土	快硬硅酸盐水泥、硅酸盐水泥	普通硅酸盐水泥	矿渣硅酸盐水泥、火山灰质硅酸盐水泥、粉煤灰硅酸盐水泥
	高强(大于C60)的混凝土	硅酸盐水泥	普通硅酸盐水泥、矿渣硅酸盐水泥	火山灰质硅酸盐水泥、粉煤灰硅酸盐水泥
	有抗渗性要求的混凝土	普通硅酸盐水泥、火山灰质硅酸盐水泥		不宜使用矿渣硅酸盐水泥
	有耐磨性要求的混凝土	硅酸盐水泥、普通硅酸盐水泥	矿渣硅酸盐水泥	火山灰质硅酸盐水泥、粉煤灰硅酸盐水泥

注:①蒸气养护时用的水泥品种,宜根据具体条件通过试验确定。

②复合硅酸盐水泥选用应根据其混合材的比例确定。

水泥进场时应对其品种、级别、包装或散装仓号、出厂日期等进行检查,并应对其强度、安定性及其他必要的性能指标进行复验,其质量必须符合国家标准的规定。

入库的水泥应按品种、强度等级、出厂日期分别堆放,并树立标志。做到先到先用,并防止混掺使用。

当在使用中对水泥质量有怀疑或水泥出厂超过三个月(快硬硅酸盐水泥超过一个月)时,

应进行复验,并按复验结果使用。

(2)砂

砂按其产源可分天然砂、人工砂。由自然条件作用而形成的,粒径在 5mm 以下的岩石颗粒,称为天然砂。天然砂可为河砂、湖砂、海砂和山砂。人工砂为经除土处理的砂,分机制砂、混合砂。机制砂是由机械破碎筛分制成的,粒径小于 4.75mm 的岩石颗粒,但不包括软质岩、风化岩石的颗粒。混合砂是天然砂混合制成的砂。

按砂的粒径可分为粗砂、中砂和细砂,对于混凝土用砂,宜选用中砂。

砂的验收主要是进行颗粒级配和含泥量的检验。如为海砂,还应检验其氯盐含量。在发现砂的质量有明显变化时,应按其变化情况,随时进行取样检验。

(3)石子

普通混凝土所用的石子可分为碎石和卵石。由天然岩石或卵石经破碎、筛分而得的粒径大于 5mm 的岩石颗粒,称为碎石。由自然条件作用而形成的粒径大于 5mm 的岩石颗粒,称为卵石。

对石子进行验收时,每批至少应进行颗粒级配、含泥量、泥块含量及针、片状颗粒含量检验。对重要工程或特殊工程应根据工程要求增加检测项目。对其他指标的合格性有怀疑时应予检验。

(4)水

一般符合国家标准的生活饮用水,可直接用于拌制各种混凝土。地表水和地下水首次使用前,应按有关标准进行检验后方可使用。

海水可用于拌制素混凝土,但不得用于拌制钢筋混凝土和预应力混凝土。有饰面要求的混凝土也不应用海水拌制。

2.外加剂

为了改善混凝土的性能,提高其经济效果,以适应新结构、新技术发展的需要,人们广泛地采用掺外加剂的办法。外加剂的种类繁多,接其作用不同可分为减水剂(塑化剂)、引气剂(加气剂)、促凝刺、缓凝剂、防水剂、抗冻剂、保水剂、膨胀剂和阻锈剂等。

(1)减水剂

减水剂是一种表面活性材料,加入混凝土中,定向吸附于水泥颗粒表面,增加了水泥颗粒之间的静电斥力,对水泥颗粒起扩散作用,能把水泥凝聚体中所包含的游离水释放出来,从而能保持混凝土工作性能不变而显著减少拌和用水量,降低水灰比,改善和易性,增加流动性,节约水泥,有利于混凝土强度的增长及物理性能的改善。对于不透水性要求较高的、大体积的、泵送的混凝土等,采用减水剂最为合适。常用的减水剂有木质素磺酸盐类、萘系减水剂、树脂系减水剂、糖蜜系减水剂、腐质酸减水剂、复合减水剂等。

(2)早强剂

早强剂可使混凝土加速其硬化过程,提高早期强度,对加速模板周转、加快工程进度都有显著效果。早强剂以无机盐类为主,如氯盐($CaCl_2$、$NaCl$)、硫酸盐(Na_2SO_4、$CaSO_4$、K_2SO_4)、碳酸盐(K_2CO_3)、硅酸盐等。其中价廉易得的 $CaCl_2$ 易溶于水,与 C_3A 作用产生不溶性水化氯铝酸钙($3CaO \cdot 3CaCl_2 \cdot 32H_2O$)复盐,又能和 C_3S 水化析出 $Ca(OH)_2$ 生成氧氯化钙 $CaCl_2 \cdot 3Ca(OH)_2 \cdot 10H_2O$ 和 $CaCl_2 \cdot Ca(OH)_2 \cdot H_2O$,这些复盐的生成,减少了游离水,增加了化学结合水和水泥浆中固相成分,有助于水泥石结构加速形成。但氯化物对钢筋有锈蚀作用,并影响混凝土收缩性,故有筋混凝土氯盐掺量不得超过水泥质量的 1%（无筋混凝土为 3%），否则应加入阻锈剂，并禁止使用于预应力结构和大体积混凝土中。

有机类的早强剂有三乙醇胺 $[N(C_2H_4OH)_3]$、甲醇 (CH_3OH)、乙醇 (G_2H_5OH)、尿素 $[CO(NH_2)_2]$、乙酸酸钠 (CH_3COONa) 等。三乙醇胺及所配制的复活早强剂，对钢筋无锈蚀作用，应用也较普遍。三乙醇胺是一种非离子型表面活性剂，被吸附在水泥颗粒表面，形成一层带有电荷的亲水膜，阻碍水泥颗粒的凝聚，产生悬浮稳定的效应。同时，它能降低溶液表面张力，使水对水泥颗粒的润湿和渗透加强，产生更多的水化物；还能提高液相中 CaO 的溶解度，使水泥水化加速，从而提高了早期强度，而且对混凝土后期强度也有一定的提高。三乙醇胺常与 NaCl、$NaNO_2$、$NaSO_4 \cdot 2H_2O$、Na_2SO_4 等无机盐制成复合早强剂，其中 $NaNO_2$ 可抑制钢筋锈蚀，而在三乙醇胺中掺与 $NaNO_2$ 和 NaCl 后，又可显著提高混凝土的早期强度。

（3）速凝剂

速凝剂起加速水泥的凝结硬化作用，用于快速施工、堵漏、喷射混凝土等，其作用与早强剂略有区别。常用的速凝剂与水泥在加水拌和时立即反应，使水泥中的石膏丧失其缓慢作用，促使 C_3A 迅速水化，并在溶液中析出其水化物，导致水泥浆迅速凝固。如掺入水泥质量 2.5%～3.5% 的 711 速凝剂，水灰比 0.4 左右，可使水泥在 5min 内初凝，10min 内终凝，抗渗性、抗冻性和粘结能力都有所提高，前 7d 强度比不掺者高，但 7d 以后强度则较不掺者低。

（4）缓凝剂

缓凝剂是延长混凝土从塑性状态转化到固性状态所需的时间，并对其后期强度的发展无明显影响的外加剂，它广泛应用于油井工程、大体积混凝土和气候炎热地区的混凝土工程及长距离运输的混凝土。缓凝剂具有缓凝、延长水化热放热时间等功用，多兼与减水剂复合应用。如我国常用的糖蜜缓凝剂，当掺量为水泥质量的 0.2%～0.4% 时，可缓凝（2～3）h，减水 5%～8%，节约水泥 10% 左右，并可减小混凝土收缩，提高其抗渗性。

（5）加气剂

混凝土中掺入加气剂，能产生很多密闭的微气泡，可增加水泥浆体积，减小砂石之间的摩擦力和切断与外界相通的毛细孔道，因而可改善混凝土的和易性，减少拌和用水量，提高抗渗、抗冻和抗化学侵蚀能力，适用于水工结构。但混凝土的强度一般随含气量的增加而下降，使用时应严格控制掺量，一般松香热聚物、松香酸钠的掺用量为水泥质量的 0.01%，铝粉加气剂掺用量为 0.03%。含气量控制在 3%～6% 范围内，相应减少用水量，对强度损失不大。

（6）防水剂

防水剂用以配制防水混凝土。其种类较多，如用按水泥质量的 0.05% 松香酸钠和 0.075% 的氯化钙配制成的复合加气剂防水混凝土，其防渗能力可达 1.2～3.5MPa，用水玻璃配制的混凝土不仅能防水，而且还有很大的粘结力和速凝作用，用于修补工程和堵塞漏水很有效果。

（7）抗冻剂

抗冻剂可以在一定负温度范围内，保持混凝土水分不受冻结，并促使其凝结、硬化。如氯化钠、碳酸钾可降低冰点；氯化钙不仅能降低冰点，而且还可起促凝作用。目前常用的亚硝酸钠与硫酸盐复合剂，对钢筋无腐蚀，能适用于 -10℃ 环境下施工，而且对混凝土有明显的塑化作用，其效果优于氯化钙、碳酸钾等抗冻剂。缺点是用量较大时有析盐现象，影响结构美观。

其他外加剂可查阅有关材料手册。但在选用时应注意:在正式使用外加剂之前,应该进行相应的试验,以决定适当的掺量;使用时要准确控制掺量,相应调整水灰比及搅拌均匀。

总之,外加剂已成为近代混凝土中除水泥、砂、石和水之外的第五种原料,是改善混凝土性能、发展混凝土技术的有效途径。

3.混凝土配合比的确定

混凝土配合比应该根据材料的供应情况、设计混凝土强度等级、混凝土施工和易性的要求等因素来确定,并应符合合理使用材料和经济的原则。合理的混凝土配合比应能满足两个基本要求:既要保证混凝土的设计强度,又要满足施工所需要的和易性。普通混凝土的配合比,应按国家有关标准进行计算,并通过试配确定。对于有抗冻、抗渗等要求的混凝土,尚应符合相关的规定。

(1)试配强度

混凝土的施工配制强度可按下式确定:

$$f_{cu,o} = f_{cu,k} + 1.645\sigma \tag{4-6}$$

式中:$f_{cu,o}$——混凝土的施工配制强度(N/mm^2);

$f_{cu,k}$——混凝土设计强度标准值(N/mm^2);

σ——施工单位的混凝土强度标准差(N/mm^2)。

当施工单位具有近期的同一品种混凝土强度资料时,其混凝土强度标准差按下式计算:

$$\sigma = \sqrt{\frac{\sum\limits_{i=1}^{N} f_{cu,i}^2 - N\mu f_{cu}^2}{N-1}} \tag{4-7}$$

式中:$f_{cu,i}$——统计周期内同一品种混凝土第 i 组试件的强度值(N/mm^2);

μf_{cu}——统计周期内同一品种混凝土 N 组强度的平均值(N/mm^2);

N——统计周期内同一品种混凝土试件的总组数,$N \geq 25$。

注:"同一品种混凝土"系指混凝土强度等级相同且生产工艺和配合比基本相同的混凝土。

对预拌混凝土工厂和预制混凝土构件厂,统计周期可取为一个月,如计算得到的 $\sigma < 2.5$(N/mm^2),取 $\sigma = 2.5(N/mm^2)$;当混凝土强度等级高于 C25 时,如计算得到的 $\sigma < 3.0(N/mm^2)$,取 $\sigma = 3.0(N/mm^2)$。

当施工单位不具有近期的同一品种混凝土强度资料时,其混凝土强度标准差可按表 4-24 查用。

σ 取值(N/mm^2)　　　　　　　　　　　　　　　　　　　　表 4-24

混凝土强度等级	低于 C20	C20 ~ C35	高于 C35
σ	4.0	5.0	6.0

注:在采用本表时,施工单位可根据实际情况,对 σ 值作适当调整。

(2)和易性

混凝土的和易性是指混凝土拌和后既便于浇筑,又能保持其匀质性,不出现离析现象,即具有一定的粘聚性和流动性的性质。为了保持混凝土的和易性,国家规范对混凝土的最大水灰比和最小水泥用量均作了规定(表 4-25),混凝土的最大水泥用量不宜超过 $550kg/m^3$。

混凝土的最大水灰比与最小水泥用量　　　　　　　表 4-25

混凝土所处的环境条件	最大水灰比	最小水泥用量(kg/m³)			
		普通混凝土		轻骨料混凝土	
		配筋	无筋	配筋	无筋
不受雨雪影响的混凝土	不作规定	250	200	250	200
(1)受雨雪影响的露天混凝土 (2)位于水中或水位升降范围内的混凝土 (3)在潮湿环境中的混凝土	0.70	250	225	275	250
(1)寒冷地区水位升降范围内的混凝土 (2)受水压作用的混凝土	0.65	275	250	300	275
严寒地区水位升降范围内的混凝土	0.60	300	275	325	300

注:①本表中的水灰比,对普通混凝土指水与水泥(包括外掺混合材料)用量的比值;对轻骨料指净用水量(不包括轻骨料 1h 吸水量)与水泥(不包括外掺混合材料)用量的比值;

②本表中的最小水泥用量,对普通混凝土包括外掺混合材料,对轻骨料混凝土不包括外掺混合材料;当采用人工捣实混凝土时,水泥用量应增加 25kg/m³;当掺用外加剂且能有效地改善混凝土的和易性时,水泥用量可减少 25kg/m³;

③当混凝土强度等级低于 C10 时,可不受本表的限制;

④寒冷地区指最冷月份平均气温在 −5℃ ~ 15℃之间;严寒地区指最冷月份平均气温低于 −15℃;

⑤防水混凝土应符合《地下防水工程施工及验收规范》的有关规定。

4.混凝土施工配料

施工配料是根据施工配合比及工地搅拌机的型号,确定搅拌时原材料的一次投料量。施工配料是保证混凝土质量的重要环节之一,必须加以严格控制。影响施工配料的因素主要有两方面:一是称量不准;二是未按砂、石骨料实际含水率的变化进行施工配合比的换算。为了确保混凝土的质量,在施工中必须及时进行施工配合比的换算和严格控制称量。

(1)施工配合比的换算

混凝土设计配合比是根据完全干燥的砂、石集料制定的,但实际使用的砂、石集料一般都含有一些水分,而且含水量亦经常随气象条件发生变化。所以,在拌制时应及时测定砂、石集料的含水率,并将设计配合比换算为集料在实际含水量情况下的施工配合比。

例如,已知设计配合比为 $C:S:G:W = 439:566:1202:193$;经测定砂子含水率 w_s 为 3% ,石子的含水率 W_G 为 1% ,则每立方米混凝土的材料用量为:

水泥: $C' = 439kg$(不变)

砂: $S' = S(1 + w_s) = 566(1 + 3\%) = 583$ kg

石子: $G' = G(1 + W_G) = 1202(1 + 1\%) = 1214$ kg

水: $W' = W - SW_s - GW_G = 193 - 566 × 3\% - 1202 × 1\% = 164kg$

故施工配合比为 $439:583:1214:164$。

(2)施工配料

求出混凝土施工配合比后,根据工地现有搅拌机的装料容量确定搅拌时原材料的一次投料量。如搅拌机的出料容量为 400L 时,则每搅拌一次(即一盘)的装料数量为:

水泥: $439 × 0.4 = 175.6$ kg (实用 150kg,即 3 袋水泥)

砂子: $583 × \dfrac{150}{439} = 199.2kg$

$$石子:1214 \times \frac{150}{439} = 414.8kg$$

$$水:164 \times \frac{150}{439} = 56kg$$

为了严格控制混凝土的配合比,用料称量必须准确,其每盘称量偏差不得超过以下规定:水泥和混合材料为±2%;砂石为±3%;水及外加剂为±2%。同时应对各种衡量器进行定期校验,保持准确;经常测定砂石含水率,雨天施工应增加测定次数。

二、混凝土的制备

1.现场搅拌

混凝土的拌制就是水泥、水、粗细集料和外加剂等原材料混合在一起进行均匀拌和的过程。搅拌后的混凝土要求匀质,且达到设计要求的和易性和强度。

(1)搅拌机

目前普遍使用的搅拌机根据其搅拌机理可分为自落式搅拌机和强制式搅拌机两大类。

①自落式搅拌机　自落式搅拌机主要是利用拌筒内材料的自重进行工作,比较节约能源。

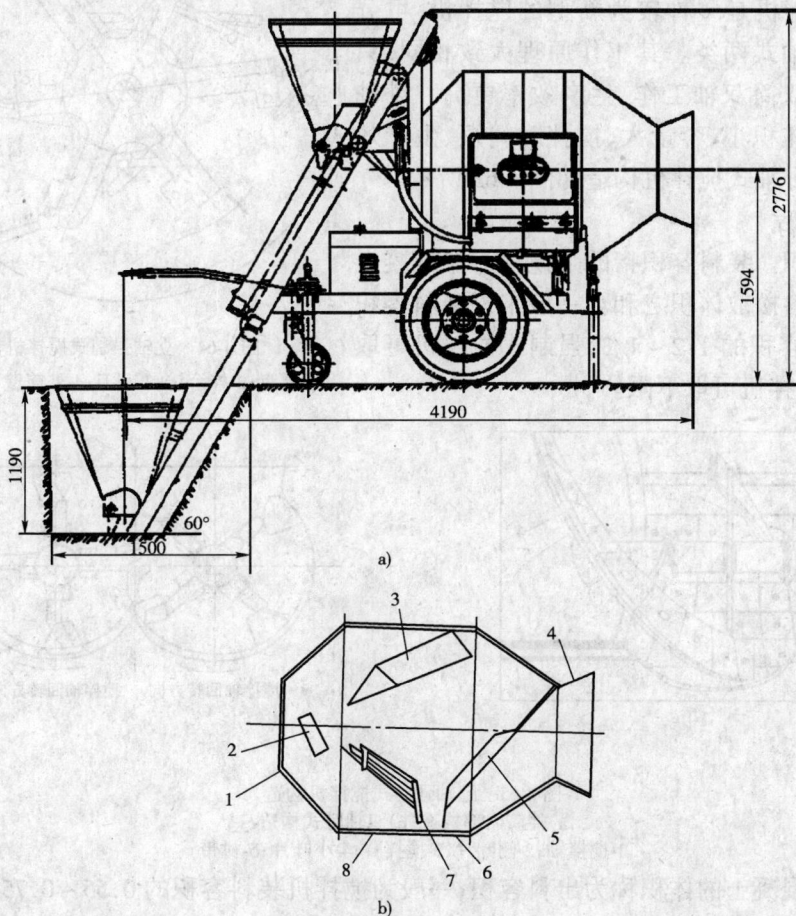

图4-63　自落式搅拌机(单位:mm)
a)外型图;b)拌筒构造
1-进料口圈;2-挡料叶片;3-主叶片;4-出料口圈;5-出料叶片;6-滚道;7-副叶片;8-筒身

图 4-63 所示为一种应用较广的自落式搅拌机，称为反转出料式搅拌机。其拌筒为双锥形，内壁焊有叶片，可带动物料上升到一定高度后，再利用自重下落，不断循环从而完成搅拌工作。其工作特点是正转搅拌、反转出料，结构较简单。由于材料粘着力和摩擦力的影响，自落式搅拌机只适用于搅拌塑性混凝土和低流动性混凝土。自落式搅拌机在使用中对筒体和叶片的摩擦较小，易于清洁。由于搅拌过程对混凝土集料有较大的磨损，从而对混凝土质量产生不良影响，故自落式搅拌机正逐渐被强制式搅拌机所替代。

②强制式搅拌机　强制式搅拌机是利用拌筒内运动着的叶片强迫物料朝着各个方向运动，由于各物料颗粒的运动方向、速度各不相同，相互之间产生剪切滑移而相互穿插、扩散，从而在很短的时间内，使物料拌和均匀，其搅拌机理被称为剪切搅拌机理。强制式搅拌机适用于搅拌坍落度在 3cm 以下的普通混凝土和轻骨料混凝土。

强制式搅拌机在构造上可分为立轴式和卧轴式两类。

立轴式搅拌机的拌筒为一个水平放置的圆盘，圆盘有内外筒壁，内筒壁轴心装有立轴，立轴上又装有搅拌叶片，一般为 2～3 组，当立轴旋转时，叶片即带动物料按复杂的轨迹运动，搅拌强烈，在短时间内即可完成搅拌。其构造如图 4-64 所示。

卧轴式搅拌机是一种较为新型的搅拌机，可分为单轴式和双轴式两类。其工作原理大致相同，只是双轴式采用双筒双轴工作，生产效率更高。卧轴式搅拌机具有体积小、容量大、搅拌时间短、生产效率高等优点。卧轴式搅拌机构造如图 4-65 所示。

（2）搅拌制度

①装料容积　装料容积指的是搅拌一罐混凝土所需各种原材料松散体积之和。一般来说装料容积是搅拌筒几何容积的 1/2～1/3，强制式搅拌机可取上限，自落式搅拌机可取下限。

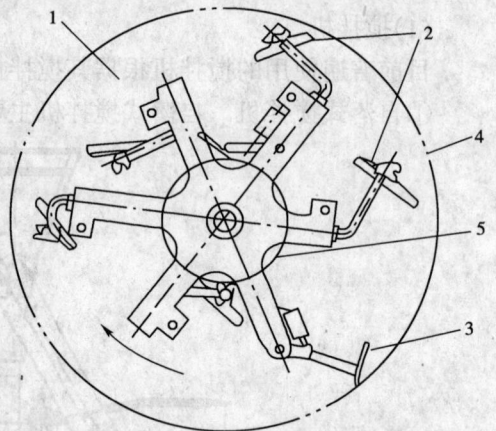

图 4-64　立轴强制式搅拌机构造图
1-搅拌盘；2-拌合铲；3-刮刀；4-外筒壁；5-内筒壁

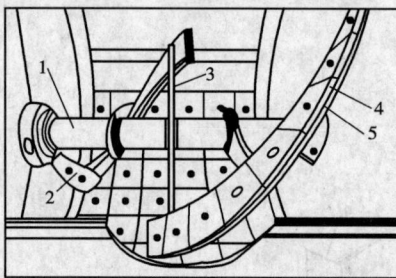

a)

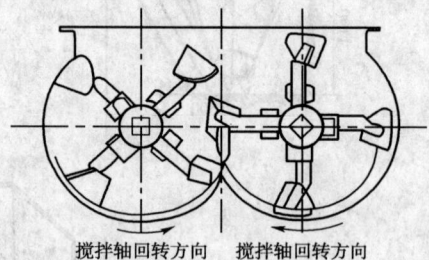

搅拌轴回转方向　　搅拌轴回转方向

b)

图 4-65　卧轴强制式搅拌机构造
a)拌筒内部构造；b)双轴卧式构造
1-搅拌轴；2-侧叶片；3-搅拌臂；4-小叶片；5-衬带

搅拌完毕混凝土的体积称为出料容积，一般为搅拌机装料容积的 0.55～0.75。目前，搅拌机上标明的容积一般为出料容积。

②装料顺序　在确定混凝土各种原材料的投料顺序时，应考虑到如何才能保证混凝土的搅拌质量，减少机械磨损和水泥飞扬，减少混凝土的粘罐现象，降低能耗和提高劳动生产率

等。目前采用的装料顺序有一次投料法、二次投料法等。

一次投料法是将砂、石、水泥依次放入料斗后再和水一起进入搅拌筒进行搅拌。这种方法工艺简单、操作方便。当采用自落式搅拌机时常用的加料顺序是先倒石子,再加水泥,最后加砂。这种加料顺序的优点就是水泥位于砂石之间,进入拌筒时可减少水泥飞扬,同时砂和水泥先进入拌筒形成砂浆可缩短包裹石子的时间,也避免了水向石子表面聚集产生的不良影响,可提高搅拌质量。

二次投料法可分为预拌水泥砂浆法和预拌水泥净浆法。预拌水泥砂浆法是指先将水泥、砂和水投入拌筒搅拌 1~1.5min 后加入石子再搅拌 1~1.5min。预拌水泥净浆法是先将水和水泥投入拌筒搅拌 1/2 搅拌时间,再加入砂石搅拌到规定时间。实验表明,由于预拌水泥砂浆或水泥净浆对水泥有一种活化作用,因而搅拌质量明显高于一次加料法。若水泥用量不变,混凝土强度可提高 15% 左右,或在混凝土强度相同的情况下,可减少水泥用量约 15%~20%。

当采用强制式搅拌机搅拌轻集料混凝土时,若轻集料在搅拌前已经预湿,则合理的加料顺序应是:先加粗细集料和水泥搅拌 30s,再加水继续搅拌到规定时间;若在搅拌前轻集料未经预湿,则先加粗、细集料和总用水量的 1/2 搅拌 60s 后,再加水泥和剩余 1/2 用水量搅拌到规定时间。

③搅拌时间　搅拌时间指的是从全部原材料装入拌筒时起,到开始卸料时为止的时间。一般来说,随着搅拌时间的延长,混凝土的匀质性有所增加,相应地混凝土的强度也随着有所提高。但时间过长,将导致混凝土出现离析现象,多耗费电能,增加机械磨损,降低搅拌机生产效率。我国规范规定不同情况下搅拌混凝土的最短时间见表 4-26 所列。

混凝土搅拌的最短时间(min)　　　　　　　　　　　　　表 4-26

混凝土坍落度 (mm)	搅拌机机型	搅拌机出料量(L)			混凝土坍落度 (mm)	搅拌机机型	搅拌机出料量(L)		
		< 250	250~500	> 500			< 250	250~500	> 500
≤30	强制式	60	90	120	>30	强制式	60	60	90
	自落式	90	120	150		自落式	90	90	120

注:①当掺有外加剂时,搅拌时间应适当延长;
　　②全轻混凝土宜采用强制式搅拌机搅拌,砂轻混凝土可采用自落式搅拌机搅拌,但搅拌时间应延长 60~90s;
　　③当采用其他形式的搅拌设备时,搅拌的最短时间应按设备说明书的规定或经试验确定。

2.混凝土搅拌站

搅拌站是生产混凝土的场所,根据混凝土生产能力、工艺安排、服务对象的不同,搅拌站可分为施工现场临时搅拌站和大型预拌混凝土搅拌站两类。

如图 4-66 所示为一个简易的现场混凝土搅拌站示意图,其设备简单,安拆方便,不需要专门的设备,采用人工上料。平面布置时水泥库布置在搅拌机的一侧、地面水流向的上游,注意防潮,砂、石布置较为灵活,只是需尽量靠近搅拌机的上料平台,由于石子用量较多,宜先布置且离磅秤和料斗较近。各种原材料的堆放位置都要便于运输,可直接卸货,不需倒运。

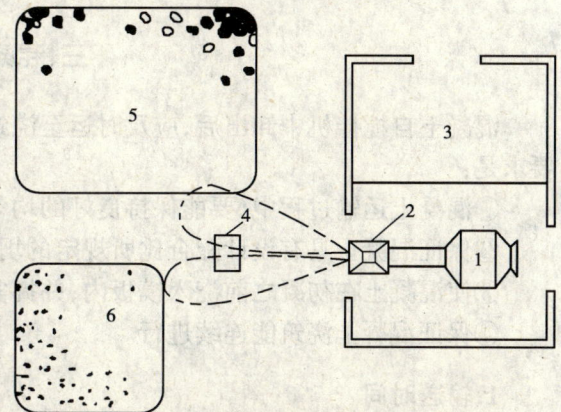

图 4-66　现场小型混凝土搅拌站
1-搅拌机;2-上料斗;3-水泥库;4-磅秤;5-石料堆;6-砂堆

大型混凝土搅拌站有单阶式和双阶式两种。

单阶式混凝土搅拌站是由皮带螺旋输送机等运输设备一次将原材料提升到需要高度后,靠自重下落,依次经过储料、称量、集料、搅拌等程序,完成整个搅拌生产流程,如图 4-67 所示。单阶式搅拌站具有工作效率高、自动化程度高、占地面积小等优点,但一次投资大。

双阶式混凝土搅拌站是将原材料一次提升后,依靠材料的自重完成储料、称量、集料等工艺,再经第二次提升进入搅拌机进行搅拌,如图 4-68 所示。双阶式搅拌站的建筑物总高度较小,运输设备较简单,和单阶式相比投资相对要少,但材料需经两次提升进入拌筒,其生产效率和自动化程度较低,占地面积较大。

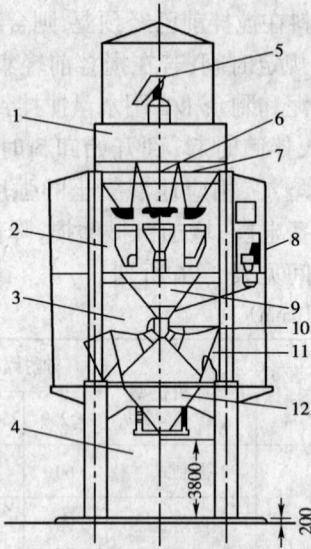

图 4-67 单阶式混凝土搅拌站
1-料仓层;2-称量层;3-搅拌层;4-底层;5-旋转布料器;6-水泥料仓;7-砂、石料仓;8-集中控制室;9-集料斗;10-两路滑槽;11-搅拌机;12-混凝土漏斗

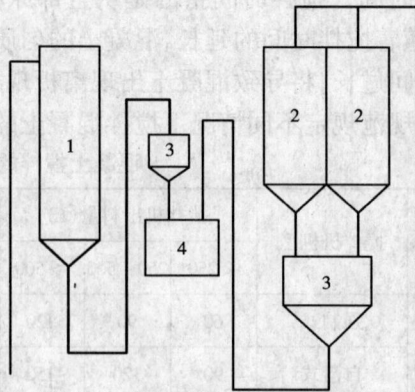

图 4-68 双阶式混凝土搅拌站
1-水泥仓;2-骨料储料斗;3-称量系统;4-搅拌机

三、混凝土运输

混凝土自搅拌机中卸出后,应及时运至浇筑地点,为保证混凝土的质量,对混凝土运输的要求是:

①混凝土运输过程中,要能保持良好的均匀性,不离析、不漏浆;
②保证混凝土具有设计配合比所规定的坍落度;
③使混凝土在初凝之前浇入模板内,并捣实完毕;
④保证混凝土浇筑能连续进行。

1.输送时间

混凝土应以最少的转载次数和最短的时间,从搅拌地点运至浇筑地点。混凝土从搅拌机中卸出后到浇筑完毕的延续时间应符合表 4-27 的要求。

气　温	延续时间(min)			
	采用搅拌车		其他运输设备	
	≤ C30	> C30	≤ C30	> C30
≤ 25℃	120	90	90	75
> 25℃	90	60	60	45

注:掺有外加剂或采用快硬水泥时延续时间应通过试验确定。

2. 输送道路

场内输送道路应尽量平坦,以减少运输时的振荡,避免造成混凝土分层离析。同时还应考虑布置环形回路,施工高峰时宜设专人管理指挥,以免车辆互相拥挤阻塞。临时架设的桥道要牢固,桥板接头须平顺。

3. 运输工具

混凝土运输大体可分为地面运输、垂直运输和楼面运输三种。

地面运输工具有双轮手推车、机动翻斗车、混凝土搅拌运输车和自卸汽车。双轮手推车和机动翻斗车多用于路程较短的现场内运输。当混凝土需要量较大、远距离运输或使用商品混凝土时,则多采用自卸汽车和混凝土搅拌运输车。

楼面运输可用手推车、皮带运输机,也可以用塔式起重机、混凝土泵等。楼面运输应保证模板和钢筋不发生变形和位移,防止混凝土离析等。

(1)井架

井架用于建筑高度不大于 45m 的工业与民用建筑,井架装有升降平台,用双轮手推车将混凝土推到升降平台,然后提升到施工的楼层上。再将手推车沿铺在楼面上的跳板推到浇筑地点。

(2)塔式起重机

塔式起重机工作幅度大,当搅拌机在其工作幅度范围之内,则可以完成水平运输和垂直运输。若搅拌站较远,可用翻斗车将混凝土从搅拌站运到起重机起重范围之内,装入料斗,如图 4-69 所示,运至浇筑部位直接浇入模板内。这种垂直运输方式效率较高,可用于多层和高层建筑施工。

(3)混凝土搅拌运输车

混凝土搅拌输送车是一种用于长距离输送混凝土的高效能机械,如图 4-70 所示。它是将混凝土搅拌筒安装在汽车底盘上,搅拌筒在运输过程中可按规定要求慢速转

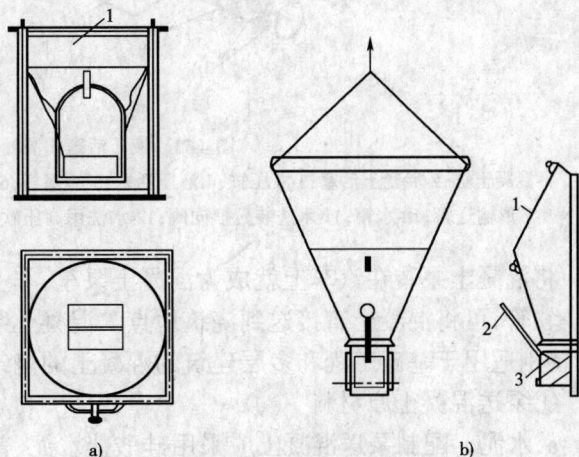

a)　　　　　　　　　b)

图 4-69　混凝土浇筑料斗
a)立式料斗;b)卧式料斗
1-入料口;2-手柄;3-卸料口的扇形门

动,从而使装入筒内的混凝土拌和物连续得到搅拌,使之不致产生离析现象。在长距离运输时,也可将配合好的混凝土干料装入筒内,在运输途中加水搅拌,以减少因长途运输而引起的混凝土坍落度损失。

目前,我国正在发展商品混凝土,它有很多优点。将混凝土从工厂运至现场之间距离相应增加。为防止混凝土在长途运输过程中产生离析或初凝,因而混凝土搅拌运输车得到大力的发展和使用。

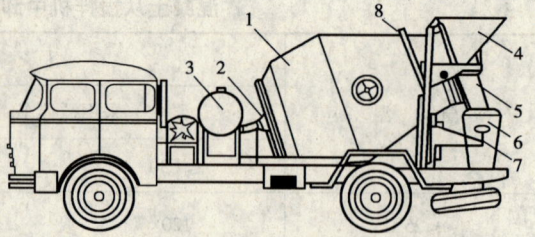

图 4-70　混凝土搅拌运输车

1-搅拌筒;2-轴承座;3-水箱;4-进料斗;5-卸料槽;6-引料槽;7-托轮;8-轮圈

(4)混凝土泵

泵送混凝土是将混凝土搅拌运输车或储存料斗中的混凝土卸入泵料斗后,利用泵的压力将混凝土沿管道直接输送到浇筑地点。它可以同时完成水平和垂直运输,并可经布料杆布料。混凝土泵具有输送能力大、速度快、效率高、能连续作业等特点,是目前混凝土运输的重要方法。

混凝土泵的类型很多,应用最广泛的是液压活塞式混凝土泵,如图 4-71 所示。

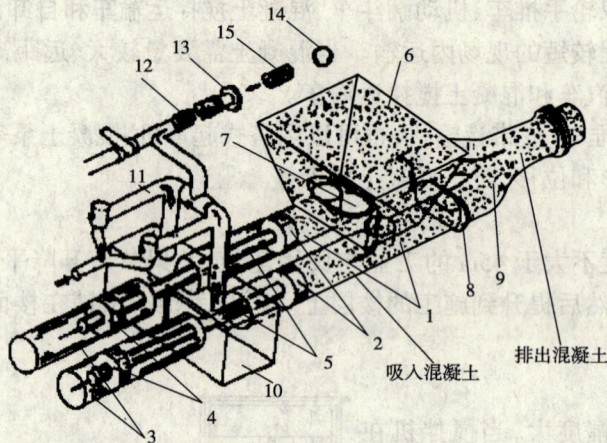

图 4-71　液压活塞式混凝土泵工作原理

1-混凝土缸;2-混凝土活塞;3-液压缸;4-液压活塞;5-活塞杆;6-受料斗;7-吸入端水平片阀;8-排除端竖直片阀;9-Y形输送管;10-水箱;11-水洗装置换向阀;12-水洗用高压软管;13-水洗用法兰;14-海绵球;15-清洗活塞

将混凝土泵装在汽车上就成为混凝土泵车,车上还装有可以伸缩或屈折的布料杆,其末端是一软管,可将混凝土直接送到浇筑地点。混凝土泵车可以自由行驶到浇筑位置,使用十分方便,特别适用于基础工程和多层建筑的混凝土的浇筑。

①泵送混凝土原材料

a.水泥。配制泵送混凝土应采用硅酸盐水泥、普通硅酸盐水泥、矿渣硅酸盐水泥和粉煤灰硅酸盐水泥,不宜采用火山灰质硅酸盐水泥。

b.粗集料。粗集料的粒径、级配和形状对混凝土拌合物的可泵性有着十分重要的影响。粗集料的最大粒径与输送管的管径之比应符合表 4-28 的规定。

石子品种	泵送高度(m)	粗骨料的最大粒径与输送管径之比
碎　石	< 50	≤1:30
	50 ~ 100	≤1:4.0
	> 100	≤1:5.0
卵　石	< 50	≤1:2.5
	50 ~ 100	≤1:3.0
	> 100	≤1:4.0

c.细集料。细集料对混凝土拌合物的可泵性也有很大影响。混凝土拌合物之所以能在输送管中顺利流动，主要是由于粗集料被包裹在砂浆中，而由砂浆直接与管壁接触起到的润滑作用。细集料宜采用中砂，并应有良好的级配。

d.掺合料。泵送混凝土中常用的掺合料为粉煤灰，掺入混凝土拌合物中，能使泵送混凝土的流动性显著增加，且能减少混凝土拌合物的泌水和收缩，大大改善混凝土的泵送性能。当泵送混凝土中水泥用量较少或细集料中通过 0.315mm 筛孔的颗粒小于 15% 时，掺加粉煤灰是很适宜的。对于大体积混凝土结构，掺加一定数量的粉煤灰还可以降低水泥的水化热，有利于控制温度裂缝的产生。

e.外加剂。泵送混凝土中的外加剂，主要有泵送剂、减水剂和引气剂，对于大体积混凝土结构，为防止产生收缩裂缝，还可掺入适量的膨胀剂。

②泵送混凝土配合比设计

为使混凝土泵送时的阻力最小，泵送混凝土应具有良好的流动性。保持泵送混凝土具有合适的坍落度是泵送混凝土配合比设计的重要内容。对不同泵送高度，入泵时混凝土的坍落度，可按表 4-29 选用。

不同泵送高度入泵时混凝土的坍落度选用值   表 4-29

泵送高度(m)	30 以下	30 ~ 60	60 ~ 100	100 以上
坍落度(mm)	100 ~ 140	140 ~ 160	160 ~ 180	180 ~ 200

泵送混凝土配合比设计应根据混凝土原材料、混凝土运输距离、混凝土泵与混凝土输送管径、泵送距离、气温等具体施工条件试配。必要时，应通过试泵送确定泵送混凝土的配合比。

泵送混凝土配合比设计时，一般应满足下列要求：泵送混凝土的用水量与水泥和矿物掺合料的总量之比不宜大于 0.60；泵送混凝土的砂率宜为 35% ~ 45%；泵送混凝土的水泥和矿物掺合料的总量不宜小于 $300kg/m^3$；泵送混凝土应掺适量外加剂，并应符合国家现行标准《混凝土泵送剂》的规定。外加剂的品种和掺量宜由试验确定，不得任意使用。掺用引气型外加剂时，其混凝土的含气量不宜大于 4%；掺粉煤灰的泵送混凝土配合比设计，必须经过试配确定，并应符合国家现行标准的有关规定。

③混凝土泵的选择

在选择混凝土泵和计算泵送能力时，通常是将混凝土输送管的各种工作状态(包括直管、弯管、锥形管、软管、管接头和截止阀)换算成水平长度。换算长度可按表 4-30 换算。混凝土输送管道的配管整体水平换算长度，应不超过计算所得的最大水平泵送距离。混凝土泵的最大水平输送距离可以参照产品的性能表(曲线)确定,必要时可以由试验确定,也可以根据计算确定。

混凝土输送管的水平换算长度 表 4-30

类　　别	单　　位	规　　格	水平换算长度(m)
向上垂直管	每米	100mm 125mm 150mm	3 4 5
锥形管	每根	175→150mm 150→125mm 125→100mm	4 8 16
弯管	每根	90° $R=0.5$ $R=1.0m$	12 9
软管	每 5~8m 长的 1 根		20

注:①R 表示曲率半径。
　　②弯管的弯曲角度小于 90°时,需将表列数值乘以该角度与 90°角的比值。
　　③向下垂直管,其水平换算长度等于其自身长度。
　　④斜向配管时,根据其水平及垂直投影长度,分别按水平、垂直配管计算。

混凝土泵的台数根据混凝土浇筑的数量和混凝土泵单机的实际平均输出量和施工作业时间确定。重要工程的混凝土泵送施工,混凝土泵所需台数,除根据计算确定外,宜有一定的备用台数。

④混凝土泵的布置要求

在泵送混凝土的施工中,混凝土泵车设置处应场地平整、坚实,具有重车行走条件;混凝土泵应尽可能靠近浇筑地点。在使用布料杆工作时,应使浇筑部位尽可能地在布料杆的工作范围内,尽量少移动泵车即能完成浇筑;多台混凝土泵或泵车同时浇筑时,选定的位置要使其各自承担的浇筑最接近,最好能同时浇筑完毕,避免留置施工缝;混凝土泵或泵车布置停放的地点要有足够的场地,以保证混凝土搅拌输送车的供料、调车的方便;为便于混凝土泵或泵车,以及搅拌输送车的清洗,其停放位置应接近排水设施,并且供水、供电方便;在混凝土泵的作业范围内,不得有碍阻物、高压电线,同时要有防范高空坠物的措施;当在施工高层建筑或高耸构筑物采用接力泵泵送混凝土时,接力泵的设置位置应使上、下泵的输送能力匹配。设置接力泵的楼面或其他结构部位,应验算其结构所能承受的荷载,必要时应采取加固措施;混凝土泵转移运输时要注意安全要求,应符合产品说明及有关标准的规定。

4.季节施工

在风雨或暴热天气输送混凝土,容器上应加遮盖,以防进水或水分蒸发。冬期施工应加以保温。夏季最高气温超过 40℃时,应有隔热措施。

5.质量要求

(1)混凝土运送至浇筑地点,如混凝土拌合物出现离析或分层现象,应对混凝土拌合物进行二次搅拌。

(2)混凝土运至浇筑地点时,应检测其稠度,所测稠度值应符合设计和施工要求。其允许偏差值应符合有关标准的规定。

(3)混凝土拌合物运至浇筑地点时的温度,最高不宜超过 35℃;最低不宜低于 5℃。

四、混凝土成型

混凝土成型就是将混凝土拌合料浇筑在符合设计尺寸要求的模板内,加以捣实,使其具有良好的密实性,达到设计要求的强度。混凝土成型过程包括浇筑与捣实,是混凝土工程施工的关键,将直接影响构件的质量和整体性。

1.混凝土浇筑

(1)浇筑前施工准备

浇筑前要根据工程对象、结构特点,结合具体条件,制定混凝土浇筑的施工方案。按需要准备充足搅拌机、运输车、料斗、串筒、振动器等机具设备。核实一次浇筑完毕或浇筑至某施工缝前的工程材料,以免停工待料。检查和控制模板、钢筋、保护层和预埋件等的尺寸、规格、数量和位置,检查模板支撑的稳定性以及模板接缝的密合情况。对模板内的垃圾、木片、刨花、锯屑、泥土和钢筋上的油污、鳞落的铁皮等杂物,应清除干净。模板和隐蔽工程项目应分别进行预检和隐蔽验收,符合要求后,方可进行浇筑。检查安全设施、劳动配备是否妥当,能否满足浇筑速度的要求。

在混凝土浇筑期间,要保证水、电、照明不中断。随时掌握天气的变化情况,特别在雷雨台风季节和寒流突然袭击之际,应准备好在浇筑过程中所必须的抽水设备和防雨、防暑、防寒等物资。

(2)混凝土的浇筑

混凝土应在初凝前浇筑,如已有初凝现象,则应进行一次强力搅拌,才能入模;如混凝土在浇筑前有离析现象,亦须重新拌合才能浇筑。浇筑竖向结构混凝土结构前,底部应先浇入 50～100mm 厚与混凝土成分相同的水泥砂浆,以避免产生蜂窝及麻面现象。

混凝土浇筑时的坍落度应符合表 4-31 的规定。混凝土浇筑过程中,要分批做坍落度试验,如坍落度与原规定不符时,应予调整配合比。

混凝土浇筑时的坍落度　　　　　　　　　　　　表 4-31

结 构 种 类	坍落度(mm)
基础或地面等的垫层、无配筋和大体积结构(挡土墙、基础等)或配筋稀疏的结构	10～30
板、梁和大型及中型截面的柱子等	30～50
配筋密列的结构(薄壁、斗仓、筒仓、细柱等)	50～70
配筋特密的结构	70～90

注:①本表采用机械振捣混凝土时的坍落度,当采用人工捣实混凝土时,其值可适当增大;
　　②当需要配制大坍落度混凝土时,应掺用外加剂。

混凝土浇筑时,对于素混凝土或少筋混凝土,由料斗、漏斗进行浇筑时,混凝土的自由倾落高度不应超过 2m;对竖向结构(如柱、墙),浇筑混凝土的高度不超过 3m;对于配筋较密或不便捣实的结构,不宜超过 600mm。否则应采用串筒、溜槽和振动串筒下料,以防产生离析。

为了使混凝土振捣密实,混凝土必须分层浇筑,其浇筑层的厚度应符合表4-32的规定。

混凝土浇筑层厚度(mm)　　　　　　　　　　　表4-32

捣实混凝土的方法		浇筑层的厚度
插入式振捣		振捣器作用部分长度的1.25倍
表面振动		200
人工捣固	在基础、无筋混凝土或配筋稀疏的结构中	250
	在梁、墙板、柱结构中	200
	在配筋密列的结构中	150
轻骨料混凝土	插入式振捣	300
	表面振动(振动时需加荷)	200

混凝土浇筑过程中,要保证混凝土保护层厚度及钢筋位置的正确性。不得踩踏钢筋,不得移动预埋件和预留孔洞的原来位置。如发现偏差和位移,应及时校正。特别要重视竖向结构的保护层和板、雨篷结构负弯矩部分钢筋的位置。

为保证混凝土的整体性,浇筑工作应连续进行。当由于技术上或施工组织上原因必须间歇时,其间歇时间应尽可能缩短,并应在上层混凝土凝结之前,将下层混凝土浇筑完毕。间歇的最长时间应按所用水泥品种及混凝土条件确定,且不超过表4-33的规定,当超过时应留置施工缝。

混凝土浇筑允许间歇时间(单位:min)　　　　　　表4-33

混凝土强度等级	气　　　　温	
	≤25℃	>25℃
C30 及 C30 以下	210	180
C30 以上	180	150

注:①本表数值包括混凝土的运输和浇筑时间;
　　②当混凝土掺有促凝或缓凝型外加剂时,浇筑中的最大间歇时间应根据试验结果确定。

施工缝位置应在混凝土浇筑之前确定,并宜留置在结构受剪力较小且便于施工的部位。柱应留水平缝,梁、扳、墙应留垂直缝。柱子施工缝宜留在基础的顶面,梁或吊车梁牛腿的下面、吊车梁的上面、无梁楼板柱帽的下面,如图4-72所示。与板连成整体的大截面梁,或当梁的高度大于1m时,允许单独浇筑,施工缝留置在板底面以下20~30mm处,当板下有梁托时,留在梁托下部。单向板的施工缝留置在平行于板的短边的任何位置。有主次梁的楼板宜顺着次梁方向浇筑,施工缝应留置

图 4-72　浇筑柱的施工缝位置图
I-I、II-II 表示施工缝位置

在次梁跨度的中间1/3范围内,如图4-73所示。墙体的施工缝留置在门洞口过梁跨中1/3范围内,也可留置在纵横墙的交接处。

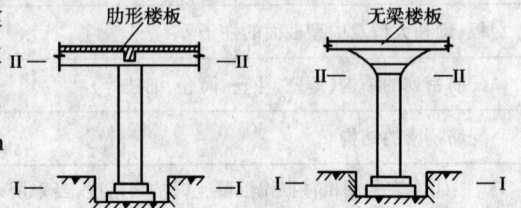

在施工缝处继续浇筑前，为解决新旧混凝土的结合问题，应对已硬化的施工缝表面进行处理。即清除表层的水泥薄膜和松动石子及软弱混凝土层，必要时还要加以凿毛；钢筋上的油污、水泥砂浆及浮锈等杂物也应加以清除，然后用水冲洗干净，并保持充分湿润，且不得积水；在浇筑前，宜先在施工缝处铺一层水泥砂浆或与混凝土成分相同的水泥砂浆；施工缝处的混凝土应细致捣实，使新旧混凝土紧密结合。

后浇带是为在现浇钢筋混凝土结构施工过程中，克服由于温度、收缩而可能产生有害裂缝而设置的临时施工缝。该缝需根据设计要求保留一段时间后再浇筑，将整个结构连成整体。后浇带的设置距离，应考虑在有效降低温差和收缩应力的条件下，通过计算来获得。在正常的施工条件下，有关规范对此的规定是：如混凝土置于室内和土中，则为30m；如在露天，则为20m。后浇带的保留时间应根据设计确定，若设计无要求时，一般至少保留28d以上。后浇带的宽度应考虑施工简便，避免应力集中。一般其宽度为70～100cm。后浇带内的钢筋应完好保存。后浇带的构造如图4-74所示。

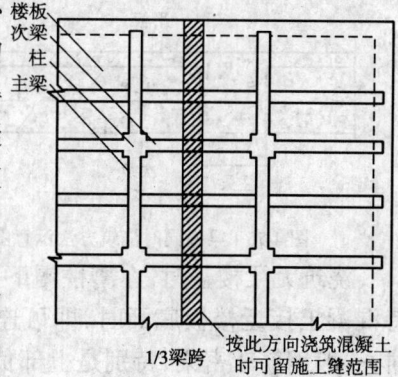

图4-73　浇筑有主次梁楼板的施工缝位置图

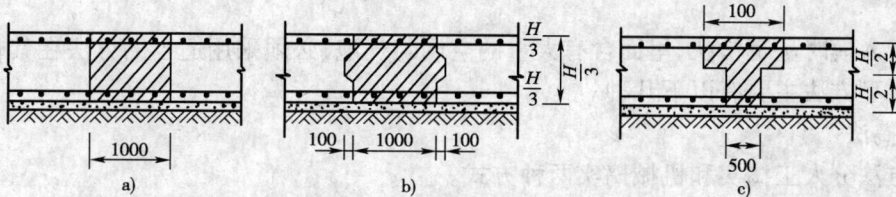

图4-74　后浇带构造图(尺寸单位：mm)
a)平接式；b)企口式；c)台阶式

后浇带在浇筑混凝土前，必须将整个混凝土表面按照施工缝的要求进行处理。填充后浇带混凝土可采用微膨胀或无收缩水泥，也可采用普通水泥加入相应的外加剂拌制，但必须要求填筑混凝土的强度等级比原结构强度提高一级，并保持至少15d的湿润养护。

混凝土初凝之后、终凝之前应防止振动。当混凝土的抗压强度不小于1.2MPa时才允许在上面继续进行施工活动。在混凝土浇筑过程中，应随时注意模板及其支架、钢筋、预埋件及预留孔洞的情况，当出现不正常的变形、位移时，应及时采取措施进行处理，以保证混凝土的施工质量。

(3)框架结构混凝土浇筑

多层框架应分层分段施工，水平方向以结构平面的伸缩缝分段。垂直方向按结构层次分层。在每层中先浇筑柱，再浇筑梁、板。柱子浇筑宜在梁板模板安装后，钢筋未绑扎前进行，以便利用梁板模板稳定柱模和作为浇筑柱混凝土操作平台之用。

浇筑混凝土时，浇筑层的厚度不得超过表4-33的数值。浇筑混凝土时应连续进行，如必须间歇时，应按表4-33规定执行。

肋形楼板的梁板应同时浇筑，浇筑方法应先将梁根据高度分层浇捣成阶梯形，当达到板底位置时即与板的混凝土一起浇捣，随着阶梯形的不断延长，则可连续向前推进，如图4-75所示。倾倒混凝土的方向也与浇筑方向相反,如图4-76所示。

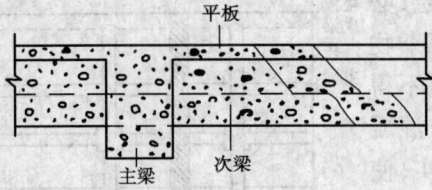

图 4-75　梁板同时浇筑方法示意图　　　　　　　　图 4-76　混凝土倾倒方法

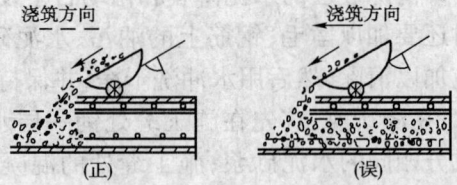

浇筑无梁楼盖时,在离柱帽下 50mm 处暂停,然后分层浇筑柱帽,下料必须倒在柱帽中心,待混凝土接近楼板底面时,即可连同楼板一起浇筑。当浇筑柱、梁及主次梁交叉处的混凝土时,一般钢筋较密集,特别是上部负钢筋又粗又多,因此,既要防止混凝土下料困难,又要注意砂浆挡住石子不下去。必要时,这一部分可改用细石混凝土进行浇筑,与此同时,振捣棒头可改用片式并辅以人工捣固配合。梁板施工缝可采用企口式接缝或垂直立缝的做法,不宜留坡搓。

在预定留施工缝的地方,在板上按板厚放一木条,在梁上闸以木板,其中间要留切口通过钢筋。

2.混凝土成型方法

混凝土入模时呈疏松状,里面含有大量的空洞与气泡,必须采用适当的方法在其初凝前捣实成型。成型方法主要有以下几种。

(1)振捣法

振捣方法分人工捣实和机械捣实两种方式。

人工捣实是利用捣锤、插钎等工具的冲击力来使混凝土密实成型。捣实时必须分层浇筑混凝土,每层厚宜在 150mm 左右,并应注意布料均匀,每层确保捣实后方能浇筑上一层。

机械捣实系振动器的振动力以一定的方式传给混凝土,使之发生强迫振动破坏水泥浆的凝胶结构,降低了水泥浆的粘度和骨料之间的摩擦力,提高了混凝土拌合物的流动性,使混凝土密实成型,机械捣实混凝土效率高、密实度大、质量好,且能振实低流动性或干硬性混凝土。因此,一般应尽可能使用机械捣实。

混凝土的振动机械按其工作方式不同,可分为内部振动器、表面振动器、外部振动器和振动台等,这些振动机械的构造原理基本相同,如图4-77 所示,主要是利用偏心锤的高速旋转,使振动设备因离心力而产生振动。

①内部振动器

内部振动器又称插入式振动器,它由电动机、软轴和振动棒三部分组成,如图4-78 所示。工作时依靠振动棒插入混凝土产生振动力而捣

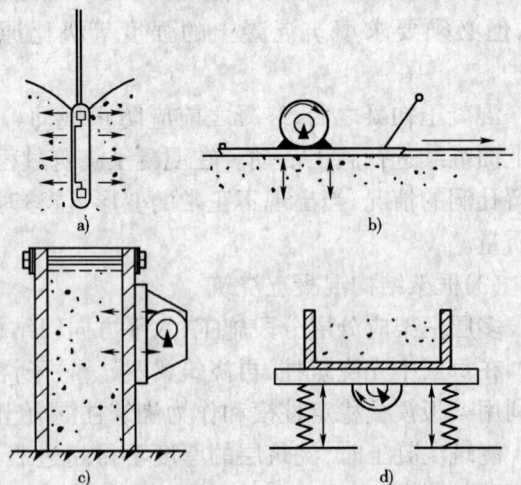

图 4-77　振动器的原理
a)内部振动器;b)表面振动器;c)外部振动器;d)振动台

实混凝土。插入式振动器是工地用得最多的一种,常用以振捣梁、柱、墙等尺寸较小而深度较大的构件和体积较大的混凝土。

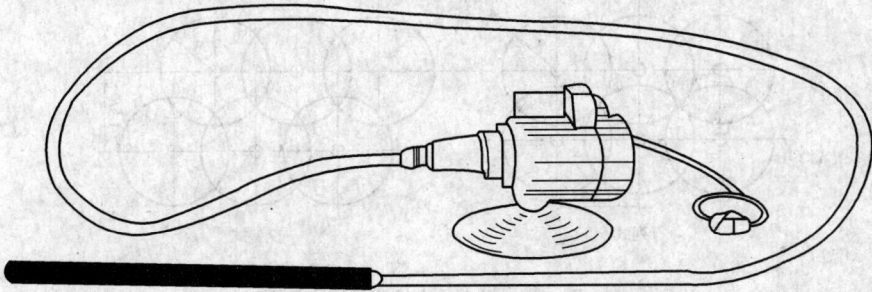

图 4-78   行星高频插入式振动器

在选用插入振动器时,应根据混凝土性能而定。混凝土坍落度小时宜选用高频,坍落度大时选用低频;对同一种混凝土,骨料粒径大的宜用低频,粒径小的宜用高频。当振动频率接近于混凝土颗粒的自振频率时,其效果最好。但因骨料颗粒大小不一,所以最理想的振动应为多频振动。

插入式振动器的振捣方法有垂直振捣和斜向振捣两种,如图 4-79 所示,可根据具体情况采用,一般以采用垂直振捣为多。垂直振捣容易掌握插点距离,控制插入深度(不得超过振动棒长度的 1.25 倍);不易产生漏振,不易触及钢筋和模板;混凝土受振后能自然沉实、均匀密实。而斜向振捣是将振动棒与混凝土表面成 40°~50°角插入,操作省力,效率高,出浆快,易于排出空气,不会发生严重的离析现象,振动棒拔出时不会形成孔洞。

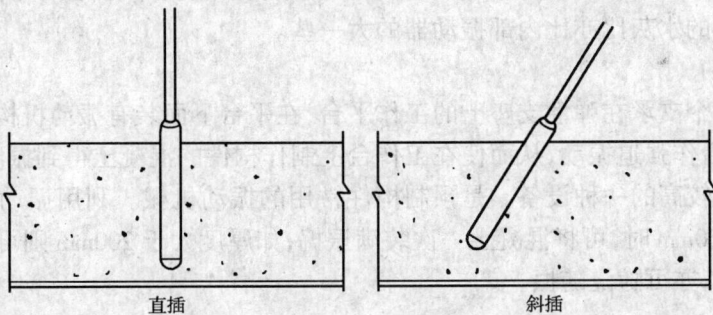

直插   斜插

图 4-79   插入式振动器振捣方法

使用插入式振动器垂直振捣的操作要点是:"直上和直下,快插与慢拔;插点要均布,切勿漏点插;上下要振动,层层要扣搭;时间掌握好,密实质量佳"。

操作要点中"快插"是为了防止先将混凝土表面振实,与下面混凝土产生分层离析现象;"慢拔"是为了使混凝土填满振动棒抽出时形成的插孔,振动器插点要均匀排列,可采用"行列式"或"交错式"的次序移动,如图 4-80 所示,防止漏振;每次移动两个插点的间距不宜大于振动器作用半径的 1.5 倍(振动器的作用半径一般为 300~400mm);振动棒与模板的距离,不应大于其作用半径的 0.5 倍,并应避免碰撞钢筋、模板、芯管、吊环、预埋件或等。为了保证每一层混凝土上下振捣均匀,应将振动棒上下来回抽动 50~100mm;同时还应将振动棒插入下一层未初凝的混凝土中,深度不应小于50mm。混凝土振捣时间要掌握好,振动时间过短,不能使混凝土充分捣实,过长,则可能产生分层离析;一般每点振捣时间为 20~30s,使用高频振动器时亦应大于 10s,以混凝土不下沉、气泡不上升、表面泛浆为准。

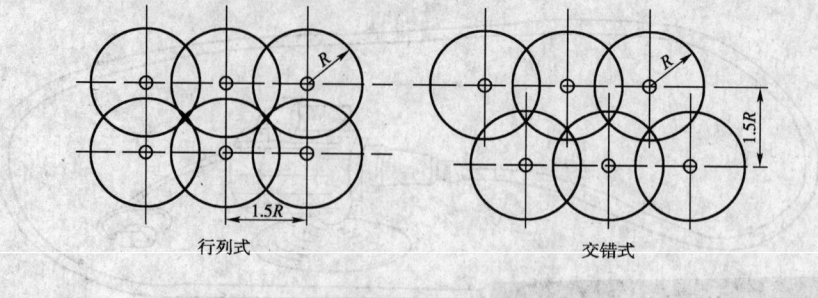

行列式 交错式

图 4-80 插入式振动棒的插点排列

②表面振动器

表面振动器又称平板振动器,它将一个带有偏心块的电动振动器安装在一块平板上,通过平板与混凝土表面接触将振动力传给混凝土达到捣实的目的。平板可用木板或铜板制成,尺寸依具体需要而定。由于平板振动器是放在混凝土表面进行振捣,其作用深度较小(150~250mm),因此仅适用于表面积大而平整、厚度小的结构或预制件,如楼地面、屋面等。

③外部振动器

外部振动器又称附着式振动器,它是直接安装在模板外侧的横档或竖档上,利用偏心块旋转时所产生的振动力通过模板传递给混凝土,使之振实。附着式振动器体积小、结构简单、操作方便。可以改制成平板振动器。它的缺点是振动作用的深度小(约 250mm),因此仅适用于钢筋较密、厚度较小以及不宜使用插入式振动器的结构和构件中,并要求模板有足够的刚度。一般要求混凝土的水灰比亦比内部振动器的大一些。

④振动台

振动台是一个支承在弹性支座上的工作平台,在平台下面装有振动机构,当振动机构运转时,即带动工作台作强迫振动,从而使在工作台上制作构件的混凝土得到振实。振动台是成型工艺中生产效率较高的一种设备。是预制构件常用的振动机械。利用振动台生产构件,当混凝土厚度小于 200mm 时,可将混凝土一次装满振捣;如厚度大于 200mm 则可分层浇筑,每层厚度不大于 200mm,亦可随浇随振。

(2)挤压法

挤压成型工艺的工作原理如图 4-81 所示。混凝土拌合料通过料斗由螺旋铰刀向后挤送,在此挤送过程中,由于受到已成型空心板阻力(即反作用力)作用而被挤压密实,挤压机也在这一反作用力作用下,沿着与挤压相反的方向被推动前进,在挤压机后面即形成一条连续的混凝土多孔板带。挤压成型实现了混凝土成型过程的机械化连续生产,减轻了劳动强度,提高了生产率,节约了模板,并可根据设计要求的不同长度任意切断板材,是预制构件厂生产预应力空心板的主要成型工艺。

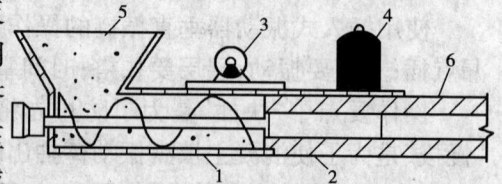

图 4-81 挤压成型原理
1-螺旋铰刀;2-成型管;3-振动器;4-压重;5-料头;6-已成型空心板

采用挤压成型,螺旋铰刀后所设成型管的断面随板孔形状而定,可取圆形或矩形,其数量按板孔的数量配制;如需生产实心板,则只需把成型管拆除即可。挤压成型多孔板带的切断方法有两种:一是在混凝土初凝前按所需长度切断混凝土部分,待混凝土达到一定强度后,再放松、切断预应力钢丝;另一种是在混凝土达到一定强度后用钢筋混凝土切割机整体切断。

挤压成型要求使用水灰比 0.28 ~ 0.38 的干硬性混凝土,骨料粒径不宜大于 10 mm。

（3）离心法

离心法成型,如图 4-82 所示。就是将装有混凝土的钢制模板放在离心机上,当模板旋转时,由于摩擦力和离心力的作用,使混凝土分布于模板的内壁,并将混凝土中的部分水分挤出,使混凝土密实。适用于管柱、管桩、管式屋架,电杆及上下水管等构件的生产。离心法成型过程分为三个阶段:第一阶段离心机转速为 80 ~ 150r/min,延续时间 2 ~ 15min,使混凝土沿模板内壁均匀分布,内部形成空腔;第二阶段是过渡阶段,转速 250 ~ 400 r/min,延续时间 2 ~ 5 min,可起到继续布料作用,并能减少分层;第三阶段加大转速至 400 ~ 900 r/min,延续 15 ~ 30 min,增大离心力,以成型密实混凝土。

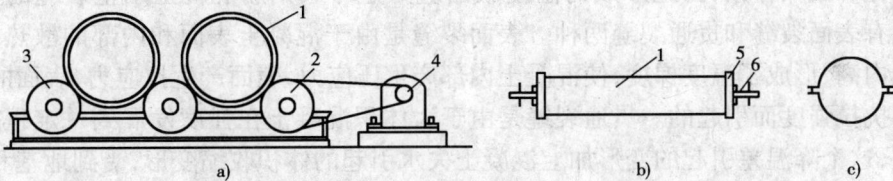

图 4-82　离心机工作原理示意图

a)滚轮式离心机;b)车床式离心机;c)管模示意

1-管模;2-主动轮;3-从动轮;4-电动轮;5-平面卡盘;6-支承轴承

采用离心法成型,石子最大粒径不应超过构件壁厚的 1/3 ~ 1/4,并不得大于 15 ~ 20mm;砂率应为 40% ~ 50%;水泥用量不应低于 350kg/m³,且不宜使用火山灰水泥;坍落度控制在 30 ~ 70mm 以内。

（4）混凝土真空吸水

在混凝土浇筑施工中,有时为了使混凝土易于成型,常采用加大水灰比,提高混凝土流动性的方式,但随之降低了混凝土的密实性和强度,真空吸水就是利用真空吸水设备,将已浇筑完毕的混凝土中的游离水和气泡吸出,以达到降低水灰比、提高混凝土强度、改善混凝土物理力学性能、加快施工进度的目的。经过真空吸水的混凝土,密实度大,抗压强度可提高 25% ~ 40%,与钢筋的握裹力可提高 20% ~ 25%,可减少收缩,增大弹性模量。混凝土真空吸水技术主要由真空泵机组、真空吸盘、连接软管等组成,如图 4-83 所示。

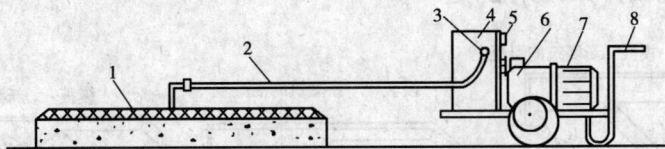

图 4-83　真空吸水设备工作示意图

1-真空吸盘;2-软管;3-吸水进门;4-集水箱;5-真空;6-真空泵;7-电动机;8-手推小车

采用混凝土真空吸水技术,一般初始水灰比以不超过 0.6 为宜,最大不超过 0.7,坍落度可取 50~90mm,由于真空吸水后混凝土体积会相应缩小,因此振平后的混凝土表面应比设计略高 2~4mm。

在放置真空吸盘前应先铺设过滤网,过滤网必须平整紧贴在混凝土上,真空吸盘放置时应注意其周边的密封是否严密,防止漏气,并保证两次抽吸区域有 30mm 的搭接。

开机吸水的延续时间取决于真空度、混凝土厚度、水泥品种和用量、混凝土浇筑前的坍落度和温度等因素。真空度越高,抽吸量越大,混凝土越密实,一般真空度为 66.661~69.993kPa。在真空度一定时,混凝土层越厚,需开机的时间越长。

3.大体积混凝土浇筑

大体积混凝土是指施工时水化热引起混凝土内的最高温度与外界温度之差不低于 25℃ 的长、宽、厚较大的混凝土结构。一般多为建筑物、构筑物的基础,如高层建筑中常用的整体钢筋混凝土箱形基础、高炉转炉设备基础等。

大体积混凝土结构由于其结构截面大,水泥用量多,水泥水化所释放的水化热会产生较大的温度变化和收缩作用,由此形成的温度收缩应力是导致钢筋混凝土产生裂缝的主要原因。这种裂缝有表面裂缝和贯通裂缝两种。表面裂缝是由于混凝土表面和内部的散热条件不同、温度外低内高,形成了温度梯度,使混凝土内部产生压应力,表面产生拉应力,表面的拉应力超过混凝土抗拉强度而引起的。贯通裂缝是由于大体积混凝土在强度发展到一定程度,混凝土逐渐降温,这个降温差引起的变形加上混凝土失水引起的体积收缩变形,受到地基和其他结构边界条件的约束时引起的拉应力,超过混凝土抗拉强度时所可能产生的贯通整个截面的裂缝。这两种裂缝不同程度上,都属有害裂缝。

(1)大体积混凝土浇筑方案

大体积混凝土结构整体性要求较高,通常不允许留施工缝。因此,必须保证混凝土搅拌、运输、浇筑、振捣各工序协调配合,并在此基础上,根据结构大小,钢筋疏密等具体情况,选用如下浇筑方案:

①全面分层,如图 4-84a)所示。

在整个结构内全面分层浇筑混凝土,要做到第一层全部浇筑完毕,在初凝前浇筑第二层,如此逐层进行,直至浇筑完成。采用此方案,结构平面尺寸不宜过大,施工时从短边开始,沿长边进行。必要时亦可从中间向两端或从两端向中间同时进行。

②分段分层,如图 4-84b)所示。

混凝土从底层开始浇筑,进行一定距离后回来浇筑第二层,如此依次向上浇筑以上各层。分段分层浇筑方案适用于厚度不太大而面积或长度较大的结构。

③斜面分层,如图 4-84c)所示。

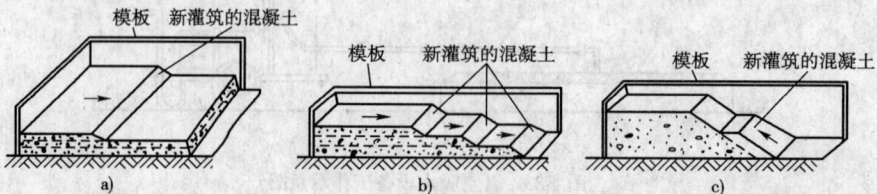

图 4-84 大体积混凝土浇筑方案
a)全面分层;b)分段分层;c)斜面分层

适用于结构的长度超过厚度 3 倍的情况。斜面坡度为 1:3,施工时应从浇筑层下端开始,逐渐上移,以保证混凝土施工质量。

(2)大体积混凝土控制温度和收缩裂缝的技术措施

为了有效地控制有害裂缝的出现和发展,必须从控制混凝土的水化升温、延缓降温速率、减小混凝土收缩、提高混凝土的极限拉伸强度、改善约束条件和设计构造等方面全面考虑,结合实际采取措施。

①降低水泥水化热

为降低水泥水化热应选用低水化热或中水化热的水泥品种配制混凝土,如硅酸盐水泥、粉煤灰水泥、复合水泥等;充分利用混凝土的后期强度,减少每立方米混凝土中水泥用量;使用粗集料,尽量选用粒径较大、级配良好的粗细集料;控制砂石含泥量;掺加粉煤灰等掺合料或掺加相应的减水剂、缓凝剂,改善和易性、降低水灰比,以达到减少水泥用量、降低水化热的目;在基础内部预埋冷却水管,通入循环冷却水,强制降低混凝土水化热温度;在厚大无筋或少筋的大体积混凝土中,掺加总量不超过 20% 的大石块,减少混凝土的用量,以达到节省水泥和降低水化热的目的;在拌合混凝土时,还可掺入适量的微膨胀剂或膨胀水泥,使混凝土得到补偿收缩,减少混凝土的温度应力。

②降低混凝土温度差

为有效降低混凝土温度差可以选择较适宜的气温浇筑大体积混凝土,尽量避开炎热天气浇筑混凝土。夏季可采用低温水或冰水搅拌混凝土,可对骨料喷冷水雾或冷气进行预冷,或对骨料进行覆盖或设置遮阳装置避免日光直晒,运输工具如具备条件也应搭设避阳设施,以降低混凝土拌合物的入模温度。也可以掺加相应的缓凝型减水剂,如木质素磺酸钙等;在混凝土入模时,采取措施改善和加强模内的通风,加速模内热量的散发。

③改善约束条件,削减温度应力

采取分层或分块浇筑大体积混凝土,合理设置水平或垂直施工缝,或在适当的位置设置施工后浇带,以放松约束程度,减少每次浇筑长度的蓄热量,防止水化热的积聚,减少温度应力。对大体积混凝土基础与岩石地基,或基础与厚大的混凝土垫层之间设置滑动层,如采用平面浇沥青胶铺砂、或刷热沥青或铺卷材。在垂直面、键槽部位设置缓冲层,如铺设 300 ~ 50mm 厚沥青木丝板或聚苯乙烯泡沫塑料,以消除嵌固作用,释放约束应力。

④提高混凝土的极限拉伸强度

在大体积混凝土基础内设置必要的温度配筋,在截面突变和转折处,底、顶板与墙转折处,孔洞转角及周边,增加斜向构造配筋,以改善应力集中,防止裂缝的出现。

⑤加强施工中的温度控制

施工中要加强测温和温度监测与管理,实行信息化控制,随时控制混凝土内的温度变化,内外温差控制在 25℃ 以内,基面温差和基底面温差均控制在 20℃ 以内,及时调整保温及养护措施,使混凝土的温度梯度和湿度不至过大,以有效控制有害裂缝的出现。要合理安排施工顺序,控制混凝土温度在浇筑过程中均匀上升,避免混凝土拌合物堆积过高。

4.水下浇筑混凝土

在灌注桩、地下连续墙等基础以及水工结构工程中,常要直接在水下浇筑混凝土。其方法是利用导管输送混凝土并使之与环境水隔离,依靠管中混凝土的自重,压管口周围的混凝土在已浇筑的混凝土内部流动、扩散,以完成混凝土的浇筑工作,如图 4-85 所示。

导管由每段长度为 1.5～2.5m(脚管 2～3m)、管径 200～300mm,厚 3～6mm 的钢管,用法兰盘加止水胶垫与螺栓连接而成。承料漏斗位于导管顶端,漏斗上方装有振动设备以防混凝土在导管中阻塞。提升机具用来控制导管的提升与下降,常用的提升机具有卷扬机、电动葫芦、起重机等。球塞可用橡胶、泡沫塑料等制成,其直径比导管内径小 15～20mm。

在施工时,先将导管放入水中(其下部距离底面约 100mm),用麻绳或铅丝将球塞悬吊在导管内水位以上的 0.2m(塞顶铺 2～3 层稍大于导管内径的水泥纸袋,再散铺一些干水泥,以防混凝土中集料卡住球塞),然后浇入

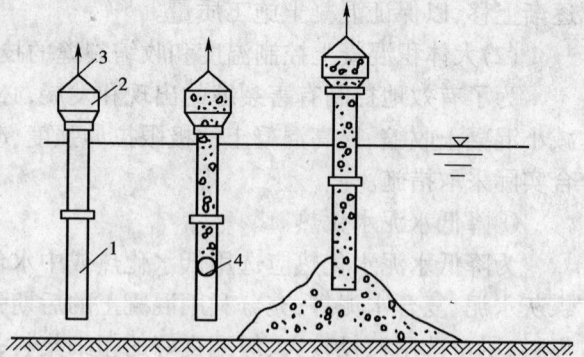

图 4-85　导管法浇筑水下混凝土示意图
1-导管;2-承料漏斗;3-提升机具;4-球塞

混凝土,当球塞以上导管和承料漏斗装满混凝土后,剪断球塞吊绳,混凝土靠自重推动球塞下落,冲向基底,并向四周扩散。球塞冲出导管,浮至水面,可重复使用。冲入基底的混凝土将管口包住,形成混凝土堆,同时不断地将混凝土浇入导管中,管外混凝土面不断被管内的混凝土挤压上升。随着管外混凝土面的上升,导管也逐渐提高(到一定高度,可将导管顶段拆下),但不能提升过快,必须保证导管下端始终埋入混凝土内,其最小埋入深度参见表 4-34 所列,其最小埋置深度不宜超过 5m。混凝土浇筑的最终高程应高于设计标高约 100mm,以便清除强度低的表层混凝土(清除应在混凝土强度达到 2～2.5N/mm² 后方可进行)。

导管的最小埋入深度 表 4-34

混凝土水下浇筑深度(m)	导管埋入混凝土的最小深度(m)	混凝土水下浇筑深度(m)	导管埋入混凝土的最小深度(m)
≤10	0.8	15～20	1.3
10～15	1.1	>20	1.5

水下浇筑的混凝土必须具有抵抗泌水和离析的能力,故混凝土中水泥用量宜适当增加,砂率应不少于 40%,泌水率控制在 1%～2% 以内;粗骨料粒径不得大于导管的 1/5 或钢筋间距的 1/4,并不宜超过 60mm;混凝土水灰比应为 0.55～0.66;坍落度为 150～180mm,开始时采用低坍落度,正常施工则用较大的坍落度,且维持坍落度的时间不得少于 1h,以便混凝土靠自重和自身的流动实现密实成型。

每根导管的作用半径一般不大于 3m,所浇混凝土覆盖面积不宜大于 30m²,当面积过大时,可用多根导管同时浇筑。混凝土浇筑应从最深处开始,相邻导管下口的标高差不应超过导管间距的 1/15～1/20,并保证混凝土表面均匀上升。

导管法浇筑水下混凝土的关键:一是保证混凝土的供应量应大于导管内混凝土必须保持的高度和开始浇筑时导管埋入混凝土堆内必需的埋置深度所要求的混凝土量;二是严格控制导管提升高度,且只能上下升降,不能左右移动,以避免造成管内进水事故。

五、混凝土的养护

混凝土成型后应及时进行养护。养护的目的是为混凝土硬化创造必需的湿度、温度条件,防止水分过早蒸发或冻结,防止混凝土强度降低和出现收缩裂缝、剥皮、起砂等现象,保证水泥水化作用能正常进行,确保混凝土质量。

混凝土养护方法主要有自然养护、加热养护和蓄热养护。其中蓄热养护多用于冬期施工，而加热养护除用于冬期施工外，常用于预制构件养护。

1. 自然养护

自然养护是指在自然气温条件下（高于 +5℃），对混凝土采取覆盖、浇水润湿、挡风、保温等养护措施。对于一般塑性混凝土应在浇筑后 10~12h 内（炎夏时缩短至 2~3h），对高强混凝土应在浇筑后 1~2h 内，即用麻袋、草帘、锯末或砂进行覆盖，并及时浇水养护，以保持混凝土具有足够润湿状态。

浇水次数以能保持混凝土具有足够的浸润状态为宜，一般气温在 15℃ 以上时，在混凝土浇筑后最初 3 昼夜中，白天至少每 3h 浇水一次，夜间也应浇水两次；在以后的养护中，每昼夜应浇水 3 次左右；在干燥气候条件下，浇水次数应适当增加。混凝土浇水养护日期，对硅酸盐水泥、普通水泥和矿渣水泥拌制的混凝土不得少于 7 昼夜；掺用缓凝型外加剂或有抗渗性要求的混凝土，不得少于 14 昼夜；当用矾土水泥时，不得少于 3 昼夜。

对大面积结构，如地坪、楼屋面板等可采用蓄水养护；对于贮水池一类工程可在拆除内模、混凝土达到一定强度后注水养护；对于一些地下结构或基础，可在其表面涂刷沥青乳液或用土回填以代替洒水养护。

在有条件的情况下，可采用不透水、气的薄膜布（如塑料薄膜布）养护。用薄膜布把混凝土表面敞露的部分全部严密地覆盖起来，保证混凝土在不失水的情况下得到充足的养护。这种养护方法的优点是不必浇水，操作方便，能重复使用，能提高混凝土的早期强度，加速模具的周转。但应该保持薄膜布内有凝结水。

混凝土的表面不便浇水或使用塑料薄膜布养护时，可采用涂刷薄膜养生液养护。薄膜养生液养护是将可成膜的溶液喷洒在混凝土表面上，溶液挥发后在混凝土表面凝结成一层薄膜，使混凝土表面与空气隔绝，封闭混凝土中的水分不再被蒸发，而完成水化作用。这种养护方法一般适用于表面积大的混凝土施工和缺水地区，但应注意薄膜的保护。

当气候炎热、空气干燥、湿度小、日晒风吹或遭遇人为的干燥时，混凝土会出现脱水现象，使混凝土在凝结硬化期间所需要的水分蒸发过快，已形成凝胶体中的水泥颗粒不能充分水化，也不能转化成为稳定的结晶，缺乏足够的粘结力，在混凝土表面会出现片状或粉状剥落（即剥皮、起砂现象），甚至引起水泥石结构破坏、松散，将严重地影响混凝土的强度。脱水现象在高温季节容易出现在：干硬性的混凝土工程中；薄壁结构和蒸发面较大的工程中；当使用发热量较高的矾土水泥或高标号水泥，或使用需水量多的矿渣水泥时或当使用吸水性强的骨料时。

新浇筑的混凝土，当它还未达到充分的强度时，如湿度低、遭遇干燥，使混凝土中多余的水分过早蒸发，就会产生很大的收缩变形，出现干缩裂纹，从而影响混凝土的整体性和耐久性。但当混凝土已有充分的强度后，再遭遇干燥，就不致产生裂纹现象。所以，应当设法使混凝土的收缩现象尽量推迟到混凝土充分硬化后再出现，这是因为混凝土的收缩在初级阶段最为强烈，而随混凝土龄期的增长则逐渐减弱。

从上述可知，混凝土的脱水现象和干缩裂纹，主要与湿度和温度有关，如能加强养护，使混凝土在初凝硬化期经常处于潮湿状态，避免水分过早的蒸发，或使混凝土在较高的温度和湿度条件下，加速其硬化过程，即可防止出现脱水和减轻干缩的影响，或不再受到干缩的影响。

2.加热养护

（1）蒸气养护

混凝土在较高温度和温度条件下，可迅速达到要求的强度。蒸气养护就是将构件放在充有饱和蒸气或蒸气空气混合物的养护室内，在较高的温度和相对湿度的环境中进行养护，以加速混凝土的硬化。预制构件厂生产的预制构件一般多采用常压蒸气养护。施工现场由于条件限制，现浇预制构件一般可采用临时性地面或地下的养护坑，上盖养护罩或用简易的帆布、油布覆盖。

蒸气养护是缩短养护时间的方法之一，一般宜用65℃左右的温度蒸养。蒸气养护可分四个阶段：

①静停阶段：就是指混凝土浇筑完毕至升温前在室温下先放置一段时间。这主要是为了增强混凝土对升温阶段结构破坏作用的抵抗能力，一般需 2~6h。

②升温阶段：就是混凝土原始温度上升到恒温阶段。温度急速上升，会使混凝土表面因体积膨胀太快而产生裂缝。因而必须控制升温速度，一般为 10~25℃/h。

③恒温阶段：是混凝土强度增长最快的阶段。恒温的温度应随水泥品种不同而异，普通水泥的养护温度不得超过80℃，矿渣水泥、火山灰水泥可提高到85℃~90℃。恒温加热阶段应保持90%~100%的相对湿度。

④降温阶段：在降温阶段内，混凝土已经硬化，如降温过快，混凝土会产生表面裂缝，因此降温速度应加控制。一般情况下，构件厚度在 100mm 左右时，降温速度每小时不大于20℃~30℃。

为了避免由于蒸气温度骤然升降而引起混凝土构件产生裂缝变形，必须严格控制升温和降温的速度。出槽的构件温度与室外温度相差不得大于40℃，当室外为负温度时，不得大于20℃。

（2）热模养护

将蒸气通在模板内进行养护。此法用气少，加热均匀，既可用于预制构件，又可用于现浇墙体，用于现浇框架结构柱的养护方法，如图4-86所示。

（3）棚罩式养护

棚罩式养护是在混凝土构件上加盖养护棚罩。棚罩的材料有玻璃、透明玻璃钢、聚酯薄膜、聚乙烯薄膜等。其中以透明玻璃钢和透明塑料薄膜为佳。棚式的形式有单坡、双坡、拱形等，一般多用单坡或双坡。棚罩内的空腔不宜过大，一般略大于混凝土构件即可。棚罩内的温度，夏季可达60℃~75℃，春秋季可达35℃~45℃，冬季约在20℃左右。

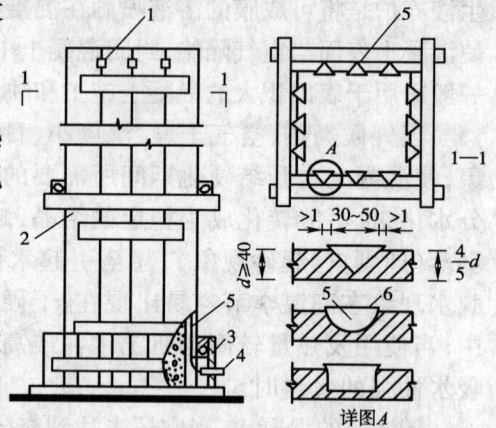

图 4-86　柱子用热模法养护
1-出气孔；2-模板；3-分气箱；4-进气管；5-蒸气管；6-薄铁皮

六、混凝土的质量检查

为了保证混凝土的质量，必须对混凝土生产的各个环节进行检查，检查内容包括水泥品种及标号、砂石的质量及含泥量、混凝土配合比、搅拌时间、坍落度、混凝土的振捣等环节。检查频率一般要求在每一工作班至少两次，如混凝土配合比有变化时，还应随时检查。

采用预拌商品混凝土时,应在商定的交货地点进行坍落度的质量检查,要求运来的混凝土坍落度与指定坍落度之间的允许偏差值应在规定的范围内。

现浇结构拆模后,应由监理(建设)单位、施工单位对外观质量和尺寸偏差进行检查,做出记录,并应及时按施工技术方案对缺陷进行处理。

检查混凝土质量应做抗压强度试验。当有特殊要求时,还需做混凝土的抗冻性、抗渗性等试验。

混凝土抗压强度通过留置试块做抗压强度试验判定。每组 3 个试块应在浇筑现场同盘混凝土中,就地取样用钢模制作成边长 150mm 的立方体。当试块用于评定结构或构件的强度时,试块必须进行标准养护,即在温度为 20±3℃和相对湿度为 90%以上的潮湿环境或水中养护 28d。当试块作为施工的辅助手段,用于检查结构或构件的强度以确定拆模、出池、吊装、张拉及临时负荷的允许时机时,应将试块置于欲测定构件同等条件下养护。并按下列规定确定该组试件的混凝土强度代表值:取 3 个试块强度的算术平均值;当 3 个试块强度中的最大值或最小值与中间值之差超过中间值的 15%时,取中间值;当 3 个试块强度中的最大值和最小值与中间值之差均超过 15%时,该组试块不应作为强度评定的依据。

混凝土强度应分批进行验收。同一验收批的混凝土应由强度等级相同、龄期相同以及生产工艺和配合比基本相同且不超过三个月的若干组混凝土试块组成,并按单位工程的验收项目划分验收批,每个验收项目应按混凝土强度检验评定标准确定。同一验收批的混凝土强度,应以同批内全部标准试件的强度代表值来评定。

1. 统计方法评定

当混凝土的生产条件在较长时间内能保持一致,且同一品种混凝土的强度变异性能保持稳定时,应由连续的 3 组试件组成一个验收批,其强度应同时满足下列要求:

$$m_{f_{cu}} \geq f_{cu,k} + 0.7\sigma_0 \tag{4-8}$$

$$f_{cu,min} \geq f_{cu,k} - 0.7\sigma_0 \tag{4-9}$$

式中:$m_{f_{cu}}$——同一验收批混凝土立方体抗压强度的平均值(N/mm^2);

  $f_{cu,k}$——混凝土立方体抗压强度标准值差(N/mm^2);

  σ_0——验收批混凝土立方体抗压强度的标准差(N/mm^2);

  $f_{cu,min}$——同一验收批混凝土立方体抗压强度的最小值(N/mm^2)。

当混凝土强度等级不高于 C20 时,其强度的最小值尚应满足下式要求:

$$f_{cu,min} \geq 0.85f_{cu,k} \tag{4-10}$$

当混凝土强度等级高于 C20 时,其强度的最小值尚应满足下式要求:

$$f_{cu,min} \geq 0.90f_{cu,k} \tag{4-11}$$

验收批混凝土立方体抗压强度的标准差,应根据前一个检验期间同一品种混凝土试件的强度数据,按下式确定:

$$\sigma_0 = \frac{0.59}{m} \sum_{i=1}^{m} \Delta f_{cu,i} \tag{4-12}$$

式中：$\Delta f_{\text{cu},i}$——第 i 批试件立方体抗压强度中最大值和最小值之差；

$\quad\quad m$——用以确定该验收批混凝土立方体抗压强度标准差的数据总批数。

上述检验期不应超过 3 个月，且在该期间内强度数据的总批数不得少于 15。当混凝土的生产条件不能满足上述规定，或在前一个检验期内的同一品种混凝土没有足够的数据用以确定验收批混凝土立方体抗压强度标准差时，应由不少于 10 组的试件代表一个验收批，其强度应同时满足下列要求：

$$m_{f_{\text{cu}}} - \lambda_1 s_{f_{\text{cu}}} \geqslant 0.9 f_{\text{cu},k} \tag{4-13}$$

$$f_{\text{cu},\min} \geqslant \lambda_2 f_{\text{cu},k} \tag{4-14}$$

式中：$s_{f_{\text{cu}}}$——同一验收批混凝土立方体抗压强度的标准差（N/mm^2）。当 $s_{f_{\text{cu}}}$ 的计算值小于 $0.06 f_{\text{cu},k}$ 时，取 $s_{f_{\text{cu}}} = 0.06 f_{\text{cu},k}$；

$\quad\lambda_1$、λ_2——合格判定系数，按表 4-35 取用。

混凝土强度的合格判定系数 表 4-35

试件组数	10 ~ 14	15 ~ 24	≥25
λ_1	1.70	1.65	1.60
λ_2	0.90	0.85	

混凝土立方体抗压强度的标准差 $s_{f_{\text{cu}}}$ 可按下列公式计算：

$$s_{f_{\text{cu}}} = \sqrt{\frac{\sum_{i=1}^{m} f_{\text{cu},i}^2 - n m^2 f_{\text{cu}}}{n - 1}} \tag{4-15}$$

式中：$f_{\text{cu},i}$——第 i 组混凝土试件的立方体抗压强度值（N/mm^2）；

$\quad\quad n$——一个验收批混凝土试件的组数。

2.非统计方法评定

对零星生产的构件混凝土或现场搅拌的批量不大的混凝土，验收批混凝土的强度必须同时满足下列要求：

$$m_{f_{\text{cu}}} \geqslant 1.15 f_{\text{cu},k} \tag{4-16}$$

$$f_{\text{cu},\min} \geqslant 0.95 f_{\text{cu},k} \tag{4-17}$$

3.混凝土生产质量水平

预拌混凝土厂、预制混凝土构件厂和采用现场集中搅拌混凝土的施工单位，应定期对混凝土强度进行统计分析，控制混凝土质量，确定混凝土生产质量水平。

混凝土生产质量水平，可依据统计周期内混凝土强度标准差和试件强度不低于要求强度等级的百分率确定。

$$p = \frac{N_0}{N} \times 100\% \tag{4-18}$$

式中：N_0——统计周期内试件强度不低于要求强度等级的组数；

$\quad N$——意义同式(4-7)。

盘内混凝土强度的变异系数 δ_b 不宜大于 5%，其值可按下式确定：

$$\delta_b = \frac{\sigma_b}{\mu_{f_{cu}}} \times 100\% \tag{4-19}$$

式中：δ_b——盘内混凝土强度的变异系数；

σ_b——盘内混凝土强度的标准差(N/mm^2)。

盘内混凝土强度的标准差可按下列规定确定：

在混凝土搅拌地点连续从 15 盘混凝土中分别取样，每盘混凝土试样各成型一组试件，根据试件强度按下式计算：

$$\sigma_b = 0.04 \sum_{i=1}^{15} \Delta f_{cu,i} \tag{4-20}$$

式中：$\Delta f_{cu,i}$——第 i 组三个试件强度中最大值与最小值之差(N/mm^2)。

当不能连续从 15 盘混凝土中取样时，每盘混凝土强度标准差可利用正常生产连续积累的强度资料进行统计，但试件组教不应少于 30 组，其值可按式(4-12)计算。

七、混凝土冬期施工

1.混凝土冬期施工及其原理

(1)温度与混凝土硬化的关系

温度的高低对混凝土强度增长有很大影响。在湿度合适的条件下，温度越高，水泥水化作用就越迅速、完全，混凝土硬化速度和强度增长就越快。当温度较低时，混凝土凝结硬化速度慢，特别是接近零度时，混凝土硬化和强度增长就更慢。当温度低于 −3℃时，混凝土中的水会结冰，水泥颗粒不能和冰发生化学反应，水化作用几乎停止，强度也就无法增长。因此，为确保混凝土结构工程质量，应收集工程所在地多年气温资料，当室外平均气温连续 5d 稳定低于 5℃时，应采取冬期施工措施，并及时采取气温突然下降的防冻措施。

(2)冻结对混凝土质量的影响

混凝土在初凝前或刚一初凝即遭冻结，此时水泥来不及水化或水化刚开始，本身尚无强度，水泥受冻后处于"休眠"状态；恢复正常养护后，强度可以重新发展直到与未受冻基本相同，没有什么强度损失。

若混凝土在初凝后，本身强度很小时遭冻结，此时混凝土内部存在两种应力：一种是水泥水化作用产生的粘结应力；另一种是混凝土内部自由水结冻，体积膨胀(8% ~ 9%)所产生的冻胀应力。由于粘结应力小于冻胀应力，很容易破坏刚形成水泥石的内部结构，产生一些微裂纹，这些微裂纹是不可逆的。加之冰块融化后会形成孔隙，这将严重降低混凝土的密实度和耐久性。在混凝土解冻后，其强度虽然能继续增长，但混凝土的强度将不可能达到原设计的强度等级。

若混凝土在冻结前达到某一强度值，此时混凝土内部水化作用产生的粘结应力足以抵抗自由水结冰产生的冻胀应力，则混凝土解冻后其强度还能继续增长，对后期强度的影响也不大。因此，为避免混凝土遭受冻结带来的危害，必须使混凝土在受冻前达到这一强度值，这一强度值通常称为混凝土冬期施工的临界强度。

临界强度与水泥的品种、混凝土强度等级有关。硅酸盐水泥或普通硅酸盐水泥配制的混凝土为设计混凝土强度标准值的 30%；矿渣硅酸盐水泥配制的混凝土为 40%，但对 C10 及 C10 以下的混凝土，不得小于 5.0MPa。

2.冬期施工的工艺要求

（1）混凝土材料选择及要求

配制冬期施工的混凝土，应优先选用硅酸盐水泥或普通硅酸盐水泥。水泥强度等级不应低于42.5级，最小水泥用量不宜少于$300kg/m^3$，水灰比不应大于0.6。使用矿渣硅酸盐水泥，宜采用蒸气养护；使用其他品种水泥，应注意其中掺合材料对混凝土抗冻、抗渗等性能的影响。掺用防冻剂的混凝土，严禁使用高铝水泥。

冬期浇筑的混凝土，宜使用无氯盐类防冻剂。对抗冻性要求高的混凝土，宜使用引气剂或引气减水剂。掺用防冻剂、引气剂或引气减水剂的混凝土施工，应符合国家标准的规定。

（2）混凝土材料的加热

冬期拌制混凝土时应优先采用加热水的方法，当水加热仍不能满足要求时，再对集料进行加热。水及集料的加热温度应根据热工计算确定，但不得超过表4-36的规定。

拌合水及集料最高温度   表4-36

项　　目	拌 和 水	集　料
强度等级小于52.5的普通硅酸盐水泥、矿渣硅酸盐水泥	80	60
强度等级等于或大于52.5的硅酸盐水泥、普通硅酸盐水泥	60	40

（3）混凝土的搅拌

搅拌前，应用热水或蒸气冲洗搅拌机，搅拌时间应较常温延长50%。投料顺序为先投入集料和已加热的水，然后再投入水泥。水泥不应与80℃以上的水直接接触，避免水泥假凝。混凝土拌合物的出机温度不宜低于10℃，入模温度不得低于5℃。对搅拌好的混凝土应经常检查其温度及和易性，若有较大差异，应检查材料加热温度和集料含水率是否有误，并及时加以调整。在运输过程中要防止混凝土热量的散失和冻结。

（4）混凝土的浇筑

混凝土在浇筑前，应清除模板和钢筋上的冰雪和污垢，并不得在强冻胀性地基上浇筑混凝土；当在弱冻胀性地基上浇筑混凝土时，基土不得遭冻；当在非冻胀性地基土上浇筑混凝土时，混凝土在受冻前，其抗压强度不得低于临界强度。

当分层浇筑大体积结构时，已浇筑层的混凝土温度，在被上一层混凝土覆盖前，不得低于按热工计算的温度，且不得低于2℃。

对加热养护的现浇混凝土结构，混凝土的浇筑程序和施工缝的位置，应能防止在加热养护时产生较大的温度应力；当加热温度在40℃以上时，应征得设计人员的同意。

3.混凝土冬期养护方法

混凝土冬期养护方法有蓄热法、蒸气加热法、电热法、暖棚法以及掺外加剂法等。但无论采用什么方法，均应保证混凝土在冻结以前，至少应达到临界强度。

（1）蓄热法

蓄热法是利用原材料预热的热量及水泥水化热，通过适当的保温，延缓混凝土的冷却，保证混凝土能在冻结前达到所要求强度的一种冬期施工方法。适用于室外最低温度不低于-15℃的地面以下工程或表面系数（指结构冷却的表面积与其全部面积的比值）不大于15的结构。

蓄热法养护具有施工简单、不需外加热源、节能、冬期施工费用低等特点。因此,在混凝土冬期施工时应优先考虑采用。只有当确定蓄热法不能满足要求时,才考虑选择其他方法。

(2)蒸气加热法

蒸气加热养护分为湿热养护和干热养护两类。湿热养护是让蒸气与混凝土直接接触,利用蒸汽的湿热作用来养护混凝土,常用的有棚罩法、蒸气套法以及内部通汽法。而干热养护则是将蒸气作为热载体,通过某种形式的散热器,将热量传导给混凝土使其升温,毛管法和热模法就属此类。

①棚罩法。是在现场结构物的周围制作能拆卸的蒸气室,如在地槽上部盖简单的盖子或在预制构件周围用保温材料(木材、砖、篷布等)做成密闭的蒸气室,通入蒸气加热混凝土。本法设施灵活、施工简便、费用较少,但耗气量太大,温度不易控制。适用于加热地槽中的混凝土结构及地面上的小型预制构件。

②蒸气套法。是在构件模板外再用一层紧密不透气的材料(如木板)做成蒸气室,气套与模板间的空隙约为150mm,通入蒸气加热混凝土。此法温度能适当控制,加热效果取决于保温构造,设备复杂、费用大,可用于现浇柱、梁及肋形楼板等整体结构加热。

③内部通气法。是在混凝土构件内部预留直径为13～50mm的孔道,再将蒸气送入孔内加热混凝土。当混凝土达到要求的强度后,排除冷凝水,随即用砂浆灌入孔道内加以封闭。内部通气法节省蒸气、费用较低,但入气端易过热产生裂缝。适用于梁、柱、桁架等构件。

④毛管法。是在模板内侧做成沟槽(断面可做成三角形、矩形或半圆形),间距200～250mm,在沟槽上盖以0.5～2mm的铁皮,使之成为通蒸气的毛管,通入蒸气进行加热。毛管法用气少,但仅适用于以木模浇筑的结构,对于柱、墙等垂直构件加热效果好,而对于平放的构件,其加热不易均匀。

此外,热模养护热拌混凝土工艺也广泛用于冬期施工。

(3)电热法

电热法施工主要有电极法、电热毯法、工频涡流加热法、远红外线养护法等。

①电极法。在新浇筑混凝土的内部或表面每隔100～300mm的间距设置电极($\phi6～\phi12$的短钢筋或宽40～60mm的白铁皮),通以低压电源,由于混凝土的电阻作用,使电能变为热能,产生热量对混凝土进行加热。

电极的布置应保证混凝土温度均匀,否则应采取适当的绝缘措施,振捣时要避免接触电极及其支架。

电极法加热应在混凝土浇筑后立即通电,通电前混凝土的外露表面应用锯末覆盖,并在其上洒5%食盐水以利养护。

②电热毯法。适用于以钢模板浇筑的构件。它由四层玻璃纤维布中间夹以电阻丝制成,尺寸根据钢模板背后的格的大小而定,约为300×400mm,电压60V,功率每块75W,通电后表面温度可达110℃,但应控制,不得大于35℃～40℃。

在混凝土浇筑前先通电将模板预热,浇筑后根据混凝土温度变化可断续送电养护。

③工频涡流养护法。利用安装在钢模板上内穿单根导线的钢管通电后产生涡流,对混凝土进行加热养护。本法适用于以钢模板浇筑的混凝土墙体、梁、柱和接头。其加热混凝土温度比较均匀,控制方便。但需制作专用模板,模板投资大。

④远红外线养护法。利用远红外辐射器向新浇筑的混凝土辐射远红外线,使混凝土的温度得以提高,从而在较短时间内获得要求的强度。这种工艺具有施工简便、升温迅速、养护时

间短、降低能耗、不受气温和结构表面系数的限制等特点,适用于薄壁结构、大模工艺、装配式结构接头等混凝土的加热。

产生远红外线的能源除电源外,还可用天然气、煤气、石油液化气和热蒸气等,可根据具体条件选择。

(4)暖棚法

暖棚法是在所要养护的建筑结构或构件周围用保温材料搭起暖棚,棚内设置热源,以维持棚内的正温环境,使混凝土浇筑和养护如同在常温中一样。但暖棚搭设需大量材料和人工,能耗高,费用较大,一般只用于建筑物面积不大而混凝土工程又很集中的工程。采取暖棚法养护混凝土时,棚内温度不得低于5℃,并应保持混凝土表面湿润。

(5)掺外加剂法

在冬期混凝土施工中掺入适量的外加剂,使混凝土强度迅速增长,在冻结前达到要求的临界强度;或降低水的冰点,使混凝土能在负温下凝结、硬化。这是混凝土冬期施工的有效方法,可简化施工工艺,节约能源,还可改善其性能。但掺用外加剂的混凝土应符合冬期施工工艺要求的有关规定。

思考题

1. 试述钢筋与混凝土共同工作的原理。

2. 简述钢筋混凝土施工工艺过程。

3. 试述钢筋的种类及其主要性能。

4. 试述钢筋加工工艺及要求。

5. 试述钢筋的焊接方法。如何保证焊接质量?

6. 简述钢筋机械连接方法。

7. 如何计算钢筋的下料长度?

8. 试述钢筋代换的原则及方法。

9. 对模板有何要求? 设计模板应考虑哪些原则?

10. 试述钢定型模板的特点及组成。

11. 简述现浇结构工具式支撑的类型及构造。

12. 不同结构的模板(基础、柱、梁板、楼梯)的构造有什么特点?

13. 模板设计应考虑哪些荷载?

14. 现浇结构拆模时应注意哪些问题?

15. 试述常用水泥的特性及适用范围。

16. 简述外加剂的种类和作用。

17. 试分析水灰比、砂率对混凝土质量的影响。

18. 混凝土配料时为什么要进行施工配合比换算? 如何换算?

19. 搅拌机为何不宜超载? 试述进料容量与出料容量的关系。

20. 如何使混凝土搅拌均匀? 为何要控制搅拌机的转速和搅拌时间?

21. 如何确定搅拌混凝土时的投料顺序？

22. 混凝土运输有何要求？混凝土在运输和浇筑中如何避免产生分层离析？

23. 混凝土浇筑时应注意哪些事项？

24. 试述施工缝留设的原则和处理方法。

25. 大体积混凝土施工应注意哪些问题？

26. 如何进行水下混凝土浇筑？

27. 混凝土成型方法有哪几种？如何使混凝土振捣密实？

28. 试述振动器的种类、工作原理及适用范围。

29. 使用插入式振捣器时，为何要上下抽动、快插慢拔？插点布置方式有哪几种？

30. 试述湿度，温度与混凝土硬化的关系。自然养护和加热养护应注意哪些问题？

31. 如何检查和评定混凝土的质量？

32. 为什么要规定冬期施工的"临界温度"？冬期施工应采用哪些措施？

第五章 预应力混凝土工程
DIWUZHANG

第一节 概　述

预应力混凝土是近几十年发展起来的一门新技术,目前在世界各地都得到广泛的应用。我国预应力技术起步于 20 世纪 50 年代初。近年来,随着预应力混凝土设计理论和施工工艺与设备的不断完善和发展,高强材料性能的不断改进,预应力混凝土得到进一步的推广应用。预应力混凝土与普通混凝土相比,具有抗裂性好、刚度大、材料省、自重轻、结构寿命长等优点,为建造大跨度结构创造了条件。预应力混凝土已由单个预应力混凝土构件发展到整体预应力混凝土结构,广泛用于土建、桥梁、管道、水塔、电杆和轨枕等领域。

目前我国预应力技术水平有了很大提高。不仅预应力混凝土用钢丝和钢绞线的标准(GB/T 5223 和 GB/T 5224)已与国际接轨,而且高强度低松弛钢绞线的强度(1860MPa)已达到国际先进水平。另外,大吨位锚固体系与张拉设备的开发与完善,金属螺旋管(波纹管)留孔技术的开发与无粘结预应力成套技术的形成(包括开发了环向、竖向和超长束预应力工艺),将我国现代预应力技术从构件推向结构新阶段,应用范围不断扩大。采用预应力混凝土大柱网结构,满足高层建筑下部大空间功能的要求;无粘结预应力平板技术,可比梁板结构降低层高 $0.2 \sim 0.4m$,具有显著的经济和社会效益。由于研制开发了环向、竖向和超长束预应力工艺,使预应力混凝土技术用于高耸构筑物成为可能。如居世界第三、第四、第五位的上海东方明珠电视塔(高 450m)、天津电视塔(高 415.2m)和北京中央电视塔(高 405m),均采用了上述技术。采用预应力技术建造整体装配式板柱结构(简称 IMS 体系),已用于北京建筑设计研究院科研楼和北京工业大学基础楼(均为 12 层)以及成都珠峰宾馆(15 层)。近几年,我国预应力技术在解决特大跨度钢结构建筑中(如北京西站 45m 跨钢桁架门楼),对节约钢材和提高结构刚度,均发挥了重要作用。

一、预应力混凝土的分类

混凝土构件(包括预应力混凝土构件)都要对构件正截面进行抗裂度验算。按预应力混凝土构件在使用荷载弯矩作用下截面下边缘拉应力或开裂情况的不同,预应力混凝土构件可分为全预应力构件、半预应力构件、有限预应力构件、部分预应力构件。普通混凝土构件是无预应力混凝土构件。在使用荷载弯矩作用下,截面下边缘不出现拉应力的构件,为全预应力构件;截面下边缘出现拉应力、刚要开裂的构件,为半预应力构件;介于全预应力、半预应力之间的构件,为有限预应力构件;介于半预应力、无预应力之间的构件,为部分预应力构件。从构件的强度要求来看,全预应力构件、半预应力构件、有限预应力构件、部分预应力构件基本相同。从使用荷载下构件的刚度和抗裂程度来看,全预应力构件最好;但全预应力构件也有缺点,如全预应力构件要求全部纵向钢筋都必须施加预应力,且张拉控制应力较高,则对张拉设备、锚夹具的要求高,锚具下承压钢筋网片或螺旋筋较多、构件需配非预应力钢筋或放大构件下边缘截面积,截面上边缘需设预应力钢筋以防裂,施加预应力后构件反拱大。而部分预应力构件可以全部或部分地克服上述全预应力构件缺点。所以,对于一般要求不出现裂缝的构件就不要设计成严格要求不出现裂缝的构件,对使用过程中允许出现裂缝的构件就不要设计成一般或严格要求不出现裂缝的构件。

预应力混凝土施工,施加预应力的方式分为机械张拉和电热张拉;按施加预应力的时间分为先张法、后张法。在后张法中,预应力筋按其与构件混凝土是否粘结又分为有粘结和无粘结。

二、预应力高强钢材的品种

在建筑工程领域中,由于受到高强钢材的限制,长期以来主要发展以冷拉钢筋和冷拔低碳钢丝等中、低强钢材为预应力筋的中小型预制构件和用这些构件组成的装配楼面和屋面。预应力高强钢材包括预应力钢丝、预应力钢绞线、热处理钢筋、精轧螺纹钢筋、冷扎带肋钢筋。预应力钢丝又称高强钢丝或碳素钢丝,交货状态分消除应力钢丝 ϕ^s 和刻痕钢丝 ϕ^k。消除应力钢丝有好的伸直性。刻痕钢丝外表面为凹痕,与混凝土粘结性能较好。预应力钢绞线一般是7 根钢丝在绞线机上以 1 根钢丝为中心,其余 6 根钢丝围绕着进行螺旋状绞合。热处理钢筋由热轧筋处理而成,具有高强度、高韧性、高粘结力等优点,成品为盘卷,开盘后自然伸直,外表螺纹又分带纵肋和无纵肋,如图 5-1 所示。精轧螺纹钢筋的表面为无纵肋的螺纹,如图 5-2 所示。冷扎带肋钢筋 1968 年出现于国外,1987 年引进国内,外表为三面或二面的月牙形横肋,直径较小(范围为 4 ~ 12mm);550 级强度冷扎带肋钢筋,直径 4 ~ 12mm,用于非预应力混凝土构件。无粘结预应力筋,由钢绞线或 7ϕ5 高强钢丝涂包而成。

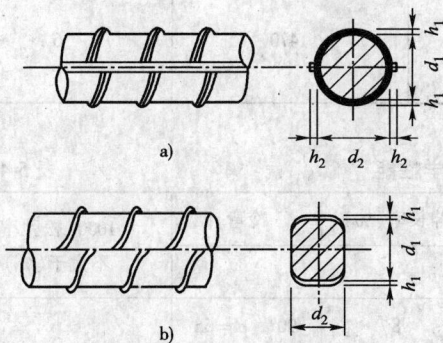

图 5-1　热处理钢筋的外形
　　a)带纵肋;b)无纵肋

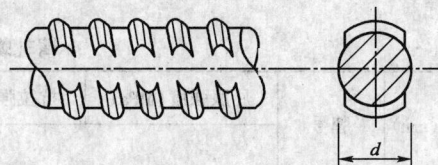

图 5-2　精轧螺纹钢筋

预应力筋的力学性能分别见表 5-1、表 5-2、表 5-3、表 5-4、表 5-5 所列。

消除应力钢丝(ϕ^s)的力学性能

表 5-1

公称直径 (mm)	抗拉强度 (MPa)	屈服强度 (MPa)	伸长率 ($L=100$) (%)	弯曲次数		松 弛		
				次数 (180°)	弯曲半径 (mm)	初始应力相当于公称 抗拉强度的百分数(%)	1000h 损失(%)不大于	
							I级松弛	II级松弛
	不 小 于							
5.00	1470 1570 1670 1770	1250 1330 1420 1500	4	4	15	70	8.0	2.2
7.00	1470 1570	1250 1330			20	80	12.0	4.5

注:I级松弛即普通松弛,II级松弛即低松弛。

预应力钢绞线(ϕ^j)的力学性能

表 5-2

钢绞线结构	钢绞线公称直径 (mm)	强度级别 (MPa)	整根钢绞线的最大负荷(kN)	屈服负荷 (kN)	伸长率 (%)	1000h 松弛率不大于(%)			
						I级松弛		II级松弛	
						初始负荷			
			不 小 于			70%公称最大负荷	80%公称最大负荷	70%公称最大负荷	80%公称最大负荷
1×7	12.7	1860	184	156	3.5	8.0	12	2.5	4.5
	15.2	1720	239	203					
		1860	259	220					

注:①I级松弛即普通松弛,II级松弛即低松弛;
　　②钢绞线结构1×7,表示钢绞线由7根钢丝绞合而成。

热处理钢筋的力学性能

表 5-3

公称直径(mm)	牌号	屈服强度(MPa)	抗拉强度(MPa)	伸长率(%)
		不 小 于		
6	40Si2Mn			
8.2	48Si2Mn	1325	1470	6
10	45Si2Cr			

精轧螺纹钢筋的力学性能

表 5-4

直径(mm)	牌号	屈服强度(MPa)	抗拉强度(MPa)	伸长率(%)	冷弯	1000h 松弛率不大于(%)
		不 小 于				
25	40Si2MnV	735	885	8	90°　$d=6a$	3
	15Mn2SiB	930	1080	8	90°　$d=8a$	
32	40Si2MnV	735	885	7	90°　$d=7a$	

牌号	抗拉强度(MPa)	伸长率(%)	弯曲(180°)	反复弯曲次数	1000h 松弛率不大于(%)
CRB550	550	8.0	$D=3d$	—	—
CRB650	650				
CRB800	800	4.0	—	3	8
CRB970	970				
CRB1170	1170				

注：D = 弯心直径，d = 钢筋直径。

　　按规范要求，预应力筋应按进场批次和产品的抽样检验方案确定检验批，进行进场复验。各厂家的产品合格证不尽相同，但都应有产品合格证及预应力筋主要性能的检验报告(二者可合并)。进场复验仅做主要力学性能试验。

　　由于工程量、运输条件和各种钢筋的用量等的差异，很难对各种钢筋的进场检查数量作出统一规定。实际检查时，若有关产品标准中对进场检验数量作了具体规定，应遵照执行。若有关标准中只有对产品出厂检验数量的规定，则在进场检验时，检查数量可按下列情况确定：当一次进场的数量大于该产品的出厂检验批量时，应划分为若干个出厂检验批量，然后按出厂检验的抽样方案执行；当一次进场的数量少于或等于该产品的出厂检验批量时，应作为一个检验批量，然后按出厂检验的抽样方案执行；对连续进场的同批钢筋，当有可靠依据时，可按一次进场的钢筋处理。上述产品合格证、出厂检验报告是对产品质量的证明资料，通常应列出产品的主要性能指标；当用户有特别要求时，还应列出某些专门检验数据。有时，产品合格证、出厂检验报告可以合并。进场复验报告是进场抽样检验的结果，并作为判断材料能否在工程中应用的依据。

第二节　先张法施工

　　先张法施工工艺是先将预应力筋张拉到设计控制应力，用夹具临时固定在台座或钢模上，然后浇筑混凝土。待混凝土达到一定强度后，放松预应力筋，靠预应力筋与混凝土之间的粘结力使混凝土构件获得预应力，如图 5-3 所示。

一、台　　座

　　台座是先张法生产的主要设备之一，它承受预应力筋的全部张拉力，因此，台座应有足够的强度、刚度和稳定性，以免台座变形、倾覆、滑移而引起预应力值的损失。台座按构造型式不同分为墩式台座和槽式台座两类，选用时应根据构件的种类、张拉吨位和施工条件而定。

1.墩式台座

　　墩式台座由台墩、台面和横梁等组成，如图 5-4 所示。

　　墩式台座一般用于平卧生产的中小型构件，如屋架、空心板、平板等。台座尺寸由场地大小、构件类型和产量等因素确定。一般长度为 100～150m，这样可利用预应力钢丝长的特点，张拉一次可生产多根构件，减少张拉及临时固定工作，又可减少因钢丝滑动或台座横梁变形引起的应力损失，故又称长线台座。台座宽度约 2m，主要取决于构件的布筋宽度及张拉和浇筑是否方便。

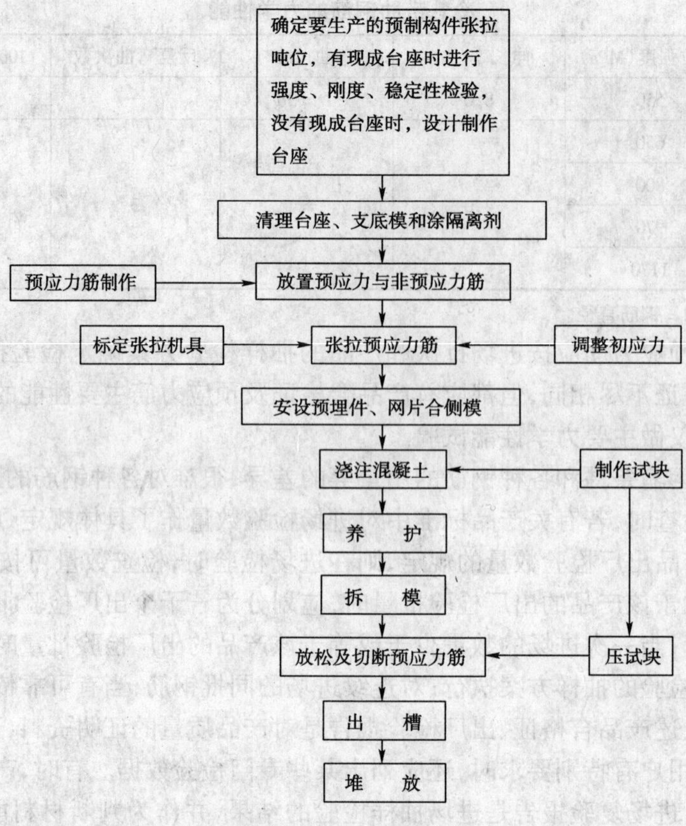

确定要生产的预制构件张拉吨位，有现成台座时进行强度、刚度、稳定性检验，没有现成台座时，设计制作台座
清理台座、支底模和涂隔离剂
预应力筋制作
放置预应力与非预应力筋
标定张拉机具
张拉预应力筋
调整初应力
安设预埋件、网片合侧模
浇注混凝土
制作试块
养　护
拆　模
放松及切断预应力筋
压试块
出　槽
堆　放

图 5-3　先张法施工工艺流程

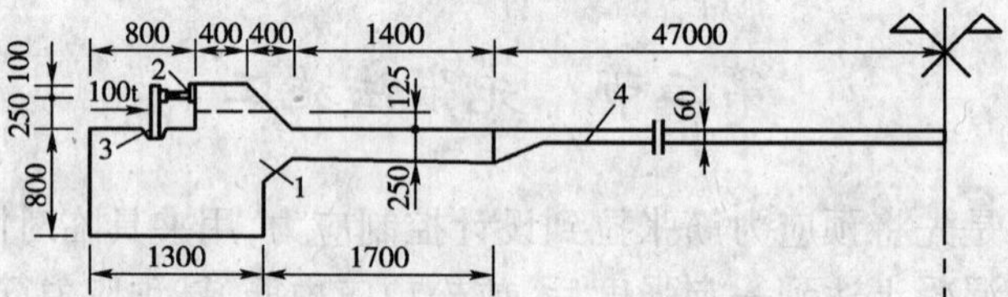

800
400
400
1400
47000
250
100
100t
2
3
125
4
60
800
1
250
1300
1700

图 5-4　墩式台座构造示意图(尺寸单位:mm)

1-台座;2-钢横梁;3-承力钢板;4-台面

在台座的端部应留出张拉操作用地和通道,两侧要有构件运输和堆放的场地。

(1)台墩

台墩一般由现浇钢筋混凝土做成。台墩应有合适的外伸部分,以增大力臂而减少台墩自重。台墩依靠自重和土压力平衡张拉力产生的倾覆力矩,依靠土的反力和摩阻力平衡张拉力产生的滑移。采用台墩与台面共同工作的做法,可以减小台墩的自重和埋深,减少投资、缩短台墩建造工期。台墩稳定性验算一般包括抗倾覆验算与抗滑移验算。

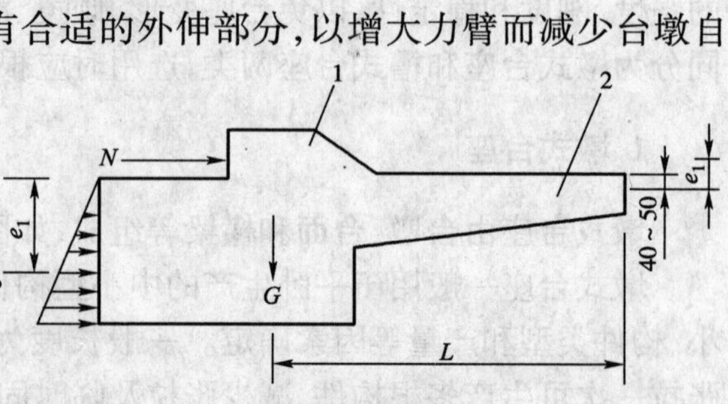

1
2
N
e_1
E_p
G
L
40～50
e_1

图 5-5　墩式台座稳定性验算简图(尺寸单位:mm)

1-牛腿;2-台面

台墩的抗倾覆验算,可按式(5-1)进行(图 5-5):

$$K = \frac{M_1}{M} = \frac{GL + E_p e_2}{Ne_1} \geqslant 1.50 \tag{5-1}$$

式中：K——抗倾覆安全系数，一般不小于 1.50；

M——倾覆力矩，由预应力筋的张拉力产生；

N——预应力筋的张拉力；

e_1——张拉力合力作用点至倾覆点的力臂；

M_1——抗倾覆力矩，由台座自重力和土压力等产生；

G——台座的自重力；

L——台墩重心至倾覆点的力臂；

E_p——台墩后面的被动土压力合力，当台墩埋置深度较浅时，可忽略不计；

e_2——被动土压力合力至倾覆点的力臂。

按理论计算，台墩与台面共同工作时，台墩倾覆点的位置应在混凝土台面的表面处，但考虑到台墩的倾覆趋势，使得台面端部顶点出现局部应力集中和混凝土面抹面层的施工质量，倾覆点的位置宜取在混凝土台面往下 40~50mm。

台墩的抗滑移验算，可按下式进行：

$$K_C = \frac{N_1}{N} \geqslant 1.30 \tag{5-2}$$

式中：K_C——抗滑移安全系数，一般不小于 1.30；

N_1——抗滑移力，对独立的台墩，由侧壁土压力和底部摩阻力产生。对与台面共同工作的台墩，以往在抗滑移验算中考虑台面的水平力、侧壁土压力和底部摩阻力共同工作。通过分析认为混凝土的弹性模量（C20 混凝土 $E_C = 2.6 \times 10^4$ MPa）和土的压缩模量（低压缩土 $E_S = 20$MPa）相差极大，两者不可能共同工作；而底部摩阻力也较小（约占 5%），可略去不计；实际上台墩的水平推力几乎全部传给台面，不存在滑移问题。因此，台墩与台面共同工作时，可不作抗滑移计算，而应验算台面的承载力。

台墩的牛腿和延伸部分，分别按钢筋混凝土的牛腿和偏心受压构件计算。

台墩横梁的挠度不应大于 2mm，并不得产生翘曲。预应力筋的定位板必须安装准确，其挠度不大于 1mm。

(2)台面

台面一般是在夯实的碎石垫层上浇筑一层厚度为 6~10cm 的混凝土而成，是预应力混凝土构件成型的胎模。当其与台墩共同工作时，其水平承载力 P 可按下式计算：

$$P = \frac{\phi \cdot A f_c}{K_1 K_2} \tag{5-3}$$

式中：ϕ——轴心受压纵向弯曲系数，取 $\phi = 1$；

A——台面截面面积；

f_c——混凝土轴心抗压强度设计值；

K_1——超载系数，取 1.25；

K_2——考虑台面截面不均匀和其他影响因素的附加安全系数，$K_2 = 1.5$。

台面伸缩缝可根据当地温差和经验设置，一般约为 10m 设置一条，也可采用预应力混凝土滑动台面,不留施工缝。

2.槽式台座

槽式台座由端柱、传力柱、横梁和台面等组成,既可承受张拉力,又可做蒸气养护槽,适用于张拉吨位较大的大型构件,如吊车梁、屋架等。

(1)槽式台座的构造

①台座的长度一般为 45~76m,宽度随构件外形及制作方式而定,一般不小于1m(图5-6)。

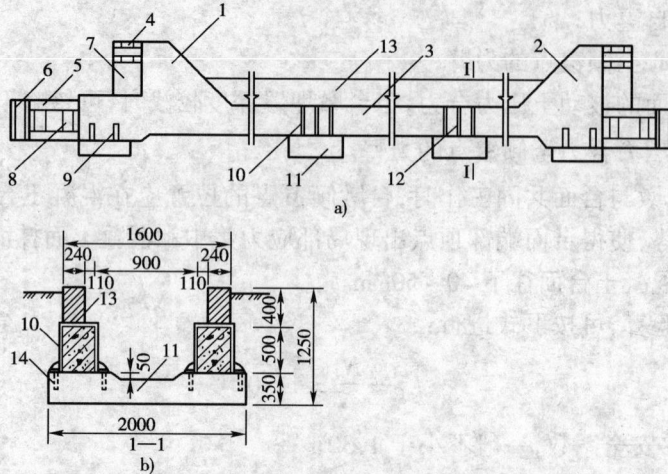

图 5-6 槽式台座构造示意图

1-张拉端柱;2-锚固端柱;3-中间传力柱;4-上横梁;5-下横梁;6-横梁;7、8-垫块;9-连接板;10-卡环;11-基础板;
12-砂浆嵌缝;13-砖墙;14-螺栓

②槽式台座一般与地面相平,以便运送混凝土和蒸气养护,砖墙挡水和防水。

③端柱、传力柱的端面必须平整,对接接头必须紧密。

(2)槽式台座计算要点

槽式台座亦需进行强度和稳定性计算。端柱和传力柱的强度按钢筋混凝土结构偏心受压构件计算;端柱的牛腿按钢筋混凝土的牛腿计算;槽式台座端柱抗倾覆力矩由端柱、横梁自重力及部分张拉力组成。

二、张拉夹具及设备

1.夹具

夹具是预应力筋张拉和临时固定的锚固装置。为了使钢筋张拉时达到设计控制应力,夹具应具有良好的自锚性能,不能在锚固装置达极限拉力时出现肉眼可见的裂缝和破坏。夹具应有良好的放松性能且能多次重复使用。

(1)钢丝夹具

钢丝夹具种类繁多,一般分为锚固夹具(图5-7所示)和张拉夹具(图5-8所示)。当在预制厂以机组流水法或传送带法生产预应力多孔板时,还可以在钢模上用镦头梳筋板夹具成批张拉(图5-9所示)。钢丝两端镦粗,一端卡在固定梳筋板上,另一端卡在张拉端的活动梳筋板上。在长线台座上生产刻痕钢丝配筋的预应力薄板时,成组钢丝张拉用的镦头梳筋板夹具如

图 5-10 所示。

（2）钢筋夹具

单根钢筋夹具可采用螺杆式夹具或夹片式夹具，钢筋还可通过对焊机将端头热镦或冷镦成镦头锚。当需要对成组钢筋进行张拉时，可采用三横梁装置，如图 5-11 所示。

2.张拉设备

预应力用液压千斤顶，按机型不同，可分为拉杆式千斤顶、穿心式千斤顶、锥锚式千斤顶和台座式千斤顶等；按使用功能不同，可分为单作用千斤顶和双作用千斤顶；按张拉吨位大小，可分为小吨位（≤250kN）、中吨位

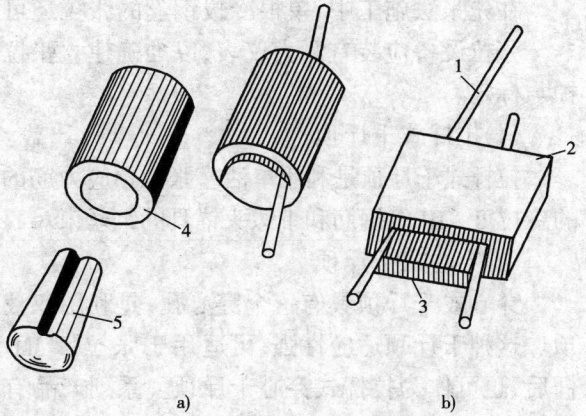

图 5-7　锚固夹具示意图
a)圆锥形夹具；b)楔形夹具
1-钢丝；2-锚板；3-楔块；4-套筒；5-销片

（>250kN，<1000kN）和大吨位（≥1000kN）千斤顶。此外，还有前置内卡式千斤顶和开口式双缸千斤顶，供单根钢绞线张拉用。

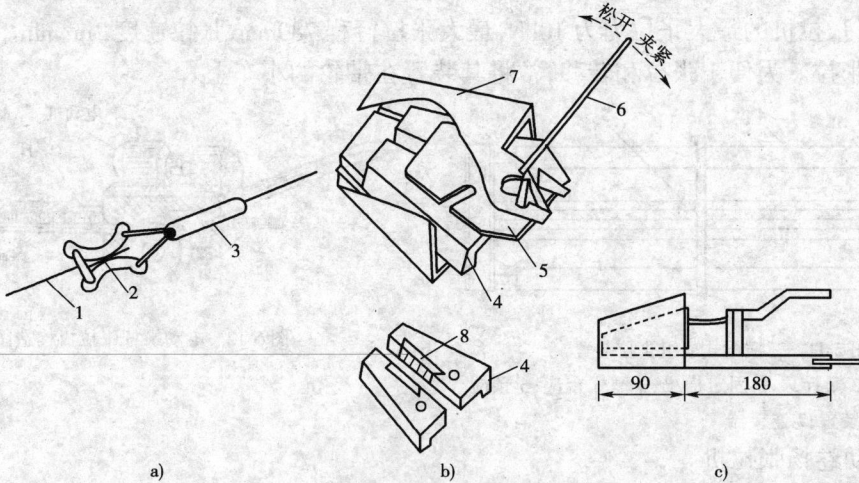

图 5-8　张拉夹具示意图
a)偏心式；b)销片式；c)钳式
1-钢丝；2-偏心块；3-环(与张拉机连接)；4-两片销片；5-活动斑；6-手柄；7-外壳；8-夹片

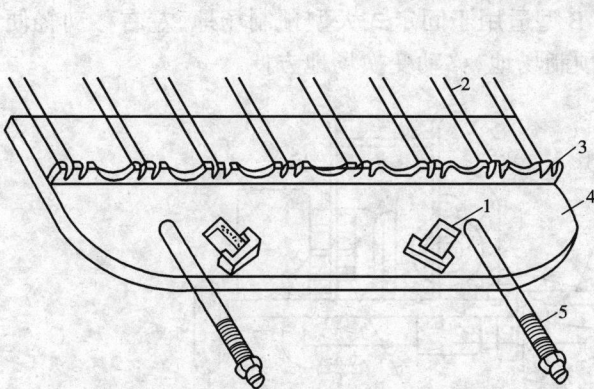

图 5-9　镦头梳筋板夹具
1-张拉钩槽口；2-钢丝；3-钢丝镦头；4-活动梳筋板；5-锚固螺杆

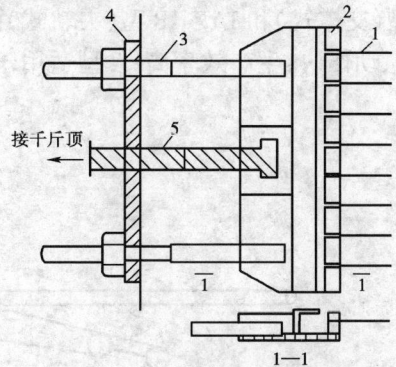

图 5-10　刻痕钢丝用的镦头梳筋板夹具
1-带镦头的钢丝；2-梳筋板；3-固定螺杆；4-U形垫板；5-张拉连接杆

在先张法施工中,单根冷拔钢丝的张拉还可采用电动螺杆张拉机与电动卷扬张拉机等。

张拉设备应装有测力仪表,以准确建立张拉力。张拉设备应由专人使用和保管,并定期维护与标定。

(1)拉杆式千斤顶

拉杆式千斤顶是利用单活塞张拉预应力筋的单作用千斤顶,主要用于张拉带螺丝端杆锚具的冷拉Ⅱ~Ⅲ级钢筋和带镦头锚具的钢丝束。YL60型千斤顶是一种常用的拉杆式千斤顶。

(2)穿心式千斤顶

穿心式千斤顶具有一个穿心孔,是利用双液压缸张拉预应力筋和顶压锚具的双作用千斤顶。这种千斤顶适应性强,可适用于张拉带JM型锚具的钢筋束或钢绞线束。配上撑脚与拉杆后,也可作为拉杆式穿心千斤顶。系列产品有YC20D、YC60与YC120型千斤顶。

(3)电动螺杆张拉机

电动螺杆张拉机(图5-12)主要适用于预制厂,在长线台座上张拉冷拔低碳钢丝。其工作原理是:电动机正向旋转时,通过减速箱带动螺母旋转,螺母即推动螺杆沿轴向向后运动,张拉钢筋。弹簧测力计上装有计量标尺和微动开关,当张拉力达到要求数值时,电动机能够自动停止转动。锚固好钢丝后,使电动机反向旋转,螺杆即向前运动,放松钢丝,完成张拉操作。DL_1型电动螺杆张拉机的最大张拉力为10kN,最大张拉行程780mm,张拉速度2m/min。适于$\phi^k3 \sim \phi^k5$的钢丝张拉。为便于张拉和转移,常将其装置在带轮的小车上。

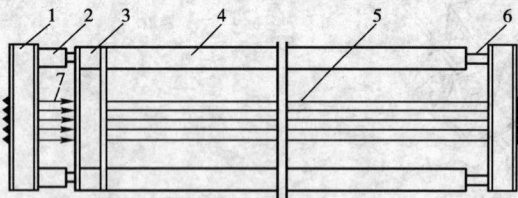

图 5-11　三横梁式成组张拉装置

1-活动横梁;2-千斤顶;3-固定横梁;4-槽式台座;5-预应力筋;6-放张装置;7-连接器

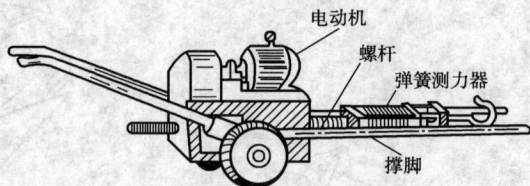

图 5-12　电动螺杆张拉机构造图

(4)电动卷扬张拉机

电动卷扬机(图5-13)主要用在长线台座上张拉冷拔低碳钢丝,常用LYZ-1型电动卷扬机最大张拉力10kN,张拉行程5m,张拉速度2.5m/min,电动机功率0.75kW。该机型号分为LYZ-1A型(支撑式)和LYZ-1B型(夹轨式)两种。B型适用于固定式大型预制场地,左右移动轻便、灵活、动作快,生产效率高;A型适用于多处预制场地,移动变换场地方便。

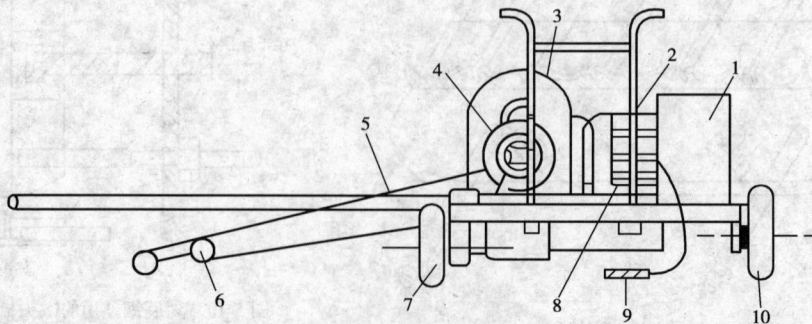

图 5-13　LYZ-1A型张拉机

1-电气箱;2-电动机;3-减速箱;4-卷筒;5-撑杆;6-夹钳;7-前轮;8-测力计;9-开关;10-后轮

三、预应力筋的张拉

1. 张拉控制应力 σ_{con}

预应力筋张拉应根据设计规定的张拉控制应力进行。钢筋张拉控制应力不能过高，否则会使钢筋应力接近破坏应力，易发生脆性破坏。因此钢筋张拉控制应力值 σ_{con} 不宜超过表5-6规定的限值，且不应小于 $0.4f_{ptk}$。

张拉控制应力限值   表5-6

钢筋种类	张拉方法	
	先张法	后张法
消除应力钢丝、钢绞线	$0.75\,f_{ptk}$	$0.75\,f_{ptk}$
热处理钢筋	$0.70\,f_{ptk}$	$0.65\,f_{ptk}$

2. 张拉程序

预应力钢筋的张拉一般有下列两种张拉程序：

$$0 \rightarrow 1.05\sigma_{con} \xrightarrow{\text{持荷 2min}} \sigma_{con} \longrightarrow \text{锚固}$$

$$0 \rightarrow 1.03\sigma_{con}$$

从 $0 \rightarrow 1.05\sigma_{con}$ 或从 $0 \rightarrow 1.03\sigma_{con}$ 均为对钢筋进行超张拉，超张拉的目的在于补足由于弹簧测力计的误差、温度影响、台座横梁或定位板刚度不足、台座长度不符合设计取值、钢筋松弛、工人操作影响等使钢筋应力产生的应力损失。

钢筋松弛是指钢材在常温、高应力状态下随时间不断产生塑性变形的特性。松弛造成的钢筋应力损失与张拉控制应力有关，控制应力高，松弛也大，同时在高应力状态下较短时间内松弛的发展可以达到较低应力状态下较长时间内松弛的发展程度，因此超张拉状态下持荷2min 可以使钢筋松弛早发展，从而减少由于钢筋应力松弛造成的应力损失。

3. 预应力值校核

预应力钢筋的张拉力，一般用伸长值校核。张拉时预应力筋的理论伸长值与实际伸长值的相对允许误差为 ±6%。

预应力钢丝张拉时，伸长值不作校核。钢丝张拉锚固后，应采用钢丝内力测定仪(图5-14所示)检查钢丝的预应力值。其偏差不得大于或小于设计规定相应阶段预应力值的5%。

使用 2CN-1 型双控钢丝内力测定仪仪器时，将测钩勾住钢丝，扭转旋钮，待测头与钢丝接触，指示灯亮，此时即为挠度的起点(记下挠度表上读数)。继续扭转旋钮，在钢丝跨中施加横向力，将钢丝压弯，当挠度表上的读数表明钢丝的挠度为2mm时，内力表上的读数即为钢丝的内力值(百分表上每0.01mm为10N)。一根钢丝要反复测定4次，取后3次的平均值为钢丝内力。

预应力钢丝内力的检测，一般在张拉锚固后 1h 进行。此时，锚固损失已完成，钢筋松弛损失也部分产生。检测时预应力设计规定值应在设计图纸上注明，当设计无规定时，可按表5-7取用。

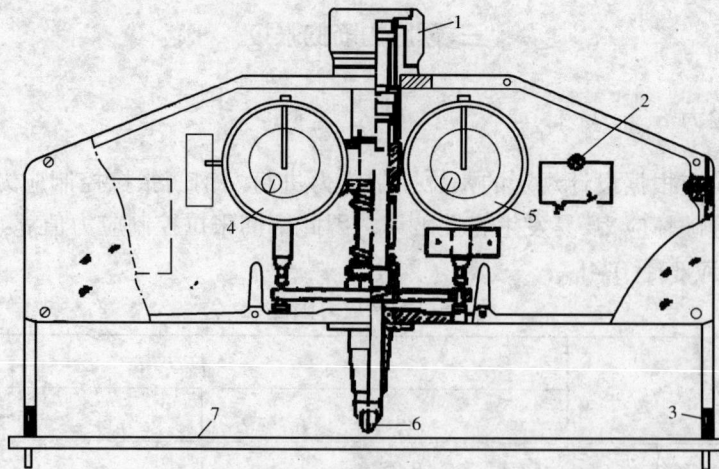

图 5-14　2CN-1 型双控钢丝内力测定仪
1-旋钮；2-指示灯；3-测钩；4-内力表；5-挠度表；6-测头；7-钢丝

钢丝预应力值检测时的设计规定值　　　　　　　　　　　表 5-7

张拉方法	检测值	张拉方法	检测值
长线张拉	$0.94\sigma_{con}$	短线张拉	$(0.91 \sim 0.93)\sigma_{con}$

4.张拉注意事项

(1)张拉时,张拉机具与预应力筋应在一条直线上,同时在台面上每隔一定距离放一根圆钢筋头或相当于保护层厚度的其它垫块,以防止预应力筋因自重而下垂,破坏隔离剂玷污预应力筋。

(2)顶紧锚塞时,用力不要过猛,以防钢丝折断。在拧紧螺母时,应注意压力表读数始终保持所需的张拉力。

(3)多根预应力筋同时张拉时,必须事先调整初应力,使相互间的应力一致。预应力筋张拉锚固后的实际预应力值与设计规定的检验值的相对允许偏差为 ±5%。

(4)预应力筋张拉完毕后,对设计位置的偏差不得大于 5mm,也不得大于构件截面积最短边长的 4%。

(5)在张拉过程中发生断丝或滑脱钢丝时,应予以更换。

(6)台座两端应有防护设施。张拉时沿台座长度方向每隔 4 ~ 5m 放一个防护架,两端严禁站人,也不准许进入台座。

四、预应力筋放张

预应力筋放张时,混凝土的强度应符合设计要求。如设计无规定,应不低于强度等级的 75%。

1.放张顺序

预应力筋的放张顺序,如设计无规定时,可按下列要求进行:
(1)轴心受预压的构件(如拉杆、桩等),所有预应力筋应同时放张。
(2)偏心受预压的构件(如梁等),应先同时放张预压力较小区域的预应力筋,再同时放张预压力较大区域的预应力筋。

(3)如不能满足(1)、(2)两项要求时,应分阶段、对称、交错地放张,以防止在放张过程中构件产生弯曲、裂纹和预应力筋断裂。

2.放张

放张前,应拆除侧模,使放张时构件能自由压缩,否则将损坏模板或使构件开裂。预应力筋的放张工作,应缓慢进行,防止冲击。

对预应力筋为钢丝或细钢筋的板类构件,放张时可直接用钢丝钳或氧炔焰切割,并宜从生产线中间处切断,以减少回弹量,且有利于脱模。对每一块板,应从外向内对称放张,以免构件扭转两端开裂,对预应力筋为数量较少的粗钢筋的构件,可采用氧炔焰在烘烤区轮换加热每根粗钢筋,使其同步升温,此时钢筋内力徐徐下降,外形慢慢伸长,待钢筋出现缩颈,即可切断。此法应采取隔热措施,防止烧伤构件端部混凝土。

对预应力筋配置较多的构件,不允许采用剪断或割断等方式突然放张,以避免最后放张的几根预应力筋产生过大的冲击而断裂,致使构件开裂。为此应采用千斤顶或在台座与横梁之间设置楔块(图5-15)和砂箱(图5-16)或在准备切割的一端预先浇筑一块混凝土块(作为切割时冲击力的缓冲体,使构件不受或少受冲击)进行缓慢放张。

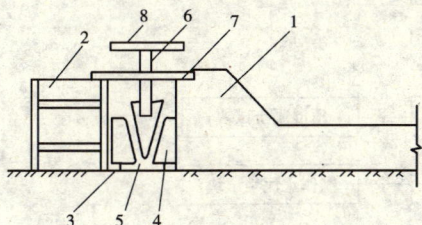

图 5-15　楔块放张
1-台座;2-横梁;3、4-钢块;5-钢楔块;6-螺杆;
7-承力板;8-螺母

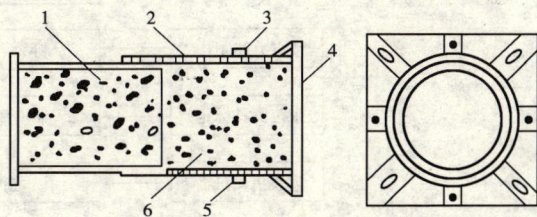

图 5-16　砂箱装置构造图
1-活塞;2-钢套箱;3-进砂口;4-钢套箱底板;5-出砂口;
6-砂子

用千斤顶逐根放张,应拟定合理的放张顺序并控制每一循环的放张力,以免构件在放张过程中受力不均。防止先放张的预应力筋引起后放张的预应力筋内力增大,而造成最后几根拉不动或拉断。在四横梁长线台座上,也可用台座式千斤顶推动拉力架逐步放大螺杆上的螺母,达到整体放张预应力筋的目的。

采用砂箱放张方法。在预应力筋张拉时,箱内砂被压实,承受横梁的反力,预应力筋放张时,将出砂口打开,砂慢慢流出,从而使整批预应力筋徐徐放张。此放张方法能控制放张速度,工作可靠、施工方便,可用于张拉力大于 1000kN 的情况。

采用楔块放张时,旋转螺母使螺杆向上运动,带动楔块向上移动,钢块间距变小,横梁向台座方向移动,从而同时放张预应力筋。楔块放张一般用于张拉力不大于 300kN 的情况。

为了检查构件放张时钢丝与混凝土的粘结是否可靠,切断钢丝时应测定钢丝往混凝土内的回缩情况。钢丝回缩值的简易测试方法是在板端贴玻璃片和在靠近板端的钢丝上贴胶带纸用游标卡尺读数,其精度可达 0.1mm。钢丝回缩值:对冷拔低碳钢丝不应大于 0.6mm,对碳素钢不应大于 1.2mm。如果最多只有 20% 的测试数据超过上述规定值的 20%,则检查结果是令人满意的。否则应加强构件端部区域分布钢筋、提高放张时混凝土强度等。

第三节 后张法施工

后张法是先制作构件(或块体),并在预应力筋的位置预留出相应的孔道,待混凝土强度达到设计规定的数值后,穿入预应力筋并施加预应力,最后进行孔道灌浆,张拉力由锚具传给混凝土构件而使之产生预压力。后张法工艺流程如图5-17所示。

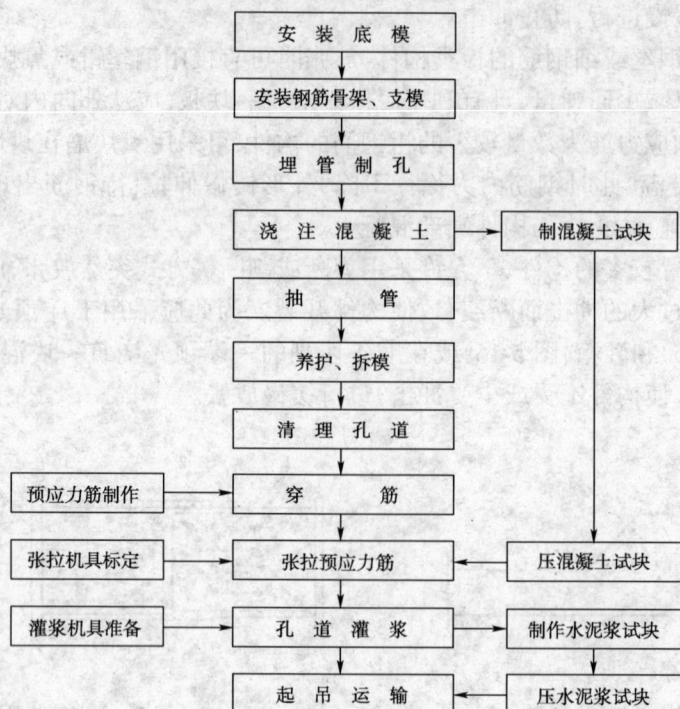

图 5-17 后张法工艺流程

后张法不需要台座设备,大型构件可分块制作,运到现场拼装,利用预应力筋连成整体。因此,后张法灵活性大。但工序较多,锚具耗钢量较大。

对于块体拼装构件,还应增加块体验收、拼装、立缝灌浆和连接板焊接等工序。

一、锚 具

锚具是后张法结构或构件中为保持预应力筋拉力并将其传递到混凝土上用的永久性锚固装置。通常由若干个机械部件组成。

1.常用锚具

锚具的类型很多,各有其一定的适用范围,按使用锚具常分为锚固单根钢筋的锚具、锚固成束钢筋的锚具和锚固钢丝束的锚具等。

(1)单根钢筋锚具

①螺丝端杆锚具

由螺丝端杆、螺母及垫板组成,图5-18所示,是单根预应力粗钢筋张拉端常用的锚具。此锚具型号有 LM18 ~ LM36,适用于直径 18 ~ 36mm 的预应力筋,也可作先张法夹具使用,电热张拉时也可采用。螺丝端杆锚具的特点是将螺丝端杆与预应力筋对焊成一个整体,用张拉设备张拉螺丝杆,用螺丝母锚固预应力钢筋。螺丝端杆锚具的强度不得低于预应力钢筋的抗拉强度实测值。

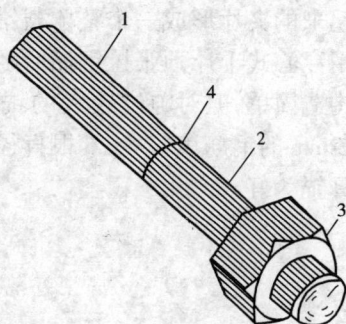

图 5-18　螺丝端杆锚具
1-钢筋;2-螺丝端杆;3-螺母;4-焊缝

螺丝端杆可采用与预应力钢筋同级冷拉钢筋制作,也可采用冷拉或热处理 45 号钢制作。端杆的长度一般用 320mm,当构件长度超过 30m 时,一般采用 370mm;其净截面积应大于或等于所对焊的预应力钢筋截面面积。对焊应在预应力钢筋冷拉前进行,以检验焊接质量。冷拉时螺母的位置应在螺丝端杆的端部,经冷拉后螺丝端杆不得发生塑性变形。

②帮条锚具

由衬板和三根帮条焊接而成(图 5-19),是单根预应力粗钢筋非张拉端用锚具。帮条采用与预应力钢筋同级别的钢筋,衬板采用 3 号钢。

帮条安装时,三根帮条应互成 120°,其与衬板相接触的截面应在一个垂直平面上,以免受力时产生扭曲。帮条焊接时其可在预应力钢筋冷拉前或冷拉后进行,施焊方向应由里向外,引弧及熄弧均应在帮条上,严禁在预应力钢筋上引弧,并严禁将地线搭在预应力钢筋上。

③精轧螺纹钢筋锚具

由螺母和垫板组成端头锚具直接采用螺母,无需另焊接螺丝端杆,适用于锚固直径 25mm 和 32mm 的高强精轧螺纹钢筋。

④单根钢绞线锚具

由锚环与夹片组成(图 5-20 所示)。夹片形状为三片式,斜角为 4°。夹片的齿形为"短牙三角螺纹",这是一种齿顶较宽、齿高较矮的特殊螺纹,强度高、耐腐性强。

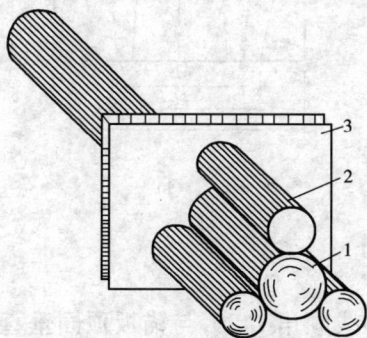

图 5-19　帮条锚具
1-预应力钢筋;2-帮条;3-垫板

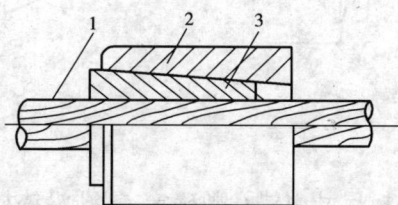

图 5-20　单根钢绞线锚具
1-钢绞线;2-锚环;3-夹片

适用于锚固直径为 12～15mm 的钢绞线,也可用作先张法夹具。锚具尺寸按钢绞线直径而定。

(2)预应力钢筋束锚具

①KT-Z 型锚具(可锻铸铁锥型锚具)　由锚环与锚塞组成(图 5-21 所示)。适用于锚固 3～6 根直径 12mm 的冷拉螺纹钢筋与钢绞线束。锚环和锚塞均用 KT37-12 或 KT35-10 可锻铸铁铸造成型。

②JM 锚具　由锚环与夹片组成(图 5-22 所示)。JM 型锚具的夹片属于分体组合型,组合

起来的夹片形成一个整体截锥形楔块,可以锚固多根预应力筋,因此锚环是单孔的。锚固时,用穿心式千斤顶张拉钢筋后随即顶进夹片。JM 型锚具的特点是尺寸小、端部不需扩孔,锚下构造简单,但对吨位较大的锚固单元不能胜任,故 JM 型锚具主要用于锚固 3~6 根直径为 12mm 的钢筋束与 4~6 根直径为 12~15mm 的钢绞线束,也可兼做工具锚用,但以使用专用工具锚为好。

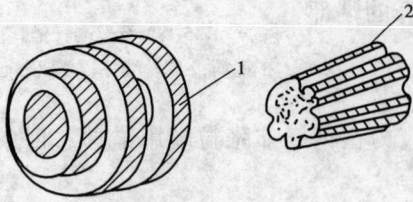

图 5-21　KT-Z 型锚具
1-锚环;2-锚塞

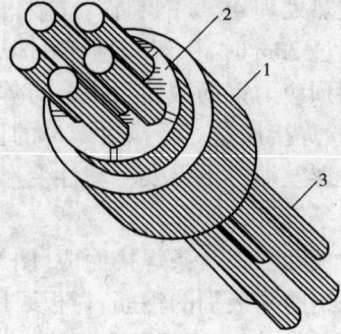

图 5-22　JM12 型锚具
1-锚环;2-夹片;3-钢筋束

JM 型锚具根据所锚固的预应力筋的种类、强度及外形的不同,其尺寸、材料、齿形及硬度等有所差异,使用时应注意。

③XM 型锚具　由锚板和夹片组成(图 5-23 所示)。

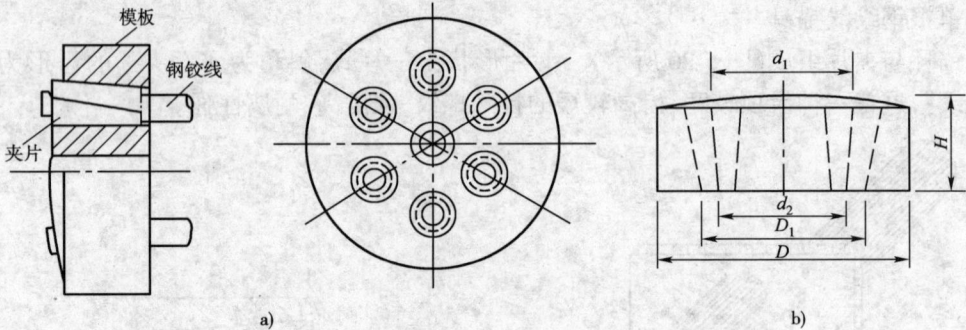

图 5-23　XM 型锚具
a)装配图;b)锚板

锚板尺寸由锚孔数确定,锚孔沿锚板圆周排列,中心线倾角 1:20,与锚板顶面垂直。夹片为 120°,均分斜开缝三片式,开缝沿轴向的偏转角与钢绞线的扭角相反。

XM 型锚具适用于锚固 1~12 根直径为 15mm 的钢绞线,也可用于锚固钢丝束。其特点是每根钢绞线都是分开锚固的,任何一根钢绞线的锚固失效(如钢绞线拉断、夹片碎裂等),不会引起整束锚固失效。

XM 型锚具可作工具锚与工作锚使用。当用于工具锚时,可在夹片和锚板之间涂抹一层固体润滑剂(如石墨、石蜡等),以利夹片松脱。用于工作锚时,具有连续反复张拉的功能,可用行程不大的千斤顶张拉任意长度的钢绞线。

④QM 型锚具　QM 型锚具是由锚板与夹片组成(图 5-24 所示)。但与 XM 型锚具不同之点:锚孔是直的,锚板顶面是平的,夹片垂直开缝,备有配套喇叭形铸铁垫板与弹簧圈等。由于灌浆孔设在垫板上,锚板尺寸可稍小。

QM 型锚具适用于锚固 4～31 根直径为 12mm 和 3～19 根直径为 15mm 钢绞线束。QM 型锚具备有配套自动工具锚,张拉和退出十分方便。张拉时要使用 QM 型锚具的配套限位器。

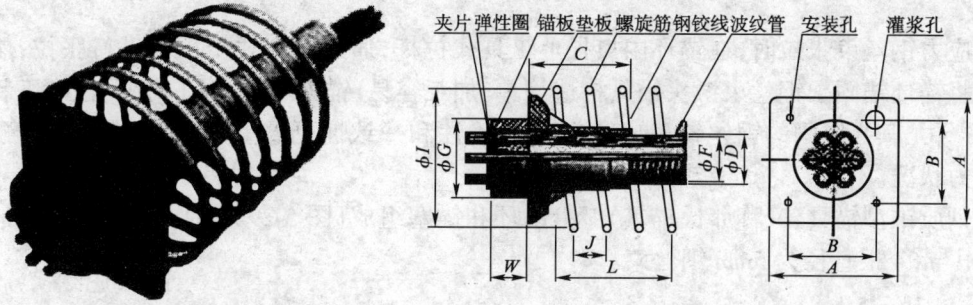

图 5-24　QM 型锚具

⑤固定端用镦头锚具　由锚固板和带镦头的预应力筋组成(图 5-25 所示)。当预应力钢筋束一端张拉时,在固定端可用这种锚具代替 KT-Z 型锚具或 JM 型锚具,以降低成本。

(3)预应力钢丝束锚具

①锥形螺杆锚具　由锥形螺杆、套筒、螺母和垫板组成(图 5-26 所示)。适用于锚固 14～28 根直径为 5mm 钢丝束。使用时,先将钢丝束均匀整齐地紧贴在螺杆锥体部分,然后套上套筒,用拉杆式千斤顶使端杆锥通过钢丝挤压套筒,从而锚紧钢丝。由于锥形螺杆锚具不能自锚,必须事先加力顶压套筒才能锚固钢丝。锚具的预紧力取张拉力的 120%～130%。

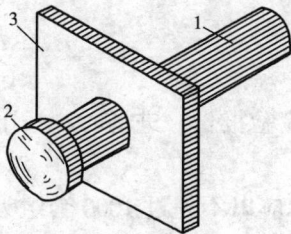

图 5-25　固定端用镦头锚具
1-预应力筋;2-镦粗头;3-锚固板

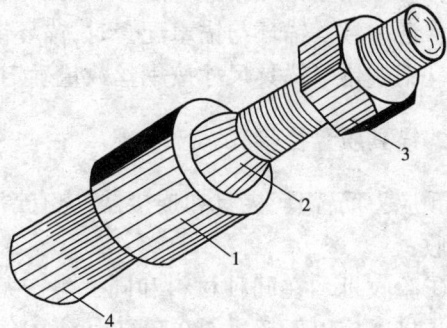

图 5-26　锥形螺杆锚具
1-钢丝;2-套筒;3-锥形螺杆;4-垫板

②钢丝束镦头锚具　适用于锚固任意根数直径为 5mm 钢丝束。镦头锚具的型式与规格,可根据需要自行设计。常用的镦头锚具为 A 型和 B 型(图 5-27)。A 型由锚环与螺母组成,用于张拉端;B 型为锚板,用于固定端;利用钢丝两端的镦头进行锚固。

锚环与锚板采用 45 号钢制作,螺母采用 30 号钢或 45 号钢制作。锚环与锚板上的孔数由钢丝根数而定,孔洞间距应力求准确,尤其要保证锚环内螺纹一面的孔距准确。

钢丝镦头要在穿入锚环或锚板后进行,镦头采用钢丝镦头机冷镦成型。镦头的头型分为鼓形和蘑菇形两种,如图 5-28 所示。鼓形受锚环或板的硬度影响较大,如硬度较软,镦头易陷入锚孔而断于镦头处。蘑菇形因

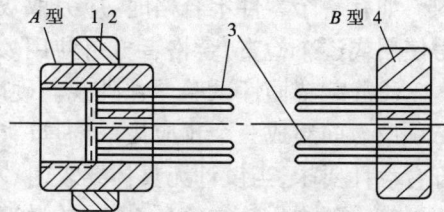

图 5-27　钢丝束镦头锚具
1-锚环;2-螺母;3-钢丝束;4-锚板

有平台,受力性能较好。对镦头的技术要求为:镦粗头的直径为 0.7~7.5mm,高度为 4.8~5.3mm,头型应圆整,不偏歪,颈部母材不受损伤,钢丝的镦头强度不得低于钢丝标准抗拉强度的 98%。

预应力钢丝束张拉时,在锚环内口拧上工具式拉杆,通过拉杆式千斤顶进行张拉,然后拧紧螺母将锚环锚固。钢丝束镦头锚具构造简单、加工容易、锚夹可靠、施工方便,但对下料长度要求较严,尤其当锚固的钢丝较多时,长度的准确性和一致性更需重视,这将直接影响预应力筋的受力状况。

③钢质锥型锚具(又称弗氏锚具) 由锚环和锚塞组成(图 5-29 所示)。适用锚固 6 根、12根、18 根与 24 根直径为 5mm 钢丝束。

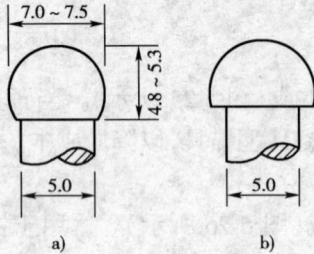

图 5-28 镦头头型
a)鼓形;b)蘑菇形

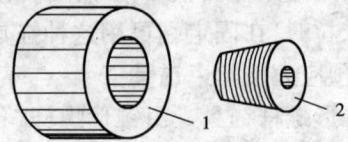

图 5-29 钢质锥型锚具
1-锚环;2-锚塞

锚环采用 45 号钢制作,锚塞采用 45 号钢或 T_7、T_8 碳素工具钢制作。锚环与锚塞的锥度应严格保证一致。锚环与锚塞配套时,锚环锚形孔与锚塞的大小头只允许同时出现正偏差或负偏差。钢质锥形锚具尺寸按钢丝数量确定。

2.锚具质量检验

预应力筋锚具、夹具和连接器,应有产品合格证、出厂检验报告。进场时应按下列规定进行验收:

①验收批 在同种材料和同一生产条件下,锚具、夹具应以不超过 1000 套组为一个验收批。连接器应以不超过 500 套组为一个验收批。

②外观检查 从每批中抽取 10%但不少于 10 套的锚具,检查其外观和尺寸。当有一套表面有裂纹或超过产品标准及设计图纸规定尺寸的允许偏差时,应另取双倍数量的锚具重作检查,如仍有一套不符合要求,则不得使用或逐套检查,合格者方可使用。

③硬度检查 从每批中抽取 5%但不少于 5 套的锚具,对其中有硬度要求的零件做试验(多孔夹片式锚具的夹片,每套至少抽 5 片)。每个零件测试 3 点,其硬度应在设计要求范围内。如有一个零件不合格时,应另取双倍数量的零件重做试验,如仍有一个零件不合格,则不得使用或逐个检查,合格者方可使用。

④静载锚固性试验 在外观与硬度检查合格后,应从同批中抽 6 套锚具(夹具或连接器)与预应力筋组成三个预应力筋锚具(夹具、连接器)组装件,进行静载锚固性能试验。组装件应符合设计要求,当设计无具体要求时,不得在锚固零件上添加影响锚固性能的物质,如金刚砂、石墨等。预应力筋应等长平行,使之受力均匀,其受力长度不得小于 3m(单根预应力筋的锚具组装件,预应力筋的受力长度不得小于 0.6m)。试验时,先用张拉设备分四级张拉至预应力筋标准抗压强度的 80%并进行锚固(对支承式锚具,也可直接用试验设备加荷),然后持荷 1h,再

用试验设备逐步加荷至破坏。当有一套试件不符合要求,应另取双倍数量的锚具(夹具或连接器)重做试验,如仍有一套不合格,则该批锚具(夹具或连接器)为不合格品。

对常用的定型锚具(夹具或连接器)进场验收时,如由质量可靠信誉好的专业锚具厂生产,其静载锚固性能,可由锚具生产厂提供试验报告。

对单位自制锚具,应加倍抽样。

二、张 拉 机 械

1.拉杆式千斤顶

拉杆式千斤顶(图 5-30)适用于张拉以螺纹端杆锚具为张拉锚具的粗钢筋,张拉以锥形螺杆锚具为张拉锚具的钢丝束。

拉杆式千斤顶的构造及工作过程。

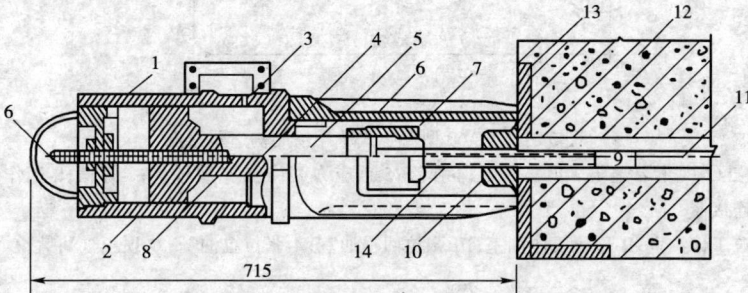

图 5-30 拉杆式千斤顶构造示意图

1-主缸;2-主缸活塞;3-主缸油嘴;4-副缸;5-副缸活塞;6-副缸油嘴;7-连接器;8-顶杆;9-拉杆;10-螺帽;11-预应力筋;12-混凝土构件;13-预埋钢板;14-螺丝端杆

拉杆式千斤顶张拉预应力筋时,首先使连接器与预应力筋的螺丝端杆相连接,顶杆支撑在构件端部的预埋钢板上。高压油进入主缸时,则推动住缸活塞向左移动,并带动拉杆和连接器以及螺丝端杆同时向左移动,对预应力筋进行张拉。达到张拉力时,拧紧预应力筋的螺帽,将预应力筋锚固在构件的端部。高压油再进入副缸,推动副缸使主缸活塞和拉杆相右移动,使其恢复初始位置。此时主缸的高压油流回高压泵中去,完成一次张拉过程。

2.YC-60 型穿心式千斤顶

YC-60 型穿心式千斤顶(图 5-31)适用于张拉各种形式的预应力筋,是目前我国预应力混凝土构件施工中应用最为广泛的张拉机械。YC-60 型穿心式千斤顶加装撑脚、张拉杆和连接器后,就可以张拉以螺丝杆锚具为张拉锚具的单根粗钢筋,张拉以锥形螺杆锚具和 DM5A 型墩头锚具为张拉锚具的钢丝束。YC-60 型穿心式千斤顶增设顶压分束器,就可以张拉以 KT-Z 型锚具为张拉锚具的钢筋束和钢绞线束。

YC-60 型穿心式千斤顶的构造及工作过程。

3.锥锚式双作用千斤顶

锥锚式双作用千斤顶(图 5-32)适用于张拉以 KT-Z 型锚具为张拉锚具的钢筋束和钢绞线束,张拉以钢质锥型锚具为张拉锚具的钢丝束。

锥锚式双作用千斤顶的构造和工作过程。

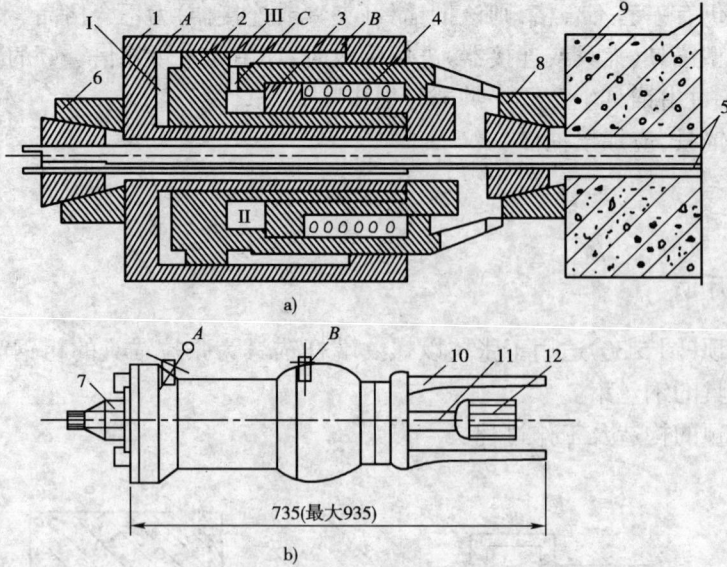

a)

735(最大935)

b)

图 5-31　YC-60 型穿心式千斤顶的构造示意图

1-张拉油缸;2-顶压油缸(即张拉活塞);3-顶压活塞;4-弹簧;5-预应力筋;6-工具式锚具;7-螺帽;8-工作锚具;9-混凝土构件;10-顶杆;11-拉杆;12-连接器

Ⅰ-张拉工作油室;Ⅱ-顶压工作油室;Ⅲ-张拉回程油室;A-张拉缸油嘴;B-顶压缸油嘴;C-油孔

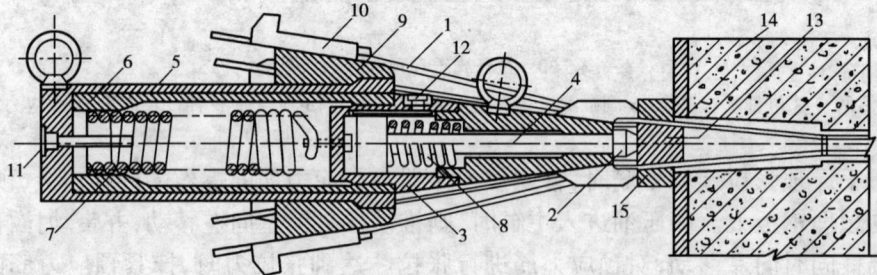

图 5-32　锥锚式双作用千斤顶构造示意图

1-预应力筋;2-顶压头;3-副缸;4-副缸活塞;5-主缸;6-主缸活塞;7-主缸拉力弹簧;8-副缸压力弹簧;9-锥形卡环;10-楔块;11-主缸油嘴;12-副缸油嘴;13-锚塞;14-构件;15-锚环

三、预应力筋制作

预应力筋的制作,主要根据所用的预应力钢材品种、锚(夹)具形式及生产工艺等确定。

预应力筋的下料长度应由计算确定。计算时应考虑结构的孔道长度、锚夹具厚度、千斤顶长度、焊接接头或镦头的预留量、张拉伸长值等。

1.单根预应力粗钢筋下料长度

(1)当预应力筋两端采用螺丝端杆锚具(图 5-33a)所示)时,其成品全长 L_1(包括螺丝端杆在内冷拉后的全长)为:

$$L_1 = l + 2l_2$$

式中:l——构件孔道长度;

192

l_2——螺丝端杆伸出构件外的长度,按下式计算:张拉端,$l_2 = 2H + h + 5(\text{mm})$;锚固端,

$\qquad l_2 = H + h + 10(\text{mm})$;其中 H 为螺母高度;h 为垫板厚度。

预应力筋钢筋部分的成品长度 L_0 为:

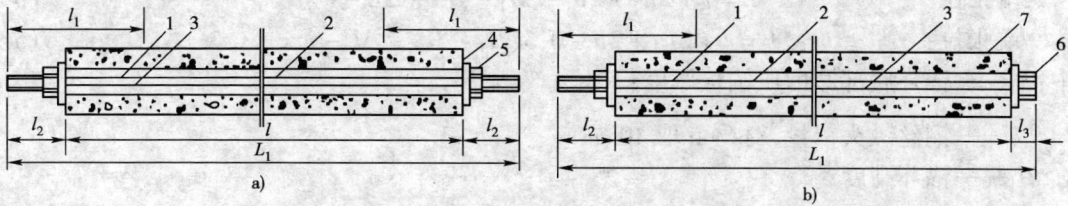

图 5-33 粗钢筋下料长度计算示意图

a)两端用螺丝端杆锚具;b)一端用螺丝端杆锚具

1-螺丝端杆;2-预应力钢筋;3-对焊接头;4-垫板;5-螺母;6-帮条锚具;7-混凝土构件

$$L_0 = L_1 - 2l_1$$

式中:l_1——螺丝端杆长度。

预应力筋钢筋部分的下料长度为:

$$L_1 = L_0 + nl_0$$
$$= l + 2l_2 - 2l_1 + nl_0 \qquad (5\text{-}4)$$

式中:l_0——每个对焊接头的压缩长度,根据对焊时所需要的闪光留量和顶锻留量而定;

$\qquad n$——对焊接头的数量(包括钢筋与螺纹端杆的对焊接头)。

(2)当预应力筋一端用螺丝端杆,另一端用帮条(或镦头)锚具(图 5-33b)所示)时:

$$L_1 = l + l_2 + l_3$$
$$L_0 = L_1 - l_1$$
$$L = L_0 + nl_0 = l + l_2 + l_3 - l_1 \qquad (5\text{-}5)$$

式中:l_3——镦头或帮条锚具长度(包括垫板厚度 h)。

为保证质量,冷拉宜采用控制应力的方法。若在一批钢筋中冷拉率分散性较大时,应尽可能把冷拉率相近的钢筋对焊在一起,以保证钢筋冷拉应力的均匀性。

2.预应力钢丝束下料长度

(1)采用钢质锥形锚具,以锥锚式千斤顶张拉(图 5-34 所示)时,钢丝的下料长度 L 为:

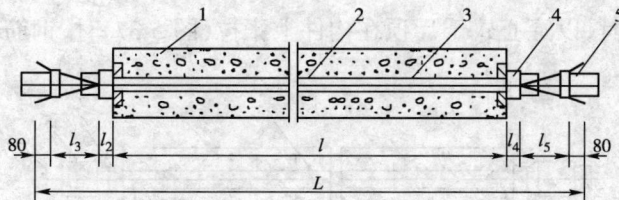

图 5-34 采用钢质锥形锚具时钢丝下料长度计算简图

1-混凝土构件;2-孔道;3-钢丝束;4-钢质锥形锚具;5-锥锚式千斤顶

两端张拉: $\qquad\qquad L = l + 2(l_4 + l_5 + 80) \qquad (5\text{-}6)$

一端张拉: $\qquad\qquad L = l + 2(l_4 + 80) + l_5 \qquad (5\text{-}7)$

式中:l_4——锚环厚度;

l_5——千斤顶分丝头至卡盘外端距离,对 YZ850 型千斤顶为 470mm。

（2）采用镦头锚具,以拉杆式或穿心式千斤顶在构件上张拉（图 5-35 所示）时,钢丝的下料长度 L 为：

两端张拉：
$$L = l + 2h_1 + 2b - (H_1 - H) - \Delta L - c \qquad (5-8)$$

一端张拉：
$$L = l + 2h_1 + 2b - 0.5(H_1 - H) - \Delta L - c \qquad (5-9)$$

式中：h_1——锚环底部厚度或锚板厚度；

b——钢丝镦头留量,对 $\varphi^S 5$ 取 10mm；

H_1——锚环高度；

ΔL——钢丝束张拉伸长值,是 L 的函数；

c——张拉时构件混凝土的弹性压缩值,轴压构件易于计算,其它不易计算者可估算或实测。

（3）采用锥形螺杆锚具,以拉杆式千斤顶在构件上张拉（图 5-36 所示）时,钢丝的下料长度 L 为：

图 5-35　采用镦头锚时钢丝下料长度计算简图
1-混凝土构件；2-孔道；3-钢丝束；4-锚环；5-螺母；
6-锚板

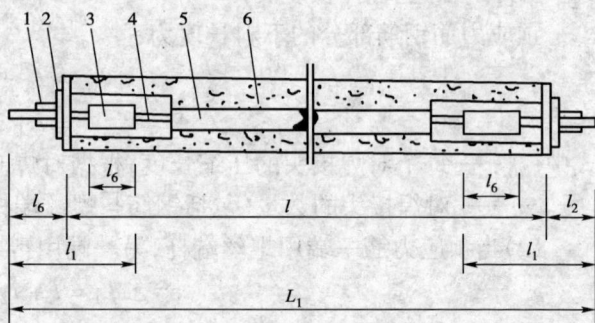

图 5-36　采用锥形螺杆锚具时钢丝下料长度计算简图
1-螺母；2-垫板；3-锥形螺杆锚具；4-钢丝束；5-孔道；6-混凝土构件

$$L = l + 2l_2 - 2l_1 + 2(l_6 + a) \qquad (5-10)$$

式中：l_6——锥形螺杆锚具的套筒长度；

a——钢丝伸出套筒的长度,取 $a = 20$mm。

3.钢筋束或钢绞线束的下料长度

当采用夹片式锚具,以穿心式千斤顶在构件上张拉（图 5-37）时,钢筋束钢绞线束的下料长度 L 为：

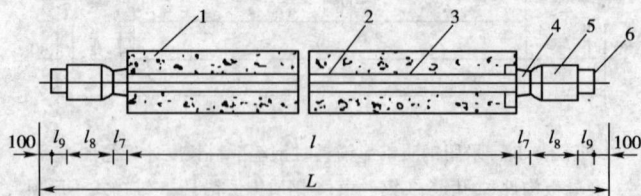

图 5-37　钢筋束下料长度计算简图
1-混凝土构件；2-孔道；3-钢筋束；4-夹片式工作锚；5-穿心式千斤顶；6-夹片式工具锚

两端张拉：
$$L = l + 2(l_7 + l_8 + l_9 + 100) \qquad (5-11)$$

一端张拉： $$L = l + 2(l_7 + 100) + l_8 + l_9 \qquad (5\text{-}12)$$

式中：l_7——夹片式工作锚厚度；

l_8——穿心式千斤顶长度；

l_9——夹片式工具锚厚度。

4. 下料

钢筋束、热处理钢筋和钢绞线是成盘状供应的，长度较长，不需对焊接长。其制作工序是：开盘、下料和编束。

矫直回火钢丝放开后是直的，可直接下料。采用镦头锚具时，同一束中各根钢丝下料长度的相对差值，应不大于钢丝束长度的 1/5000，且不得大于 5mm。为了达到这一要求，钢丝下料可用钢管限位法或牵引索在拉紧状态下进行。

钢绞线在出厂前经过低温回火处理，因此在进场后无须预拉。钢绞线下料前应在切割口两侧各 50mm 处用 20 号铁丝绑扎牢固，以免切割后松散。

钢丝、钢绞线、热处理钢筋及冷拉 IV 级钢筋，宜采用砂轮锯或切断机切断，不得采用电弧切割。用砂轮切割机下料具有操作方便，效率高、切口规则无毛头等优点，尤其适合现场使用。

四、后张法的施工工艺

1. 预留孔道

（1）预应力筋孔道布置

预应力筋的孔道形状有直线、曲线和折线三种。孔道的直径与布置，主要根据预应力混凝土构件或结构的受力性能，并参考预应力筋张拉锚固体系特点与尺寸确定。

①孔道直径　对粗钢筋，孔道的直径应比预应力筋直径、钢筋对焊接头处外径或需穿过孔道的锚具或连接器外径大 10～15mm。

对钢丝或钢绞线，孔道的直径应比预应力束外径或锚具外径大 5～10mm，且孔道面积应大于预应力筋面积的 2 倍。

②孔道布置　预应力筋孔道之间的净距不应小于 50mm，孔道至构件边缘的净距不应小于 40mm，凡需起拱的构件，预留孔道宜随构件同时起拱。

灌浆孔的间距为：对预埋金属螺旋管不宜大于 30m；对抽芯成形孔道不宜大于 12m。

（2）孔道成型方法

预应力筋的孔道可采用钢管抽芯、胶管抽芯和预埋管等方法成型。对孔道成型的基本要求是：孔道的尺寸与位置应正确，孔道应平顺，接头不漏浆，端部预埋钢板应垂直于孔道中心线等。孔道成型的质量，对孔道摩阻损失的影响较大，应严格把关。

①钢管抽芯法　钢管抽芯用于直线孔道。钢管表面必须圆滑，预埋前应除锈、刷油，如用弯曲的钢管，转动时会沿孔道方向产生裂缝，甚至塌陷。钢管在构件中用钢筋井字架（图 5-38 所示）固定位置，井字架每隔 1.0～1.5m 一个，与钢筋骨架扎牢。两根钢管接头处可用 0.5mm 厚铁皮做成的套管连接（图 5-39），套管内表面要与钢管外表面紧密贴合，以防漏浆堵塞孔道。钢管一端钻 16mm 的小孔，以备插入钢筋棒，转动钢管。抽管前每

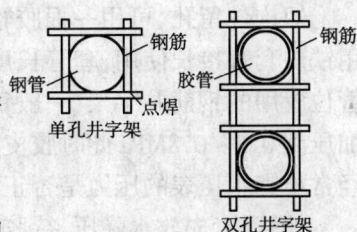

图 5-38　固定钢管或胶管位置用的井字架

隔 10~15min 应转管一次。如发现表面混凝土产生裂纹,应用铁抹子压实抹平。

抽管时间与水泥的品种、气温和养护条件有关。抽管宜在混凝土初凝之后、终凝以前进行,以用手指按压混凝土表面不显指纹时为宜。抽管过早,会造成坍孔事故;太晚,混凝土与钢管粘结牢固,抽管困难,甚至抽不出来。常温下抽管时间约在混凝土灌筑后 3~5h。抽管顺序宜先上后下地进行。抽管方法可用人工或卷扬机。抽管时必须速度均匀、边抽边转,并与孔道保持在一直线上。抽管后,应及时检查孔道情况,并做好孔道清理工作,防止以后穿筋困难。

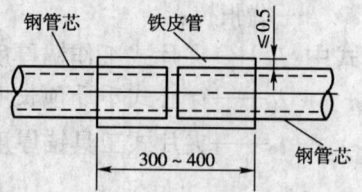

图 5-39　铁皮套管(尺寸单位:mm)

采用钢丝束镦头锚具时,张拉端的扩大孔也可用钢管抽芯成型(图 5-40 所示)。留孔时应注意,端部扩大孔应与中间孔道同心。抽管时先抽中间钢管,后抽扩孔钢管,以免碰坏扩孔部分,并保持孔道清洁和尺寸准确。

②胶管抽芯法　留孔用胶管采用 5~7 层帆布夹层、壁厚 6~7mm 的普通橡皮管,可用于直线、曲线或折线孔道。使用前,把胶管一头密封,勿使漏水漏气。密封的方法是将胶管一端外表面削去 1~3 层胶皮及帆布,然后将外表面带有粗丝扣的钢管(钢管一端用铁板密封焊牢)插入胶管端头孔内,再用 20 号铅丝在胶管外表面密缠牢固,铅丝头用锡焊牢(图 5-41),胶管另一端接上阀门,其接法与密封基本相同(图 5-42)。

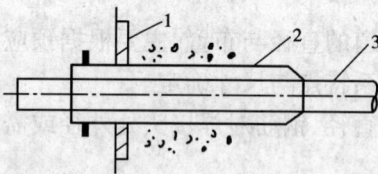

图 5-40　张拉端扩大孔用钢管抽芯成型
1-预埋钢板;2-端部扩大孔的钢管;3-中间孔的成型

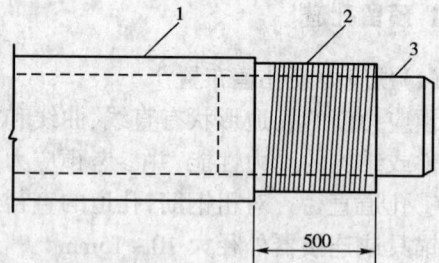

图 5-41　胶管封端
1-胶管;2-20 号铅丝密扎;3-钢管堵头

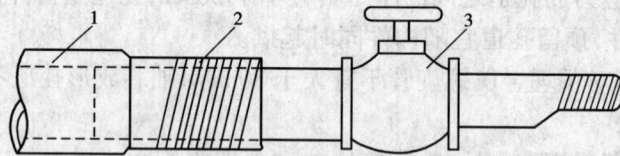

图 5-42　胶管与阀门连接
1-胶管;2-20 号铅丝密扎;3-阀门

短构件留孔,可用一根胶管对弯后穿入两个平行孔道。长构件留孔,必要时可将两根胶管用铁皮套管接长使用,套管长度以 400~500mm 为宜,内径应比胶管外径大 2~3mm。固定胶管位置用的钢筋井字架,一般每隔 600mm 放置一个,并与钢筋骨架扎牢。然后充水(或充气)加压到 0.5~0.8MPa 此时胶皮管直径可增大约 3mm。浇捣混凝土时,振动棒不要碰胶管,并应经常检查水压表的压力是否正常,如有变化必须补压。

抽管前,先放水降压,待胶管断面缩小与混凝土自行脱离即可抽管。抽管时间比抽钢管略迟。抽管顺序一般为先上后下,先曲后直。

在没有充气或充水设备的单位或地区,也可在胶皮管内满塞细钢筋,能收到同样效果。

③预埋管法　预埋管法可采用薄钢管、镀锌钢管与金属螺旋管(波纹管)等。

金属螺旋管具有重量轻、刚度好、弯折方便、连接容易、与混凝土粘结良好等优点,可做成各种形状的预应力筋孔道,是现代后张预应力筋孔道成型用的理想材料。镀锌钢管仅用于施工周期长的超高竖向孔道或有特殊要求的部位。

2.预应力筋张拉方式

预应力筋张拉时,混凝土强度应符合设计要求。当设计无具体要求时,不应低于设计的混凝土立方体抗压强度标准值的75%。

根据预应力混凝土结构特点、预应力筋形状与长度,以及施工方法的不同,预应力筋张拉方式有以下几种:

(1)一端张拉方式

张拉设备放置在预应力筋一端的张拉方式,适用于长度小于30m的直线预应力筋与锚固损失影响长度 $L_f \geqslant L/2$(L 为预应力筋长度)的曲线预应力筋。

(2)两端张拉方式

张拉设备放置在预应力筋两端的张拉方式,适用于长度大于30m的直线预应力筋与锚固损失影响长度 $L_f < L/2$ 的曲线预应力筋。当张拉设备不足或由于张拉顺序安排关系,也可先在一端张拉完成后,再移至另端张拉,补足张拉力后锚固。

(3)分批张拉方式

对配有多束预应力筋的构件或结构分批进行张拉的方式。由于后批预应力筋张拉所产生的混凝土弹性压缩对先批张拉的预应力筋造成预应力的损失。所以先批张拉的预应力筋张拉力应加上该弹性压缩损失值或将弹性压缩损失平均值统一增加到每根预应力筋的张拉力内。

(4)分段张拉方式

在多跨连续梁板分段施工时,统长的预应力筋需要逐段进行张拉的方式。对大跨度多跨连续梁,在第一段混凝土浇筑与预应力筋张拉锚固后,第二段预应力筋利用锚头连接器接长,以形成统长的预应力筋。

(5)分阶段张拉方式

在后张传力梁等结构中,为了平衡各阶段的荷载,采取分阶段逐步施加预应力的方式。所加荷载不仅是外载(如楼层重量),也包括由内部体积变化(如弹性压缩、收缩与徐变)产生的荷载。梁在跨中处下部与上部应力应控制在容许范围内。这种张拉方式具有应力、挠度与反拱容易控制、材料省等优点。

(6)补偿张拉方式

在早期预应力损失基本完成后,再进行张拉的方式。采用这种补偿张拉,可克服弹性压缩损失、减少钢材应力松弛损失、混凝土收缩徐变损失等,以达到预期的预应力效果。此法在水利工程与岩土锚杆中应用较多。

3.预应力筋张拉顺序

预应力筋的张拉顺序,应使混凝土不产生超应力、构件不扭转与侧弯、结构不变位等为目的。因此,对称张拉是一项重要原则。同时,还应考虑到尽量减少张拉设备的移动次数。如图5-43所示预应力混凝土屋架下弦杆钢丝束的张拉顺序。钢丝束的长度不大于30m,采用一端张拉方式。图 5-43a)预应力筋为二束,用二台千斤顶分别设置在构件两端对称张拉,一次完成。

图 5-43b)预应力筋为四束,需要分两批张拉,用二台千斤顶分别张拉对角线上的二束,然后张拉另二束。由于分批张拉引起的预应力损失,统一增加到先批张拉的预应力筋的张拉力内。为此先批张拉的预应力筋的张拉应力应增加 $\alpha_E \sigma_{pc}$。

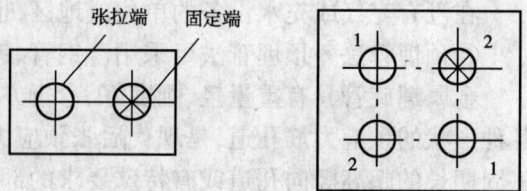

$$\alpha_E = \frac{E_s}{E_c}$$

图 5-43　屋架下弦杆预应力筋张拉顺序
a)两束;b)四束
1、2-预应力筋分批张拉顺序

$$\sigma_{pc} = \frac{(\sigma_{con} - \sigma_{ll})A_p}{A_n} \tag{5-13}$$

式中:E_s——预应力筋的弹性模量;

E_c——混凝土的弹性模量;

σ_{pc}——张拉后批预应力筋时,对已张拉的预应力重心处混凝土产生的法向应力;

σ_{con}——张拉控制应力;

σ_{ll}——预应力筋的第一批应力损失(包括锚具变形和摩擦损失);

A_p——后批张拉的预应力筋的截面积;

A_n——构件混凝土的净截面面积(包括构件钢筋的折算面积)。

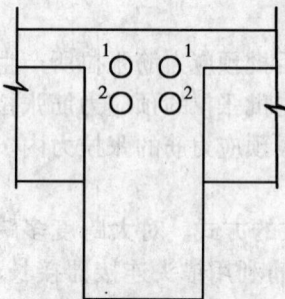

图 5-44　框架梁预应力筋的张拉顺序

如图 5-44 所示双跨预应力混凝土框架梁钢绞线束的张拉顺序。钢绞线束为双跨曲线筋,长度达 40m,采用两端张拉方式。图中四束钢绞线分为两批张拉,二台千斤顶分别设置在梁的两端,按左右对称各张拉一束,待二批四束均进行一端张拉后,再分批在另端补张拉。这种张拉顺序,还可减少先批张拉预应力筋的弹性压缩损失。

4.平卧重叠构件张拉

后张法预应力混凝土屋架等构件一般在施工现场平卧重叠制作,重叠层数为 3 ~ 4 层。其张拉顺序宜先上后下逐层进行。为了减少上下层之间因摩擦引起的预应力损失,可逐层加大张拉力。根据有关单位试验研究与大量工程实践,得出不同预应力筋与不同隔离层的平卧重叠构件逐层增加的张拉力百分数,列于表 5-8。

平卧重叠浇筑构件逐层增加的张拉力百分数(%)　　　　表 5-8

预应力筋类别	隔离剂类别	逐层增加的张拉百分数			
		顶层	第二层	第三层	底层
高强钢丝束	I	0	1.0	2.0	3.0
	II	0	1.5	3.0	4.0
	III	0	2.0	3.5	5.0
II 级冷拉钢筋	I	0	2.0	4.0	6.0
	II	1.0	3.0	6.0	9.0
	III	2.0	4.0	7.0	10.0

注:①第一类隔离剂:塑料薄膜、油纸;
②第二类隔离剂:废机油滑石粉、纸筋灰、石灰水、废机油、柴油石蜡;
③第三类隔离剂:废机油、石灰水、滑石粉。

高强钢丝束与Ⅱ级冷拉钢筋由于张拉控制应力不同,在相同隔离层的条件下,所需的超张拉力不同。Ⅱ级冷拉钢筋的张拉控制应力较低,其所需的超张拉力百分数比高强钢丝束大。

5.张拉操作程序

预应力筋的张拉操作程序,主要根据构件类型、张拉锚固体系、松弛损失取值等因素确定。分为以下三种情况:

(1)设计时松弛损失按一次张拉程序取值

$$0 \rightarrow \sigma_{con}锚固$$

(2)设计时松弛损失按超张拉程序取值

$$0 \rightarrow 1.05\sigma_{con} \xrightarrow{持荷 2min} \sigma_{con}锚固$$

(3)设计时松弛损失按超张拉程序,但采用锥销锚具或夹片锚具

$$0 \rightarrow 1.03\sigma_{con}锚固$$

以上各种张拉操作程序,均可分级加载。对曲线束,一般以 $0.2\sigma_{con}$ 为起点,分二级加载($0.6\sigma_{con}$、$1.0\sigma_{con}$)或四级加载($0.4\sigma_{con}$、$0.6\sigma_{con}$、$0.8\sigma_{con}$ 和 $1.0\sigma_{con}$),每级加载均应量测伸长值。

6.张拉伸长值校核

预应力筋张拉时,通过伸长值的校核,可以综合反映张拉力是否足够,孔道摩阻损失是否偏大,以及预应力筋是否有异常现象等。因此,对张拉伸长值的校核,要引起重视。

预应力筋张拉伸长值的量测,应在建立初应力之后进行。其实际伸长值 ΔL 为:

$$\Delta L = \Delta L_1 + \Delta L_2 - A - B - C \tag{5-14}$$

式中:ΔL_1——从初应力至最大张拉力之间的实测伸长值;

　　ΔL_2——初应力以下的推算伸长值;

　　A——张拉过程中锚具楔紧引起的预应力筋内缩值;

　　B——千斤顶体内预应力筋的张拉伸长值;

　　C——施加应力时,后张法混凝土构件的弹性压缩值(其值微小时可略去不计)。

关于初应力以下的推算伸长值 ΔL_2,可根据弹性范围内张拉力与伸长值成正比的关系,用计算法或图解法确定。

采用图解法时(图 5-45),以伸长值为横坐标,张拉力为纵坐标,将各级张拉力的实测伸长值标在图上,绘成张拉力与伸长值关系线 CAB,然后延长此线与横坐标交于 O' 点,则 OO' 段即为推算伸长值。此法以实测值为依据,比计算法准确。

预应力筋的计算伸长值 Δl(mm),可按下式计算:

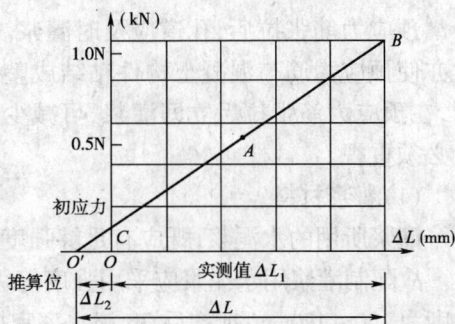

图 5-45 预应力筋实际伸长值图解

$$\Delta l = \frac{F_p l}{A_p E_s} \tag{5-15}$$

式中:F_p——预应力筋的平均张拉力(kN),直线筋取张拉端的拉力;两端张拉的曲线筋取张拉端的拉力与跨中扣除孔道摩阻力损失后的平均值;

　　l——预应力筋的长度(mm);

A_p——预应力筋的截面面积(mm);

E_s——预应力筋的弹性模量(10^3MPa)。

根据规范的规定:如实际伸长值比计算伸长值超出限值(两者的相对允许偏差为±6%),应暂停张拉,在采取措施予以调整后,方可继续张拉。

此外,在锚固时应检查张拉端预应力筋的内缩值,以免由于锚固引起的预应力损失超过设计值。如实测的预应力筋内缩量大于规定值,则应改善操作工艺,更换锚具或采取超张拉办法弥补。

7. 张拉注意事项

(1)张拉时应认真做到孔道、锚环与千斤顶三对中,以便张拉工作顺利进行,并不致增加孔道摩擦损失。

(2)采用锥锚式千斤顶张拉钢丝束时,先使千斤顶张拉缸进油,至压力表略有起动时暂停,检查每根钢丝的松紧并进行调整,然后再打紧楔块。

(3)工具锚的夹片,应注意保持清洁和良好的润滑状态。新的工具锚夹片第一次使用前,应在夹片背面涂上润滑脂,以后每使用5~10次,应将工具锚上的挡板连同夹片一同卸下,向锚板的锥形孔中重新涂上一层润滑剂,以防夹片在退楔时卡住。润滑剂可采用石墨、二硫化钼、石蜡或专用退锚灵等。

(4)多根钢绞线束夹片锚固体系如遇到个别钢绞线滑移,可更换夹片,用小型千斤顶单根张拉。多根钢丝同时张拉时,构件截面中断丝和滑脱钢丝的数量不得大于钢丝总数的1%,但一束钢丝只允许一根。

(5)每根构件张拉完毕后,应检查端部和其它部位是否有裂缝,并填写张拉记录表。

(6)预应力筋锚固后的外露长度不宜小于预应力筋直径的1.5倍,且不宜小于30mm。过长的部分宜采用机械方法切割。长期外露的锚具,可涂刷防锈油漆,或用混凝土封裹,以防腐蚀。保护层厚度不应小于50mm。

8. 孔道灌浆

预应力筋张拉后,孔道应及时灌浆。其目的是防止预应力筋锈蚀,增加结构的耐久性。同时亦使预应力筋与混凝土构件粘结成整体,提高结构的抗裂性和承载能力。此外,试验研究证明,在预应力筋张拉后立即灌浆,可减少预应力松弛损失20%~30%。因此,对孔道灌浆的质量必须重视。

(1)灌浆材料

灌浆所用的水泥浆,既应有足够强度和粘结力,也应有较大的流动性和较小的干缩性及泌水性。故配制灌浆用水泥浆应采用强度等级不低于42.5普通硅酸盐水泥;水灰比宜为0.4左右;流动度为120~170mm;搅拌后3h泌水率宜控制在2%,最大不得超过3%;当需要增加孔道灌浆的密实性时,水泥浆中可掺入对预应力筋无腐蚀作用的外加剂(如掺入占水泥重量0.25%的木质素磺酸钙、0.25%的FDN、0.5%的NNO,一般可减水10%~15%,泌水小、收缩微、早期强度高;而掺入0.05‰的铝粉,可使水泥浆获得2%~3%膨胀率,提高孔道灌浆饱度同时也能满足强度要求);对空隙大的孔道,可采用砂浆灌浆。水泥及砂浆强度均不应小于30MPa。

(2)灌浆施工

灌浆顺序应先下后上,以免上层孔道漏浆把下层孔道堵塞;直线孔道灌浆,应从构件的一端到另一端;在曲线孔道中灌浆,应从孔道最低处开始向两端进行。用连接器连接的多跨连续预应力筋的孔道灌浆,应张拉完一跨随即灌注一跨,不得在各跨全部张拉完毕后,一次连续灌浆。

搅拌好的水泥浆必须通过过渡器,置于贮浆桶内,并不断搅拌,以防泌水沉淀。

灌浆工作应缓慢均匀地进行,不得中断,并应排气通顺。在孔道两端冒出浓浆并封闭排气孔后,宜再继续加压至 0.5~0.6MPa,稍后再封闭灌浆孔。

不掺外加剂的水泥浆,可采用二次灌浆法。二次灌浆时间要掌握恰当,一般在水泥浆泌水基本完成、初凝尚未开始时进行(夏季约 30~45min,冬季约 1~2h)。

预应力混凝土的孔道灌浆,应在常温下进行。在低温灌浆前,宜通入 50℃ 的温水,洗净孔道并提高孔道周边的温度(应在 5℃ 以上);灌浆时水泥的温度宜为 10℃~25℃;水泥浆的温度在灌浆后至少有 5d 保持在 5℃ 以上;且应养护到强度不小于 15MPa。此外,在水泥浆中加适量的加气剂、减水剂、甲基酒精以及采取二次灌浆工艺,都有助于免除冻害。

第四节　无粘结预应力混凝土工程施工

无粘结预应力混凝土施工是将预先加工好的无粘结预应力筋和普通钢筋一样直接放置在模板内,然后浇注混凝土,待混凝土达到设计规定强度后,进行张拉锚固的一种施工工艺。这种施工工艺与普通后张法施工的区别在于不需在放置预应力筋的部位预留孔道和穿筋,预应力筋张拉完毕后,也不需进行孔道灌浆。广泛应用于各种结构的梁与连续梁、双向连续平板和密肋板中。

一、无粘结预应力筋的生产

无粘结预应力筋是指施加预应力后沿全长与周围混凝土不粘结的预应力筋。它主要由预应力钢材、涂料层和护套层组成,如图 5-46 所示。

无粘结预应力筋一般由钢丝、钢绞线等钢材制作成束使用,即钢丝束和钢绞线。

无粘结预应力筋的涂料层应具有良好的化学稳定性,对周围材料无侵蚀作用;不透水,不吸湿,抗腐蚀性能强;润滑性能好,摩擦阻力小;在规定温度范围内高温(70℃)不流淌,低温(-20℃)不变脆,并有一定韧性。目前一般选用 1 号和 2 号建筑油脂作为涂料层使用。

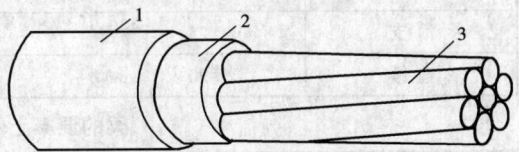

图 5-46　无粘结预应力筋
1-塑料护套;2-油脂;3-钢绞线或钢丝束

护套材料应具有足够的韧性、抗磨及抗冲击性,对周围材料应无侵蚀作用,在规定的温度范围内,低温应不脆化,高温化学稳定性好。宜采用高密度聚乙烯,有可靠实践经验时,也可采用聚丙烯,但不得采用聚氯乙烯。

钢丝束($7\phi^s5$)、钢绞线涂料层的涂敷,以及护套的制作应一次完成,一般有缠纸工艺和挤塑涂层工艺两种制作方法。缠纸工艺是在缠纸机上连续作业完成编束、涂油、镦头、缠塑料布和切断等工艺。挤塑涂层工艺设备主要由放线盘、给油装置、塑料挤出机、水冷装置、牵引机、收线机等组成,如图 5-47 所示。钢丝束(或钢绞线)经给油装置涂油后,通过塑料挤出机的机头出口处,塑料熔融物被挤成管状包覆在钢绞线上,经冷却水槽塑料套管硬化,即形成无粘结预应力筋;牵引机继续将钢绞线牵引至收线装置,自动排列成盘卷,适用于专业化生产单根钢

绞线或 $7\phi^{S}5$ 钢丝束。

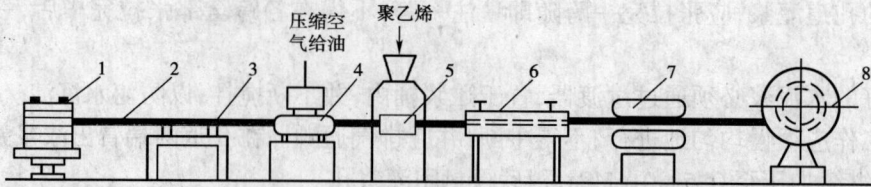

图 5-47　挤塑涂层工艺生产线

1-放线盘；2-钢绞线；3-滚动支架；4-给油装置；5-塑料挤出机；6-水冷装置；7-牵引机；8-收线装置

无粘结预应力筋应连续生产，钢绞线或钢丝束中的每根钢丝应由整根钢丝组成，不得有接头与死弯。无粘结预应力筋应具有良好的伸直性，盘内径不宜小于 2000mm。无粘结预应力筋出厂时，每盘上都挂有标牌，并附有出厂说明书。

无粘结预应力筋进场时应每个用户每次同规格订货为一检验批（每批重量不大于 30t）逐盘检查。产品外观应油脂饱满均匀，不漏涂；护套圆整光滑，松紧恰当。油脂与塑料护套检查，每批抽样三根。每根长 1m，称出产品重后，用刀剖开塑料护套，分别用柴油清洗擦净，再分别用天平称出钢材与塑料护套重，即得油脂重；再用千分卡量取塑料每段端口最薄和最厚处的两个厚度取平均值。

二、无粘结预应力混凝土施工工艺

无粘结预应力筋保护层的最小厚度，考虑耐火要求，应符合表 5-9 与表 5-10 的规定。

对无粘结预应力混凝土平板，混凝土平均预压应力不宜小于 1.0MPa，也不宜大于3.5MPa。在裂缝控制较严的情况下，平均预压应力值应小于 1.4MPa。对抵抗收缩与温度变形的预应力筋，混凝土平均预压应力值不宜小于 0.7MPa。

板的混凝土保护层最小厚度（mm）　　　　　　　　表 5-9

约束条件	耐火极限（h）			
	1	1.5	2	3
简支	25	30	40	55
连续	20	20	25	30

梁的混凝土保护层最小厚度（mm）　　　　　　　表 5-10

约束条件	梁宽	耐火极限（h）			
		1	1.5	2	3
简支	200	45	50	65	采取特殊措施
	≥300	40	45	50	65
连续	200	40	40	45	50
	≥300	40	40	40	45

注：当混凝土保护层厚度不能满足表列要求时，应使用防火涂料。

1.无粘结预应力筋铺设与固定

无粘结预应力筋的铺设，通常是在底部钢筋铺设后进行。梁和单向板中无粘结预应力筋的铺设比较简单，与非预应力筋铺设基本相同。在双向板中，无粘结预应力筋需要配置成两个方向的悬垂曲线。无粘结筋相互穿插,施工操作较为困难,必须事先编出无粘结筋的铺设顺序。其方法是将各向无粘结筋各搭接点的高程标出,对各搭接点相应的两个高程分别进行比较,若一个方向某一无粘结筋的各点高程均分别低于与其相交的各筋相应点高程时,则此筋可先放置。按此规律编出全部无粘结筋的铺设顺序。

无粘结预应力筋应严格按设计要求的曲线形状就位并固定:在双向连续平板中,各无粘结筋曲线高度的控制点用铁马凳垫好并扎牢,跨中部位的无粘结筋可直接绑扎在板的底部钢筋上。无粘结筋的水平位置应保持顺直。

张拉端模板应按施工图中规定的无粘结预应力筋的位置钻孔。

张拉端的承压板应采用钉子固定在端模板上或用点焊固定在钢筋上。无粘结预应力曲线筋或折线筋末端的切线应与承压板相垂直,曲线段的起始点至张拉锚固点应有不小于300mm的直线段。

无粘结预应力铺设固定完毕后,应进行隐蔽工程验收,当确认合格后,方可浇筑混凝土。

混凝土浇筑时,严禁踏压撞碰无粘结预应力筋、支撑钢筋及端部预埋件;张拉端与固定端混凝土必须振捣密实。

2.无粘结预应力筋张拉

无粘结预应力筋张拉前,应清理承压板面,并检查承压板后面的混凝土质量。如有空鼓现象,应在无粘结预应力筋张拉前修补。

无粘结预应力筋张拉与普通预应力钢丝束张拉相似,张拉程序一般采用为 $0 \rightarrow 103\% \, \sigma_{con}$。板中的无粘结筋一般采用前卡式千斤顶单根依次张拉,并用单孔夹片锚具锚固。梁中的无粘结筋宜对称张拉。

无粘结曲线预应力筋的长度超过25m时,宜采取两端张拉。当筋长超过60m时,宜采取分段张拉。如遇到摩擦损失较大,则宜先松动一次再张拉。

在梁板顶面或墙壁侧面的斜槽内张拉无粘结预应力筋时,宜采用变角张拉装置。

变角张拉装置是由顶压器、变角块、千斤顶等组成,如图5-48所示。其关键部位是变角块。变角块可以是整体的或分块的。前者仅为某一特定工程用,后者通用性强。分块式变角块的搭接,采用阶梯形定位方式,如图5-49所示。每一变角块的变角量为5°,通过叠加不同数量的变角块,可以满足5°~60°的变角要求。变角块与顶压器和千斤顶的连接,都要一个过渡块。如顶压器重新设计,则可省去过渡块。安装变角块时要注意块与块之间的槽口搭接,一定要保证变角轴线向结构外侧弯曲。

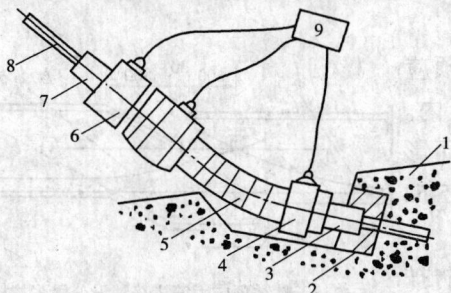

图5-48 变角张拉装置

1-凹口;2-锚垫板;3-锚具;4-液压顶压器;5-变角块;
6-千斤顶;7-工具锚;8-顶应力筋;9-油泵

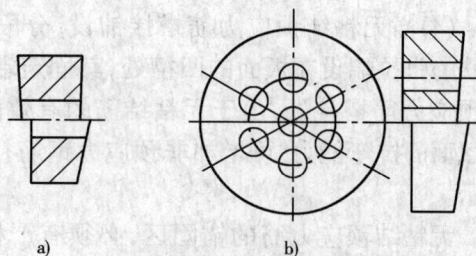

图5-49 变角块

a)单孔变角块;b)多孔变角块

无粘结预应力筋张拉伸长值校核与有粘结预应力筋相同。对超长无粘结筋由于张拉初期的阻力大,初拉力以下的伸长值比常规推算伸长值小,应通过试验修正。

3.无粘结预应力筋锚固

(1)在平板中单根无粘结预应力筋的张拉端可设在边梁或墙体外侧,有凸出式或凹入式作法(图 5-50 与图 5-51 所示)。前者利用外包钢筋混凝土圈梁封裹,后者利用掺膨胀剂的砂浆封口。承压钢板的参考尺寸为 80mm × 80mm × 12mm 或 90mm × 90mm × 12mm,根据预应力筋规格与锚固区混凝土强度确定。螺旋筋为 $\phi6$ 钢筋,直径 70mm,可直接点焊在承压钢板上。

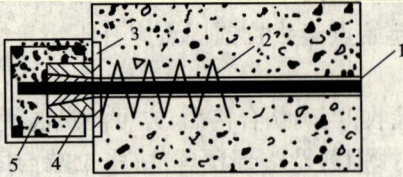

图 5-50　张拉端凸出式构造

1-无粘结预应力筋;2-螺旋筋;3-承压钢板;
4-夹片锚具;5-混凝土圈梁

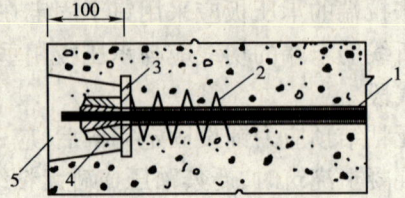

图 5-51　凹入式构造

1-无粘结预应力筋;2-螺旋筋;3-承压钢
板;4-夹片锚具;5-砂浆

(2)在梁中成束布置的无粘结预应力筋,宜在张拉端分散为单根布置,承压钢板上预应力筋的间距为 60 ~ 70mm。当一块钢板上预应力筋根数较多时,宜采用钢筋网片。网片采用 $\phi6$ ~ $\phi8$ 钢筋 4 ~ 6 片。

(3)无粘结预应力筋的固定端可利用镦头锚板或挤压锚具采取内埋式作法,见图 5-52。

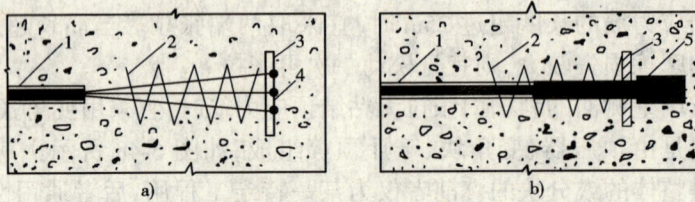

图 5-52　无粘结预应力筋固定端内埋式构造

a)钢丝束镦头锚板;b)钢绞线挤压锚具

1-无粘结筋;2-螺旋筋;3-承压钢板;4-冷镦头;5-挤压锚具

对多根无粘结预应力筋,为避免内埋式固定端拉力集中使混凝土开裂,可采取错开位置锚固。

(4)当无粘结预应力筋搭接铺设,分段张拉时,预应力筋的张拉端设在板面的凹槽处,其固定端埋设在板内。在预应力筋搭接处,由于无粘结筋的有效高度减小而影响截面的抗弯能力,可增加非预应力钢筋补足,如图 5-53 所示。

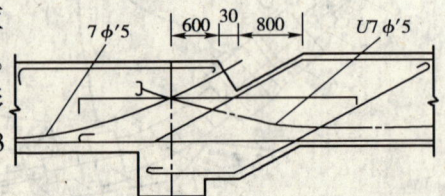

图 5-53　无粘结预应力筋搭接铺设分段张拉构造

无粘结预应力筋的锚固区,必须有严格的密封防护措施,严防水汽进入锈蚀预应力筋。一般是在锚具与承压板表面涂以防水涂料。为了使无粘结筋端头全封闭,在锚具端头涂防腐润滑油脂后,罩上封端塑料盖帽,或在两端留设的孔道内注入环氧树脂水泥砂浆,其抗压强度不低于 35MPa,灌浆时同时将锚头封闭。

思考题

1. 试述预应力后张拉法施工过程中可能发生的预应力损失及其防止或补偿方法。
2. 后张预应力筋张拉过程中可能发生哪些方面的预应力损失？
3. 试述后张法预应力平卧叠浇构件的张拉要求。
4. 预应力混凝土的主要施工工艺及其施工过程如何？
5. 锚具和夹具有哪些种类？其适用范围如何？
6. 预应力的张拉程序有几种？为什么要超张拉？
7. 先张法台座种类主要有哪几种？设计台座时主要验算什么？
8. 千斤顶为什么要配套校验？常用校验方法有哪几种？如何校验？
9. 后张法孔道留设方法有几种？留设孔道时应注意哪些问题？
10. 预应力筋张拉时为什么要校核其伸长值？如何量测？理论伸长值如何计算？
11. 根据预应力张拉和锚固阶段的应力分布规律，说明采用一端张拉和两端张拉的基本原理。
12. 后张法孔道灌浆的作用是什么？对灌浆材料的要求如何？怎样设置灌浆孔和泌水孔？
13. 无粘结筋的张拉端和锚固端的构造如何？铺设无粘结筋时应注意哪些问题？
14. 试比较先张法与后张法施工工艺的不同特点及其适用范围。
15. 先张法的张拉控制应力与后张法有何不同？为什么？
16. 预应力筋张拉与钢筋冷拉有何区别，张拉力与冷拉力取值有何不同？
17. 在张拉程序中为什么要超张拉、持荷 2min？建立张拉程序的依据是什么？
18. 先张法施工中预应力筋放张时应注意哪些问题？
19. 怎样计算预应筋的下料长度？
20. 后张法施工时预应力筋张拉应注意哪些问题？
21. 什么叫无粘结张拉？施工中应注意哪些问题？

第六章 砌筑工程
DILIUZHANG

砌筑工程是指砖、石和各种砌块的砌筑。

砖石结构是我国的传统建筑,有悠久的历史,至今仍大量采用。这种结构虽然取材易、造价低、施工简便;但其自重大,用小块体组砌,多为手工操作劳动强度大,生产率低,且烧砖废田,因而采用轻质、高强、空心、大块、多功能的新型墙体材料、改善砌筑施工工艺是砌筑工程改革的重点。

砌筑工程是混合结构房屋的主导工种工程,是一个综合的施工过程,它包括砂浆制备、材料运输、脚手架搭设和砌体砌筑等。

第一节 砌 筑 材 料

砌筑工程所用的材料主要是砖、石或砌块以及砌筑砂浆。

一、砖

1.砖的分类

砌筑工程所用的砖种类较多,根据使用材料和制作方法的不同,有烧结粘土砖和非烧结砖两大类。

(1)烧结粘土砖

烧结粘土砖主要包括:

①烧结普通粘土砖　即粘土实心砖,这种砖仍是目前使用最普遍的一种,其规格为 240 mm×115 mm×53 mm,按力学性能分为 MU7.5、MU10、MU15、MU20、MU25、MU30 六种强度等级。

②烧结多孔粘土砖　烧结多孔砖的主要规格有 240 mm×115 mm×90 mm(KP_1)、240 mm×180 mm×115 mm(KP_2)和 190 mm×190 mm×90 mm(KM),辅助规格的长度(除去上面外)还有 290 mm、220 mm;宽度还有 90 mm;高度还有 86 mm、85 mm。孔形有矩形长条孔、圆孔、椭圆孔、方形孔、菱形孔等,且多为竖孔。其抗压强度等级同烧结普通粘土砖,可用于砌筑承重墙。

③烧结空心粘土砖　烧结空心砖的孔洞率大于35%,属于非承重空心砖。孔形主要有矩形条孔、方形孔及菱形孔。其规格为:长度有450mm、300mm、290mm、240mm、190mm;宽度有290mm、240mm、200mm、190mm、175mm、140mm;高度有190mm、150 mm 、115mm、90 mm。烧结空心砖的抗压强度等级较低,分为 MU2.0、MU3.0、MU5.0 三个强度等级,因而只能用于非承重砌体。

(2)非烧结砖

非烧结砖一般采用蒸气养护或蒸压养护的方法生产,根据主要原材料的不同,可分为灰砂砖、粉煤灰砖、煤渣砖、炉渣砖、煤矸石砖等。

①蒸压灰砂砖　是以石灰和砂为主要原料的实心砖或空心砖。其规格主要有:240mm×115mm×53mm、240mm×115mm×103mm、240mm×180mm×103mm 和 400mm×115mm×53mm 等几种。按力学性能分为 MU10、MU15、MU20、MU25 四个抗压强度等级。

②蒸压粉煤灰砖　是以粉煤灰、石灰、石膏以及骨料为原料的实心砖。主要规格有:240mm×115mm×53mm×400mm×115mm×53mm。按力学性能分为 MU7.5、MU10、MU15、MU20 四个抗压强度等级。

③煤渣砖　是以煤渣为主要原料,掺入适量石灰、石膏,经混合、压制成型、蒸养或蒸压养护制成的实心煤渣砖。主要规格有 240mm×115mm×53mm。

2.对砖的技术要求

(1)砖的品种、强度等级必须符合设计要求,无裂纹、翘曲、掉角和断裂现象。用于清水墙、柱表面的砖,尚应边角整齐,色泽均匀。

(2)常温下,砖在砌筑前应提前(0.5~1)d 浇水湿润,以免砖过多吸走砂浆中的水分而影响粘结力,并可除去砖表面的粉尘。但浇水过多,则会产生跑浆现象,使砌体走样或滑动。严禁砌筑前临时浇水,以免因砖表面存有水膜而使砌体走样。

烧结普通砖、多孔砖含水率宜为 10%~15%(质量分数),灰砂砖、粉煤灰砖含水率宜为 5%~8%。检查含水率的最简易方法是现场将砖砍断,砖断面四周吸水深度达到 15~20mm 即可视为符合要求。

二、石

砌筑用石料分为毛石、料石两类。毛石又分为乱毛石和平毛石。乱毛石是指形状不规则的石块,平毛石是指形状不规则,但有两个平面大致平行的石块。

料石按其加工面的平整程度分为细料石、半细料石、粗料石和毛料石四种。料石的宽度、厚度均不宜小于 200mm,长度不宜大于厚度的 4 倍。

石料按其质量密度大小分为轻石和重石两类,密度不大于 1800kg/m³ 者为轻石,密度大于 1800kg/m³ 者为重石。

根据石料的抗压强度值,将石料分为 MU10、MU15、MU20、MU30、MU40、MU50、MU60、MU70、MU80、MU100 九个强度等级(以 70 mm 边长的立方体试块的抗压强度表示,取三个试块的平均值)。

三、砌　块

目前我国砌块的种类规格较多,按形状分有实心砌块和空心砌块两种。按规格来分有小型砌块、中型砌块和大型砌块,砌块高度在 115~380mm 的称小型砌块;高度在 380~980mm 的称中型砌块;高度大于980mm的称大型砌块。按制作原料可分为粉煤灰硅酸盐砌块、煤矸石硅酸盐空心砌块、混凝土空心砌块、炉渣空心砌块等。

1.承重砌块

以混凝土空心砌块为主,它有竖向方孔,主规格尺寸为390 mm×190 mm×190 mm,还有一些辅助规格的砌块以配合使用,最小壁肋厚度为30 mm。按力学性能分为MU3.5、MU5、MU7.5、MU10、MU15、MU20六个强度等级。砌块可以制作成半封底和不封底两种,半封底的砌块用于一般砌体,不封底的砌块主要用于填实插筋砌体。

2.非承重砌块

主要包括加气混凝土砌块、粉煤灰硅酸盐砌块及各种工业废渣砌块。

(1)加气混凝土砌块A系列尺寸为600 mm×75(100、125、150、200、250、300)mm×200(250、300)mm;B系列尺寸为600 mm×60(120、180、240)mm×240(300)mm,强度等级分为MU1、MU2、MU2.5、MU3.5、MU5、MU7.5、MU10七个级别。

(2)粉煤灰硅酸盐砌块的主规格尺寸为880 mm×380 mm×240 mm和880 mm×430 mm×240 mm两种,需用其他规格尺寸时,可由供需双方协商确定。强度等级分为MU5、MU7.5、MU10、MU15,其中常用的有MU10和MU15两个级别。

(3)其他工业废渣砌块,规格不一,以主规格尺寸为390 mm×190 mm×190 mm的居多,其强度等级也各不相同,最高的可达MU10,最低的为MU2.5。

四、砌 筑 砂 浆

砌筑砂浆主要起粘结块材和传递荷载的作用。

1.分类

按组成材料不同可以分为水泥砂浆、水泥混合砂浆和非水泥砂浆三类。

(1)水泥砂浆

用水泥和砂拌合成的水泥砂浆具有较高的强度和耐久性,但和易性差,多用于高强度和潮湿环境的砌体中。

(2)水泥混合砂浆

为了节约水泥和改善砂浆性能,在水泥砂浆中掺入一定数量的石灰膏或粘土膏而成的水泥混合砂浆具有一定的强度和耐久性,且和易性和保水性好,其多用于一般砌体中。

(3)非水泥砂浆

不含有水泥的砂浆,如石灰砂浆、粘土砂浆等,其强度低且耐久性差,可用于简易或临时建筑的砌体中。

2.对砂浆组成原材料的要求

(1)水泥应按品种、强度等级、出厂日期分别堆放,并保持干燥。强度等级不明或出厂日期超过三个月,应经过试验鉴定后方可使用;不同品种水泥不得混合使用。

(2)砂宜采用中砂,并应过筛,不得含草根等杂物。砂中含泥量应满足:对水泥砂浆和强度等级不小于M5的混合砂浆,不应超过5%;对强度等级小于M5的混合砂浆,不应超过10%。

(3)石灰膏可用块状生石灰熟化而成,熟化时间不得少于 7d,对于磨细的生石灰粉,熟化时间不得少于 2d;熟化后应采用孔洞不大于 3 mm×3 mm 的网过滤。沉淀池中贮存的石灰膏,应防止干燥、冻结和污染,严禁使用脱水硬化的石灰膏。

(4)采用粘土或亚粘土制备粘土膏时,宜采用孔洞不大于 3mm×3mm 的网过筛,并用搅拌机加水搅拌而成。粘土中的有机物含量用比色法鉴定,其色应浅于标准色。

(5)粉煤灰品质等级可用 III 级,砂浆中的粉煤灰取代水泥率不宜超过 40%,取代石灰膏率不宜超过 50%。

(6)水应采用不含有害物质的洁净水,水质必须符合《混凝土拌合用水标准》的规定。

(7)如需掺外加剂,其掺量应通过试验确定。

3.砂浆的强度等级

砂浆的强度等级是用边长为 70.7 mm 的立方体试块,以标准养护,龄期为 28d 的抗压强度为准,可分为 M15、M10、M7.5、M5、M2.5、M1、M0.4 七个等级。

4.砂浆的稠度和保水性

砌筑用砂浆的种类、强度等级应符合设计要求,此外还应有适宜的稠度和良好的保水性。砂浆的稠度越大,流动性越好,流动性好的砂浆便于操作,使灰缝平整、密实,从而既可提高劳动生产率,又能保证砌筑质量。砂浆的稠度应符合表 6-1 的规定。

砌筑砂浆的稠度

表 6-1

项次	砌体种类	砂浆稠度(mm)	项次	砌体种类	砂浆稠度(mm)
1	烧结普通砖砌体	70~100	4	烧结普通砖平拱式过梁 空斗墙、筒拱 普通混凝土小型空心砌块砌体 加气混凝土砌块砌体	50~70
2	轻骨料混凝土小型空心砌块砌体	60~90	5	石砌体	30~50
3	烧结多孔砖、空心砖砌体	60~80			

保水性能较好的砂浆被砖吸走的水分少,可保持良好的工作性能,易使砌体灰缝饱满均匀、密实,并能提高水硬性砂浆的强度。为改善砂浆的保水性,可在砂浆中掺石灰育、粘土膏、粉煤灰、磨细生石灰粉等无机塑化剂或皂化松香(微沫剂)等有机塑化剂。

5.砂浆的拌制和使用

砂浆一般用砂浆搅拌机拌制,要求拌和均匀。拌和时间自投完料算起,水泥砂浆和水泥混合砂浆不得少于 2min;水泥粉煤灰砂浆和掺用外加剂的砂浆不得少于 3 min;掺用有机塑化剂的砂浆应为 3~5 min。砂浆应随拌随用,常温下,水泥砂浆应在拌后 3h 内用完,混合砂浆应在拌后 4h 内用完;气温高于 30℃时,应分别在拌后 2h 和 3h 内用完。砂浆经运输、贮放后如有泌水现象,应在砌筑前再次拌和,不允许使用过夜的水泥砂浆或水泥混合砂浆。

6.砂浆的强度检验

砂浆应作强度检验。每一层楼或每 250m³ 砌体中各种强度等级的砂浆,每台搅拌机至少检查一次,每次至少留一组(6块)试块。如砂浆强度等级或配合比变更,还应另做试块,做抗压试验。

第二节　砌筑工艺及质量要求

一、砖砌体施工

1.砖墙砌筑的组砌形式

一块砖有三个两两相等的面,最大的面叫作大面,较细长的一面叫条面,短的一面叫丁面。砖砌入墙体后,条面朝向操作者的叫顺砖,丁面朝向操作者的叫丁砖。

普通砖墙厚度有半砖、一砖、一砖半和二砖等,用普通粘土砖砌筑的砖墙,其组砌形式通常有一顺一丁、三顺一丁和梅花丁等(图6-1所示)。烧结多孔砖宜采用一顺一丁或梅花丁的砌筑形式,上下皮垂直灰缝相互错开1/4砖长。

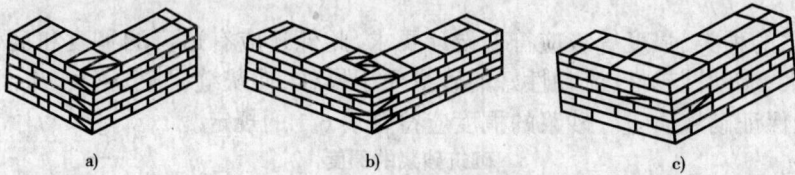

图6-1　普通粘土砖墙的组砌形式
a)一顺一丁;b)梅花丁;c)三顺一丁

(1)一顺一丁砌法

也称满丁满条组砌法,由一皮顺砖、一皮丁砖组砌而成,上下皮之间竖向灰缝都相互错开1/4砖长。

这种砌法整体性较好且砌筑效率较高,是最常用的一种组砌形式。

(2)三顺一丁砌法

三顺一丁砌法是采用三皮顺砖间隔一皮丁砖的组砌方法。上下皮顺砖搭接半砖长,丁砖与顺砖搭接1/4砖长,同时要求山墙与檐墙的丁砖层不在同一皮砖上,以利于错缝搭接。

这种砌法砌筑效率高,墙面易平整,多用于混水墙。

(3)梅花丁砌法

是在同一皮砖上采用两块顺砖夹一块丁砖的砌法,上下两皮砖的竖向灰缝错开1/4砖长。这种砌法整体性较好,灰缝整齐美观,但砌筑效率较低。

(4)其它砌法

①全顺砌法

全部采用顺砖砌筑,每皮砖上下搭接1/2砖长,适用于半砖墙的砌筑。

②全丁砌法

全部采用丁砖砌筑,每皮砖上下搭接1/4砖长,适用于圆形烟囱与窨井的砌筑。

③两平一侧砌法

当设计要求砌180mm或300mm厚砖墙时,可采用此砌法,即连砌两皮顺砖或丁砖,然后贴一层侧砖(条面朝下)。丁砖层上下皮搭接1/4砖长,顺砖层上下皮搭接1/2砖长。每砌两皮砖以后,将平砌砖和侧砖里外互换,即可组成两平一侧砌体。

2.砖墙的砌筑工艺

砖墙砌筑工艺一般是:找平、弹线、摆砖样、立皮数杆、盘角、挂线、砌筑、勾缝、楼层轴线标高引测及检查等工序。

(1)找平、弹线

砌砖墙前,应先在基础防潮层或楼面上用水泥砂浆或细石混凝土找平,然后根据龙门板上标志的轴线,弹出墙身中心轴线、边线及门窗洞口位置。

(2)摆砖样

摆砖样也称撂底,是在弹好线的基面上按组砌方式用干砖试摆,借助灰缝调整,尽量使门窗洞口、附墙垛等处符合砖的模数,以尽可能减少砍砖,并使砌体灰缝均匀,组砌得当。

(3)立皮数杆

皮数杆是一层楼墙体的标志杆,其上画有每皮砖和灰缝的厚度以及门窗洞口、过梁、楼板、梁底等的高程,用以控制砌体的竖向尺寸。皮数杆一般立在墙的转角处及纵横墙交接处,如墙身长度很长,可每隔 10~15m 再立一根。立皮数杆时,应使皮数杆上所示高程线与抄平所确定的设计高程相吻合。

(4)盘角、挂线

墙角是确定墙面横平竖直的主要依据,故可以根据皮数杆先砌墙角部分,并保证其垂直平整,称为盘角。盘角时,不要超过 5 皮砖,应随砌随盘,然后再在其间拉线(称为挂准线),依准线逐皮砌筑中间墙身。砌一砖墙可以单面挂线,砌一砖半及其以上的墙体则应双面挂线。

(5)砌筑

砌筑墙体的操作方法各地不一,但为保证砌筑质量,一般以"三一"砌筑法为宜,即一铲灰、一块砖、一挤揉。对砌筑质量要求不高的墙体,也可采用铺浆法砌筑,一般铺浆长度不得超过750mm;气温超过 30℃时,铺浆长度不得超过 500mm。

(6)勾缝

勾缝是砌清水墙的最后一道工序,具有保护墙面和增加墙面美观的作用。内墙面可采用砌筑砂浆随砌随勾缝,称为原浆勾缝;外墙面应待砌完整个墙体后,再用细砂拌制 1 1.5 的水泥砂浆或加色砂浆勾缝,称加浆勾缝。

勾缝前,应清除墙面上粘结的砂浆、灰尘等,并洒水湿润。勾缝要求横平竖直,色泽深浅一致。不得有瞎缝、丢缝、裂缝和粘结不牢等现象。

(7)楼层轴线引测及标高控制

砌上层墙时,应先弹出该层墙中心线,这可利用引测在外墙面上的墙身中心线,用经纬仪或线锤把墙身中心线引测到楼层上去。各层墙轴线应重合。

各层标高除可用皮数杆控制外,还可用在室内弹出的水平线来控制。即当底层砌到一定高度后,用水准仪根据龙门板上的 ±0.000 高程,在室内墙角引测出高程控制点,一般比室内地坪高 200~500mm(多为 500mm),然后根据该控制点弹出水平线,用以控制底层过梁、圈梁及楼板的标高。第二层墙体砌到一定高度后,先从底层水平线用钢尺往上量出第二层水平线的第一个标志,然后以此标志为准,定出各墙面的水平线,以控制第三层的高程,依次类推。但各层轴线及高程均应从第一层引测,以避免误差累积。

3.砌筑的质量要求及保证措施

砖砌体质量的好坏取决于组成原材料的质量和砌筑质量,故砌体除应采用符合质量要求的原材料外,还必须有良好的砌筑质量,以使砌体有良好的整体性、稳定性和良好的受力性能。

(1)砌筑工程质量的基本要求

砌筑工程质量的基本要求是:横平竖直,砂浆饱满,厚薄均匀,上下错缝,内外搭砌,接槎可靠。

①横平竖直

砖砌体抗压性能好,而抗剪抗拉性能差。为使砌体均匀受压,不产生剪切及水平推力,墙、柱等承受竖向荷载的砌体,其灰缝应横平竖直,否则,在竖向荷载作用下,沿水平灰缝与砖块的结合面会产生剪应力。当剪应力超过抗剪强度时,灰缝受剪破坏,随之对相邻砖块形成推力或挤压作用,致使结构受力情况恶化。

横平,即要求每一皮砖必须在同一水平面上。为此,首先应将基础或楼面找平,砌筑时严格按皮数杆层层挂水平准线并要拉紧,将每皮砖砌平。竖直,即竖向灰缝(隔皮灰缝)必须垂直对齐。对不齐而错位,称"游丁走缝",影响墙体外观质量。

②砂浆饱满、厚薄均匀

为保证砖块均匀受力和使块体紧密结合,要求水平灰缝砂浆饱满,厚薄均匀。否则砖块不能均匀传力,而产生弯曲、剪切破坏作用。砂浆饱满程度以砂浆饱满度表示。为保证砌体的抗压强度,要求水平灰缝砂浆饱满度不低于80%。竖向灰缝对砌体的抗压强度影响不大,但对抗剪强度有明显影响;况且竖缝砂浆饱满,可避免透风漏水,改善保温性能。竖向灰缝宜采用挤浆或加浆方法使其饱满,不得用水冲浆灌缝。

砖砌体水平灰缝厚度和竖向灰缝宽度宜为10mm,不得小于8mm,也不应大于12mm。水平灰缝过厚不仅易使砖块浮滑,墙身侧倾,同时由于砌体受压时,砂浆和砖的横向膨胀不一致,而使砖块受拉,且灰缝越厚,则砖块拉力越大,砌体强度降低越多。当灰缝过薄时,则会降低砖块之间的粘结力。

水平灰缝砂浆饱满度的检验方法:用百格网检查砖底面与砂浆的粘结痕迹面积,每检验批抽查不应少于5处,每处检测3块砖,取其平均值。

③上下错缝、内外搭砌

为提高砌体的整体性、稳定性和承载能力,砖块排列应遵守上下错缝、内外搭砌的原则,应避免出现连续的竖向通缝。错缝或搭砌长度一般不小于60mm,同时还应考虑砌筑方便,砍砖少的要求。对于砖柱严禁采用包芯砌法。

④接槎可靠

接槎是指相邻砌体不能同时砌筑而又必须设置的临时间断,以便于先、后砌筑的砌体之间的接合。为保证砌体的整体性,砖墙转角处和纵横墙交接处一般应同时砌筑。对不能同时砌筑而必须留槎时,宜留斜槎(图6-2a)所示),其高度不宜超过一步架高,长度不小于高度的2/3。斜槎操作简便,接槎砂浆饱满,质量容易得到保证。如留斜槎有困难时,除抗震设防区或转角处外,也可留直槎,但必须做成阳槎(图6-2b)所示),并加设拉结筋。拉结筋的数量为每120mm墙厚放置一根 φ6钢筋(120mm厚墙放置2φ6拉结钢筋);间距沿墙高不得超过500mm;埋入长度从墙的留槎处算起,每边均不应小于500mm,对抗震设防烈度6度、7度的地区,不应小于1000mm,且钢筋末端应做成90°弯钩。

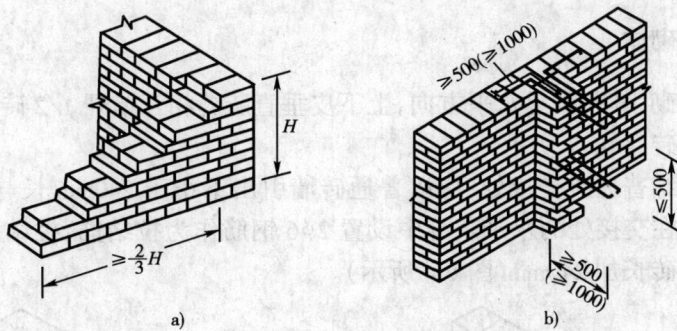

图 6-2　砖墙接槎

a)斜槎；b)直槎

砖砌体接槎时，必须将接槎处的表面清理干净，浇水湿润，并应填实砂浆，保持灰缝平直。

（2）其他保证质量措施

①为保证墙面垂直、平整，砌筑过程中应随时检查，作到"三皮一吊、五皮一靠"。

②房屋相邻部分高差较大时，应先建高层部分；分段施工时，砌体相邻施工段的高差，不得超过一层楼，也不得大于 4m。

③柱或墙上严禁施加大的集中荷载，如架设起重机等。

④为减少灰缝变形砌体沉降，一般每日砌筑高度不宜超过 1.8m，雨天时，不宜超过 1.2m。

⑤有关丁砖层的规定

砖墙体砌筑时，各层承重墙的最上一皮砖应砌丁砖层，以使楼板支承点牢靠稳定，锚固和受力均较合理。在梁或梁垫的下面，砖砌体的阶台水平面及砌体的挑出层（挑檐、腰线）等处，也应用丁砖层砌筑，以保证砌体的整体强度。

⑥墙和柱的允许自由高度

为保证施工阶段砌体的稳定性，对尚未施工楼板或屋面的墙和柱，当可能遇到大风时，其允许自由高度不得超过表 6-2 中的规定，否则应采取必要的临时加固措施。

表 6-2 适合于施工处相对高差（H）在 10m 范围内的情况。当 $10m < H \leqslant 15m$、$15m < H \leqslant 20m$ 和 $H > 20m$ 时，表内允许自由高度值应分别乘以 0.9、0.8、0.75 的系数；但当所砌墙有横墙或其它结构与其联结，且间距小于表 6-2 中允许自由高度值的 2 倍时，砌筑高度可不受表 6-2 中的规定。

墙和柱的允许自由高度　　　　　　　　　　　　　　　　　表 6-2

墙(柱)厚 (cm)	墙和柱的允许自由高度(m)					
	砌体密度 > 1600kg/m³（石墙、实心砖墙）			砌体密度 1300 ~ 1600kg/m³（空心砖墙、空斗墙）		
	风载(10N/m³)			风载(10N/m³)		
	30 （大致相当 于 7 级风）	40 （大致相当 于 8 级风）	60 （大致相当 于 9 级风）	30 （大致相当 于 7 级风）	40 （大致相当 于 8 级风）	60 （大致相当 于 9 级风）
19	-	-	-	1.4	1.1	0.7
24	2.8	2.1	1.4	2.2	1.7	1.1
37	5.2	3.9	2.6	4.2	3.2	2.1
49	8.6	6.5	4.3	7.0	5.2	3.5
62	14.0	10.5	7.0	11.4	8.6	5.71

4.烧结空心砖砌体

空心砖墙应侧砌,其孔洞呈水平方向,上下皮垂直灰缝相互错开 1/2 砖长。空心砖墙底部宜砌 3 皮烧结普通砖(图 6-3 所示)。

空心砖墙与烧结普通砖交接处,应以普通砖墙引出不小于 240mm 长与空心砖墙相接,并与隔 2 皮空心砖高在交接处的水平灰缝中设置 2φ6 钢筋作为拉结筋,拉结钢筋在空心砖墙中的长度不小于空心砖长加 240mm(图 6-4 所示)。

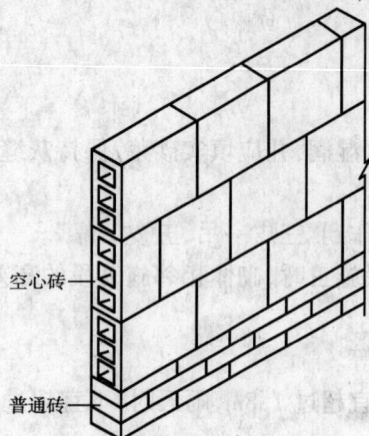

图 6-3 空心砖墙

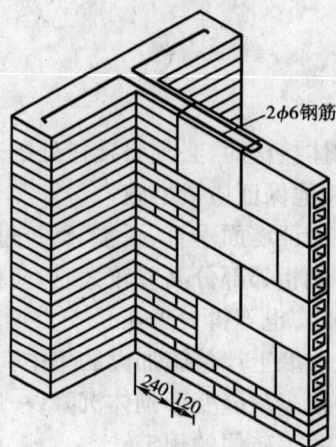

图 6-4 空心砖墙与普通砖墙交接

空心砖墙的转角处,应用烧结普通砖砌筑,砌筑长度角边不小于 240mm。

空心砖墙砌筑不得留置斜槎或直槎,中途停歇时,应将墙顶砌平。在转角处、交接处,空心砖与普通砖应同时砌起。

空心砖墙中不得留置脚手眼,不得对空心砖进行砍凿。

5.钢筋混凝土构造柱的施工

砌筑砖墙时,应在设计规定的部位预留构造柱的豁槎,称为马牙槎。按结构构造规定每个马牙槎沿高度方向的尺寸不宜超过 300mm(5 皮砖高),每个马牙槎退进应不小于 60mm(图 6-5 所示),故可留五进五退的大马牙槎。

构造柱必须牢固地生根于基础或圈梁上,砌筑墙体时应保证构造柱截面尺寸,构造柱最小截面可采用 240mm × 180mm。纵向钢筋可采用 4φ12 的钢筋;箍筋间距不宜大于 250mm,且在柱上下端宜适当加密。

构造柱与圈梁连接处,构造柱的纵筋应穿过圈梁,保证构造柱纵筋上下贯通。

砖墙与构造柱连接处,应按要求砌入拉结钢筋,拉结钢筋的数量为每 120mm 墙厚放置一根 φ6 钢筋,间距沿墙高不得超过 500mm,每边伸入墙内均不应小于 1000mm,且钢筋末端应做成 90° 弯钩(图 6-6 所示)。

构造柱在浇筑混凝土前,应清除干净钢筋上的干砂浆块,清除柱内碎砖杂物,支好模板,分层浇筑混凝土,并振捣密实。构造

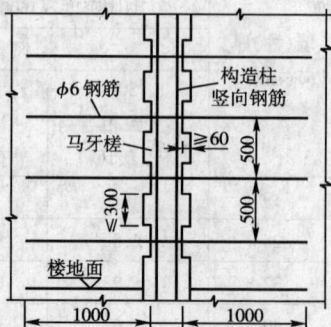

图 6-5 砖墙的马牙槎布置(尺寸单位:mm)

柱的混凝土强度等级不应低于 C20，钢筋宜用 HPB235 钢筋，钢筋混凝土保护层厚度宜为 20mm，且不小于 15mm。

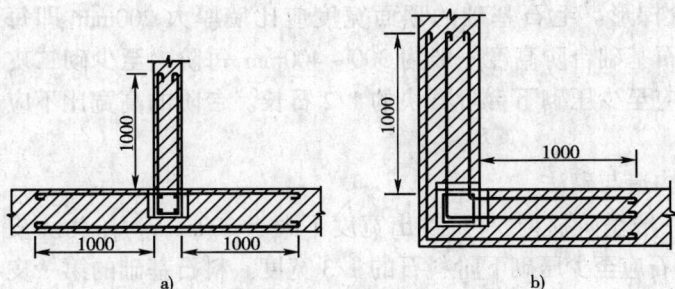

图 6-6　砖墙与构造柱水平拉结钢筋的布置
a)T 字接头处；b)转角处

6.砖砌体工程的质量检验

砖砌体尺寸、位置的允许偏差和检验方法应符合表 6-3 的规定。

砖砌体尺寸、位置的允许偏差和检验方法　　　　　　　　　　　　　　表 6-3

项次	项　　目			允许偏差（mm）	检验方法
1	轴线位置偏移			10	用经纬仪或拉线和尺量检查
2	基础和墙体顶面标高			±15	用水准仪和尺量检查
3	垂直度	每层		5	用 2m 托线板检查
		全高	≤10m	10	用经纬仪或吊线和尺量检查
			>10m	20	
4	表面平整度	清水墙、柱		5	用 2m 靠尺和楔形塞尺检查
		混水墙、柱		8	
5	水平灰缝平直度	清水墙		7	拉 10m 线和尺量检查
		混水墙		10	
6	水平灰缝厚度（10 皮砖累计数）			±8	与皮数杆比较尺量检查
7	清水墙面游丁走缝			20	吊线和尺量检查，以底层第一皮砖为准
8	门窗洞口（后塞口）	宽度		±5	尺量检查
		高度		±5	
9	预留构造柱截面（宽度、深度）			±10	尺量检查
10	外墙上下窗口偏移			20	用经纬仪或吊线检查，以底层窗口为准

二、石砌体施工

1.石基础施工

用天然石材作为基础，其强度比砖高得多，能够保证基础的质量。

（1）基础的构造

石基础有毛石基础和料石基础两种。

①毛石基础的构造

毛石基础可作墙下条形基础或柱下独立基础,按其断面形状有阶梯形和梯形等,多做成阶梯形。毛石基础的顶面宽度应比墙厚大 200mm,即每边宽出 100mm。毛石基础台阶高度一般为 300～400mm,每阶内至少砌二皮毛石。上台阶石块应至少压砌下台阶石块的 1/2 石长。台阶的高宽比不应小于 1:1(图 6-7)。

②料石基础的构造与砌法

料石基础断面一般呈阶梯型,每阶挑出宽度不大于 200mm,每阶为一皮或二皮料石,上阶料石应至少压砌下阶料石的 1/3 宽度。料石基础的第一皮料石应座浆丁砌,以上各层料石可按一顺一丁进行砌筑,如图 6-8 所示。

(2)石基础砌筑要点

①放线

砌筑前,应先检查基槽,放出基础轴线及边线。

②立皮数杆

图 6-8　料石基础

在适当的位置立皮数杆,皮数杆上要画出分层砌石高度及退台情况,皮数杆之间拉上准线,各层石块要按准线砌筑。

③第一皮摆底的石块应选用较大较方正的平毛石,其大面应朝下并座浆,放置平稳;在转角处、交接处和洞口处,亦应选用较大的平毛石砌筑。毛石之间的上下皮竖缝应错开,并力求顶顺交错排列。

④填心石块应根据石块自然形状交错放置,尽量使石块间缝隙最小。缝隙可用小石块填入,但应先灌浆后填石。

⑤基础的砌筑均用座浆法,不准用先铺石后灌浆的方法。毛石基础同皮内每隔 2m 左右必须设置一块拉结石,拉结石长度,如基础宽度等于或小于 400mm,应与基础宽度相等;如基础宽度大于 400mm,可用两块拉结石内外搭接,搭接长度不小于 150mm,且其中一块长度不应小于基础宽度的 2/3。

⑥有高低台的毛石基础,应从低处砌起,并由高台向低台搭接,搭接长度不小于基础高度。

2.石墙体施工

(1)石墙体构造

石墙体有毛石墙和料石墙两种。

①毛石墙的构造与砌法

毛石砌体应分皮卧砌,各皮石块间利用自然形状,经敲打修整使能与先砌石块基本吻合、搭砌紧密。应上下错缝,内外搭砌,不得采用先砌外面石块后中间填心的砌筑方法,石块间较大的空隙应先填塞砂浆后用碎石嵌实,不得采用先摆碎石块后塞砂浆或干填碎石块的方法。

在毛石和普通粘土砖的组合墙中,毛石与砖应同时砌筑,并每隔 4～6 皮砖用 2～3 皮丁砖与毛石砌体拉结砌合,砌合长度应不小于 120mm(图 6-9 所示),两种材料间的空隙应用砂浆填满。

毛石墙与砖墙相接的转角处应同时砌筑。砖墙与毛石墙在

图 6-7　毛石基础

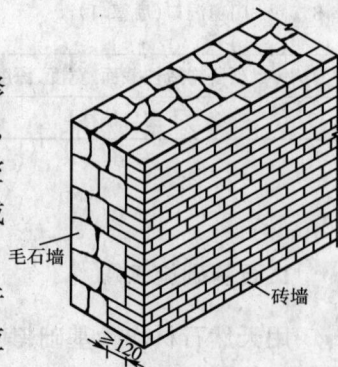

图 6-9　毛石与普通砖组合墙示意

转角处相接,可从砖墙每隔 4~6 皮砖高度砌出不小于 120mm 长的阳槎与毛石墙相接(图 6-10a);亦可从毛石墙每隔 4~6 皮砖高度砌出不小于 120mm 长的阳槎与砖墙相接(图 6-10b),阳槎均应伸入相接墙体的长度方向。

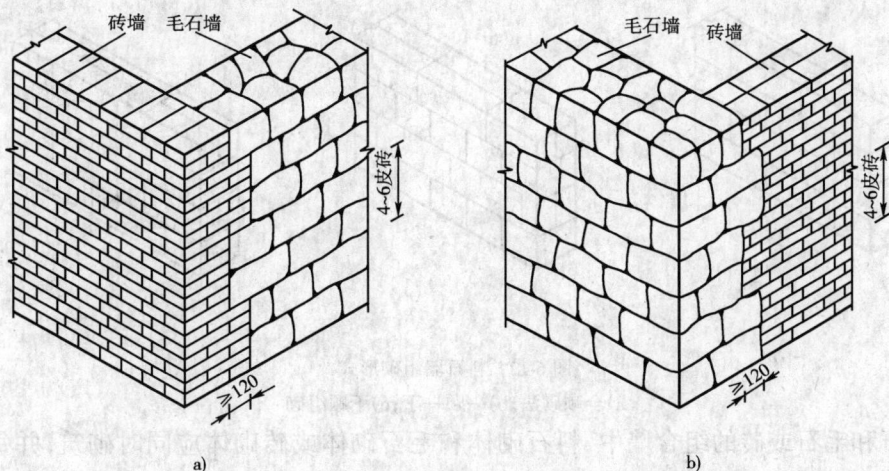

图 6-10　砖墙与毛石墙的转角处构造示意图
a)转角处为砖;b)转角处为石

　　毛石墙与砖墙的丁字交接处应同时砌筑。砖纵墙与毛石横墙交接处,应自砖墙每隔 4~6 皮砖高度砌出不小于 120mm 的阳槎与毛石墙相接(图 6-11a)。毛石纵墙与砖横墙交接处,应自毛石墙每隔 4~6 皮砖高度砌出不小于 120mm 的阳槎与砖墙相接,如图 6-11b)所示。

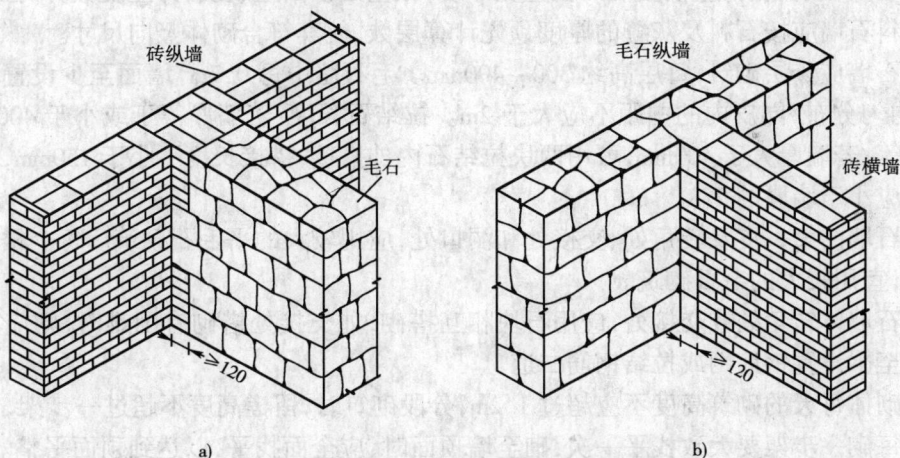

图 6-11　砖墙与毛石墙的丁字接头处构造示意图
a)砖纵墙与毛石横墙丁字接头构造;b)毛石纵墙与砖横墙丁字接头构造

　　毛石砌体的灰缝厚度宜为 20~30mm,石块间不得有相互接触现象。砂浆应饱满,饱满度应不低于 80%。

　　②料石墙的构造与砌法

　　料石墙是用料石与水泥混合砂浆或水泥砂浆砌成,料石用细料石、半细料石、粗料石和毛料石均可。料石墙组砌形式有全顺砌法、一顺一丁和丁顺组砌,当墙厚等于一块料石宽度时,可采用全顺砌筑形式(图 6-12a);当墙厚等于两块料石宽度时,可采用一顺一丁或丁顺组砌的砌筑形式。一顺一丁是一皮顺石与一皮丁石相隔砌成,上下皮竖缝相互错开 1/2 石宽(图 6-12b)所示);丁顺组砌是同皮内 1~2 块顺石与一块丁石相隔砌成,丁石中距不大于 2m,上皮丁石坐中于下皮顺石,上下皮竖缝相互错开至少 1/2 石宽(图 6-12c)。

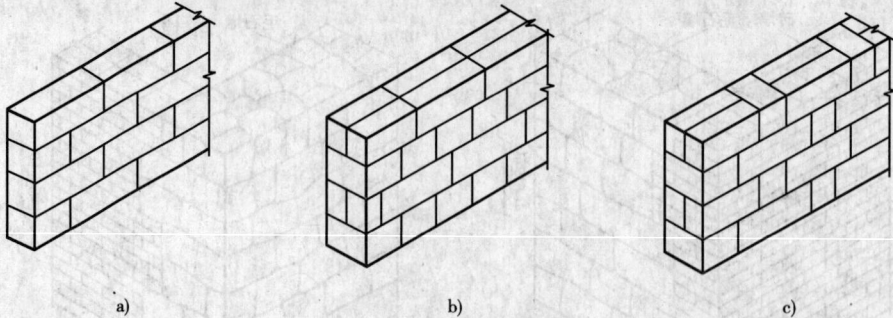

图 6-12 料石墙组砌形式
a)全顺砌法;b)一顺一丁;c)丁顺组砌

在料石和毛石或砖的组合墙中,料石砌体和毛石砌体或砖砌体应同时砌筑,并每隔 2~3 皮料石层用丁砌层与毛石砌体或砖砌体拉结砌合。丁砌料石的长度宜与组合墙厚度相同。

灰缝厚度应按料石的种类确定,细料石不宜大于 5mm;半细料石不宜大于 10mm;粗料石和毛料石墙不宜大于 20mm。砌筑时,砂浆铺设厚度应略高于规定灰缝厚度,其高出厚度:细料石、半细料石宜为 3~5mm;粗料石、毛料石宜为 6~8mm。砂浆饱满度不应小于 80%。

(2)石墙体砌筑要点

①石墙体在砌筑前,应根据墙的位置及厚度,在基础顶面上放线,并立皮数杆,拉上准线。

②对料石墙应按石料及灰缝的厚度预先计算层数,使其符合砌体竖向尺寸。

③毛石墙应分层砌筑,每层高约 300~400mm。毛石墙中每 0.7m² 墙面至少设置一块拉结石,并应均匀分布,同皮内的中距不应大于 2m。拉结石长度:若墙厚等于或小于 400mm,应与墙厚度相等;若墙厚大于 400mm,可用两块拉结石内外搭接,搭接长度不小于 150mm,且其中一块长度不应小于墙厚的 2/3。

④毛石墙的第一皮及转角处、交接处和洞口处,应用较大的平毛石砌筑。每个楼层墙体的最上一皮,宜用较大的毛石砌筑。

⑤料石墙体转角处或交接处,应用石块相互搭砌,如交接处搭砌有困难时,则应在每一楼层范围内至少设置钢筋网或拉结钢筋二道。

⑥石砌体每天的砌筑高度不应超过 1.2m,分段砌筑时,留槎高度不超过一步架,且应留成踏步槎。每砌一步架要大致找平一次,砌至墙顶面时,应全面找平,以达到顶面平整。

3.石挡土墙

石挡土墙可采用毛石或料石砌筑。

(1)石挡土墙的砌筑要点

①毛石的中部厚度不小于 200mm,每砌 3~4 皮毛石为一个分层高度,每个分层高度应找平一次。

②外露面的灰缝宽度不得大于 40mm,两个分层高度间分层处的错缝不得小于 80mm,如图 6-13 所示。

③料石挡土墙宜采用丁顺组砌的砌筑形式。当中间部分用毛石填砌时,丁砌料石伸入毛

石部分的长度不应小于 200mm。

④挡土墙内侧回填土必须分层夯填,分层松土厚度应为 300mm,墙顶土面应有适当坡度使流水流向挡土墙外侧面。

(2)石挡土墙的泄水孔施工

当设计无规定时,石挡土墙的泄水孔施工应符合下列规定:

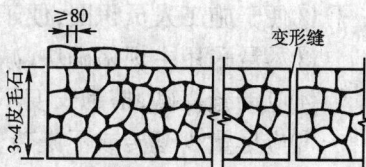

图 6-13　毛石挡土墙立面

①泄水孔应均匀布置,在每米高度上间隔 2m 左右设置一个泄水孔;

②在泄水孔与土体间铺设长宽各为 300mm、厚 200mm 的卵石或碎石作疏水层。

三、砌块砌体施工

近年来,我国采用新型墙体材料建成了一大批具有不同风格和不同墙体构造类型的建筑物,使墙体改革工作发展到了一个新的阶段,从根本上改变了"秦砖汉瓦"的落后状态。

砌块建筑墙体中由粉煤灰(或其他工业废渣)、混凝土为主要原材料制作的中、小型块体代替了普通粘土砖。砌块的生产工艺简单;设备系通用机械,投资少、收效快;成本可接近或低于粘土砖;劳动生产率比粘土砖高两倍多,施工进度加快;而且可以大量利用工业废渣,节约堆放废渣的场地,不用耕作土。另外,建筑物自重减轻到 1～0.4t/m²,墙体厚度减薄,可增加建筑使用面积 4%～8% 左右。

1.加气混凝土砌块砌体施工

(1)构造要求

①应用部位

加气混凝土砌块如无有效措施,不得使用于建筑物标高 ±0.000 以下及制品表面温度高于 800℃ 的部位;也不得使用于长期浸水或经常受干湿交替及受酸碱化学物质侵蚀的部位。

②外墙防水处理

加气混凝土外墙墙面水平方向的凹凸部分(如线脚、雨罩、出檐、窗台等),应做泛水和滴水,以避免积水。墙表面应做饰面保护层。

③外墙转角及内外墙交接要求

外墙转角及内外墙交接处应咬砌,并在沿墙高 1m 左右的灰缝内(如块高为 200mm 时,每五皮的灰缝内,块高为 300mm 时,每三皮的灰缝内)配置 2φ6(或 3φ6)钢筋或网片,每边伸入墙内 1m。山墙中沿墙高 1m 左右的灰缝内另加 3φ6 的通长钢筋。

后砌的非承重墙、填充墙或隔墙与外承重墙相交处,应沿墙高 900～1000mm 与外墙以 3φ4 钢筋拉结,且每边伸入墙内的长度不得小于 700mm。

(2)加气混凝土砌块排列图的绘制

所谓排列,是指砌块的尺寸规格在房屋长、宽、高三个方向的合理应用。为减少施工中的现场切锯工作量,避免浪费,并便于备料,加气混凝土砌块砌筑前均应进行砌块排列设计。砌块排列应按下列原则进行:

①排列时,根据门窗洞口位置,过梁、构造柱位置,楼层高度,砌块规格和灰缝厚度等统筹考虑;

---

②便于施工人员识图,便于操作工人记忆,方便施工和易于保证质量;

③尽量采用主规格砌块,减少辅助规格砌块的种类与数量,避免采用异型砌块;

④应错缝搭砌,搭砌长度不小于砌块高度的1/3,也不应小于150mm;

⑤应尽量少镶砖或不镶砖,局部必须镶砖时,应尽可能分散布置(图6-14);

⑥探索出排列规律,使管理、操作人员易于掌握、检查,并有利于减少砌块生产厂模具品种、运输、堆放的工作量。

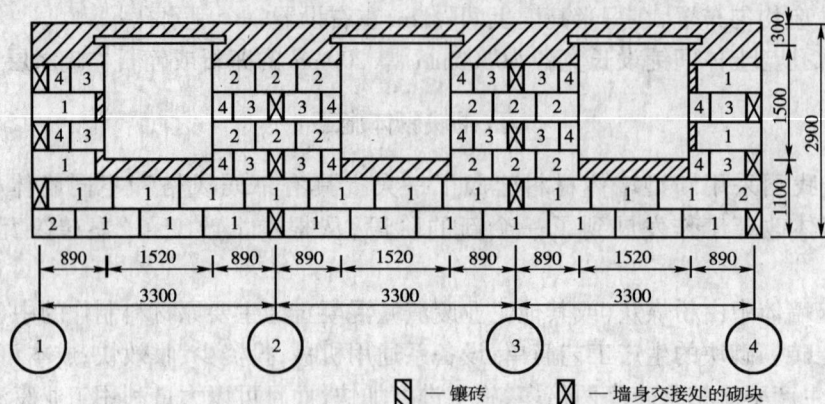

图6-14　砌块排列图(尺寸单位:mm)

(3)砌筑施工工艺

砌筑的主要工序为铺灰、砌块吊装就位、校正、灌竖缝、镶砖等。

①铺灰

水平灰缝宜用水泥石灰混合砂浆,砂浆应有良好的和易性,其稠度为 70~80 mm(炎热或干燥环境下)或 50~60 mm(寒冷或潮湿环境下)。铺灰应平整饱满,每次铺灰长度一般为 3~5m,炎热天气及严寒季节应适当缩短。

②砌块吊装就位

由于砌块重量不大,而块数多,为充分发挥起重机的效能,一般将简易起重机台灵架置于地面或楼面吊装该层砌块;吊完一层后,再转移至上一层,台灵架的转移可由塔吊来完成。砌块及砂浆则用塔式起重机或带起重臂的井架作垂直运输,如图6-15 所示。

图6-15　砌块吊装示意图
a)吊装及运输工具;b)台灵架

吊装时应从转角处或砌块定位处开始,按砌块排列图依次吊装。为减少台灵架的移动,常根据台灵架的起重半径及建筑物开间的大小,按 1~2 开间划分施工段,逐段吊装,段间应留阶梯形斜搓。

③校正

砌块吊装就位后,如发现偏斜,可以用人力轻轻推动,也可用瓦刀、小铁棒微微撬挪移动。如发现有高低不同时,可用木锤敲击偏高处,直至校正为止。如用木锤敲击仍不能校正,应将砌块吊起,重新铺平灰缝砂浆,再进行安装到水平。不得用石块或楔块等垫在砌块底部,以求平整。

校正砌块时,还应用托线板检查砌块的垂直度,拉准线检查水平度。

④灌浆

校正后即灌竖缝,应做到随砌随灌,灌缝应密实。超过 30mm 的竖缝应用强度等级不低于 C20 的细石混凝土灌实。砌块灌缝后,不得碰撞或撬动,如发生错位,应重新铺砌。

⑤镶砖

用于较大的竖缝和梁底找平,镶砖的强度不应低于 MU10。砖间的灰缝厚为 6~15mm,砖与砌块间的竖缝为 15~30mm。在两砌块之间凡是不足 145mm 的竖直缝不得镶砖,而需用与砌块强度等级相同的细石混凝土灌注。

(4)施工要点

①加气混凝土砌块砌筑时,应向砌筑面适量浇水。

②在砌块墙底部,应使用烧结普通砖砌筑,其高度不宜小于 200mm。

③不同干密度和强度等级的加气混凝土砌块不应混砌。加气混凝土砌块也不得与其它砖、砌块混砌。但在墙底、墙顶及门窗洞口处局部采用烧结普通砖砌筑不视为混砌。

④灰缝应横平竖直,砂浆饱满。水平灰缝厚度不得大于 15mm,竖向灰缝可用灌缝夹板夹牢砌块后灌缝,用竹片插或铁棒捣,使其密实,竖缝宽度不得大于 20mm。当砂浆吸水后用刮缝板把竖缝和水平缝刮齐。灌缝后,一般不应再撬动砌块,以防损坏砂浆粘结力。

⑤砌块墙的转角处,纵、横墙砌块应相互搭砌,即纵、横墙砌块均应隔皮端面露头。砌块墙的丁字交接处,应使横墙砌块隔皮端面露头。

⑥砌到接近上层梁、板底时,宜用烧结普通砖斜砌挤紧,砖倾斜度为 60°左右,砂浆应饱满。

⑦墙体洞口上部应放置 2φ6 的钢筋,伸过洞口两边长度每边不小于 50 mm。

⑧砌块墙与承重墙或柱交接处,应在柱或承重墙的水平灰缝内预埋拉结钢筋,拉结钢筋沿墙或柱高每 500 mm 左右设一道,每道为 2φ6 的钢筋(带 90°弯钩),伸出墙或柱面长度不小于 1000 mm,在砌筑砌块时,将此拉结钢筋伸出部分埋置于砌块墙的水平灰缝中。

⑨切锯砌块应使用专用工具,不得用斧或瓦刀任意砍劈。

⑩墙上孔洞需要堵塞时,应用经切锯而成的异型砌块和加气混凝土修补砂浆填堵,不得用其他材料塞堵(如碎砖,混凝土块或普通砂浆等)。

⑪穿越墙体的水管严防渗漏,穿越、附墙或埋入墙内的铁件应做防腐处理。

⑫加气混凝土砌块墙每天砌筑高度不宜超过 1.8m。

2.混凝土小型空心砌块砌体施工

(1)砌体构造要求

①对室内地面以下的砌体,应采用普通混凝土小砌块和不低于 M5 的水泥砂浆。

②五层及五层以上民用建筑的底层墙体,应采用不低于 MU5 的混凝土小砌块和 M5 的砌筑砂浆。

③在墙体的下列部位,应用 C20 混凝土灌实砌块的孔洞:

a.底层室内地面以下或防潮层以下的砌体；

b.无圈梁的楼板支承面以下的一皮砌块；

c.没有设置混凝土垫块的屋架、梁等构件支承面下，高度不应小于 600mm，长度不应小于 600mm 的砌体；

d.挑梁支承面下，距墙中心线每边不应小于 300mm，高度不应小于 600mm 的砌体。

(2)芯柱构造要求

墙体的下列部位宜设置芯柱：

①在外墙转角、楼梯间四角的纵横墙交接处的三个孔洞，宜设置素混凝土芯柱；

②五层及五层以上的房屋，应在上述部位设置钢筋混凝土芯柱。

芯柱的构造要求如下：

①芯柱截面不宜小于 120mm×120mm，宜用不低于 C20 的细石混凝土浇筑；

②钢筋混凝土芯柱每孔内插竖筋不应小于 $1\phi10$（抗震设防地区不应小于 $1\phi12$），底部应伸入室内地面下 500mm 或与基础圈梁锚固，顶部与屋盖圈梁锚固；

③在钢筋混凝土芯柱处，沿墙高每隔 600mm 应设 $\phi4$ 钢筋网片拉结，每边伸入墙体不小于 600mm（抗震设防地区不小于 1000mm）；

④芯柱应沿房屋的全高贯通，并与各层圈梁整体现浇，上下楼层的插筋可在楼板面上搭接，搭接长度不小于 40 倍插筋直径。

(3)砌块排列设计

因为混凝土小型空心砌块墙体是承重墙体，故其排列设计除满足前述加气混凝土砌块排列规则外，尚应满足以下几方面要求：

①砌块排列应使墙体具有良好的受力性能，满足结构设计规范对排列的要求；

②尽量做到孔对孔、肋对肋地排，以提高砌块墙体的整体性和良好的受力状态。

(4)砌体施工

混凝土小型空心砌块砌体砌筑施工工艺流程如图 6-16 所示。施工要点如下：

①运到施工现场的混凝土小型空心砌块，装卸时严禁倾卸丢掷，并应分规格，分等级堆放，堆垛上应设标志，堆放场地必须平整，并采取排水、防雨、防磕碰等措施。堆放高度不宜超过 2.6m，堆垛之间应留有适当的通道。

②混凝土空心砌块使用前不宜浇水，当天气干燥炎热时，可在砌块上稍喷水润湿；对轻骨料混凝土小砌块，可提前洒水湿润，但不宜过多。被雨水淋湿和含水率大于 10% 的小砌块不得使用，以免干燥收缩，使墙体产生裂缝。

③龄期不足 28d 的砌块不得进行砌筑。

④砌筑小砌块时，应清除表面污物和芯柱用小砌块孔洞底部的毛边，剔除外观质量不合格的小砌块。

⑤施工时所用的砂浆，宜选用专用的小砌块砌筑砂浆。

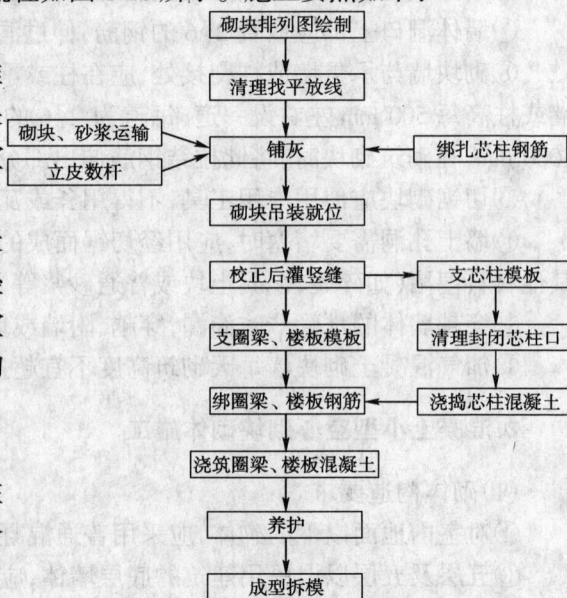

砌块排列图绘制 → 清理找平放线 → 铺灰 ← 绑扎芯柱钢筋

砌块、砂浆运输 / 立皮数杆 → 铺灰

铺灰 → 砌块吊装就位 → 校正后灌竖缝 ← 支芯柱模板

支圈梁、楼板模板 ← 清理封闭芯柱口

绑圈梁、楼板钢筋 ← 浇捣芯柱混凝土

浇筑圈梁、楼板混凝土 → 养护 → 成型拆模

图 6-16　混凝土小型空心砌块砌体施工工艺流程

⑥砌筑墙体时,小型混凝土砌块的半封底面应朝上(反砌法),便于铺设砂浆。墙体的水平灰缝厚度和竖向灰缝宽度宜为 10mm,但不应大于 12mm,也不应小于 8mm。

⑦墙体水平灰缝的砂浆饱满度,应按净面积计算不得低于 90%;竖向灰缝饱满度不得小于 80%,竖缝凹槽部位应用砌筑砂浆填实;不得出现瞎缝、透明缝。

砂浆饱满度的检验方法:用专用百格网检查砖底面与砂浆的粘结痕迹面积,每检验批抽查不应少于 3 处,每处检测 3 块砖,取其平均值。

⑧空心砌块墙的转角处,纵、横墙砌块应相互搭砌,即纵、横墙砌块均应隔皮端面露头(图 6-17)。砌块墙的丁字交接处,应使横墙砌块隔皮端面露头,为避免出现通缝,应在纵墙上交接处砌一块三孔的大规格砌块,砌块的中间孔正对横墙露头砌块靠外的孔洞,如图 6-18 所示。

图 6-17　混凝土空心砌块墙转角砌法

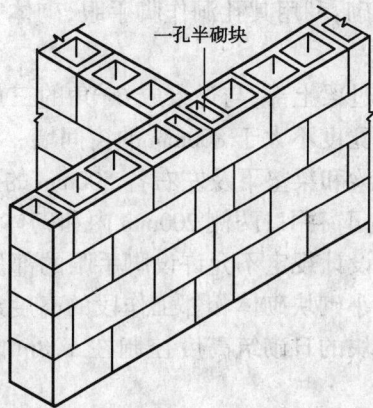

图 6-18　混凝土空心砌块墙 T 字交接处砌法

⑨墙转角处和纵横墙交接处应同时砌筑。临时间断处应砌成斜槎,斜槎呈踏步状,其水平投影长度不应小于高度的 2/3,一般斜槎高度不超过一步脚手架的高度,如图 6-19a)所示。

如留斜槎有困难,在非抗震设防地区,除外墙转角处,墙体临时间断处可从墙面伸出200mm

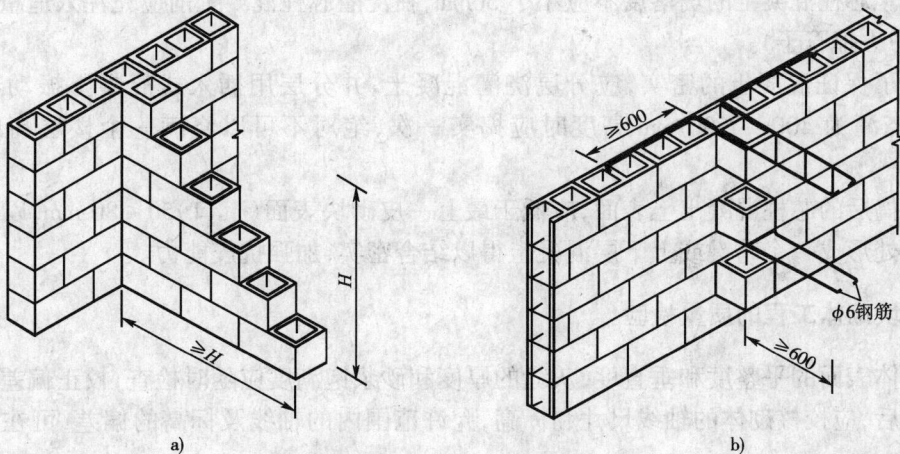

图 6-19　混凝土空心砌块墙接槎
a)斜槎;b)直槎

砌成直槎,并应沿墙高每隔 600 mm 设 2φ6 钢筋或钢筋网片拉结,拉结钢筋或网片伸入墙内的长度应不小于 600 mm,如图 6-19b)所示。

⑩小砌块应对孔错缝搭砌,个别情况当无法对孔砌筑时,普通混凝土小砌块搭接长度不应小于 90mm,轻骨料混凝土小砌块搭接长度不应小于 120mm。如不能满足上述要求时,应在灰缝中设置 2φ6 拉结钢筋或 φ4 的钢筋网片,长度均不应小于 700 mm。

⑪对设计规定或施工所需要的孔洞口、管道、沟槽和预埋件等,应在砌筑时预留或预埋,不得在砌筑好的墙体上打洞、凿槽。

⑫承重墙体严禁使用断裂小砌块或壁肋中有竖向凹形裂缝的小砌块砌筑;也不得采用小砌块与烧结普通砖等其他块体材料混合砌筑。

⑬小砌块砌体内不宜设脚手眼,如必须设置时,可用辅助规格 190mm × 190mm × 190mm 小砌块侧砌,利用其孔洞作脚手眼,砌体完工后用 C15 混凝土填实。但在砌体下列部位不得设置脚手眼:

a.过梁上部,与过梁成 60°角的三角形及过梁跨度 1/2 范围内;

b.宽度不大于 800mm 的窗间墙;

c.梁和梁垫下及左右各 500mm 的范围内;

d.门窗洞口两侧 200mm 内和砌体交接处 400mm 的范围内;

e.设计规定不允许设脚手眼的部位。

⑭小砌块砌体相邻工作段的高度差不得大于一个楼层高度或 4m。常温条件下,普通混凝土小砌块的日砌筑高度控制在 1.8m 内;轻骨料混凝土小砌块的日砌筑高度应控制在 2.4m 内。

(5)芯柱施工

①在芯柱部位,每层楼的第一皮砌块,应采用开口小砌块或 U 形小砌块砌筑,以形成清理口,为便于施工操作,开口一般应朝向室内,以便清理杂物、绑扎和固定钢筋。

②浇筑混凝土前,从清理口掏出孔洞内的落地灰等杂物,校正钢筋位置;并用水冲洗孔洞内壁,将积水排出,用混凝土预制块封闭清理口。

③芯柱混凝土应在砌完一个楼层高度后,并待砌筑砂浆强度达到 1MPa 以上时,方可开始连续浇筑。芯柱混凝土的坍落度不应小于 50mm,在浇灌芯柱混凝土前应先注入适量水泥砂浆(混凝土中去掉石子)。

④为了保证混凝土的密实,应分层浇灌混凝土,并分层用插入式混凝土振动器加以捣实,每层浇灌为 400 ～ 500 mm 高度时应捣实一次,绝对不可以浇满一个楼层高度后再捣实。

⑤浇捣后的芯柱混凝土上表面,应低于最上一皮砌块表面(上口)50～80 mm,以使圈梁与芯柱交接处形成一个暗键或上下层混凝土得以结合密实,加强抗震能力。

3.砌块砌体工程的质量检验

对砌体表面的平整度和垂直度,灰缝的厚度和砂浆饱满度应随时检查,校正偏差。在砌完每一楼层后,应校核砌体的轴线尺寸和标高,允许范围内的轴线及标高的偏差,可在楼板面上予以校正。

砌块砌体尺寸、位置的允许偏差和检验方法应符合表 6-4 的规定。

项次	项 目		允许偏差(mm)	检 验 方 法
1	轴线位置偏移		10	用经纬仪或拉线和尺量检查
2	基础顶面或楼面标高		±15	用水准仪和尺量检查
3	垂直度	每层	5	用 2m 托线板检查
		全高 ≤10m	10	用经纬仪或吊线和尺量检查
		全高 >10m	20	
4	表面平整度	清水墙、柱	5	用 2m 靠尺和楔形塞尺检查
		混水墙、柱	8	
5	水平灰缝 平直度	清水墙	7	拉 10m 线和尺量检查
		混水墙	10	
6	水平灰缝厚度(连续 5 皮累计)		±10	与皮数杆比较尺量检查
7	门窗洞口 (后塞口)	宽度	±5	尺量检查
		高度	±5	
8	外墙上下窗口偏移		20	用经纬仪或吊线检查,以底层窗口为准

第三节 冬 期 施 工

当连续 5d 内的平均气温稳定低于 5℃时,砌筑工程应按冬期施工技术规定进行施工。

冬期施工时,砌体砂浆会在负温下冻结,砂浆中的水泥由于水分冻结而停止水化作用,这将影响砂浆后期强度和粘结力。且砂浆体积膨胀,产生冻胀应力,使水泥石结构遭受破坏。解冻后,砂浆的强度虽仍可继续增长,但其最终强度将显著降低,而且由于砂浆的压缩变形大,砌体沉降量大,稳定性也随之降低。实践证明,砂浆的用水量越多,遭受冻结越早,气温越低,冻结时间越长,灰缝越厚,则冻结的危害程度也越大,反之,越小。当砂浆具有 20% 以上的设计强度后再遭冻结,则冻结对砂浆的最终强度影响不大。

因此,砌体在冬期施工时,必须采取有效的措施,尽可能减少冻害程度。砌筑工程冬期施工常用方法有掺盐砂浆法和冻结法,而以前者为主。

一、对材料的要求

冬期施工不得使用无水泥配制的砂浆,水泥宜用普通硅酸盐水泥;石灰膏、粘土膏等应防止受冻,如遭冻结,应在熔化后使用;拌制砂浆所用的砂不得有大于 10mm 的冻结块。砖和砌块在砌筑前,应清除表面污物、冰雪等,遭水浸后冻结的砖和砌块不得使用。普通砖在正温条件下砌筑时,可用喷壶适当浇水湿润;在负温条件下可不浇水砌筑,但应增大砂浆的稠度,可通过增加石灰膏或粘土膏的办法来解决。为使砂浆有一定的正温度,拌合前,水及砂可预先加热,但水的加热温度不得超过 80℃(防止水温过高,拌制时使水泥产生假凝现象),砂加热温度不得超过 40℃。与常温情况相比,搅拌时间应增长 0.5～1 倍。

二、掺盐砂浆法

掺盐砂浆法是在水泥砂浆或水泥混合砂浆中掺入一定数量的抗冻化学剂,以降低冰点,使砂浆中的水分在一定的负温下不冻结,水泥继续水化,砂浆强度能继续缓慢增长的施工方法。这种方法具有施工简便、经济、可靠,货源易于解决等优点,因此是砖石工程冬期施工广泛采用的方法。

1.掺盐砂浆法常用的抗冻化学剂及其掺量

(1)氯化物抗冻化学剂

氯化物抗冻化学剂通常用氯化钠和氯化钙,其掺量见表 6-5 所列。

氯盐掺量(占用水量的%)   表 6-5

项次	日最低气温			≥ - 10℃	- 11℃ ~ - 15℃	- 16℃ ~ - 20℃	< - 20℃
1	单盐	氯化钠	砌砖	3	5	7	-
			砌石	4	7	10	-
2	复盐	氯化钠 氯化钙	砌砖	-	-	5	7
				-	-	2	3

注:①掺盐量以无水氯化钠和氯化钙计。

②如有可靠试验依据也可适当增减盐类的掺量。

③日最低气温低于 - 20℃时砌石工程不宜施工。

(2)复合抗冻化学剂

对配筋砌体或有预埋铁件的砌体,为防止铁件锈蚀,可采用氯化钠 + 亚硝酸钠复合抗冻化学剂,其掺量见表 6-6 所列。

复合抗冻化学剂掺量(占用水量的%)   表 6-6

温 度(℃)	氯化钠	亚硝酸钠
平均温度 > - 5,最低温度 > - 10	2	3
平均温度 < - 5,最低温度 < - 10	3	5

2.掺盐砂浆法适用范围

掺盐砂浆法适用于一般工业与民用建筑工程中,但由于氯盐会使砌体产生析盐、吸湿现象,并对钢筋和预埋铁件有锈蚀作用,故下列工程不允许采用掺盐砂浆法施工:

(1)对装饰有特殊要求的工程;

(2)有高压电线路的建筑物,如变电所、发电站等;

(3)房屋使用时湿度大于 60% 的工程;

(4)经常受 40℃ 以上高温影响的建筑物;

(5)经常处于地下水位变化范围内的工程。

3.掺盐砂浆法施工要点

掺盐砂浆法的砌筑砂浆出罐温度不宜超过 35℃,砌筑时的最低温度不应低于 5℃。为了弥补冻结对砂浆后期强度引起的损失,当日最低气温低于 - 15℃时,承重砌体的砂浆强度等级应比常温施工时提高一级。砌块砌筑时宜采用水泥混合砂浆,稠度控制在 50 ~ 60mm。

掺盐砂浆法砌筑砂浆中的氯盐对钢筋和预埋铁件有锈蚀作用,故应做防腐处理。钢筋和预埋铁件表面涂刷防锈涂料,涂樟丹 2 ~ 3 道或防锈漆 2 道;也可涂热沥青或水泥净浆,形成防氯离子锈蚀的保护层。

严禁使用已遭冻结的砂浆,不准以热水掺入冻结砂浆内重新搅拌使用,也不宜在砌筑时向砂浆内掺水使用。为保证砌体质量,不允许在有冻胀性的冻土地基上砌筑。每日砌筑后,应在砌体表面覆盖保温材料。

三、冻 结 法

冻结法是采用不掺外加剂的水泥砂浆或水泥混合砂浆砌筑砌体,允许砂浆在砌筑后很快就遭受冻结。解冻时砂浆的强度为零或接近于零。气温回升至0℃以上后,水泥水化作用又重新进行,砂浆强度可继续增长。

砌筑砂浆遭受冻结后强度将会降低40%~60%,粘结力下降,砌体的抗压、抗弯、抗折和抗剪强度也将随之降低。为此,冻结法施工时可根据实际气温情况适当提高砂浆强度等级1~2级。

1.冻结法适用范围

冻结法适用于对保温、绝缘、装饰等有特殊要求的工程,受力配筋的砌体,不受地震区条件限制的工程等。

由于砂浆经过冻结、融化、硬化三个阶段,其强度及与砖石的粘结力都有不同程度的降低,且砌体在解冻时变形大、稳定性差,因此使用范围受到限制,下列砖石砌体工程不允许采用冻结法施工:

(1)空斗墙、毛石墙;

(2)承受侧压力的砌体;

(3)解冻期间可能受振动或动力荷载的砌体;

(4)在解冻阶段承受偏心荷载,计算偏心距超过0.25截面重心到最大受压边缘的距离的无上端支承点的自由独立结构,以及计算偏心距超过0.7截面重心到最大受压边缘的距离的有上端支承点的结构;

(5)不允许产生沉降的砌体;

(6)砖薄壳、双曲砖拱和厚度小于半砖的拱和圆筒式拱;

(7)钢筋砖过梁的跨度大于1.2m的砖砌平拱;

(8)以轻质混凝土和其他填充料填充,但无丁砖砌合,无金属拉结条的轻型墙体;

(9)按烈度9级以上设防的地震区多层房屋或较高的建筑物,两个稳定结构间的砌体长度超过25m或40倍墙厚的砌体,建筑物超过砌体规定的极限高度(表6-7),均不得采用冻结法施工。

(10)其他设计不允许采用冻结法施工的砌体结构。

冻结法砌筑砌体极限高度 表6-7

砌 体 类 别	楼层高度(m)	极限高度(m)
实心砌体	<4m且不大于墙厚的12倍	24
	4~5 m且不大于墙厚的12倍	20
	5~6 m且不大于墙厚的12倍	12
	6~8 m且不大于墙厚的12倍	16
中型空心砌块砌体	<4m且不大于墙厚的10倍	16

2.冻结法施工要点

冻结法施工的砌体,应采用"三一"砌筑法砌筑。对于外墙转角处和内外墙交接处灰缝应精细砌合,砌筑时采用一顺一丁的组砌形式。

冻结法施工的砌体,一般应在一个水平工作段范围内,连续砌筑至一个施工层的高度,而不得间断。每天砌筑的高度和临时间断处的高度差不得超过1.2m。间断处的砌体应留踏步槎,每八皮砖间距,设置 $\phi6$ 的拉结筋(每半砖设置一根)。

冻结法施工时,砂浆砌筑温度不低于10℃。当日最低气温不低于 −25℃时,承重砌体的砂浆强度等级,应比常温施工时提高一个级别;当气温低于 −25℃时,则应提高二个级别。

解冻期间应经常对砌体进行观测和检查,观测多层房屋下层的柱和窗间墙、梁端支承处、墙的交接处的变形、沉降的大小、方向和均匀性,砌体灰缝内砂浆的硬化情况,观测时间不少于15d。如发现砌体有裂缝、不均匀沉降或倾斜等现象时,应分析原因,立即采取有效的加固措施。

思考题

1. 砌筑工程用砖有哪几类?普通粘土砖的规格?砖的强度等级根据什么确定?分为哪几级?

2. 砌筑用石有哪几类?

3. 砌筑用砌块是如何分类的?

4. 砌砖工程对砖和砂浆有什么要求?对砂浆制备和使用有什么要求?

5. 简述砖墙砌筑施工工艺。

6. 砖砌体砌筑质量有哪些要求?影响砌体质量的因素有哪些?

7. 什么是砂浆饱满度?对砂浆饱满度有什么要求?如何检查?用什么砌筑方法易使砂浆饱满?

8. 砖砌体临时间断处的接槎方式有哪几种?各有什么要求?

9. 砖砌体有哪几种组砌形式?各有什么优缺点?

10. 什么是皮数杆?有何作用?其位置及间距是如何规定的?

11. 砖墙砌筑前,轴线、标高应如何引测?

12. 简述石基础及石墙体的砌筑要点。

13. 砌块砌筑前为什么要绘制排列图?砌块排列时应按照哪些原则?

14. 简述加气混凝土砌块砌筑施工工艺。

15. 简述加气混凝土砌块及混凝土空心小砌块的施工要点。

16. 芯柱有哪些构造要求?简述其施工要点?

17. 砖砌体冬期施工有什么要求?常用哪些方法?

18. 掺盐砂浆法施工有什么特点?适用范围怎样?应注意什么问题?

第七章 钢结构工程

DIQIZHANG

第一节 钢结构构件的制作

目前,我国土木工程中钢结构采用的钢材以碳素钢结构和低合金钢结构为主。

碳素结构钢是最普遍的工程用钢,按其含碳量的多少,又可粗略地分成低碳钢、中碳钢和高碳钢。通常含碳量在 0.03% ~ 0.25% 范围内为低碳钢,含碳量在 0.25% ~ 0.60% 之间的为中碳钢,含碳量在 0.6% ~ 2.0% 的为高碳钢。建筑钢结构主要使用低碳钢。

碳素结构钢分 5 个牌号,即 Q195、Q215、Q235、Q255 和 Q275,其中 Q 是代表钢材屈服点的字母,随后的数值表示屈服点的大小,如 Q235 表示 $\sigma_s = 235\text{N}/\text{mm}^2$ 的钢材。每个牌号内又有不同的质量等级(最多可达四种),表示为 A、B、C、D。对钢材脱氧方法也应在质量等级后标明。

低合金高强度结构钢是指在炼钢过程中增添一些合金元素,其总量不超过 5% 的钢材。加入合金元素后钢材强度可明显提高,使钢结构构件的强度、刚度、稳定三个主要控制指标都能有充分发挥,尤其在大跨度或重负载结构中优点更为突出,一般可比碳素结构钢节约 20% 左右的用钢量。

低合金高强度结构钢的牌号表示方法与碳素结构钢一致,即由代表屈服点的汉语拼音字母(Q)、屈服点数值、质量等级符号(A、B、C、D、E)三个部分按顺序排列表示。钢的牌号共有 Q295、Q345、Q390、Q420 和 Q460 五种,随着质量等级的变动,其化学成分和力学性能也有变化。

一、钢结构构件的截面形式

1. 钢板和钢带

建筑钢结构使用的钢板(钢带)按轧制方法有冷轧板和热轧板的区分。钢板和钢带的不同在于成品形状。钢板是指平板状,矩形的,可直接轧制或由宽钢带剪切而成的板材。而钢带是指成卷交货,宽度大于或等于 600mm 的宽钢带(宽度小于 600mm 的称为窄钢带,有直接轧制也有由宽钢带纵剪而成)。按板厚可划分为薄板、厚板、特厚板。厚度 4mm 以下为薄钢板;4 ~ 60mm 为厚钢板(亦有将厚度 4.5 ~ 20mm 称为中厚板,厚度 20 ~ 60mm 称为厚板的),厚度大于 60mm 的称为特厚板。

2.普通型材(工、槽、角钢)

工字钢、槽钢和角钢三类型材是工程结构中使用最早的型钢,但随着轧制技术的发展,更多截面性能优良的型材相继问世(如圆钢管、方钢管、H型钢等等),传统的型材,尤其是工字钢和槽钢的应用受到了挑战,应用逐步减少。

工字钢正如其名称所示,是一种工字形截面型材,但上下翼缘是齐头的。因轧制工艺需要,传统的工字钢的翼缘部分外伸长度受到限制,同时翼缘内表面必须有倾斜度(1:6)。工字钢分普通工字钢和轻型工字钢两种,其型号用截面高度(单位为 mm)来表示,20 号以上普通工字钢根据腹板厚度和翼缘宽度的不同,同一号工字钢又有 a、b 或 a、b、c 三种区别,其中 a 类腹板最薄、翼缘最窄,b 类较厚较宽,c 类最厚最宽。同样高度的轻型工字钢的翼缘要比普通工字钢的翼缘宽而薄,腹板亦薄故重量较轻、截面回转半径略大。工字钢通常长度为 5～19m。

槽钢是槽形截面([形)的型材,亦有热轧普通槽钢和轻型槽钢两种,与工字钢一样是以截面高度(cm)表示型号。从[14 开始,亦有 a、b 或 a、b、c 规格的区分,腹板厚度和翼缘的宽度不同。槽钢翼缘内表面的斜度(1:10)比工字钢要平缓,紧固连接螺栓比较容易。型号相同的轻型槽钢比普通槽钢的翼缘要宽且薄,腹板厚度亦小,截面特性更好一些。槽钢的长度一般是 5～19m(规格小的短、规格大的长)。

角钢是传统的格构式钢结构构件中应用最广泛的轧制型材,有等边角钢和不等边角钢两大类。角钢的型号以其肢长表示,单位以 mm 计。在一个型号内,可以有 2～7 个肢厚的不同规格,方便截面选择。如常用的 10 号等边角钢,肢厚规格有 6、7、8、10、12、14、16mm 七种。代表角钢型号的肢长并不是按相等间隔设置,而是根据截面特性优化系列要求确定。

3.轧制 H 型钢和焊接 H 型钢

H 型钢与工字钢的区别有几方面,首先是翼缘宽,故早期有宽翼缘工字钢一说;其次翼缘内表面不需有斜度、上下表面平行;从材料分布形式来看,工字钢截面中材料主要集中在腹板左右,愈向两侧延伸,钢材愈少,而轧制 H 型钢中,材料分布侧重在翼缘部分,因此,H 型钢的截面特性明显优越于传统的工、槽、角钢及它们的组合截面。H 型钢根据翼缘宽度不同可分为三类:宽翼缘 H 型钢、代号 HW,中翼缘 H 型钢、代号 HM,窄翼缘 H 型钢、代号 HN。H 型钢的标记方式采用高度 $H(h)\times$ 宽度 $B\times$ 腹板厚度 $t_1\times$ 翼缘厚度 t_2。

在轧制 H 型钢生产之前,国内较长时期内以焊接 H 型钢来满足工程需要,分为焊接 H 型钢(符号为 HA)和轻型焊接 H 型钢(符号为 HAQ)。其截面规格参数、各类尺寸偏差、钢材牌号、焊接工艺等要求应符合有关规范、标准的要求。

4.冷弯型钢

冷弯型钢是用薄钢板(钢带)在连续辊式冷弯机组上生产的冷加工型材,壁厚原先在 1.5～6mm,随着生产工艺的发展,现在国内已能生产厚度在 12mm 以上的冷弯型钢。其截面形式有等边角钢、卷边等边角钢、Z 型钢、卷边 Z 型钢、槽钢、卷边槽钢等开口截面以及方形和矩形闭口截面的管材。方钢管结构是近年来在国内外发展较迅速的一种新型钢结构,以其外型线条简洁、流畅,连接构造方便而在大跨度钢结构中占有不容忽视的地位。

5.结构用钢管

结构用钢管有热轧无缝钢管和焊接钢管两大类,焊接钢管由钢带卷焊而成,依据管径大小,又分为直缝焊和螺旋焊两种。直缝电焊钢管的规格从外径 32mm 至 152mm,壁厚从 2.0 ~ 5.5mm。结构用无缝钢管分热轧和冷拔两种,冷拔管只限于小管径,热轧无缝钢管外径从 32 ~ 630mm,壁厚从 2.5 ~ 75mm。

6.其他钢材制品

应用于建筑钢结构的钢材制品还有花纹钢板、钢格栅板和网架球节点等。

(1)花纹钢板是用碳素结构钢热轧成菱形、扁豆形或圆豆形花纹的钢板制品,花纹钢板基本厚度有 2.5,3.0,3.5,4.0,4.5,5.0,5.5,6.0,7.0,8.0mm;宽度 600 ~ 1800mm,按 50mm 进级;长度 2000 ~ 12000mm 按 100mm 进级。

(2)压焊钢格栅板(图 7-1 所示),是由负载扁钢作为纵条、扭绞方钢作为横条,在正交方向压焊于纵条,并有包边和挡边板的钢格板。适用于工业平台、地板、天桥、栈道的铺板、楼梯踏板、内盖板以及栅栏等等。

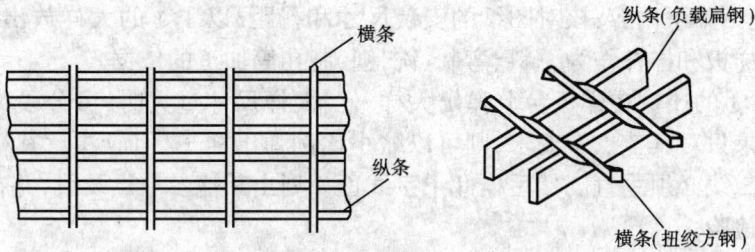

图 7-1　压焊钢格板

钢格板表面状态有热浸镀锌(用 G 表示)、浸渍沥青(B)、涂漆(PT)及不处理(U—可省略)四种。按纵条的侧边形状分为平面形和齿形两类(图 7-2 所示),分别记为 P 和 S。

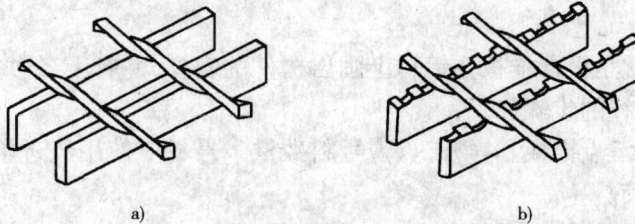

图 7-2　平面形和齿形钢格板
a)平面形钢格板;b)齿形钢格板

(3)钢网架球节点

网架球节点分螺栓球节点和焊接球节点两大类。螺栓球节点的构成如图 7-3 所示,包括有球、螺栓、封板或锥头、套筒、螺钉几部分。焊接球节点(图 7-4 所示)分不加肋焊接空心球和加肋焊接空心球两种。

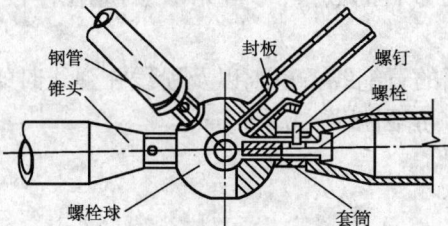

图 7-3　螺栓球节点

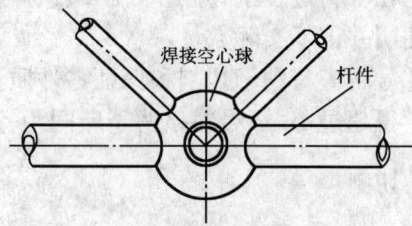

图 7-4　焊接球节点

二、钢结构的加工制作

1.放样与划线

放样和划线是整个钢结构制作工艺中的第一道工序,其工作的准确与否将直接影响到整个产品的质量,至关重要。为了提高放样和划线的精度和效率,有条件时,应采用计算机辅助设计。

放样划线用的工具及设备有:划针、冲子、手锤、粉线、弯尺、直尺、钢卷尺、大钢卷尺、剪子、小型剪板机、折弯机等。用作计量长度依据的钢盘尺,特别注意应经授权的计量单位计量,且附有偏差卡片,使用时按偏差卡片的记录数值校对其误差数。钢结构制作、安装、验收及施工用的量具,必须用同一标准进行鉴定,应具有相同的精度等级。

(1)放样

放样工作包括如下内容:核对图纸的安装尺寸和孔距;以1:1的大样放出节点;核对各部分的尺寸;制作样板和样杆作为下料、弯制、铣、刨、制孔等加工的依据。

放样时以1:1的比例在样板台上弹出大样。当大样尺寸过大时,可分段弹出。对一些三角形的构件,如果只对其节点有要求,则可以缩小比例弹出样子,但应注意其精度。放样弹出的十字基准线,二线必须垂直。然后据此十字线逐一划出其他各个点及线,并在节点旁注上尺寸,以备复查及检验。

由于生产的需要,通常须制作适应于各种形状和尺寸的样板和样杆。样板一般用0.50~0.75mm的铁皮或塑料板制作。样杆一般用钢皮或扁铁制作,当长度较短时可用木尺杆。样板、样杆上应注明工号、图号、零件号、数量及加工边、坡口部位、弯折线和弯折方向、孔径和滚圆半径等。

(2)划线

划线又称号料,就是根据样板在钢材上画出构件的实样,并打上各种加工记号,为钢材的切割下料作准备。划线的步骤如下:

①根据料单检查清点样板和样杆,点清号料数量。号料应使用经过检查合格的样板与样杆,不得直接使用钢尺。

②检查号料的钢材规格和质量。

③不同规格、不同钢号的零件应分别号料,并依据先大后小的原则依次号料。对于需要拼接的同一构件,必须同时号料,以便拼接。

④号料时,同时划出检查线、中心线、弯曲线,并注明接头处的字母、焊缝代号。

⑤号孔应使用与孔径相等的圆规规孔,并打上样冲作出标记,便于钻孔后检查孔位是否正确。

⑥弯曲构件号料时,应标出检查线,用于检查构件在加工、装焊后的曲率是否正确。

⑦在号料过程中,应随时在样板、样杆上记录下已号料的数量,号料完毕,则应在样板、样杆上注明并记下实际数量。

⑧号料应有利于切割和保证零件质量。号料所画的石笔线条粗细以及粉线在弹线时的粗细均不得超过1mm;号料敲凿子印间距,直线为40~60m,圆弧为20~30mm。

2.切割

切割的目的就是将放样和划线的零件形状从原材料上进行下料分离。钢材的切割可以通过切削、冲剪、摩擦机械力和热切割来实现。常用的切割方法有机械剪切、气割和等离子切割三种方法。施工中采用哪一种切割方法比较合适，应该根据各种切割方法的设备能力、切割精度、切割表面的质量情况，以及经济性等因素来具体选定。

机械切割法可利用上、下两剪刀的相对运动来切断钢材，或利用锯片的切削运动把钢材分离，或利用锯片与工件间的摩擦发热使金属熔化而被切断。常用的切割机械有剪板机、联合冲剪机、弓锯床、砂轮机割机等。其中剪切法速度快、效率高，但切口略粗糙；锯割可以切割角钢、圆钢和各类型钢，切割速度和精度都较好。机械剪切的零件，其钢板厚度不宜大于12mm，剪切面应平整。

气割法是利用氧气与可燃气体混合产生的预热火焰加热金属表面达到燃烧温度并使金属发生剧烈的氧化，放出大量的热促使下层金属也自行燃烧，同时通以高压氧气射流，将氧化物吹除而引起一条狭小而整齐的割缝。随着割缝的移动，使切割过程连续切割出所需的形状。除手工切割外常用的机械有火车式半自动气割机、特型气割机等。这种切割方法设备灵活、费用低廉、精度高，是目前使用最广泛的切割方法，能够切割各种厚度的钢材，特别是带曲线的零件或厚钢板。气割前，应将钢材切割区域表面的铁锈、污物等清除干净，气割后，应清除熔渣和飞溅物。

等离子切割法是利用高温高速的等离子焰流将切口处金属及其氧化物熔化并吹掉来完成切割。

3.矫正

钢材使用前，由于材料内部的残余应力及存放、运输、吊运不当等原因，会引起钢材原材料变形；在加工成型过程中，由于操作和工艺原因会引起成型件变形；构件连接过程中会存在焊接变形等。为了保证钢结构的制作及安装质量，必须对不符合技术标准的材料、构件进行矫正。

钢结构的矫正，就是通过外力或加热作用，使钢材较短部分的纤维伸长；或使较长的纤维缩短，以迫使钢材反变形，使材料或构件达到平直及一定几何形状的要求并符合技术标准的工艺方法。矫正的形式主要有矫直、矫平、矫形三种。矫直是消除材料或构件的弯曲；矫平是消除材料或构件的翘曲或凹凸不平；矫形是对构件的一定几何形状进行整理。矫正按外力来源分为火焰矫正、机械矫正和手工矫正等；按矫正时钢材的温度分为热矫正和冷矫正；按加工工序分为原材料矫正、成型矫正、焊后矫正等。

(1)火焰矫正

钢材的火焰矫正是利用火焰对钢材进行局部加热，被加热处理的金属由于膨胀受阻而产生压缩塑性变形，使较长的金属纤维冷却后缩短而完成的。

影响火焰矫正效果的因素有三个：火焰加热位置、加热的形式和加热的热量。火焰加热的位置应选择在金属纤维较长的部位。加热的形式有点状加热、线状加热和三角形加热三种。用不同的火焰热量加热，可获得不同的矫正变形的能力。低碳钢和普通低合金结构钢构件用火焰矫正时，常采用600℃~800℃的加热温度。

(2)机械矫正

钢材的机械矫正是在专用矫正机上进行的。

机械矫正的实质是使弯曲的钢材在外力作用下产生过量的塑性变形，以达到平直的目的。它的优点是作用力大、劳动强度小、效率高。

钢材的机械矫正有拉伸机矫正、压力机矫正、多辊矫正机矫正等。拉伸机矫正(图7-5所示)适用于薄板扭曲、型钢扭曲、钢管、带钢和线材等的矫正。压力机矫正适用于板材、钢管和型钢的局部矫正。多辊矫正机可用于型材、板材等的矫正,如图7-6所示。

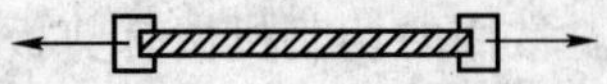

图7-5 拉伸矫正机

图7-6 多辊矫正机矫正板材

(3)手工矫正

钢材的手工矫正采用锤击的方法进行,操作简单灵活。手工矫正由于矫正力小、劳动强度大、效率低而用于矫正尺寸较小的钢材。有时在缺乏或不便使用矫正设备时也采用。

4.弯制成型

在钢结构制作中,弯制成型的加工主要是卷板(滚圆)、弯曲(煨弯)、折边和模具压制等几种加工方法。弯制成型的加工工序是由热加工或冷加工来完成的。

把钢材加热到一定温度后进行的加工方法,通称热加工。热加工常用的有两种加热方法,一种是利用乙炔火焰进行局部加热;这种方法简便,但是加热面积较小。另一种是放在工业炉内加热,虽然它没有前一种方法简便,但是加热面积很大。热加工是一个比较复杂的过程,它的工作内容是弯制成型和矫正等工序在常温下所不能达到的。温度能够改变钢材的机械性能,能使钢材变硬,也能使钢材变软。钢材在常温中有较高的抗拉强度,但加热到500℃以上时,随着温度的增加,钢材的抗拉强度急剧下降,其塑性、延展性大大增加,钢材的机械性能逐渐降低。

钢材在常温下进行加工制作,通称冷加工。冷加工绝大多数是利用机械设备和专用工具进行的。冷加工时应注意温度。低温中的钢材,其韧性和延伸性均相应减小,极限强度和脆性相应增加,若此时进行冷加工受力,易使钢材产生裂纹。因此,应注意低温时不宜进行冷加工。

(1)卷板(滚圆)

滚圆是在外力的作用下,使钢板的外层纤维伸长,内层纤维缩短而产生弯曲变形(中层纤维不变)。当圆筒半径较大时,可在常温状态下卷圆,如半径较小和钢板较厚时,应将钢板加热后卷圆。在常温状态下进行滚圆钢板的方法有:机械滚圆、胎模压制和手工制作三种加工方法。

机械滚圆是在卷板机(又称滚板机、轧圆机)上进行的。在滚圆机上滚圆筒,板材的弯曲是由上滚轴向下移动时所产生的压力来达到的。滚圆机床按轴辊数目和位置可分为三辊卷板机和四辊卷板机两类,三辊卷板机又分为对称式与不对称式两种(图7-7所示)。

图7-7 滚圆机原理示意

a)三轴卷板机;b)四轴卷板机

---

(2)弯曲(煨弯)

在钢结构的制作过程中,弯曲成形的应用相当广泛,用弯曲方法加工的构件种类非常多。由于所用设备和工具的不同,弯曲的方法也就不同。

弯曲按加工方法分为压弯、滚弯和拉弯。压弯是用压力机压弯钢板,此种方法适用于一般直角弯曲(V形件)、双直角弯曲(U形件),以及其他适宜弯曲的构件。滚弯是用滚圆机滚弯钢板,此种方法适用于滚制圆筒形构件及其他弧形构件。拉弯是用转臂拉弯机和转盘拉弯机拉弯钢板,它主要用于将长条板材拉制成不同曲率的弧形构件。

弯曲按加热程度分为冷弯和热弯。冷弯是在常温下进行弯制加工,此法适用于一般薄板、型钢等的加工。热弯是将钢材加热至 950℃～1100℃,在模具上进行弯制加工,它适用于厚板及较复杂形状构件、型钢等的加工。

(3)折边

在钢结构制造中,将构件的边缘压弯成倾角或一定形状的操作称为折边。折边广泛用于薄板构件,它有较长的弯曲线和很小的弯曲半径。薄板经折边后可以大大提高结构的强度和刚度。

板料的弯曲折边是通过折边机来完成的;而板料折弯压力机用于将板料弯曲成各种形状,一般在上模作一次行程后,便能将板料压成一定的几何形状,当采用不同形状模具或通过几次冲压,还可得到较为复杂的各种截面形状。

(4)模具压制

模具压制是在压力设备上利用模具使钢材成型的一种工艺方法;钢材及构件成型的质量与精度均取决于模具的形状尺寸与制造质量。利用先进和优质的模具使钢材成型可以使钢结构工业达到高质量、高速度的发展。模具按加工工序分主要有冲裁模、弯曲模、拉深模、压延模等四种。

5.制孔

在钢结构制孔中包括铆钉孔、普通螺栓连接孔、高强度螺栓孔、地脚螺栓孔等,制孔方法通常有冲孔和钻孔两种。

(1)钻孔

钻孔是钢结构制造中普遍采用的方法,能用于几乎任何规格的钢板、型钢的孔加工。钻孔的原理是切削,故孔壁损伤较小,孔的精度较高。钻孔在钻床上进行,对于构件因受场地狭小限制,加工部位特殊,不便于使用钻床加工时,则可用电钻、风钻等加工。

(2)冲孔

冲孔是在冲孔机(冲床)上进行,一般只能在较薄的钢板和型钢上冲孔,且孔径一般不小于钢材的厚度,亦可用于不重要的节点板、垫板和角钢拉撑等小件加工。冲孔生产效率较高,但由于孔的周围产生冷作硬化,孔壁质量较差,有孔口下塌、孔的下方增大的倾向,所以,除孔的质量要求不高时,或作为预制孔(非成品孔),在钢结构中较少直接采用。

当地脚螺栓孔与螺栓的间距较大时,即孔径大于 50mm 时,也可以采用火焰割孔。

6.涂装

钢结构的腐蚀是长期使用过程中不可避免的一种自然现象,在钢材表面涂刷防护涂层,是目前防止钢材锈蚀的主要手段。通常应从技术经济效果及涂料品种和使用环境方面,综合考虑后作出选择。不同涂料对底层除锈质量要求不同，一般来说常规的油性涂料湿润性和透气性较好，对除锈质量要求可略低一些，而高性能涂料如富锌涂料等对底层表面处理要求较高。涂料种类、涂装遍数、涂层厚度均应满足设计要求。

三、钢结构构件的验收与拼装

构件出厂时，应提交下列资料：产品合格证；施工图和设计变更文件，设计变更的内容应在施工图中相应部位注明；制作中对技术问题处理的协议文件；钢材、连接材料和涂装材料的质量证明书或试验报告；焊接工艺评定；高强度螺栓摩擦面抗滑移系数试验报告、焊缝无损检验报告及涂层检测资料；主要构件验收记录；预拼装记录；构件发运和包装清单。

由于受运输吊装等条件的限制，有时构件要分成两段或若干段出厂，为了保证安装的顺利进行，应根据构件或结构的复杂程度，或者设计另有要求时，应由建设单位在合同中另行委托制作单位在出厂前进行预拼装；除管结构为立体预拼装，并可设卡、夹具外，其他结构一般均为平面预拼装。分段构件预拼装或构件与构件的总体拼装，如为螺栓连接，在预拼装时，所有节点连接板均应装上，除检查各部位尺寸外，还应用试孔器检查板叠孔的通过率。

四、钢结构构件的运输与堆放

钢构件应根据钢结构的安装顺序，分单元成套供应。运输钢构件时应根据构件的长度、重量选择运输车辆，钢构件在运输车辆上的支点两端伸出的长度及绑扎方法均应保证钢构件不产生变形、不损伤涂层。钢构件应存放在平整坚实、无积水的场地上，且应满足按种类型号安装顺序分区存放的要求。构件底层垫枕应有足够的支承面，并应防止支点下沉。相同型号的钢构件叠放时，各层钢构件的支点应在同一垂直线上，并应防止钢构件被压坏和变形。

第二节　钢结构构件的连接

一、构件的连接方法

构件的连接方法，通常有焊接、螺栓连接和铆接三种。钢板和型钢的接头、组合、构造等连接以及永久不拆除的现场拼接接头，一般都采用焊接。安装节点，一般都采用螺栓连接或铆钉连接。

1.焊接

焊接是将需要连接的构件在连接部分加热到熔化状态后使它们连接起来的加工方法；有时也在半熔化状态下加压力使它们连接，或在其间加入其他熔化状态的金属使它们冷却后连成一体的加工工艺方法。它的优点是在构件上不需要钻孔，构造简单、加工容易，而且还不削弱构件截面。

按施焊的空间位置分，焊缝形式可分为平焊缝、横焊缝、立焊缝及仰焊缝四种（图7-8所示）。平焊的熔滴靠自重过渡，操作简单，质量稳定；横焊时，由于重力熔化金属容易下淌，而使焊缝上侧产生咬边，下侧产生焊瘤或未焊透等缺陷；立焊焊缝成形更加困难，易产生咬边、焊瘤、夹渣、表面不平等缺陷；仰焊时，必须保持最短的弧长，因此常出现未焊透、凹陷等质量问题。

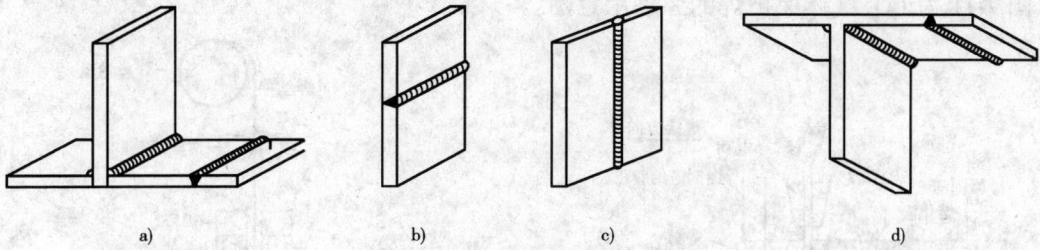

图 7-8　各种位置焊缝示意图
a)平焊；b)横焊；c)立焊；d)仰焊

钢结构常用的焊接方法有手工电弧焊、埋弧自动焊、气体保护焊、电渣焊、电阻(点、缝)焊等；限于成本、应用条件等原因，在钢结构制作和安装领域中，广泛使用的是手工电弧焊、埋弧自动焊等。特殊情况下使用电渣焊和栓焊。

(1)手工电弧焊

手工电弧焊的原理是在涂有药皮的金属电极与焊件之间施加一定电压时，由于电极的强烈放电而使气体电离产生焊接电弧。电弧高温足以使焊条和焊件局部熔化，形成保护气体、熔渣和金属熔池，气体和熔渣对熔池起保护作用。同时，熔渣在与熔池金属起反应后凝固成为焊渣，熔池凝固后成为焊缝，固态焊渣则覆盖于焊缝金属表面。图 7-9 所示即为手工电弧焊的基本原理图。

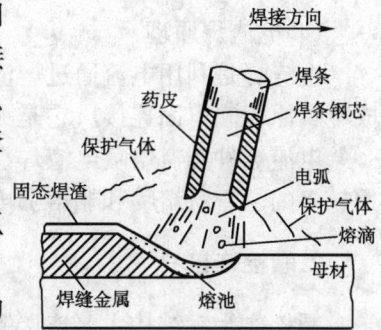

图 7-9　手工电弧焊原理示意图

手工电弧焊依靠人工移动焊条实现电弧前移完成连续的焊接，因此焊接的必要条件为焊条和焊接电源及其附件如电缆、电焊钳。手工电弧焊的焊接工艺参数包括电源极性、弧长与焊接电压、焊接电流、焊接速度、运条方式、焊接层次等。

(2)埋弧焊

埋弧焊与药皮焊条电弧焊一样是利用电弧热作为熔化金属的热源，但与药皮焊条电弧焊不同的是焊丝外表没有药皮，熔渣是由覆盖在焊接坡口区的焊剂形成的。当焊丝与焊件之间施加电压并互相接触引燃电弧后，电弧热将焊丝端部及电弧区周围的焊剂及焊件熔化，形成金属熔滴、熔池及熔渣。金属熔池受到浮于表面的熔渣和焊剂蒸汽的保护而不与空气接触，避免氮、氢、氧有害气体的侵入。随着焊丝向焊接坡口前方移动，熔池冷却凝固后形成焊缝，熔渣冷却后成渣壳，如图 7-10 所示。与药皮焊条电弧焊一样，熔渣与熔化金属发生反应，从而影响并改善焊缝的化学成分和力学性能。

影响埋弧焊焊缝成形和质量的因素有焊接电流、焊接电压、焊接速度、焊丝直径、焊丝倾斜角度、焊丝数目和排列方式、焊剂粒度和堆放高度等。

(3)CO_2 气体保护焊原理

CO_2 气体保护焊的电弧产生及焊接过程原理与手工电弧焊、埋弧焊相似，其区别在于没有手工焊条药皮及埋弧焊剂所产生的大量熔渣；所使用的熔化电极为实芯焊丝或药芯焊丝；由保护气罩导入的 CO_2 气体或与其他惰性气体混合的混合气体围绕导丝嘴及焊丝端头隔离空气，对电弧区及熔池起保护作用。其熔池的脱氧反应和必要合金元素的渗入，大部分只能由焊丝的合金成分完成。而药芯焊丝管内包容的少量焊剂成分仅起辅助的冶金反应作用和保护作用。图 7-11 为 CO_2 气体保护焊的原理示意图。

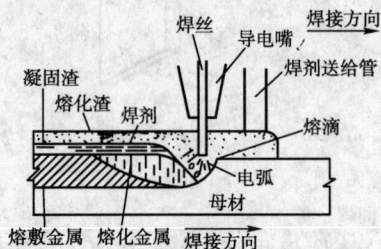

图 7-10 埋弧焊原理示意图

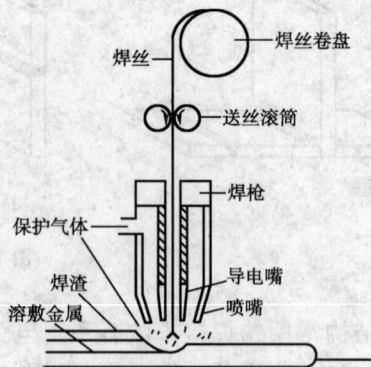

图 7-11 气体保护电弧焊接法示意图

(4)电渣焊原理

电渣焊是利用电流通过熔渣所产生的电阻热作为热源,将填充金属和母材熔化,凝固后形成金属原子间牢固连接。它是一种用于立焊位置的焊接方法。

电渣焊种类有熔嘴电渣焊、非熔嘴电渣焊、丝极电渣焊和板极电渣焊。在建筑钢结构中应用较多的是管状熔嘴和非熔嘴电渣焊,是箱型梁、柱隔板与面板全焊透连接的必要手段。

2.螺栓连接

螺栓作为钢结构主要连接紧固件,通常用于钢结构中构件间的连接、固定、定位等,钢结构中使用的连接螺栓一般分普通螺栓和高强度螺栓两种。选用普通螺栓作为连接的紧固件,或选用高强度螺栓但不施加紧固轴力,该连接即为普通螺栓连接,也即通常意义下的螺栓连接;选用高强度螺栓作为连接的紧固件,并通过对螺栓施加紧固轴力而起到连接作用的钢结构连接称高强度螺栓连接。图 7-12 所示为两种螺栓连接工作机理的示意,其中图 7-12a)所示为摩擦型高强度螺栓连接的工作机理,通过对高强度螺栓施加紧固轴力,将被连接的连接钢板夹紧产生摩擦效应,当连接节头受外力作用时,外力靠连接板层接触面间的摩擦来传递,应力流通过接触面平滑传递,无应力集中现象。普通螺栓连接在受外力后,节点连接板即产生滑动,外力通过螺栓杆受剪和连接板孔壁承压来传递,如图 7-12b)所示。

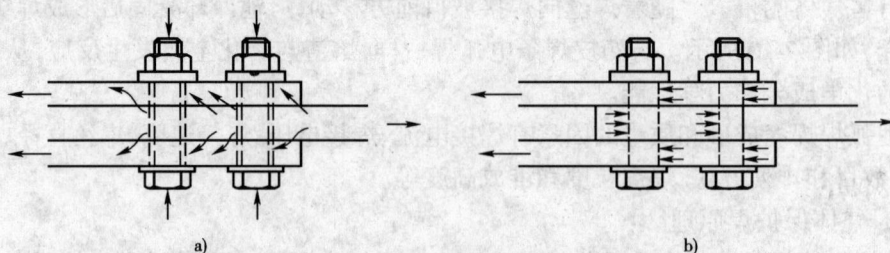

图 7-12 螺栓连接工作机理示意图
a)高强度螺栓摩擦连接;b)普通螺栓连接

螺栓按照性能等级分 3.6、4.6、4.8、5.6、5.8、6.8、8.8、9.8、10.9、12.9 等十个等级,其中8.8级以上螺栓材质为低碳合金钢或中碳钢并经热处理(淬火、回火),通称为高强度螺栓,8.8

级以下(不含 8.8 级)通称普通螺栓。

螺栓性能等级标号由两部分数字组成,分别表示螺栓的公称抗拉强度和材质的屈强比。例如性能等级 4.6 级的螺栓其含意为:

第一部分数字(4.6 中的"4")为螺栓材质公称抗拉强度(N/mm²)的 1/100;第二部分数字(4.6 中的"6")为螺栓材质屈服比的 10 倍;两部分数字的乘积(4×6 = "24")为螺栓材质公称屈服点(N/mm²)的 1/10。

(1)普通螺栓连接

钢结构普通螺栓连接即将普通螺栓、螺母、垫圈机械地和连接件连接在一起形成的一种连接形式。从连接的工作机理看,荷载是通过螺栓杆受剪、连接板孔壁承压来传递的,这种连接螺栓和连接板孔壁之间有间隙,接头受力后会产生较大的滑移变形,因此一般受力较大的结构或承受动荷载的结构,当采用普通螺栓连接时,螺栓应采用精制螺栓以减小接头的变形量。

①普通螺栓的规格

普通螺栓按照形式可分为六角头螺栓、双头螺栓、沉头螺栓等;按制作精度可分为 A、B、C 级三个等级,A、B 级为精制螺栓,C 级为粗制螺栓。钢结构用连接螺栓,除特别注明外,一般即为普通粗制 C 级螺栓。

②普通螺栓施工的一般要求

普通螺栓作为永久性连接螺栓时,螺栓头和螺母下面应放置平垫圈,以增大承压面积。螺栓头下面放置的垫圈一般不应多于 2 个,螺母头下的垫圈一般不应多于 1 个。对于设计有要求防松动的螺栓、锚固螺栓应采用有防松装置的螺母或弹簧垫圈,或用人工方法采取防松措施。对于承受动荷载或重要部位的螺栓连接,应按设计要求放置弹簧垫圈,弹簧垫圈必须设置在螺母一侧。对于工字钢、槽钢类型钢应尽量使用斜垫圈,使螺母和螺栓头部的支承面垂直于螺杆。

③螺栓直径及长度的选择

螺栓直径的确定原则上应由设计人员按等强原则通过计算确定,但对某一个工程来讲,螺栓直径规格应尽可能少,有的还需要适当归类,便于施工和管理;一般情况螺栓直径应与被连接件的厚度相匹配,表 7-1 为不同的连接厚度所推荐选用的螺栓直径。

不同连接厚度推荐螺栓直径 D(mm)　　　　　　　　　　表 7-1

连接件厚度	4 ~ 6	5 ~ 8	7 ~ 11	10 ~ 14	13 ~ 20
推荐螺栓直径	12	16	20	24	27

螺栓的长度通常是指螺栓螺头内侧面到螺杆端头的长度,一般都是以 5mm 进制;从螺栓的标准规格上可以看出,螺纹的长度基本不变。影响螺栓长度的因素主要有被连接件的厚度、螺母高度、垫圈的数量及厚度等,一般可按下列公式计算:

$$L = \delta + H + nh + C \tag{7-1}$$

式中:δ——被连接件总厚度(mm);

H——螺母高度(mm)一般为 0.8D;

n——垫圈个数;

h——垫圈厚度(mm);

C——螺纹外露部分长度(mm),2 ~ 3 扣为宜,一般为 5mm。

④螺栓的紧固及其检验

普通螺栓连接对螺栓紧固轴力没有要求,因此螺栓的紧固施工以操作者的手感及连接接头的外形控制为准,通俗地讲就是一个操作工使用普通扳手靠自己的力量拧紧螺母即可,保证被连接接触面能密贴,无明显的间隙,这种紧固施工方式虽然有很大的差异性,但能满足连接要求。为了使连接接头中螺栓受力均匀,螺栓的紧固次序应从中间开始,对称向两边进行;对大型接头应采用复拧,即两次紧固方法,保证接头内各个螺栓能均匀受力。

普通螺栓连接螺栓紧固检验比较简单,一般采用锤击法,即用3公斤小锤,一手扶螺栓(或螺母)头,另一手用锤敲,要求螺栓头(螺母)不偏移、不颤动、不松动,锤声比较干脆,否则说明螺栓紧固质量不好,需要重新紧固施工。

(2)高强螺栓连接

高强度螺栓连接已经发展成为与焊接并举的钢结构主要连接形式之一,它具有受力性能好、耐疲劳、抗震性能好、连接刚度高、施工简便等优点,被广泛地应用在建筑钢结构和桥梁钢结构的工地连接中,成为钢结构安装的主要手段之一。

高强度螺栓连接按其受力状况,可分为摩擦型连接、摩擦—承压型连接、承压型连接等几种类型,其中摩擦型连接是目前广泛采用的基本连接形式。

摩擦型连接:这种连接接头处用高强度螺栓紧固,使连接板层夹紧,利用由此产生于连接板层之间接触面间的摩擦力来传递外荷载。高强度螺栓在连接接头中不受剪,只受拉并由此给连接件之间施加了接触压力,这种连接应力传递圆滑,接头刚性好,通常所指的高强度螺栓连接,就是这种摩擦型连接,其极限破坏状态即为连接接头滑移。

承压型连接:对于高强螺栓连接接头,当外力超过摩擦阻力后,接头发生明显的滑移,高强度螺栓杆与连接板孔壁接触并受力,这时外力靠连接接触面间的摩擦力、螺栓杆剪切及连接板孔壁承压三方共同传递,其极限破坏状态为螺栓剪断或连接板承压破坏,该种连接承载力高,可以利用螺栓和连接板的极限破坏强度,经济性能好,但连接变形大,可应用在非重要的构件连接中。

①高强度螺栓种类

高强度螺栓从外形上可分为大六角头和扭剪型两种;按性能等级可分为8.8级、10.9级、12.9级等,目前我国使用的大六角头高强度螺栓有8.8级和10.9级两种,扭剪型高强度螺栓只有10.9级一种。

大六角头高强度螺栓连接副含一个螺栓、一个螺母、两个垫圈(螺头和螺母两侧各一个垫圈)。螺栓、螺母、垫圈在组成一个连接副时其性能等级要匹配。扭剪型高强度螺栓连接副含一个螺栓、一个螺母、一个垫圈。

②高强度螺栓连接施工的一般规定

高强度螺栓连接施工前应对连接副实物和摩擦面进行检验和复验,合格后才能进入安装施工。对每一个连接接头,应先用临时螺栓或冲钉定位,为防止损伤螺纹引起扭矩系数的变化,严禁把高强度螺栓作为临时螺栓使用。对一个接头来说,临时螺栓和冲钉的数量原则上应根据该接头可能承担的荷载计算确定,并应符合下列规定:不得少于安装螺栓总数的1/3;不得少于两个临时螺栓;冲钉穿入数量不宜多于临时螺栓的30%。

高强度螺栓的穿入,应在结构中心位置调整后进行,其穿入方向应以施工方便为准,力求一致;安装时要注意垫圈的正反面,即螺母带圆台面的一侧应朝向垫圈有倒角的一侧;对于大六角头高强度螺栓连接副靠近螺头一侧的垫圈,其有倒角的一侧朝向螺栓头。

高强度螺栓的安装应能自由穿入孔,严禁强行穿入,如不能自由穿入时,该孔应用铰刀进行修整,修整后孔的最大直径应小于1.2倍螺栓直径。修孔时,为了防止铁屑落入板迭缝中,铰孔前应将四周螺栓全部拧紧,使板迭密贴后再进行,严禁气割扩孔。

高强度螺栓连接中连接钢板的孔径略大于螺栓直径,并必须采取钻孔成型方法,钻孔后的钢板表面应平整、孔边无飞边和毛刺,连接板表面应无焊接飞溅物、油污等,螺栓孔径及允许偏差应满足设计和施工规范要求。

高强度螺栓在终拧以后,螺栓丝扣外露应为 2 至 3 扣,其中允许有 10% 的螺栓丝扣外露 1 扣或 4 扣。

③大六角头高强度螺栓连接施工

大六角头高强度螺栓连接副扭矩系数。对于大六角头高强度螺栓连接副,拧紧螺栓时,加到螺母上的扭矩值 M 和导入螺栓的轴向紧固力(轴力)P 之间存在对应关系:

$$M = K \cdot D \cdot P \tag{7-2}$$

式中:D——螺栓公称直径(mm);

　　P——螺栓轴力(kN);

　　M——施加于螺母上扭矩值(kN·m);

　　K——扭矩系数。

对大六角头高强度螺栓连接副来说,当扭矩系数 K 确定之后,由于螺栓的轴力(预拉力)P 是由设计规定的,则螺栓应施加的扭矩值 M 就可以容易地计算确定,根据计算确定的施工扭矩值,使用扭矩扳手(手动、电动、风动)按施工扭矩值进行终拧,这就是扭矩法施工的原理。

试验结果表明,螺栓在初拧以后,螺母的旋转角度与螺栓轴向力成对应关系,当螺栓受拉处于弹性范围内,两者呈线性关系,因此根据这一线性关系,在确定了螺栓的施工预拉力(一般为 1.1 倍设计预拉力)后,就很容易得到螺母的旋转角度,施工操作人员按照此旋转角度紧固施工,就可以满足设计上对螺栓预拉力的要求,这就是转角法施工的基本原理。

高强度螺栓转角法施工分初拧和终拧两步进行具体情况确定,一般地讲,对于常用螺栓(M20、M22、M24),初拧扭矩定在 200 ~ 300N·m 比较合适,原则上应该使连接板缝密贴为准。终拧是在初拧的基础上,再将螺母拧转一定的角度,使螺栓轴向力达到施工预拉力。图 7-13 为转角法施工示意。

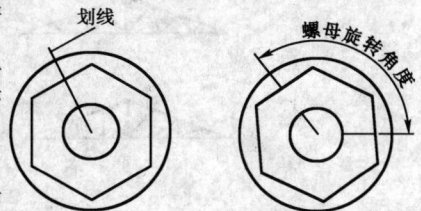

图 7-13　转角施工方法

④扭剪型高强度螺栓连接施工

扭剪型高强度螺栓和大六角头高强度螺栓在材料、性能等级及紧固后连接的工作性能等方面都是相同的,所不同的是外形和紧固方法,扭剪型高强度螺栓是一种自标量型(扭矩系数)的螺栓,其紧固方法采用扭矩法原理,施工扭矩是由螺栓尾部梅花头的切口直径来确定的。

图 7-14 为扭剪型高强度螺栓紧固过程示意。扭剪型高强度螺栓的紧固采用专用电动扳手,扳手的板头由内外两个套筒组成,内套筒套在梅花头上,外套筒套在螺母上,在紧固过程中,梅花头承受紧固螺母所产生的反扭矩,此扭矩与外套筒施加在螺母上的扭矩大小相等,方向相反,螺栓尾部梅花头切口处承受该纯扭矩作用。当加于螺母的扭矩值增加到梅花头切口扭断力矩时,切口断裂,紧固过程完毕,因此施加螺母的最大扭矩即为梅花头切口的扭断力矩。

扭剪型高强度螺栓连接副紧固施工相对于大六角头高强度螺栓连接副紧固施工要简便得多,正常的情况采用专用的电动扳手进行终拧,梅花头拧掉标志着螺栓终拧的结束,对检查人员来说也很直观明了,只要检查梅花头是否拧掉就可以了。

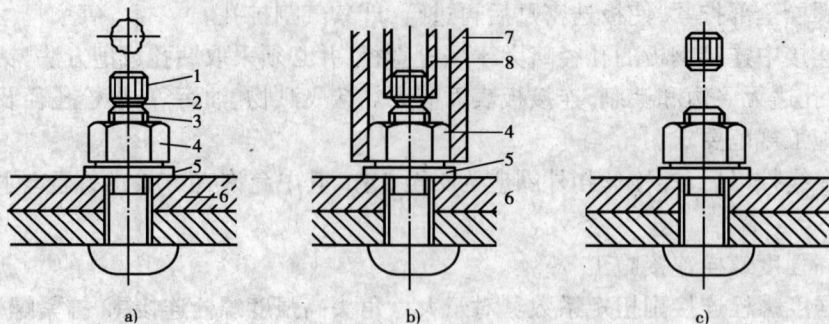

图 7-14　扭剪型螺栓紧固过程

a)紧固前;b)紧固中;c)紧固后

1-梅花头;2-断裂切口;3-螺栓螺纹部分;4-螺母;5-垫圈;6-被紧固的构件;7-外套筒;8-内套筒

二、钢结构拼装

大型钢构件限于构件运输条件和现场起重设备的起重能力,在制造厂必须将大构件按需要长度及重量变短,运到施工现场进行拼装。

1.钢屋架(钢天窗架)拼装

钢屋架常形式如图 7-15 所示,钢屋架拼装要点如下:

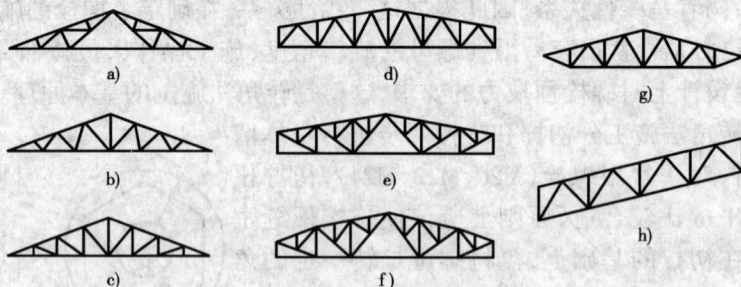

图 7-15　屋架形式

a)三角形屋架的芬克式屋架;b)三角形屋架的人字形屋架;c)三角形屋架的斜杆式屋架;;d)支座斜杆为上升式的梯形屋架;e)支座斜杆为下降式的梯形屋架;f)折线上弦的多边形屋架;g)下弦向下弯折的多边形屋架;h)平行弦单坡屋架

(1)现场拼装地基坚硬,应找平并做相应的拼装台,必要时加约束处理。

(2)首先检查拼装节点处的角钢或钢管变形,如有变形用机械矫正或火焰矫正,达到标准再拼装。

(3)将两半榀屋架放在拼装平台上,每榀至少有 4 个点或 6 个点进行找平,拉通线尺寸无误,进行点焊,按焊接顺序焊好。

(4)对侧向刚性较小的屋架,焊完一面要进行加固,构件翻身后继续找平,复核尺寸焊接。

(5)屋架拼装后扭曲或折线弯曲调整。屋架上下弦杆扭曲或折线变形,主要是焊接或运输堆放压弯。矫正方法有机械矫正法、火焰矫正和手工矫正等几种方法。

(6)碳素结构钢和低合金高强度结构钢允许加热矫正。其加热温度严禁超过 900℃,用火焰矫正时,对钢材的牌号 Q345、Q390、35、45 号的焊件,不准浇水冷却,一定要在自然状态下缓慢冷却。

(7)矫正后的杆件表面上不应有凹陷、凹痕及其他损伤。

(8)屋架拼装节点处,构件制作角度及总尺寸不符合要求时应及时修理。

2.钢柱拼装

(1)钢柱拼装用于需要多节柱拼装在一起安装,需在地面将2节或3节钢柱拼在一起,一次吊装就位。为便于保证钢柱拼接质量,减少高空作业,在地面卧拼。起重机起重能力应能满足一次起吊要求。

(2)根据钢柱断面不同,采取相应的钢平台及胎具。

(3)每节钢柱都弹好中线,在断面处成互相垂直,如图7-16所示。多节柱拼装时,三面都要拉通线。

(4)每个节点最容易出现的问题是翼缘板错口。如发现翼缘板制作构件时发生变形,采用方便的机械矫正或手工矫正,达到允许误差继续拼接。拼接一般采用倒链,在两接口处焊耳板,进行校正对接。

(5)节点必须采用连接板做拘束度,当焊接冷却后再拆除,如图7-17所示。

(6)焊接冷却将柱翻身,焊另一面前进行找平,继续量测通线→找标高→点焊→焊好拘束板→焊接→冷却→割掉拘束板及耳板→复核尺寸。

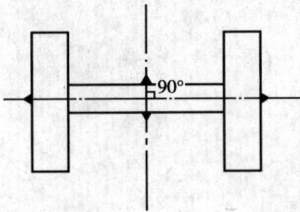

图7-16 钢柱定位示意图

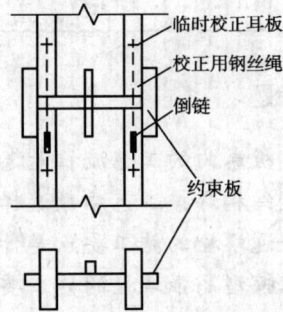

图7-17 钢柱拼装示意图

3.钢梁拼装

(1)钢梁拼装用于较大跨度桁架、轻型钢结构,端面工、H、□型居多,连接方法有高强度螺栓、栓焊组合和焊接三种形式,如图7-18所示。

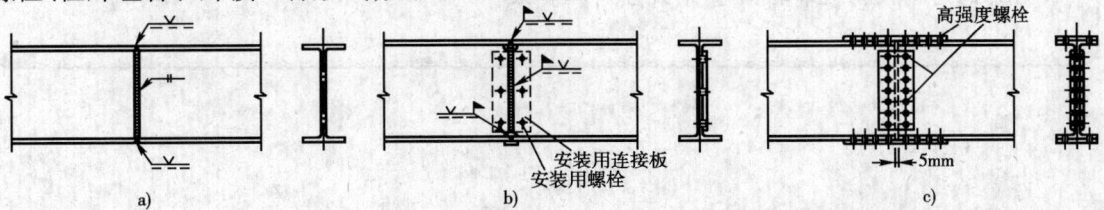

图7-18 钢梁拼装连接形式
a)焊接;b)栓焊组合;c)螺栓连接

(2)拼装方法,根据不同结构形式,杆件连接方法不同,采取不同方法,起重设备起重能力能满足,吊装方法可行,就先考虑卧拼,卧拼程序同屋架卧拼程序相同,其次考虑立拼方法。

4.门式刚架斜梁拼接

斜梁拼接时,宜使端板与构件外边缘垂直,如图7-19所示。

将要拼装的单元放在人字凳的拼装平台上,找平→拉通线→安装普通螺栓定位→安装高强度螺栓→按拧高强度螺栓顺序由内向外扩展→初拧→终拧→复核尺寸。

轻型钢结构的梁最大弱点是侧向刚度很小,将已拼好的钢梁移动或移下拼装台时,视刚度情况,可采取多吊点方法。

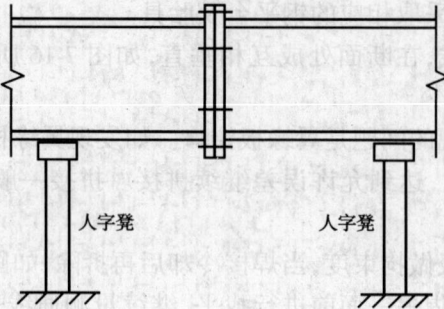

图 7-19　斜梁拼装示意

思考题

1. 钢板卷曲的工艺流程是怎样的?
2. 钢结构焊接工艺参数选择的依据是什么?
3. 普通螺栓的施工要点是什么?
4. 摩擦型高强螺栓的施工要点有哪些?
5. 钢结构的拼接的质量要求是怎样的?
6. 钢结构的截面形式有哪些? 各有什么用途?
7. 钢结构放样和划线时应注意哪些问题?
8. 钢结构的矫正方法有哪些? 各有什么特点?
9. 钢结构弯制成型的方法有哪些? 各有什么特点?
10. 钢结构预拼装和拼装有什么区别和要求?

第八章 建筑结构安装工程

DIBAZHANG

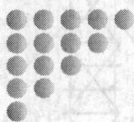

将建筑结构构件分别在施工现场或工厂预制成型,用起重机械在施工现场把它们吊运并安装到设计位置上,形成装配式结构,此即建筑结构安装工程。

建筑结构安装工程类型多,体量大,高空作业安全问题突出,要求协同配合施工的专业工种多,构件在吊装过程中内力变化大,需对构件进行吊装验算。

第一节 垂直运输机械、起重机械及选用

起重机械在结构吊装施工中起主导作用,是保证建筑工程施工工期、质量等的关键因素之一。起重机械的选择合理与否直接影响到整个施工现场的管理乃至工程的成本。建筑结构施工常用的垂直运输机械和起重机械有井架、龙门架、建筑施工外用电梯、桅杆式起重机、自行杆式起重机、塔式起重机等几大类。

一、井 架

井式垂直运输架,通称井架或井字架,是砌体结构施工中最常用的垂直运输设施,它的稳定性好,价格低廉,运输量大,可用型钢或钢管加工成定型井架,还可利用脚手架材料,搭设较高的高度(50m 以上)。其缺点是缆风绳多。若为附墙式井架可不设缆风绳仅设附墙拉结。

一般井架为单孔,但也有双孔或多孔井架。井架内设吊盘(或混凝土料斗);两孔或多孔井架可以分别设置吊盘和混凝土料斗,以满足同时运输多种材料的需要。为了扩大起重运输服务范围,在井架上根据需要设置拔杆,其起重量一般为 0.5 ~ 1.0t,回转半径一般在 2.5 ~ 5m,最大可达 10m。

常用的井架有木井架、扣件式钢井架(图 8-1 所示)、门架组合井架(图 8-2 所示)、(图 8-3 所示)、型钢井架(图 8-4 所示)、碗扣式钢井架等。

井架与结构的附墙拉结作法图 8-5 所示。当井架宽度方向平行于墙面时,采用简单拉结,或加强拉结;当井架宽度方向垂直于墙面时,采用展宽拉结。

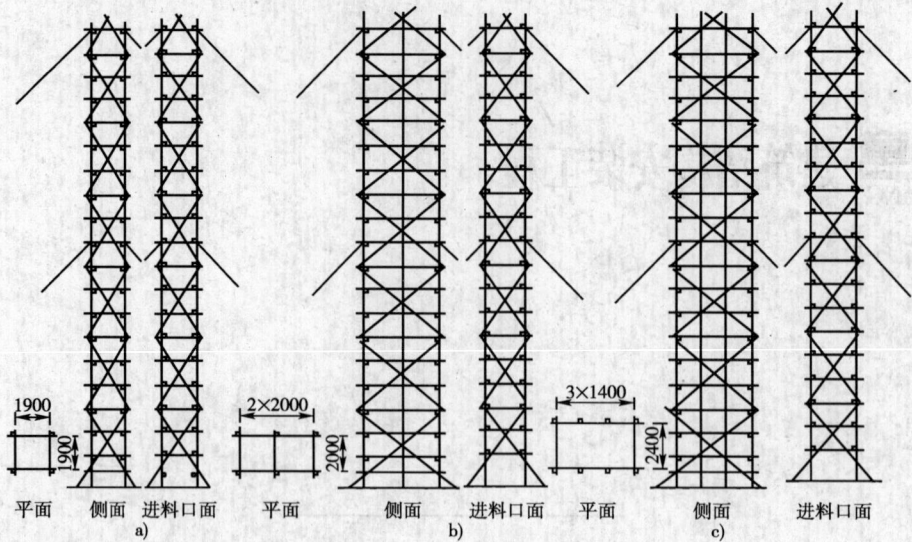

图 8-1 扣件式钢井架

a)四柱井架;b)六柱井架;c)八柱井架

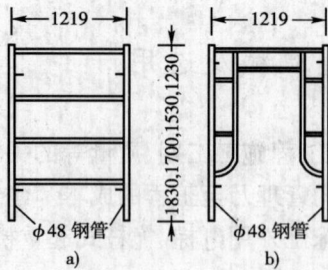

图 8-2 门架式井架的中间门架型式

a)梯形门架;b)加强门架

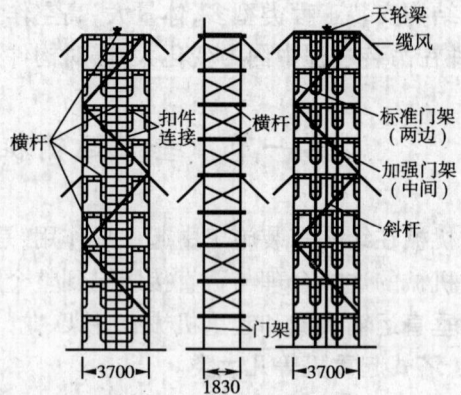

图 8-3 门架式井架构造

二、龙 门 架

龙门架是由二根立杆及天轮梁(横梁)构成的门式架。在龙门架上装设滑轮(天轮及地轮)、导轨、吊盘(上料平台)、安全装置以及起重索、缆风绳等即构成一个完整的垂直运输体系,如图 8-6 所示。目前常用的组合立杆龙门架,其立杆是由钢管、角钢和圆钢组合焊接而成的。

龙门架一般单独设置。在有外脚手架的情况下,可设在脚手架的外侧或转角部位,其稳定靠拉设缆风绳解决。亦可以设在外脚手架中间用拉杆将龙门架的立柱与脚手架拉结起来,以确保龙门架和脚手架的稳定。但在垂直脚手架的方向仍需设置缆风绳并设置附墙拉结。与龙门架相接的脚手架井架加设必要的剪刀撑予以加强。

龙门架构造简单,制作容易,用材少,装拆方便,适用于中、小工程。由于其立杆刚度和稳定性较差,故一般用于低层建筑。起重高度为 15～30m,起重量为 0.6～1.2t。此种龙门架不能做水平运输,因此,在地面、楼面上均要配手推车进行水平运输。

对于井架及龙门架高度在 15m 以下时,在顶部设一道缆风绳,每角一根;15m 以上每增高 7～10m 增设一道。缆风绳最好用 7～9mm 的钢丝绳(或 φ8 钢筋代用),与地面夹角≤45°。缆风锚碇要有足够力量。

三、建筑施工外用电梯

建筑施工外用电梯是高层建筑施工中主要的垂直运输设备。它附着在外墙或其它结构部位上,随建筑物升高,其吊笼装在井架外侧,沿齿条式轨道升降。电梯架设高度可达 100m 以上。常用的外用电梯一般为人、货两用,梯笼可载 12～15 人或载重 1.0～1.2t。

外用电梯分为单笼电梯(图 8-7 所示)和双笼电梯。

四、桅杆式起重机

桅杆式起重机制作简单,装拆方便,起重量较大(可达 100t 以上),受地形限制小,能用于其他起重机械不能安装的一些特殊结构设备;缺点是服务半径小,移动困难,需要拉设较多的缆风绳。

桅杆式起重机按其构造不同,可分为独脚拔杆、人字拔杆、悬臂拔杆和牵缆式拔杆起重机等。

1.独脚拔杆

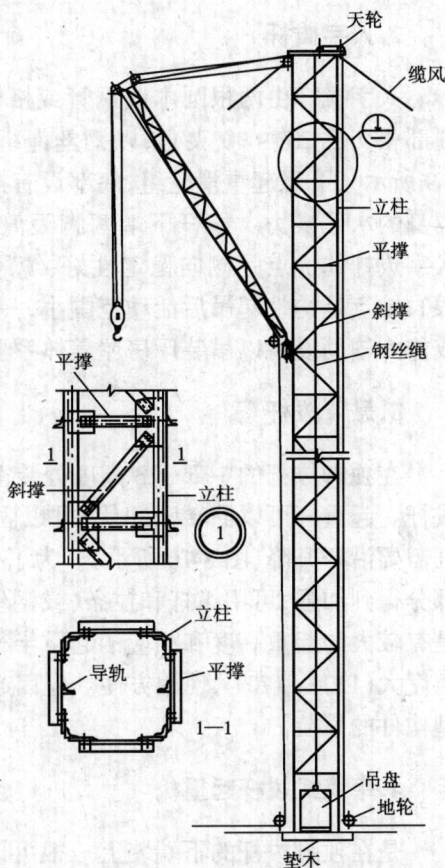

图 8-4 型钢井架

由拔杆、起重滑轮组、卷扬机、缆风绳和锚碇等组成(图 8-8 所示)。使用时,拔杆应保持不大于 10°的倾角,以便吊装的构件不致碰撞拔杆,底部要设置拖子以便移动。缆风绳数量一般为 6～12 根,与地面夹角为 30°～45°,角度过大则对拔杆产生较大的压力。拔杆起重能力,应按实际情况加以验算,木独脚拔杆常用圆木制作,圆木梢直径 20～32cm,起重高度为 15m 以内,起重量 10t 以下;钢管独脚拔杆,一般起重高度在 30m 以内,起重量可达 30t;格构式独脚拔杆起重高度达 70～80m,起重量可达 100t 以上。

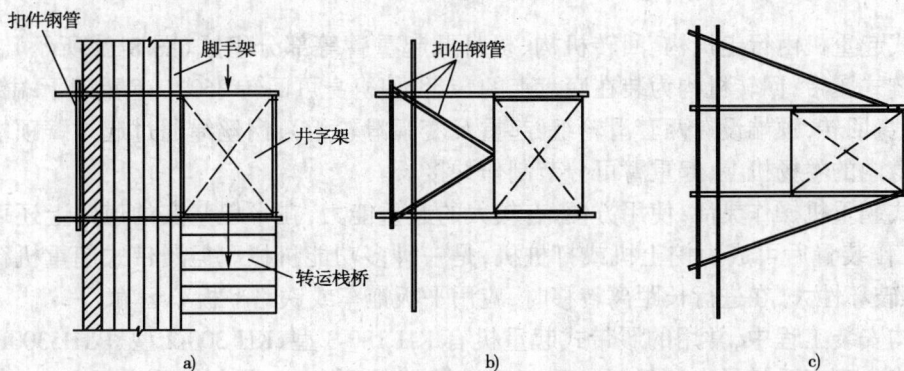

图 8-5 扣件钢管井架的附墙拉结
a)简单拉结;b)加强拉结;c)展宽拉结

2. 人字拔杆

人字拔杆由两根圆木或钢管或格构式截面的独脚拔杆在顶部相交成 20°~30° 夹角,以钢丝绳绑扎或铁件铰接而成(图8-9所示),下悬起重滑轮组,底部设有拉杆或拉绳,以平衡拔杆本身的水平推力。拔杆下端两脚距离约为高度的 1/2~1/3。人字拔杆的优点是侧向稳定性好,缆风绳较少(一般不少于5根);缺点是构件起吊后活动范围小,一般仅用于安装重型构件或作为辅助设备以吊装厂房屋盖体系上的轻型构件。

3. 悬臂拔杆

在独脚拔杆的中部 2/3 高度处装上一根起重臂,即成悬臂拔杆。起重杆可以回转和起伏,可以固定在某一部位,亦可根据需要沿杆升降(图8-10所示)。为了使起重臂铰接处的拔杆部分得到加强,可用撑杆和拉条(或钢丝绳)进行加固。其特点是有较大的起重高度和相应的起重半径;悬臂起重杆左右摆动角度大(120°~170°),使用方便。但因起重量较小,故多用于轻型构件的吊装。

4. 牵缆式拔杆起重机

是在独脚拔杆的下端装上一根可以回转和起伏的起重臂而组成(图8-11所示)。整个机身可作 360°回转,具有较大的起重半径和起重量,并有较好的灵活性。该起重机的起重量一般为 15~60t,起重高度可达 80m,多用于构件多、重量大且集中的结构安装工程。其缺点是缆风绳用量较多。

五、自行杆式起重机

常用的自行杆式起重机有履带式起重机、汽车式起重机和轮胎式起重机三种。

1. 履带式起重机

履带式起重机由行走机构、回转机构、机身及起重臂等部分组成(图8-12所示)。行走机构为两条链式履带;回转机构为装在底盘上的转盘,使机身可回转 360°。起重臂下端铰接于机身上,随机身回转,顶端设有两套滑轮组(起重及变幅滑轮组),钢丝绳通过起重臂顶端滑轮组连接到机身内的卷扬机上,起重臂可分节制作并接长。

履带式起重机操作灵活,使用方便,有较大的起重能力,在平坦坚实的道路上还可负载行走,更换工作装置后可成为挖土机或打桩机,是一种多功能机械。但履带式起重机行走速度慢,对路面破坏性大,在进行长距离转移时,应用平板拖车或铁路平板车运输。

在结构安装工程中,常用的履带式起重机有 KH 180-3 型、KH 300-2 型、P&H5300R 型等几种。KH 180-3 型起重机最大起重量 50t,起重臂可接长到 52m,最大起重半径 34m。KH 300-2 型起重机最大起重量 80t,起重臂可接长到 55m,最大起重半径 38m。P&H5300R 型起重机最大起重量 272t,起重臂可接长到 97.5m,最大起重半径 85.3m。施工中可根据不同的起重要求选

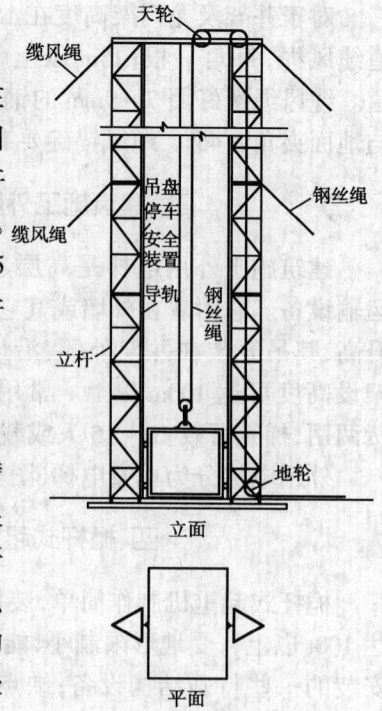

图 8-6 龙门架的基本构造形式

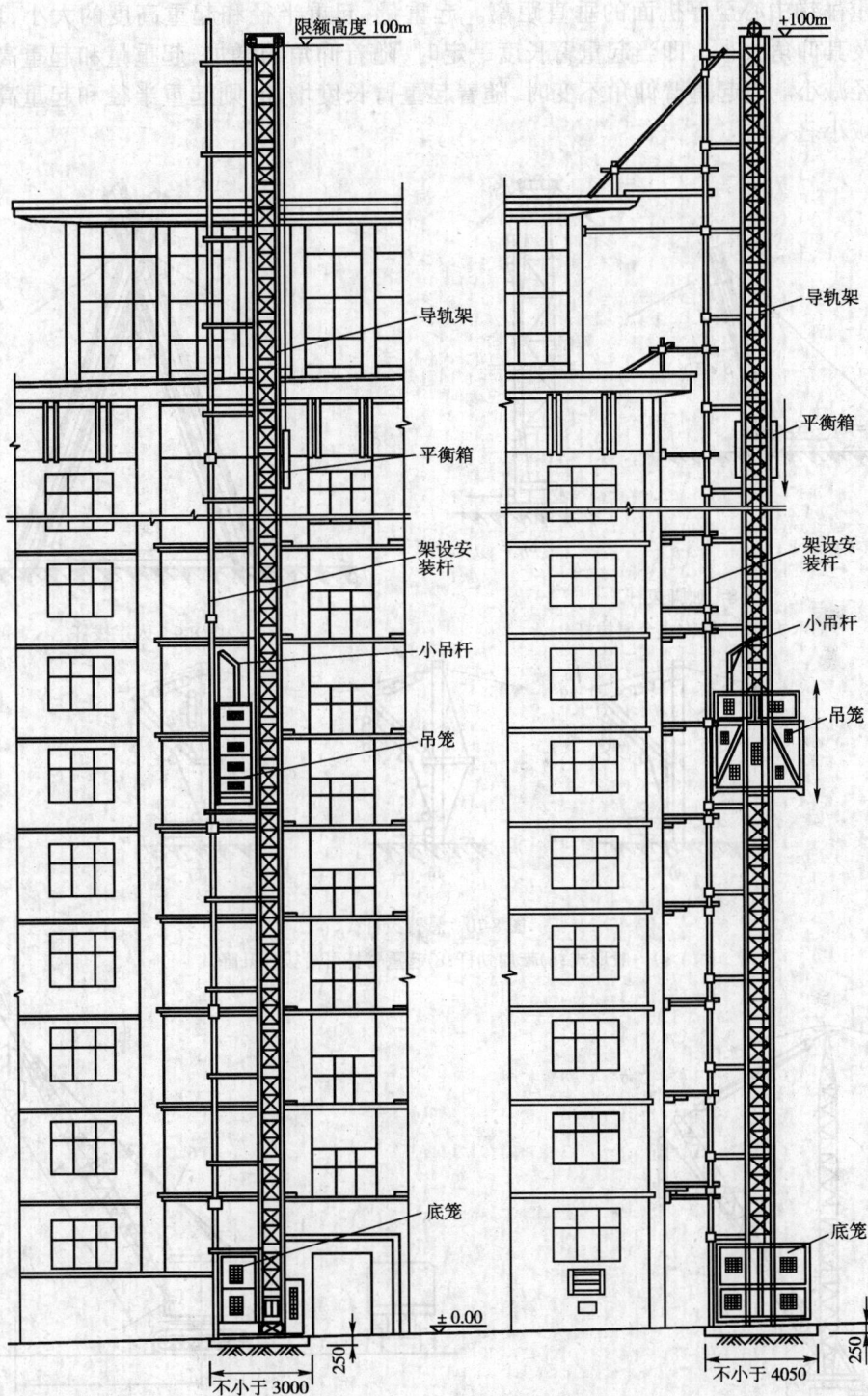

图 8-7　单笼外用电梯设置图

用满足要求的起重机。

履带式起重机主要技术性能包括三个主要参数:起重量 Q、起重半径 R、起重高度 H。起重量不包括吊钩、滑轮组的重量,起重半径 R 指起重机回转中心至吊钩的水平距离,起重高度

H 是指起重吊钩中心至停机面的垂直距离。起重量、起重半径和起重高度的大小,取决于起重臂长度及其仰角大小。即当起重臂长度一定时,随着仰角的增加,起重量和起重高度增加,而起重半径减小。当起重臂仰角不变时,随着起重臂长度增加,则起重半径和起重高度增加,而起重量减小。

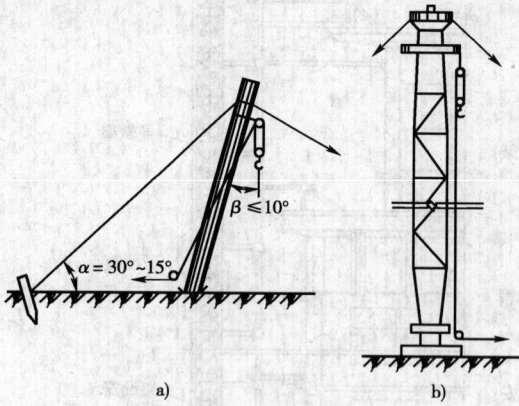

图 8-8 独脚拔杆
a)木拔杆;b)格构式金属拔杆

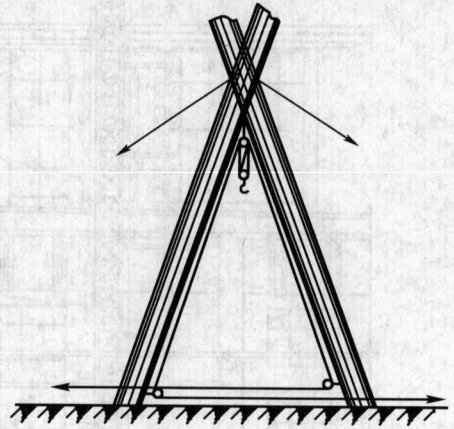

图 8-9 人字拔杆

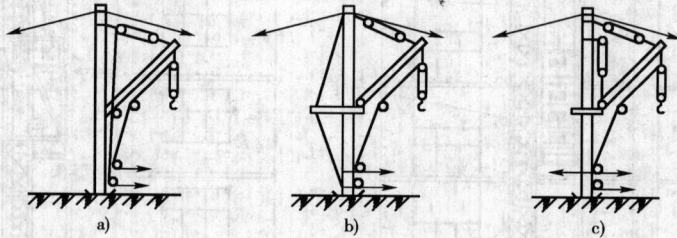

图 8-10 悬臂拔杆
a)一般形式;b)带加劲杆;c)起重臂杆可沿拔杆升降

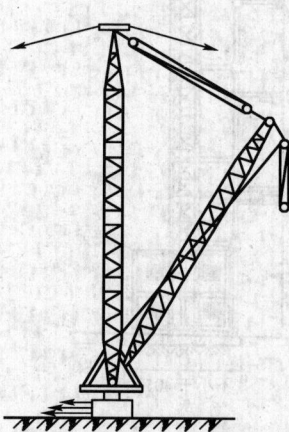

图 8-11 牵缆式拔杆起重机

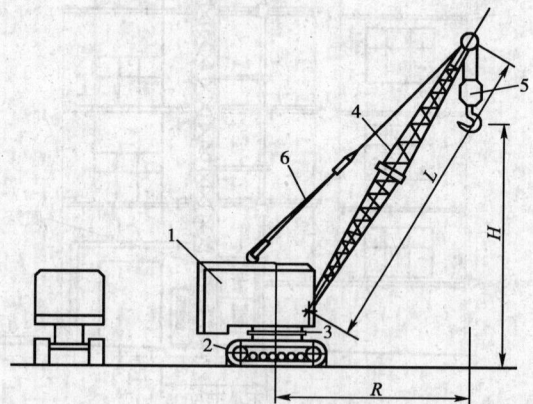

图 8-12 履带式起重机
1-机身;2-行走机构;3-回转机构;4-起重臂;5-起重滑轮组;6-变幅滑轮组

为了保证履带式起重机安全工作,在使用上要注意以下要求:在安装时需保证起重吊钩中心与臂架顶部定滑轮之间有一定的最小安全距离,一般为 2.5~3.5m。起重机工作时的地面允许最大坡度不应超过 3°,臂杆的最大仰角一般不得超过 78°。起重机不宜同时进行起重和旋转操作,也不宜边起重边改变臂架的幅度。起重机如必须负载行驶,荷载不得超过允许起重量的 70%,且道路应坚实平整,施工场地应满足履带对地面的压强要求,当空车停置时为 80～100kPa,空车行驶时为 100～190kPa,起重时为 170～300kPa。若起重机在松软土壤上面工作,宜采用枕木或钢板焊成的路基箱垫好道路,以加快施工速度。起重机负载行驶时重物应在行走的正前方向,离地面不得超过 50cm,并拴好拉绳。

2.汽车式起重机

汽车式起重机常用于构件运输、装卸和结构吊装,其特点是转移迅速,对路面损伤小;但吊装时需使用支腿,不能负载行驶,也不适于在松软或泥泞的场地上工作。

我国生产的汽车式起重机有 Q_2 系列、QY(图 8-13 所示)系列等。如 QY-32 型汽车式起重机,臂长 32m,最大起重量 32t,起重臂分四节,外面一节固定,里面三节可以伸缩,可用于一般工业厂房的结构安装。

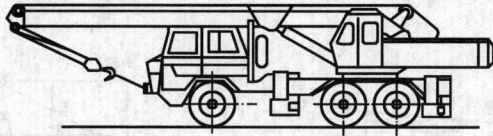

图 8-13　汽车式起重机

3.轮胎式起重机

轮胎式起重机在构造上与履带式起重机基本相似,但其行走装置采用轮胎。起重机构及机身装在特制的底盘上,能全回转。随着起重量的大小不同,底盘上装有若干根轮轴,配有4～10个或更多个轮胎,并有可伸缩的支腿(图 8-14 所示);起重时,利用支腿增加机身的稳定,并保护轮胎。必要时,支腿下可加垫块,以扩大支承面。

轮胎式起重机的特点与汽车式起重机相同。我国常用的轮胎式起重机有 QL_3 系列(图 8-14 所示)及 QYL 系列等,均可用于一般工业厂房结构安装。

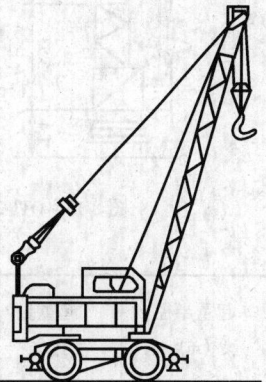

六、塔式起重机

塔式起重机的塔身直立,起重臂安在塔身顶部可作 360°回转。它具有较高的起重高度、工作幅度和起重能力,工作速度快、生产效率高,机械运转安全可靠,操作和装拆方便等优点,在多层、高层房屋结构安装中应用最广。

图 8-14　轮胎式起重机

塔式起重机按行走机构、变幅方式、回转机构位置及爬升方式的不同可分成不同类型。

1.轨道式塔式起重机

轨道式塔式起重机能负荷行走,能同时完成水平运输和垂直运输,且能在直线和曲线轨道上运行,使用安全,生产效率高,起重高度可按需要增减塔身、互换节架。但因需要铺设轨道,装拆及转移耗费工时多,台班费较高。常用的型号有 QT1-2、QT1-6、QT60/80、QT20 型等。

（1）QT1-2 型塔式起重机

由塔身、起重臂、底盘组成，回转机构位于塔身下部。该机塔身与起重臂可折叠，能整体运输（图 8-15 所示）。起重量 1～2t，起重力矩 160kN·m，其性能见表 8-1 所列。

QT1-2 型塔式起重机起重性能 表 8-1

幅度（m）	起重量（t）	起重高度（m）	幅度（m）	起重量（t）	起重高度（m）
8	2	28.3	14	1.14	22.5
10	1.6	26.9	16	1	17.2
12	1.33	25.2			

（2）QT1-6 型塔式起重机

由底盘、塔身、起重臂、塔顶及平衡臂组成，为上回转动臂变幅塔式起重机（图 8-16 所示）。起重量为 2～6t，起重半径 8～20m，最大起重高度 40m，起重力矩 400kN·m，其性能见表 8-2 所列。

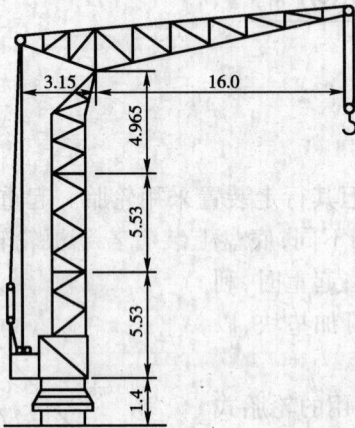

图 8-15　QT1-2 型塔式起重机

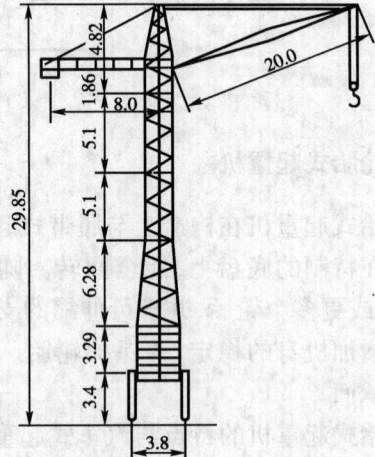

图 8-16　QT1-6 型塔式起重机

QT1-6 型塔式起重机起重性能 表 8-2

起重半径（m）	起重量（t）	起重绳数（根）	起升速度（m/min）	起升高度		
				无延接架	带一节延接架	带两节延接架
8.5	6.0	3	11.4	30.4	35.5	40.6
10	4.9	3	11.4	29.7	34.8	39.9
12.5	3.7	2	17.0	28.2	33.6	38.4
15	3	25	17.0	26.0	31.1	36.2
17.5	2.5	2	17.0	22.7	27.8	32.9
20	2.0	1	34.0	16.2	21.3	26.4

（3）QT60/80 塔式起重机

为上回转动臂变幅式起重机(图 8-17 所示)。起重量 10t,起重力矩 600～800kN·m,起升高度可达 70m 左右,其起重性能见表 8-3 所列。

2. 附着式塔式起重机

附着式塔式起重机是固定在建筑物近旁混凝土基础上得起重机械,塔身可借助顶升系统自行向上接高,随着建筑物和塔身的升高,每隔 20m 左右采用附着支架装置,将塔身固定在建筑物上,以保持稳定。图 8-18 所示为 QT4-10 型自升式四用塔式起重机(可附着、可固定、可行走、可爬升)。其起重量为 5～10t,起重半径 3～35m,最大起重高度 160m,最大起重力矩 1600kN·m,每次接高 2.5m,主要起重技术性能见表 8-4 所列。

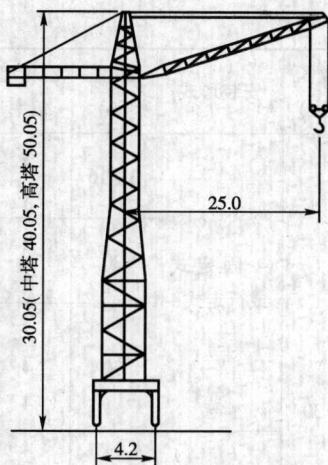

图 8-17　QT60/80 型塔式起重机

QT60/80 型塔式起重机起重性能　　　　　　　　　　　　　　　表 8-3

塔级	臂长 (m)	幅度 (m)	起重量 (t)	起升高度(m)	塔级	臂长 (m)	幅度 (m)	起重量 (t)	起升高度(m)	塔级	臂长 (m)	幅度 (m)	起重量 (t)	起升高度(m)
高塔 600kN·m	30	30 14.6	2 4.1	50 68	30①	30 14.6	2 4.1	40 58	低塔 800kN·m	30②	30 14.6	2 4.1	30 48
	25	25 12.3	2.4 4.9	49 65	中塔 700kN·m	25	25 12.3	2.8 5.7	39 55		25	25 12.3	3.2 6.5	29 45
	20	20 10	3 6	48 60		20	20 10	3.5 7	38 50		20	20 10	4 8	28 40
	15	15 7.7	4 7.8	47 56		15	15 7.7	4.7 9	37 46		15	15 7.7	5.3 10.4	27 36

注:①30m 臂杆为加长臂,只作 600kN·m 使用;
　②该机是以北京地区情况设计的,工作风压 250Pa,非工作风压 450Pa,对其他地区,如沿海风大地区,使用时应作稳定验算。

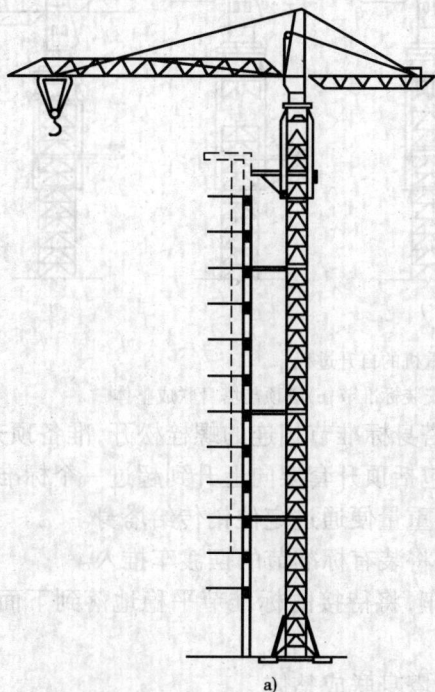

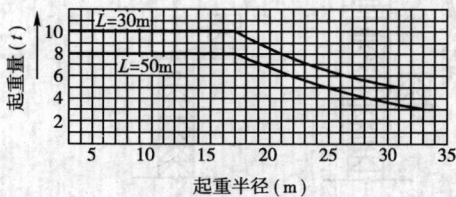

b)

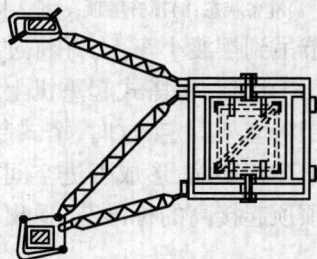

c)

图 8-18　QT4-10 型塔式起重机
a)全貌图;b)性能曲线;c)锚固装置图

图 8-4

QT4-10 型自升式塔式起重机起重性能

臂长 (m)	安装形式	幅度 (m)	滑轮组倍率	起重高度 (m)	起重量 (t)	臂长 (m)	安装形式	幅度 (m)	滑轮组倍率	起重高度 (m)	起重量 (t)
30	固定式或行走式	3~16	2	40	5	5	固定式或行走式	3~16	2	40	4
			4	40	10				4	40	8
		20	2	40	5			25	2	40	5
			4	40	8				4	40	5
		30	2	40	5			35	2	40	3
			4	45	5				4	45	4
			4	50	4				4	50	3.4
	附着式或爬升式	3~16	2	160	5		附着式或爬升式	3~16	2	160	4
			4	80	10				4	80	8
		20	2	160	5			25	2	160	4
			4	60	10				4	80	4
		30	2	160	5			35	2	160	3
			4	80	10				4	80	4

  QT4-10 型起重机的自升系统包括顶升套架、长行程液压千斤顶、承座、顶升横梁及定位销等。液压千斤顶的缸体安装在塔顶底部的承座上,其顶升过程可分为五个步骤(图 8-19 所列)。

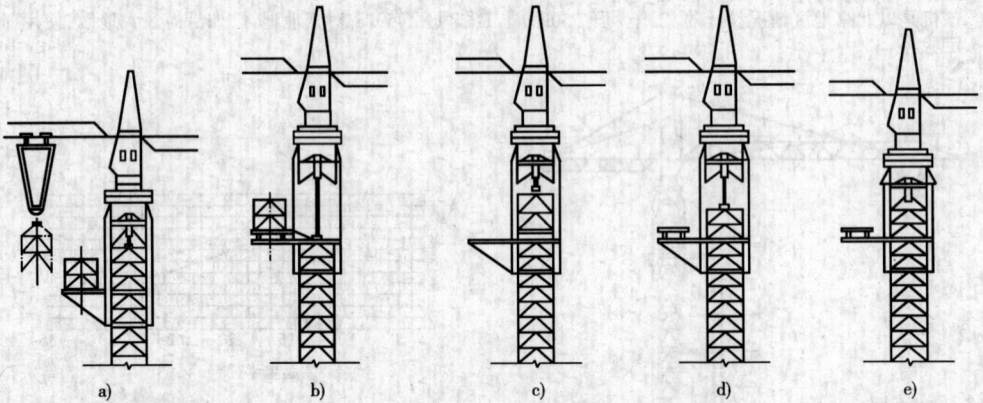

图 8-19　附着式塔式起重机的自升过程
a)准备状态;b)顶升塔顶;c)推入标准节;d)安装标准节;e)塔顶与塔身联成整体

  (1)将标准节吊到摆渡小车上,并将过渡节与塔身标准节相连的螺栓松开,准备顶升。

  (2)开动液压千斤顶,将塔式起重机上部结构包括顶升套架向上升到超过一个标准节的高度,然后用定位销将套架固定,这时,塔式起重机的重量便通过定位销传给塔身。

  (3)将液压千斤顶回缩,形成引进空间,此时便将装有标准节的摆渡车推入。

  (4)用千斤顶顶起接高的标准节,退出摆渡小车,将待接的标准节平稳地落到下面的塔身上,用螺栓拧紧。

  (5)拔出定位销,下降过渡节,使之与已接高的塔身联成整体。

  近来年,国内外新型塔式起重机不断涌现。国内研制的有 QT15、QT25、QT45、QT60、QT80、

QT100、QTZ200 和 QT250 等塔吊。QT250 型起重臂长 60m，最大起重量达 16t，最大起重高度 160m。上述塔式起重机均适用于超高层建筑施工。

3.爬升式塔式起重机

爬升式塔式起重机（图 8-20 所示）是安装在建筑物内部电梯井或特设开间的结构上，借助爬升机构随建筑物的升高而向上爬升的起重机械。一般每隔 1~2 层楼便爬升一次。其特点是塔身短，不需轨道和附着装置，不占施工场地，但全部荷载均由建筑物承受，折卸时需在屋面架设辅助起重设备。

爬升式塔式起重机由底座、套架、塔身、塔顶、起重臂和平衡臂等组成。常用型号及其性能见表 8-5 所列。

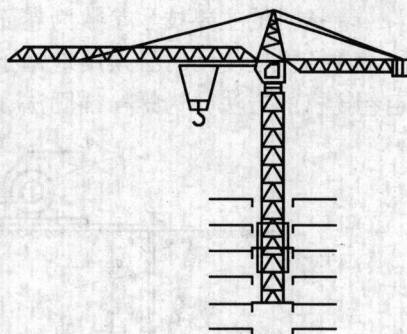

图 8-20　爬升式塔式起重机

爬升式塔式起重机起重性能 表 8-5

型号	起重量(t)	幅度(m)	起重高度(m)	一次爬升高度(m)
QT5-4/10	4	2~11	110	8.6
	4~3	11~20		
QT3-4	4	2.2~15	80	8.87
	3	15~20		

塔式起重机的爬升过程如图 8-21 所示，先用起重钩将套架提升到一个塔位处予以固定（图 8-21b)所示)，然后松开塔身底座梁与建筑物骨架的联接螺栓，收回支腿，将塔身提至需要位置(图 8-21c)所示)；最后旋出支腿，扭紧联接螺栓，即可再次进行安装作业(图 8-21a)所示)。

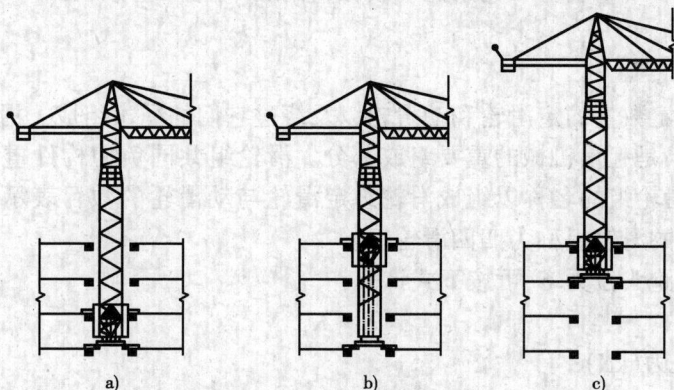

a)　　　　　　b)　　　　　　c)

图 8-21　爬升过程示意图

七、起重设备

结构吊装工程施工中除了起重机外，还要使用许多辅助工具及设备，如卷扬机、钢丝绳、滑轮组、横吊梁等。

1.卷扬机

在建筑施工中常用的卷扬机有快速和慢速两种。快速卷扬机(JJK 型)又有单筒和双筒之分,其牵引力为 4.0~50kN,主要用于垂直、水平运输和打桩作业;慢速卷扬机(JJM 型)多为单筒式,其牵引力为 30~200kN,主要用于结构吊装、钢筋冷拉和预应力筋张拉作业。

卷扬机的主要技术参数为卷筒牵引力、钢丝绳的速度和卷筒绳容量。

卷扬机在使用时必须用地锚予以固定,以防止工作时产生滑移或倾覆。根据受力大小固定卷扬机的方法分为螺栓锚固法、水平锚固法、立桩锚固法和压重锚固法四种(图 8-22 所列)。

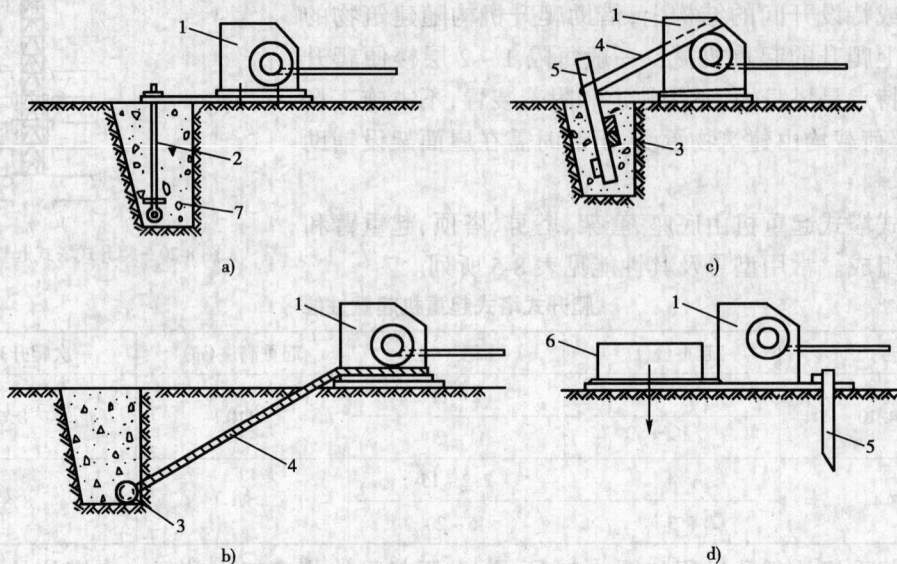

图 8-22　卷扬机的固定方法

a)螺栓锚固法;b)水平锚固法;c)立桩锚固法;d)压置锚固法

1-卷扬机;2-地脚螺栓;3-横木;4-拉索;5-木桩;6-压重;7-压板

2.滑轮组

滑轮组是由一定数量的定滑轮和动滑轮以及绕过它们的绳索组成。滑轮组具有省力和改变力的方向的功能,是起重机械的重要组成部分。滑轮组共同负担构件重量的绳索根数称为工作线数。通常,滑轮组的名称以组成滑轮组定滑轮与动滑轮的数目表示。如由四个定滑轮和四个动滑轮组成的滑轮组称为四四滑轮组。

滑轮组钢丝绳跑头拉力 S,可按下式计算

$$S = KQ \tag{8-1}$$

式中:S——跑头拉力(kN);

Q——计算荷载;

K——滑轮组省力系数。

当钢丝绳从定滑轮绕出:

$$K = \frac{f^n(f-1)}{f^n-1} \tag{8-2}$$

当钢丝绳从动滑轮绕出:

$$K = \frac{f^n(f-1)}{f^n-1} \tag{8-3}$$

式中:f——单个滑轮的阻力系数。对青铜轴套轴承 $f=1.04$;对滚珠轴承 $f=1.02$;对无轴套轴承 $f=1.06$;

n——工作线数。

起重机械所用滑轮组通常都是青铜轴套，其滑轮组的省力系数 K 值见表8-6所列。

青铜轴套滑轮组省力系数   表8-6

工作线数	1	2	3	4	5	6	7	8	9	10
省力系数	1.04	0.529	0.360	0.275	0.224	0.190	0.166	0.148	0.134	0.123
工作线数	11	12	13	14	15	16	17	18	19	20
省力系数	0.114	0.106	0.100	0.095	0.090	0.086	0.082	0.079	0.076	0.074

3.钢丝绳

结构吊装施工中常用的钢丝绳是先由若干根钢丝捻成股；再由若干股围绕绳芯捻成绳，其规格有 6×19 和 6×37 两种（6股，每股分别由 19、37 根钢丝捻成）。前者钢丝粗、较硬、不易弯曲，多用作缆风绳；后者钢丝细、较柔软，多用作起重用索。

钢丝绳的容许拉力应满足下式要求：

$$S \leqslant \frac{\alpha R}{K} \tag{8-4}$$

式中：S——钢丝绳容许拉力（N）；

    α——钢丝绳破断拉力换算系数（或受力不均匀系数）。当钢丝绳为 6×19 时，α 取 0.85，当钢丝绳为 6×37 时，α 取 0.82；当钢丝绳为 6×61 时，α 取 0.80；

    R——钢丝绳的破断拉力总和；

    K——钢丝绳安全系数，按表8-7取值。

钢丝绳安全系数 K 表8-7

用途	安全系数	用途	安全系数
作缆风绳	3.5	作吊索、无弯曲时	6~7
用于手动起重设备	4.5	作捆绑吊索	8~10
用于电动起重设备	5~6	用于载人升降机	14

4.横吊梁

横吊梁亦称铁扁担，常用于柱和屋架等构件的吊装。用横吊梁吊柱可使柱身保持垂直，便于安装；用横吊梁吊屋架则可降低起吊高度和减少吊索的水平分力对屋架的压力。

横吊梁有滑轮横吊梁（图8-23a)所示）、钢板横吊梁（图8-23b)所示）、桁架横吊梁（图8-23c)

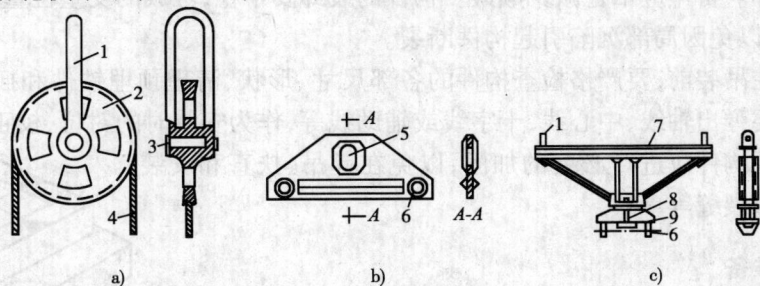

图8-23　横吊梁

a)滑轮横吊梁；b)钢板横吊梁；c)桁架横吊梁

1-吊环；2-滑轮；3-轮轴；4-吊索；5-挂钩孔；6-挂吊索的孔眼；7-桁架；8-转轴；9-横梁

所示)和钢管横吊梁(图 8-24 所示)等型式。滑轮横吊梁由吊环、滑轮和轮轴等部分组成。一般用于吊装 8t 以内的柱。钢板横吊梁由 Q235 钢板制作而成,一般用于 10t 以下柱的吊装。桁架横吊梁用于双机抬吊安装柱子。钢管横吊梁的钢管长 6～12m,一般用于吊屋架。

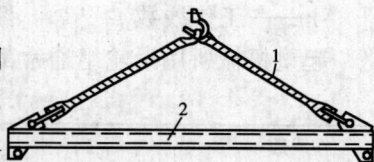

图 8-24　钢管横吊梁

第二节　单层工业厂房结构安装

单层工业厂房结构一般由大型预制钢筋混凝土柱(或大型钢组合柱)、预制吊车梁和连系梁、预制屋面梁(或屋架)、预制天窗架和屋面板组成。结构安装工程主要是采用大型起重机械安装上述厂房结构构件。

在拟定单层工业厂房结构安装方案时,首先应根据厂房的平面尺寸、跨度大小、结构特点;构件的类型、重量和安装的位置标高;设备基础施工方案(封闭式或敞开式施工);现有起重机械的性能,以及施工现场的具体条件等,来合理选择起重机械,使其能满足起重量、起重高度和起重半径的要求。然后根据所选起重机械的性能,来确定构件吊装工艺、结构安装方法、起重机开行路线和停机位置,再据此进行构件现场预制的平面布置和就位布置。

一、构件及基础的准备工作

厂房结构安装前的准备工作包括平整场地、修筑临时道路、敷设水电管线,吊索吊具的准备,构件的制作、就位排放,构件安装前的准备,基础的抄平放线等。构件和基础的准备工作是其中重要的内容。

1.构件的准备

单层工业厂房的大型构件(尺寸大重量大的构件如柱、屋架)一般在施工现场就地制作,以减少大型构件运输的困难。其他小型构件多在预制厂制作,运至现场进行就位排放。

现场预制构件时,应按照构件吊装的方法要求确定预制排放的位置。尽可能在预制位置原地起吊,避免二次排放和搬运。制作时应遵守钢筋混凝土工程的有关规定。

由预制厂制作的构件应采用适宜的车辆,直接运送到构件安装的地点。钢筋混凝土预制构件的起运强度不得低于设计强度等级的 75%。运输过程中构件不能产生过大变形,也不得发生倾倒或损坏。行车应平稳减少颠簸。构件的装卸要平稳,堆放的支垫位置要正确,堆放场地应坚实可靠,以免因局部沉陷引起构件断裂。

预制构件在吊装前,要严格检查构件的各部尺寸、形状、清理预埋铁件和插筋。并对不同构件按安装需要弹出轴线、中心线、十字线或辅助线等,作为安装时的对位、校正标志。对于屋架等截面较小的构件应进行必要的加固,以免在起吊、扶直和安装过程中产生变形裂缝等事故。

2.基础的准备

钢筋混凝土柱一般为杯形基础,与混凝土浇筑为一体。杯形基础在浇筑时,要在基础杯口面上弹出建筑的纵、横定位轴线和柱的吊装准线,作为柱对位、校正的依据(图 8-25 所示)。柱子应在柱身

图 8-25　基础的准线

的三个面上弹出吊装准线(图 8-26 所示)。柱的吊装准线应与基础面上所弹的吊装准线位置相适应。对矩形截面柱可按几何中线弹吊装准线；对工字形截面柱,为便于观测及避免视差,则应靠柱边弹吊装准线。

杯底抄平,即对所有杯形基础底面标高进行测量,确定杯底找平的标高和尺寸,以保证柱牛腿顶面标高的准确和一致。杯底抄平与调整的方法如图 8-27 所示。首先利用杯口侧壁抄平弹出的准线,用尺测量杯底实际标高尺寸 H_1(大柱应测量四个角点,小柱可测中间一点)。牛腿顶面设计标高 H_2 与杯底实际标高 H_1 的差即是柱根底面至牛腿顶面的应有长度 L_1,再与柱实际制作长度 L_2 相比,得出制作与设计标高的误差值,即杯底标高调整值 ΔH。用水泥砂浆或细石混凝土垫筑至所需标高处。在实际施工中为避免杯底超高,往往在浇筑混凝土时留 $40 \sim 50$mm 不浇,待杯底抄平调整时一次补至调整标高数值。

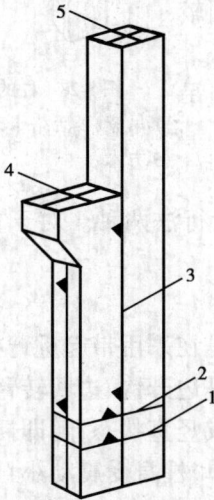

图 8-26　柱的准线　　　　　　　　　图 8-27　杯形基础杯底抄平与调整

1-基础顶面线；2-地坪标高线；3-柱子中心线；4-吊车梁对位线；5-柱顶中心线

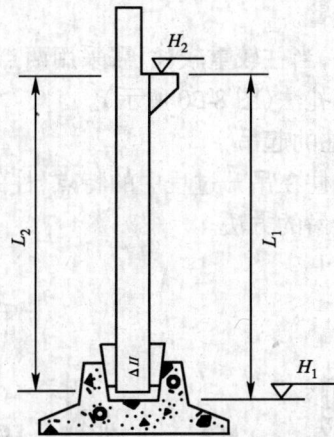

二、构件的吊装工艺

单层工业厂房预制构件的吊装工艺过程包括绑扎、起吊、对位、临时固定、校正、最后固定等。上部构件吊装需要搭设脚手台,以供安装操作人员使用。

1.柱的吊装

单层工业厂房的预制钢筋混凝土柱,一般截面尺寸和重量都很大,吊装工作复杂,应特别注意起吊与安装的安全。

(1)柱的绑扎

柱的绑扎方法、绑扎位置和绑扎点数,应根据柱的形状、长度、截面、配筋、起吊方法和起重机性能等因素确定。由于柱起吊时吊离地面的瞬间由自重产生的弯矩最大,其最合理的绑扎点位置,应按柱子产生的正负弯矩绝对值相等的原则来确定。一般中小型柱(自重 13t 以下)大多数绑扎一点；重型柱或配筋少而细长的柱(如抗风柱),为防止起吊过程中柱的断裂,常需绑扎两点甚至三点。对于有牛腿的柱,其绑扎点应选在牛腿以下 200mm 处；工字形断面和双肢柱,应选在矩形断面处,否则应在绑扎位置用方木加固翼缘,防止翼缘在起吊时损坏。

根据柱起吊后柱身是否垂直,分为斜吊法和直吊法,相应的绑扎方法有如下两种。

①斜吊绑扎法

当柱平卧起吊的抗弯强度满足要求时,可采用斜吊绑扎法(图8-28所示)。此法的特点是柱不需翻身,起重钩可低于柱顶,当柱身较长,起重机臂长不够时,用此法较方便,但因柱身倾斜,就位对中比较困难。

②直吊绑扎法

当柱平卧起吊的抗弯强度不足时,吊装前需先将柱翻身后再绑扎起吊,这时就要采取直吊绑扎法(图8-29所示)。此法吊索从柱子两侧引出,上端通过卡环或滑轮挂在铁扁担上,柱身成垂直状态,便于插入杯口,就位校正。但由于铁扁担高于柱顶,须用较长的起重臂。

此外,当柱较重较长、需采用两点起吊时,也可采用两点斜吊和直吊绑扎法(图8-30所示)。

(2)柱的起吊

根据柱在吊升过程中的特点,柱的吊升可分为旋转法和滑行法两种。对于重型柱还可采用双机抬吊的方法。

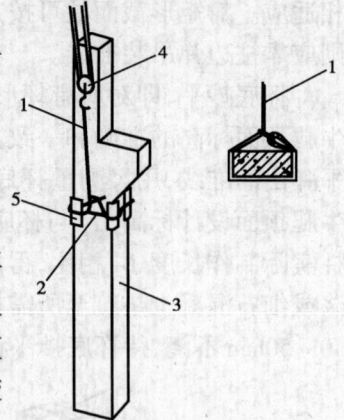

图8-28 柱的斜吊绑扎法
1-吊索;2-活络卡环;3-柱;4-滑车;5-方木

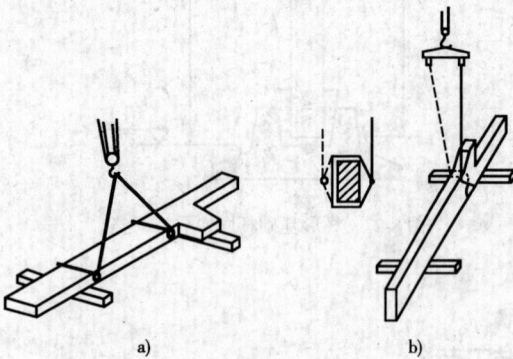

图8-29 柱的翻身及直吊绑扎法
a)柱翻身绑扎法;b)柱直吊绑扎法

①旋转法

旋转法一般是在采用带起重臂杆的起重机时选用。吊升特点是边升钩、边回转臂杆,使柱子以下端为支点旋转成竖直状态,随即插入基础杯口。这种方法操作简单,柱身受震动小且生产效率高。

柱的平面布置方法应满足旋转法吊装要求:即原则上应使吊点、柱下端中心点、杯口中心点三点共弧,也就是三点都在起重机工作半径的圆弧上。同时柱下端靠近杯口,尽可能加快安装速度。旋转法的平面布置如图8-31所示。

②滑行法

滑行法可用于有臂杆和无臂杆的不同起重机进行柱的吊装。滑行法吊柱的特点是吊钩对准杯口,只提升吊钩而臂杆不动,柱随吊钩提升逐渐竖直滑向杯口,竖直后即吊入杯口。这种方法因柱下端与地面滑动摩擦力大而受震动,并且在滑起的瞬间产生冲击,应注意吊升安全。

滑行法柱的布置特点:柱的吊点(牛腿下部)靠在杯口近旁,要求吊点和杯口中点共弧(所谓两点共弧),以便使柱吊离地面后稍作旋转即可落入杯口内(图8-32所示)。

③双机抬吊

当柱的重量较大,使用一台起重机无法吊装时,可以采用双机抬吊。双机抬吊仍可采用旋转法(两点抬吊)和滑行法(一点抬吊)。

双机抬吊旋转法,是用一台起重机抬柱的上吊点,另一台抬柱的下吊点,柱的布置应使两个吊点与基础中心分别处于起

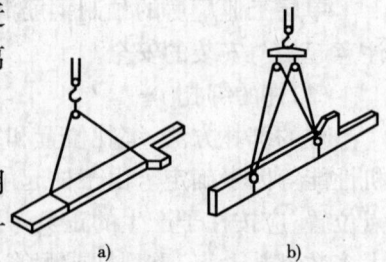

图8-30 柱的两点绑扎法
a)斜吊;b)直吊

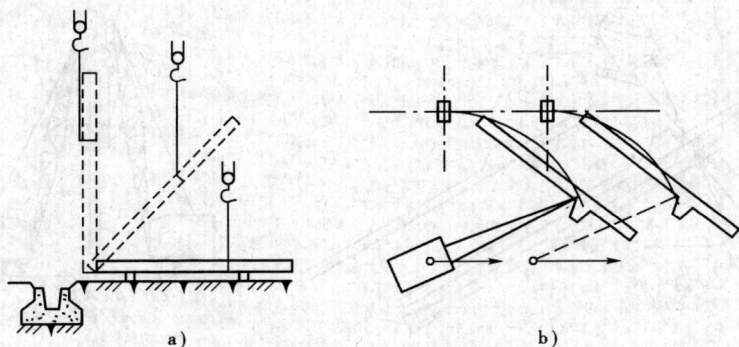

图 8-31　旋转法吊柱示意图

a)柱吊升过程;b)柱平面布置

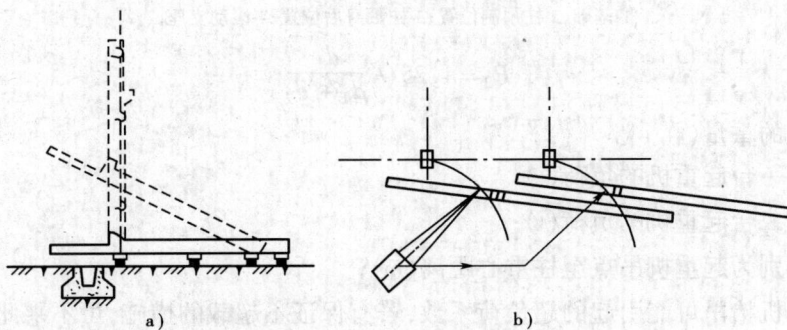

图 8-32　滑行法吊柱示意图

a)柱吊升过程;b)柱平面布置

重半径的圆弧上,两台起重机并列于柱的一侧(图 8-33 所示)。起吊时,两机同时同速升钩,将柱吊离地面,然后两台起重机起重臂同时向杯口旋转,此时,从动起重机只旋转不提升,主动起重机则边旋转边升钩直至柱直立,双机以等速缓慢落钩,将柱插入杯口中。

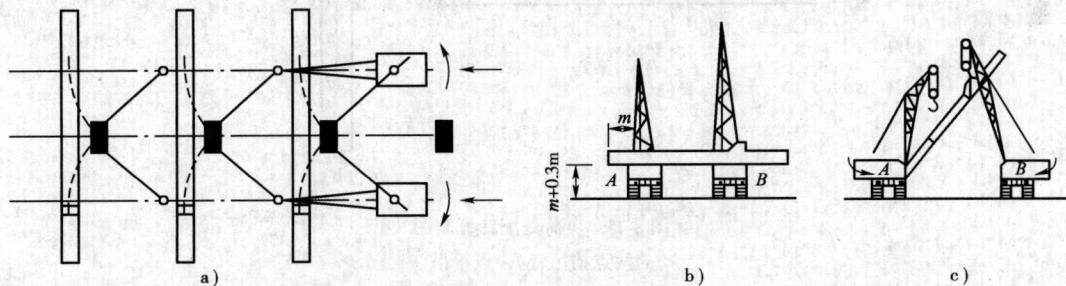

图 8-33　双机抬吊旋转法

a)柱的平面布置;b)双机同时提升吊钩;c)双机同时向杯口旋转

双机抬吊滑行法其柱的平面布置与单机起吊滑行法基本相同。两台起重机停放位置相对而立,其吊钩均应位于基础上方(图 8-34 所示)。起吊时,两台起重机以相同的升钩、降钩、旋转速度工作,故宜选择型号相同的起重机。采用双机抬吊时,为使各机的负荷均不超过该机的起重能力,应进行负荷分配计算,其计算方法(图 8-35 所示)为:

$$P_1 = 1.25Q \frac{d_2}{d_1 + d_2} \tag{8-5}$$

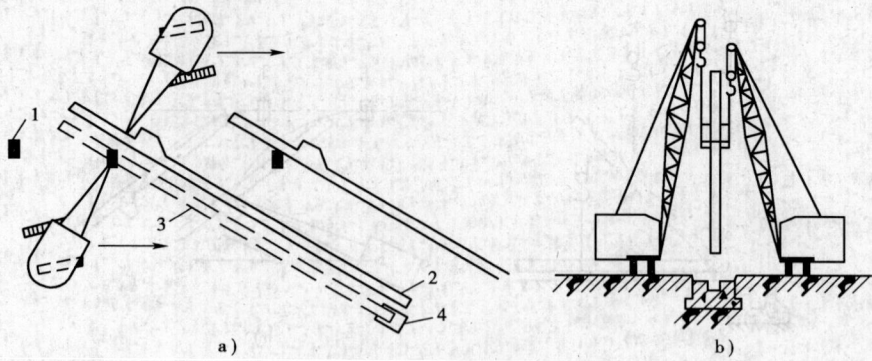

图 8-34 双机抬吊滑行法
a)俯视图;b)立面图
1-基础;2-柱预制位置;3-柱翻身后位置;4-滚动支座

$$P_2 = 1.25Q \frac{d_1}{d_1 + d_2} \tag{8-6}$$

式中:Q——柱的重量(t)

P_1——第一台起重机的负荷(t);

P_2——第二台起重机的负荷(t);

d_1、d_2——分别为起重机吊点至柱重心距离(m);

1.25——双机抬吊可能引起的超负荷系数,若有保证不超载的措施,可不乘此系数。

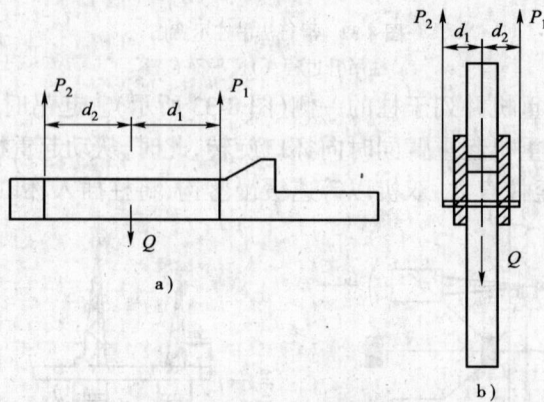

图 8-35 负荷分配计算简图
a)两点抬吊;b)一点抬吊

(3)柱的对位与临时固定

如用直吊法时,柱脚插入杯口后,应悬离杯底 30～50mm 处进行对位。若用斜吊法时,则需将柱脚送到杯底,然后在吊索一侧的杯口中插入两个楔子,再通过起重机回转使其对位。对位时,应先从柱子四周向杯口放入 8 只楔块,并用撬棍拨动柱脚,使柱的吊装准线对准杯口上的吊装准线,并使柱基本保持垂直。

柱子对位后,应先将楔块略为打紧,待松钩后观察柱子沉至杯底后的对中情况,若已符合要求即可将楔块打紧,使之临时固定(图 8-36 所示)。当柱基杯口深度与柱长之比小于 1/20,或具有较大牛腿的重型柱,还应增设带花兰螺丝的缆风绳或加斜撑措施来加强柱临时固定的稳定性。

(4)柱的位置和垂直度校正

柱子安装位置的准确性和垂直的精度,影响着吊车梁和屋架等构件的安装质量,必须进行严格的校正并使其误差限制在规范允许的范围内。

柱的平面位置和垂直的校正是互相影响的两个过程,应互相呼应同时进行。平面位置的校正是以基础顶面所弹的轴线、中心线或辅助线为校核依据,采用敲打楔块(另一侧松楔块)办法进行校正。柱身垂直度校正是以柱身弹出的中心线(或辅助线)为校核的基准线,通常利用两台经纬仪观测柱的相邻两面的中心线是否垂直。倾斜度超过允许偏差时,可用螺旋千斤顶平顶法(图8-37所示)或钢管支撑斜顶法(图8-38所示)来校正,也可借助缆风绳来校正,但应注意校正垂直偏差时要同时松开或打紧楔块,防止硬拉或硬推柱身引起弯曲或裂缝。

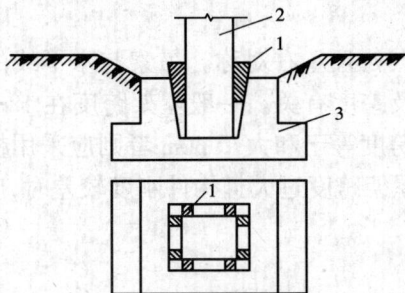

图 8-36 柱的临时固定
1-楔子;2-柱子;3-基础

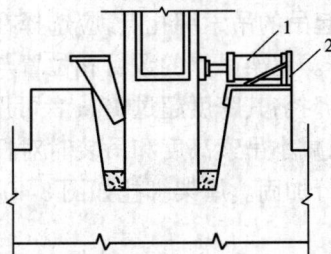

图 8-37 螺旋千斤顶校正法
1-螺旋千斤顶;2-千斤顶支座

(5)柱的最后固定

柱经过校正后立即进行最后固定。杯口空隙内的混凝土应分两次浇筑,首次浇至楔底,待混凝土达到设计强度等级的25%后,再去掉楔块浇至杯口顶面。接头混凝土应密实并注意养护,待其达到规范规定的强度后,方准在柱上安装其他构件。

2.吊车梁的吊装

吊车梁一般用两点绑扎水平起吊就位,要对准牛腿顶面弹出的轴线(十字线)。吊车梁较高时应与柱牢固拉结。

吊车梁的校正多在屋盖吊装完毕后进行。吊车梁校正的内容有平面位置、垂直度和标高的。

吊车梁的平面位置的校正,主要是校核吊车梁的跨度和吊车梁的纵向轴线,使柱列上的所有吊车梁的轴线在一直线上。通常用通线法进行校正。通线法(俗称拉钢丝法)如图8-39所示。根据定位轴线在厂房两端地面上测设吊车梁轴线桩,用经纬仪将吊车梁轴线投测到端柱的横杆上,在横杆投测点上拉钢丝通线(此线即是吊车梁轴线),依此逐一检查和拨正吊车梁的轴线。

吊车梁的垂直度可用垂球检测,其偏差可用钢垫块支垫找直;吊车梁的标高在柱基杯底抄平时根据牛腿顶面至柱底的距离对杯底标高进行调整,吊车梁吊装后标高偏差不会很大,较小的误差待安装吊车的轨道时再调整。

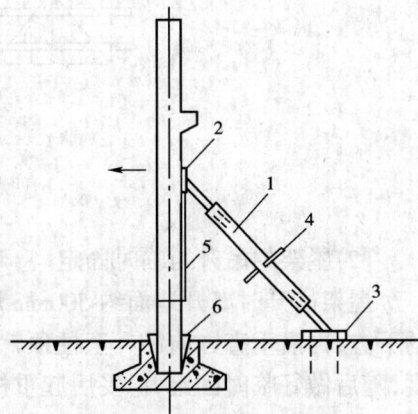

图 8-38 钢管支撑斜顶法
1-钢管;2-头部摩擦板;3-底板;4-转动手柄;
5-钢丝绳;6-卡环

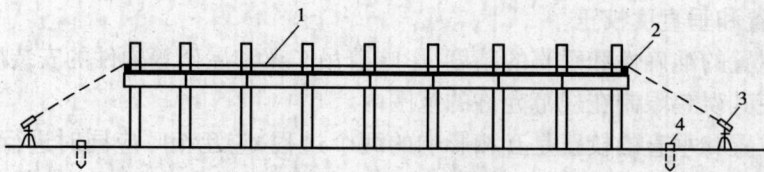

图 8-39　通线法校正吊车梁轴线
1-通线；2-横杆；3-经纬仪；4-辅助桩

吊车梁校正合格后，应立即进行最后固定，焊好连接钢板并浇筑接头细石混凝土。

3.屋架的吊装

(1)屋架绑扎

屋架起吊的吊索绑扎点，应选择在屋架上弦节点处且左右对称。吊索与水平线的夹角不宜小于 45°。屋架吊点的数目和位置与屋架的型式及跨度有关。一般屋架跨度在 18m 以内者多用两点绑扎，其跨度超过 18m 者可用四点绑扎。跨度等于和大于 30m 者则应采用横吊梁辅助吊装，以减小吊索高度和吊装时对杆件的压力。屋架跨度过大且构件刚度较差时，应对腹杆及下弦进行加固。屋架绑扎如图 8-40 所示。

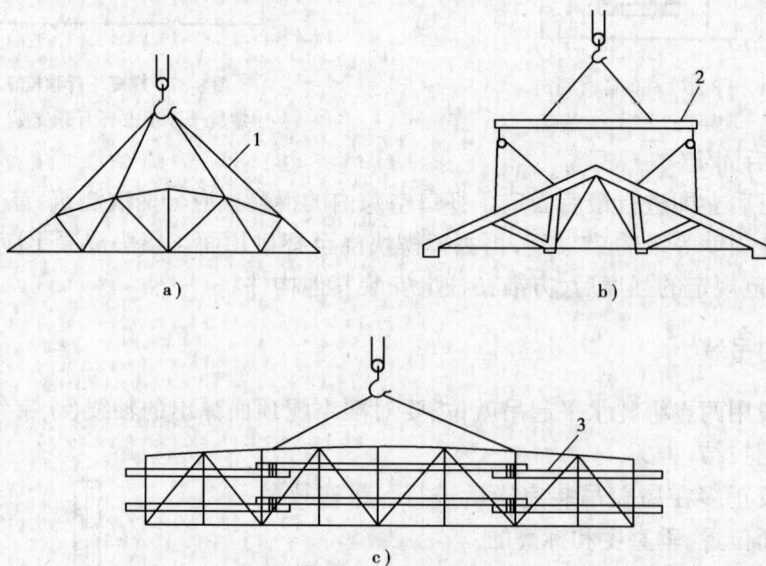

图 8-40　屋架绑扎示意图
a)四点吊；b)用横吊梁的四点吊；c)加固
1-吊索；2-横吊梁；3-加固杉木

(2)屋架的吊升与临时固定

屋架吊升时离开地面约 500mm 后，应停车检查吊索是否稳妥，然后旋转至屋架安装地点的下方，再沿垂直方向吊升至柱顶就位，对准柱顶的轴线，同时检查和调整屋架的间距和垂直度，随后做好临时固定，稳妥后起重机才能脱钩。

第一榀屋架的临时固定必须可靠。一方面一榀屋架形成不稳定结构，侧向稳定性很差，另外第二榀屋架要以它为依托进行固定，所以第一榀的固定是关键且难度较大。常见的临时固定方法有两种，一种是利用四根缆风绳从两侧将屋架拉牢，另一种是与抗风柱连接固定。第二榀及以后各榀屋架的固定,常采用工具式卡具与第一榀卡牢。工具式卡具还可用于校正屋架间距。屋架的临时固定如图 8-41 所示。

(3)屋架的校正和最后固定

屋架主要校正垂直度,可用经纬仪或线锤进行检测。用经纬仪检查屋架垂直度时,预先在屋架上弦两端和中央固定三根方木,并在方木上画出距上弦中心线定长(设为 a)的标志。在地面上作一条平行横向轴线间距为 a 的辅助线,利用辅助线支经纬仪测定三根方木上的标志是否在同一垂直面上。如偏差值超出规定,应调正并将屋架支座用铁片垫实,然后进行焊接固定。

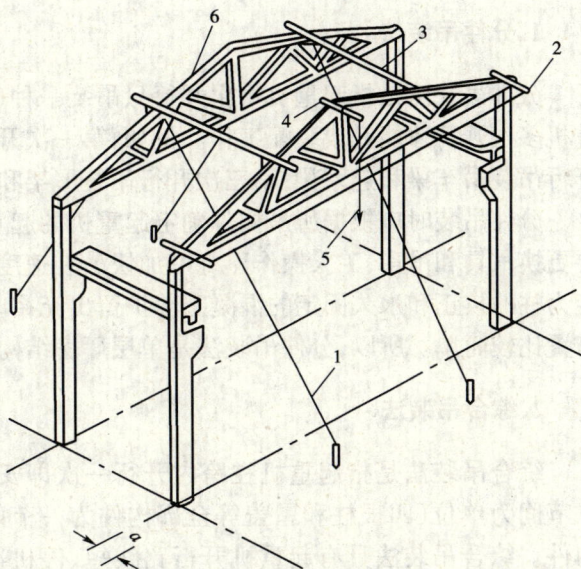

图 8-41 屋架的临时固定
1-缆风绳;2、4-挂线方木;3-屋架卡具(校正器);5-线锤;6-屋架

4.天窗架及屋面板的吊装

天窗架常采用单独吊装,也可与屋架拼装成整体同时吊装,以减少高空作业,但对起重机的起重量和起重高度要求较高。天窗架单独吊装时,需待两侧屋面板安装后进行,并应用工具式夹具或绑扎圆木进行临时加固(图 8-42 所示)。

屋面板的吊装,一般多采用一钩多块迭吊或平吊法(图 8-43 所示),以发挥起重机的效能,提高生产率。吊装顺序,应由两边檐口左右对称逐块吊向屋脊,避免屋架承受半跨荷载。屋面板对位后,应立即焊接牢固,并应保证有三个角点焊接。

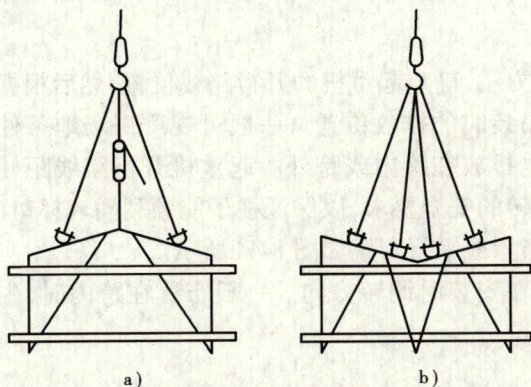

图 8-42 天窗架的绑扎
a)两点绑扎;b)四点绑扎

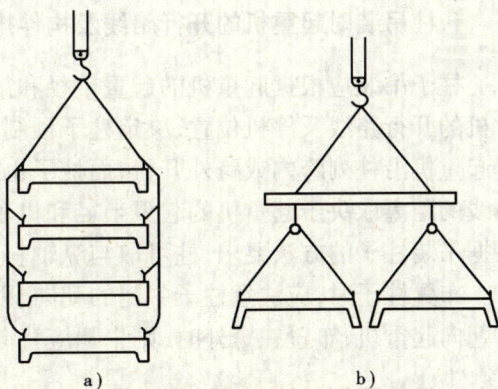

图 8-43 屋面板吊装
a)多块迭吊;b)多块平吊

三、厂房结构安装方法

单层工业厂房结构安装方法,要考虑整个厂房结构全部预制构件的总体安装顺序。安装方法应在结构安装方案中确定,以指导厂房结构构件的制作、排放和安装。厂房结构安装方法通常分为分件吊装法(俗称大流水)和综合吊装法(俗称节间法)。

1.分件吊装法

分件吊装法是指起重机每次开行只吊装一种(或两种)构件,厂房结构的全部构件需要起重机多次开行才能完成装配工作。例如,第一次开行吊装柱,并进行校正和最后固定;第二次开行吊装吊车梁和连系梁;第三次开行吊装屋架和屋面板。

分件吊装时应根据所吊构件确定起重机的起重参数,以充分发挥机械效能。吊装时不需要更换吊具和吊索,工人操作熟练可加快吊装速度。此外,由于两种构件吊装的时间间隔长,能为柱的校正和永久固定的混凝土养护留出充裕时间。由于每次吊装一种构件,构件的平面布置比较简单。所以,分件吊装法是单层厂房结构安装的常用方法。

2.综合吊装法

综合吊装法是指起重机在跨内开行一次即安装完厂房结构全部预制构件。一般起重机以节间为单位(四根柱和屋盖等全部构件为一节间),在一个停车点上安完一个节间的全部构件。综合吊装法具有起重机开行路线短、停机次数少的优点。但是因一次停机要吊装几种构件,索具更换频繁影响吊装效率;轻重构件同时吊装,起重机性能不能充分发挥;构件的校正要相互穿插进行,时间紧迫校正困难;构件类型多布置困难较大;安装技术比较复杂。所以在吊装轻型厂房结构、钢结构或采用桅杆起重机时才可能采用,一般中型以上的厂房用得较少。

四、起重机的开行路线及构件就位排放

起重机的开行路线主要根据起重机的起重半径和起重量,结合厂房跨度和构件重量综合考虑。构件吊装前的就位排放,应满足吊装方法的要求,同时结合现场条件综合考虑决定。

1.柱吊装时起重机的开行路线及构件排放

柱子吊装应根据起重机的起重半径和吊升方法,确定起重机的开行路线位置,然后根据起重机的开行路线及停机位置,决定柱子预制和吊装时的排放位置。一般可视厂房场地条件决定起重机沿柱列跨内或跨外开行,而柱子也随之排放在跨内或跨外。起重机开行路线距柱列轴线的距离取决于起重机的起重半径和机车回转的安全要求,以保证柱子能顺利插入杯口内。根据吊装柱子的方法要求,柱可取与纵轴斜向布置或平行布置如图 8-44 所示。

布置柱子时,应注意柱子牛腿的朝向,以免在安装时调转方向。一般布置在跨内时,牛腿应朝向起重机;布置在跨外时,则牛腿应背向起重机。

2.吊装屋架时的开行路线及构件排放

屋架和屋面板的吊装,一般情况下起重机是沿跨中开行。屋架和屋面板的就位排放必须满足起重机吊装回转半径的要求,避免起重机负载行驶。

屋架吊装前,应将屋架由预制地点就位到屋架准备起吊位置,通称就位排放或二次排放。屋架就位排放分为沿柱边斜向布置(图 8-45 所示)和沿柱边纵向布置(图 8-46 所示)。屋架排放应满足吊装要求,屋架吊点中心和屋架安装中心点均应在起重机起重半径的圆弧上。另外,屋架应用支撑或支架固定稳定,屋架之间留出一定的操作间隙,以便于绑扎和挂钩。

a)

b)

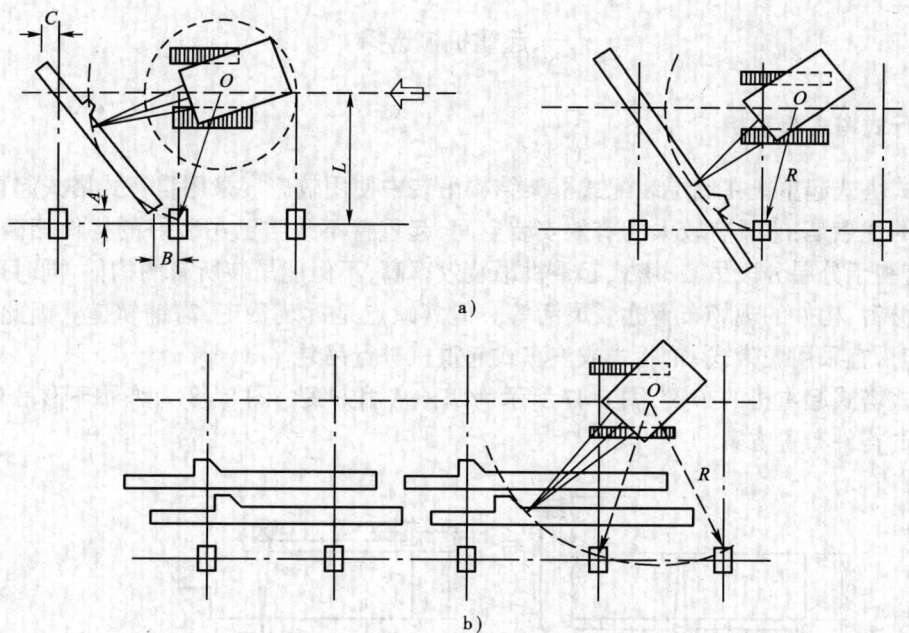

图 8-44 柱子的布置

a)柱子斜向布置;b)柱子纵向布置

屋架斜向就位排放,吊装方便且机车不需要负载行驶即可进行安装,但占地较大。

屋架纵向就位排放占地较少,但必须集中 4～5 榀屋架成组布置,吊装时,起重机不可避免要负载行驶,增加了吊装的难度和机械的磨损。一般只在跨内场地狭小时采用,以便留出屋面板和天窗架构件的堆场。

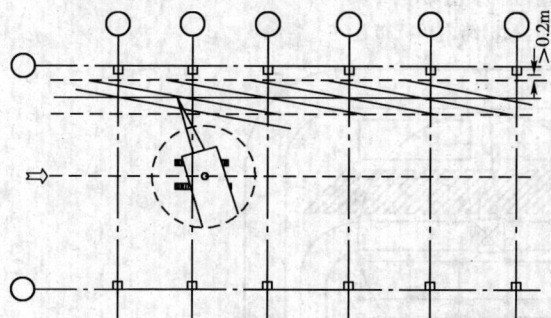

图 8-45 屋架斜向排放示意图

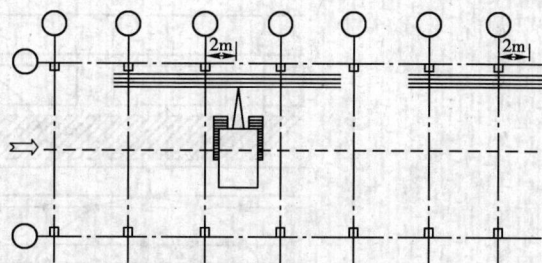

图 8-46 屋架纵向排放示意图

屋面板及天窗架的吊装,一般与屋架安装同时进行。其起重机的开行路线与吊装屋架的开行路线相同。但是起重半径不同需要做相应的调整。屋面板和天窗架应排放在起重机的起重半径圆弧上,可以布置在跨内或跨外。板的堆放不应超过 8 层,并应支垫平稳。

第三节 装配式框架结构安装

多层装配式框架结构平面尺寸小而高度大,建筑构件的类型、数量多,施工中要处理许多构件连接节点,进行大量的校正工作。构件的吊装都是高空作业,安全保障工作十分重要。因此,安装工程应制定科学的方案,做好各项准备工作。

一、起重机械选择

1. 自行式塔式起重机

自行式塔式起重机在低层装配式框架结构吊装中使用较广。采用自行式塔式起重机吊装框架结构的优点是：它具有较大的有效安装空间，起重臂不致与已吊装好的构件相碰，且服务范围大，有利于分层分段吊装；塔式起重机吊装效率高，不但能吊装所有的构件，同时还能吊运其他建筑材料；构件的现场布置亦较灵活等。但其缺点是拆装费工，需铺轨道。因此，当房屋高度不大时，宜采用履带式、轮胎式或汽车式起重机进行吊装。

自行式塔式起重机的布置，图 8-47 所示为四种常用方案。图 8-48 为跨外环形吊装某五层框架结构的构件布置方案。

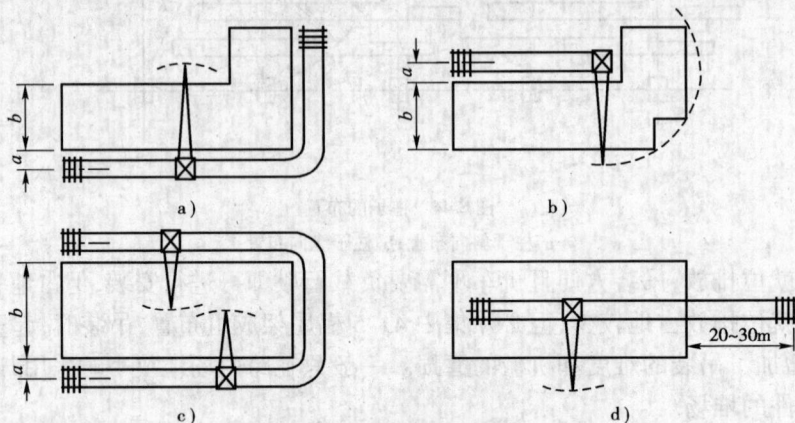

图 8-47　塔式起重机布置方案
a)、b)单侧布置；c)双侧布置；d)跨内单行布置

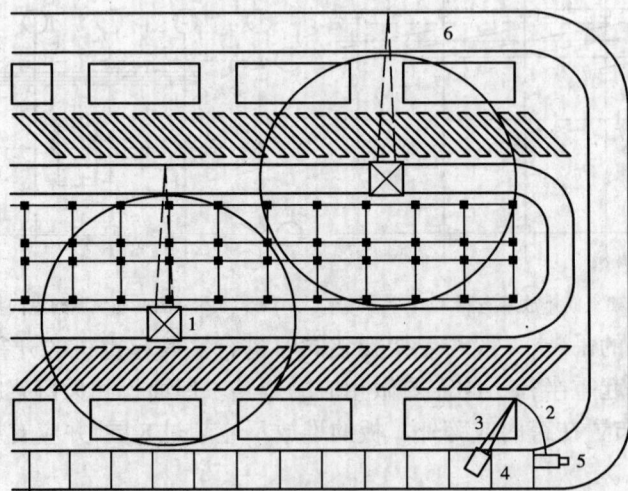

图 8-48　塔式起重机跨外环行构件布置
1-塔式起重机；2-柱预制场地；3-梁板堆放场地；4-汽车式起重机；5-载重汽车；6-临时道路

2. 履带式起重机吊装方案

履带式起重机起重量大、移动灵活，故在装配式框架吊装中亦常采用，尤其是当建筑平面

外形不规则时,更能显示其优点。但它的起重高度和起重半径均较小,起重臂易碰到已吊装的构件,只能吊装四层以下的房屋。

也可采用履带式起重机吊装底层柱,用塔式起重机吊装梁板及上层柱,这样可充分发挥这两种机械的性能,提高吊装效率。

履带式起重机的开行路线,有跨内开行和跨外开行两种。当构件重量较大时常采用跨内开行,采用竖向综合吊装方案,将各层构件一次吊装到顶,起重机由房屋一端向另一端开行。如采用跨外开行,则将框架分层吊装,起重机沿房屋两侧开行。

由于框架的柱距较小,一般起重机在一个停点可吊两根柱,柱的布置则可平行纵轴线或斜向纵轴线。

图 8-49 所示是履带式起重机跨内开行吊装某两层三跨框架结构的构件布置图,柱斜向布

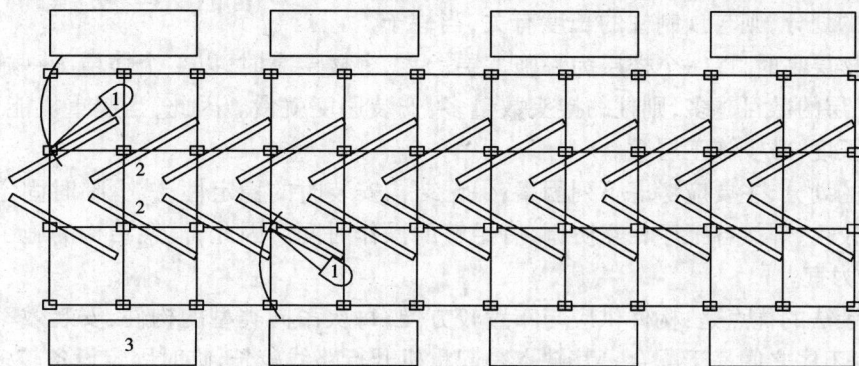

图 8-49　履带式起重机跨内开行时构件布置
1-履带式起重机;2-柱的预制场地;3-梁、板堆场

置在中跨基础旁,两层叠浇。起重机在两个边跨开行。梁板布置在房屋两外侧,位于起重机有效工作范围内。

3. 自升式塔式起重机

对于高层装配式建筑,由于高度较大,只有采用自升式塔式起重机才能满足起重高度的要求。自升式塔式起重机可布置在房屋内,随着房屋的升高往上爬升;亦可附着在房屋外侧。布置时,应尽量使建筑平面和构件堆场位于起重半径范围内。图 8-50 所示为某 10 层框架结构采用自升式塔式起重机的施工平面布置。考虑到构件堆放位于房屋南侧,故该机的安装位置稍偏南。由于在起重半径内的堆场不大,因此除壁板、楼板考虑一次就位外,其他构件均需二次搬运,在附近设中间转运站,现场有一台履带式起重机卸车。也可采用随运随吊的方案,以免二次搬运。

二、安装方法

多层框架结构的安装方法,也可分为分件安

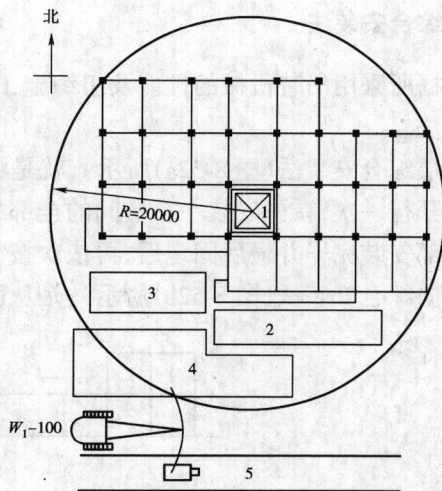

图 8-50　自升塔式起重机吊装框架结构
1-自升式塔式起重机;2-墙板堆放区;3-楼板堆放区;
4-柱、梁堆放区;5-运输道路

装法与综合安装法两种。

1.分件安装法

分件安装法可分为分层分段安装法和分层安装法。

分层分段安装法(图 8-51 所示),就是将多层房屋划分为若干施工层,并将每一施工层再划分若干施工段。起重机在每一段内按柱、梁、板的顺序分次进行安装,直至该段的构件全部安装完毕,再转移到另一段去。待一层构件全部安装完毕,并最后固定后,再安装上一层构件。

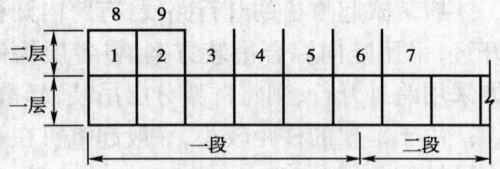

图 8-51　分件安装法
(图中 1、2、3……为安装顺序)

施工层的划分,则与预制柱的长度有关,当柱子长度为一个楼层高时,以一个楼层为一施工层;为二个楼层高时,以二个楼层为一施工层。由此可见,施工层的数目越多,则柱的接头数量多,安装速度就慢。因此,当起重机能力满足时,应增加柱子长度,减少施工层数。

施工段的划分,主要应考虑下列因素:保证结构安装时的稳定性;减少临时固定支撑的数量;使吊装、校正、焊接各工序相互协调,有足够的操作时间。因此,框架结构的施工段一般以 4~8 个节间为宜。

这种安装法的优点是:构件供应与布置较方便;每次吊同类型的构件,安装效率高;吊装、校正、焊接等工序之间易于配合。其缺点是起重机开行路线较长,临时固定设备较多。

分层安装法与上述方法不同之处,主要是在每一施工层上勿须分段。因此所需临时固定支撑较多,只适于在面积不大的房屋中采用。

分件安装法是框架结构安装最常采用的方法。其优点是容易组织吊装、校正、焊接、灌浆等工序的流水作业;易于安排构件的供应和现场布置工作;每次均吊装同类型构件,可提高安装速度和效率;各工序操作较方便安全。

2.综合安装法

根据所采用吊装机械的性能及组织施工的方式不同,又可分为分层综合安装法与竖向综合安装法。

分层综合安装法(图 8-52a)所示),就是将多层房屋划分为若干施工层,起重机在每一施工层中只开行一次,首先安装一个节间的全部构件,再依次安装第二节间、第三节间等。待一层构件全部安装完毕并最后固定后,再依次按节间安装上一层构件。

竖向综合安装法(图 8-52b)所示),是从底层直到顶层把第一节间的构件全部安装完毕后,

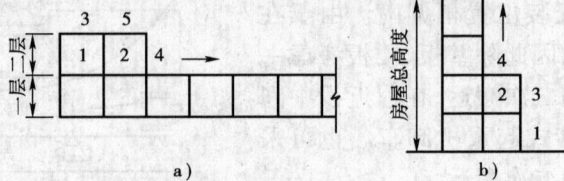

a)

b)

图 8-52　综合安装法
a)分层综合安装;b)竖向综合安装
(图中 1、2、3……为安装顺序)

再依次安装第二节间、第三节间等各层的构件。

<h2 style="text-align:center">三、构件的吊装</h2>

1.柱的吊装

柱子吊装时,主要是对接头外伸钢筋的保护,以便吊装后钢筋的焊接对位。通常在吊柱前在柱上固定好角钢夹板和护筋钢管三角架。钢夹板用于支撑,钢管三角架用于保护钢筋免受弯折(图 8-53 所示)。

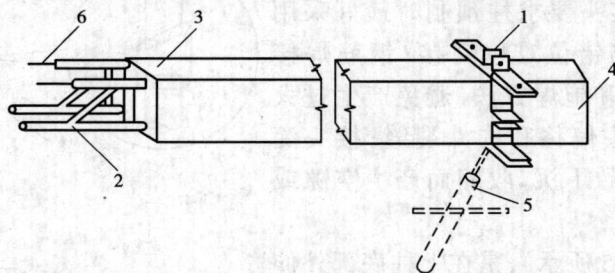

图 8-53　柱吊装用钢夹板与钢管三角架

1-角钢夹板;2-钢管三角架;3-柱下部;4-柱顶部;5-工具式校正器;6-柱钢筋

柱子吊装就位时,应对准轴线并保证柱身垂直,同时用两台经纬仪在相互垂直的两个面进行垂直度的校正。待梁吊装完毕并经校正后,即将柱与柱、柱与梁之间的连接节点的钢筋和预埋铁件焊牢。焊接时,应采用等速度、对称的焊接程序。如焊缝较多,应根据构件形状和焊缝的布置,先焊收缩量较大的焊缝,后焊收缩量小的焊缝;先焊拘束度较大而不能自由收缩的焊缝,后焊拘束度较小而能自由收缩的焊缝。以减少焊接温度变形,保证柱、梁的位置和垂直度的准确性。

2.梁、板的安装

梁、板安装必须在柱下端接头混凝土达到要求的强度(一般不低于 $10N/mm^2$)后进行。楼板一般在梁安装完毕并经过校正、固定后开始吊装。梁、板安装应注意以下问题:

(1)梁、板吊装应在安装面上(支座)垫砂浆(有预压钢板者除外),使梁、板支承端与支承面接触紧密、平稳。

(2)梁一般采取由建筑物中央向两翼方向进行安装,以减少梁在安装过程中产生误差积累对柱子垂直度的影响。

(3)梁就位时要尽可能准确,避免过多的撬动,以免造成柱上端产生偏移。

(4)梁柱接头焊接如系剖口焊,因热胀冷缩产生焊接应力,容易造成梁的位移或柱的偏斜,应合理的选择梁端的焊接顺序。

(5)吊装楼板应用吊索兜住板底,钢丝绳距板端 500mm。安装时板端对准支座缓慢下降,落稳后再脱钩。一次吊多块圆孔板到楼层后再分别就位。应注意第一落点的支撑。

(6)就位后可用撬棍轻轻拨动,使板的两端搭接长度相等,在砖墙上支承长度不小于 75mm,在大模板墙上的支承长度不小于 20mm,在预制梁上的支承长度应按施工图纸要求。

(7)楼板锚固筋在板宽范围内应焊接 4 点,其余锚固筋必须上弯 45°相互交叉,在交叉点上边绑一根通长筋,严禁将锚固筋上弯 90°或压在板下。锚固筋和连接筋每隔 500mm 绑扎一扣。

3.构件接头

柱的接头类型有榫接头、插入接头和浆锚接头三种。

榫式接头(图 8-54 所示),是上下柱预制时各向外伸出一定长度(不小于 $25d$)的钢筋,上柱底部带有突出的榫头,柱安装时使钢筋对准,用剖口焊焊接,然后用比柱混凝土强度等级高 25%的细石混凝土或膨胀混凝土浇筑接头。待接头混凝土达到 75%强度等级后,再吊装上层构件。榫式接头要求柱预制时最好采用通长钢筋,以免钢筋错位难以对接;钢筋焊接时,应注重焊接质量和施焊方法,避免产生过大的焊接应力造成接头偏移和构件裂缝;接头灌浆要求饱满密实,不致下沉、收缩而产生空隙或裂纹。

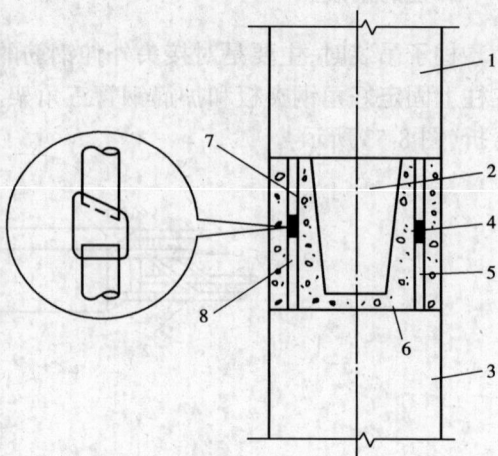

图 8-54 榫式接头

1-上柱;2-上柱榫头 ;3-下柱;4-剖口焊;5-下柱外伸钢筋;6-砂浆;7-上柱外伸钢筋;8-后浇接头混凝土

浆锚接头(图 8-55 所示),是在上柱底部外伸四根长 300～700mm 的锚固钢筋;下柱顶部预留四个深约 350～750mm、孔径约 $(2.5～4)d$(d 为锚固筋直径)的浆锚孔。接头前先将浆锚孔清洗干净,并注入加入促凝剂的快凝砂浆;在下节柱的顶面满铺 10mm 厚的砂浆;最后把上柱锚固筋插入孔内,使上下柱连成整体。也可采用先插入锚固筋,然后进行灌浆或压浆工艺。

插入式接头(图 8-56 所示),是将上节柱做成榫头,下节柱顶部做成杯口,上节柱插入杯口后,用水泥砂浆灌实成整体。此种接头不用焊接,安装方便,但在大偏心受压时,必须采取构造措施,以防受拉边产生裂缝。

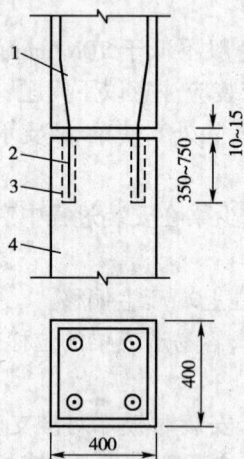

图 8-55 浆锚接头

1-上柱;2-上柱往外伸锚固钢筋;3-浆锚孔;4-下柱

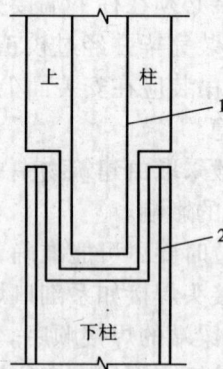

图 8-56 插入式接头

1-榫头纵向钢筋;2-下柱钢筋

至于装配式框架中梁与柱的接头,则视结构设计要求而定,可以做成刚接,也可做成铰接。接头的形式有明牛腿式梁柱接头、暗牛腿式梁柱接头、齿槽式梁柱接头和浇筑整体式梁柱接头。其中浇筑整体式的刚接接头(图 8-57 所示)由于其构造、制作简单,施工方便,应用较广。

整体式梁柱接头节点,即上下柱、主次梁的接头在节点处焊接和浇筑。梁端搁置在下柱顶端,上柱榫头压在叠合层上,上下柱、梁的节点外伸钢筋按规定弯起并进行焊接。施工程序是:下一层的梁安装完毕后,即对钢筋进行焊接,同时绑扎节点区加密的箍筋,然后浇筑节点区的混凝土,第一次先浇至楼板顶面,待混凝土强度大于 $10N/mm^2$ 后,方可吊装上柱。立柱经过校正并绑扎好加密箍筋,即可焊接上下柱主筋接头,随后第二次浇筑接头混凝土,留35mm空隙最后用细石混凝土捻实。

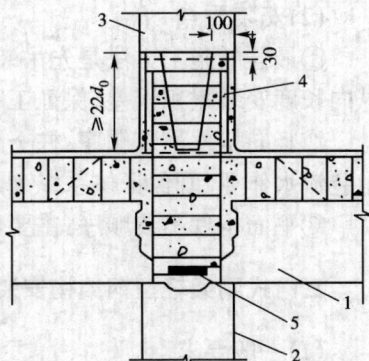

图 8-57 整体式梁柱接头
1-梁;2-柱;3-上柱;4-焊接 $4d_0$;5-焊接 $8d_0$

第四节 钢结构工程施工

一、单层钢结构安装

1.普通单层钢结构房屋的安装

(1)结构组成

单层钢结构房屋主要由横向结构和纵向结构系统组成。横向结构系统是排架(包括屋架或横梁、天窗架和柱),它是单层房屋的基本承重结构,承受屋面荷载、横向风荷载和地震作用,在有吊车的工业房屋中还要承受吊车的竖向荷载和横向水平荷载。纵向结构系统是由柱、托架(用于大柱距)、柱间支撑、墙梁等构成。工业房屋内除上述构件外,还有吊车梁及吊车制动梁或桁架等构件。此外,还有房屋外围墙架及屋面支撑,共同组成空间刚性骨架,图8-58所示为典型厂房钢结构组成。

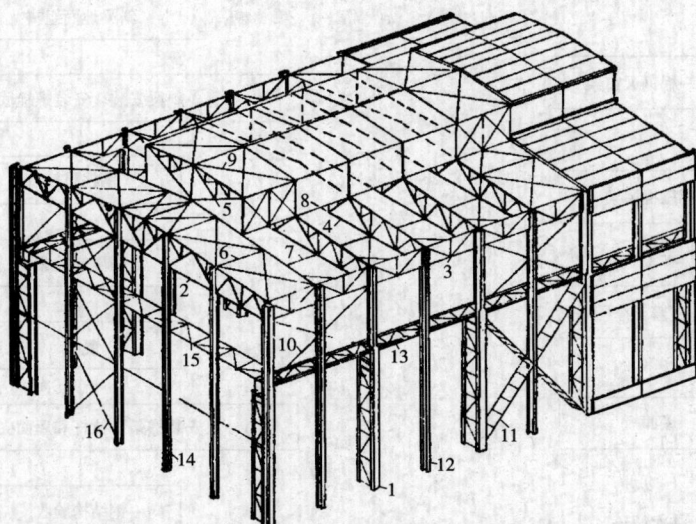

图 8-58 单层厂房钢结构组成
1-排架柱;2-屋架;3-托架;4-中间屋架;5-天窗架;6-横向水平支撑;7-纵向水平支撑;8、9-天窗支撑;10、11-柱间支撑;12-抗风柱;13-吊车梁系统;14-山墙抗风柱;15-山墙抗风桁架;16-山墙柱间支撑

（2）安装要点

①最佳的施工方法是先吊装竖向构件，后吊装平面构件，这样施工的目的是减少建筑物的纵向长度安装累积误差，保证工程质量。

②竖向构件吊装顺序：柱→连系梁→柱间钢支撑→吊车梁→制动桁架→托架等，单种构件吊装流水作业，既保证体系纵列形成排架，稳定性好，又能提高生产效率。

③平面构件吊装顺序：主要以形成空间结构稳定体系为原则，工艺流程如图 8-59 所示。

2.门式刚架轻型钢结构安装

（1）一般要求

门式刚架轻型房屋钢结构用于主要承重结构为单跨或多跨实腹门式刚架，具有轻型屋盖和轻型外墙，无桥式吊车或仅有起重机不大于 20t 的中轻级工作制桥式吊车或 3t 悬挂式起重机的单层房屋钢结构，所有柱、斜梁、次梁、檩条、拉条屋面板、墙板等构件重量轻，因为是单层安装，标高一般为 10m 左右（屋顶楼层改造除外），所以一般根据大跨度斜梁起重高度（包括索具高度）选择起重机。根据现场条件和结构型式，可采用单机或双机抬吊，根据工期要求也可采取多机流水作业。

门式刚架的安装工艺流程如图 8-60 所示。

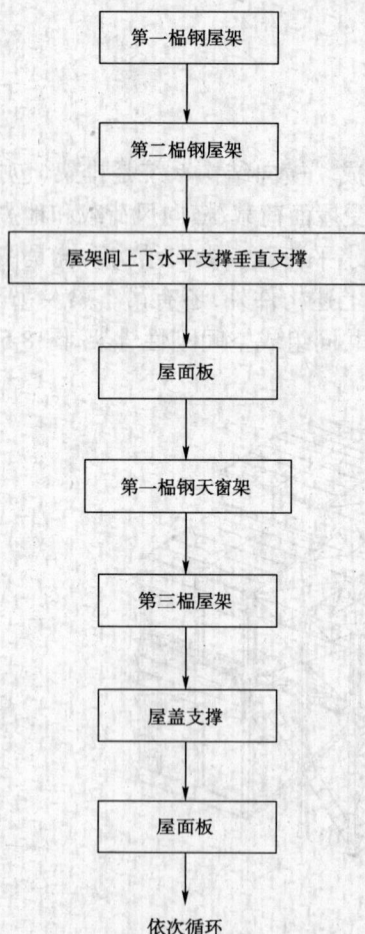

图 8-59 平面构件吊装顺序工艺流程图　　　图 8-60 门式刚架轻型房屋钢结构安装工艺流程

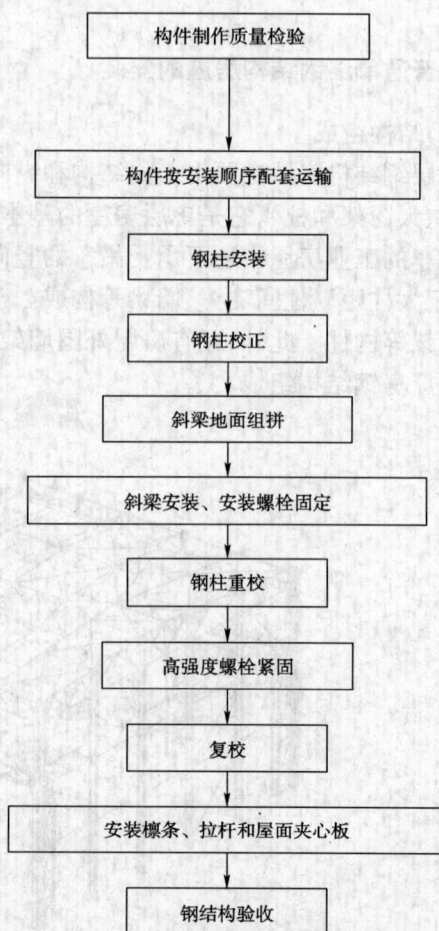

(2)钢柱安装

①轻型钢结构钢柱,一般指门式刚架柱居多,这种钢柱都是变截面的,柱根小,柱顶大,头重脚轻,而且重心是偏心的,安装固定后,为防止倾倒必要时加临时支撑。

②柱脚的锚栓应采用可靠方法定位,图8-61所示为常见的柱脚连接方式。在混凝土灌注前和灌注后钢结构安装前,均应核对锚栓位置,确保基础的平面尺寸和标高符合设计尺寸要求。

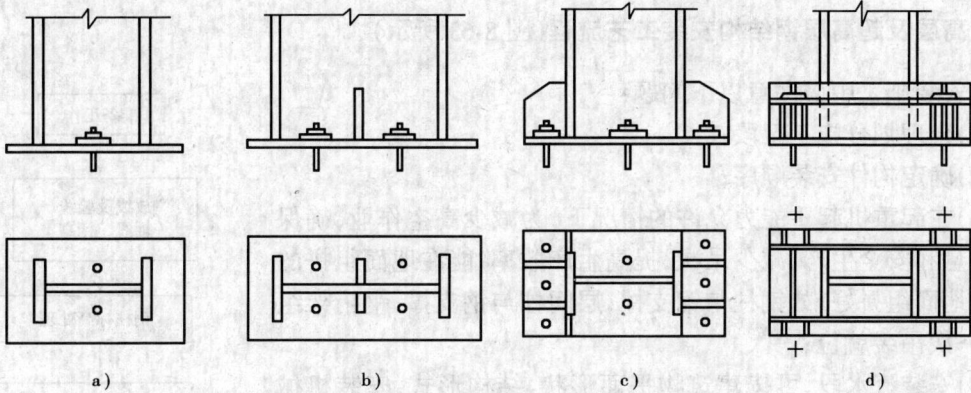

图 8-61　门式刚架轻型房屋钢结构的柱脚

a)一对锚栓的铰接柱脚;b)两对锚栓的铰接柱脚;c)带加劲肋的刚接柱脚;d)带靴梁的刚接柱脚

③柱顶与刚架梁连接点,端板可竖放,横放、斜放,如图 8-62 所示,都是高强度螺栓连接,所以要求保证安装精度。

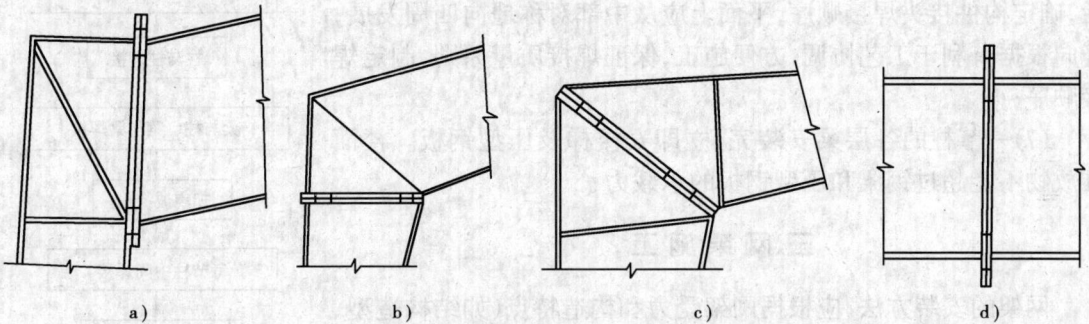

图 8-62　刚架斜梁的连接

a)端板竖放;b)端板横放;c)端板斜放;d)斜梁拼接

二、多层与高层钢结构安装

1.塔式起重机选择

(1)起重机性能:塔吊根据吊装范围的最重构件、位置及高度、选择相应塔吊最大起重力矩(或双机、多机抬吊起重力矩和的 80%)所具有的起重量、回转半径及起重高度,除此以外尚应考虑塔吊高空使用的抗风性能,起重卷扬机滚筒对钢丝绳的容绳量,吊钩的升降速度。

(2)起重机数量:根据建筑物平面、现场施工条件、施工进度、塔吊性能等,布置 1～2 台或多台。在满足起重性能情况下,尽量做到就地取材。

(3)起重机类型选择:凡高层及超高层钢结构施工,其主机选用都是自升式塔式起重机。

2. 钢框架吊装顺序

对竖向构件标准层的钢柱一般为最重构件,受起重机能力、制作、运输的限制,钢柱一般为2~3或4层为一节,对框架平面而言,除考虑结构本身刚度外尚需考虑塔吊爬升过程中框架稳定性及吊装进度,进行施工段划分。施工中,应先组成标准的框架体,科学地划分施工段,向四周发展。

3. 高层及超高层钢结构安装工艺流程(图 8-63 所示)

在安装施工中应注意以下问题:

(1)合理划分施工区段;

(2)确定构件安装顺序;

(3)在起重机起重能力允许的情况下,为减少高空作业,确保安装质量和安全生产,减少吊次,提高生产效率,能在地面组拼的尽量在地面组拼好,如钢柱与钢支撑,层间柱与钢支撑,钢桁架组拼等,一次吊装就位;

(4)安装流水段,可按建筑物平面形状,结构形式,安装机械的数量、工期、现场施工条件等范围划分;

(5)构件安装顺序,平面上应从中间核心区即标准节框架向四周发展,竖向应由下向上逐件安装;

(6)施工区段、构件安装、校正、固定(包括预留焊接收缩量)后,确定构件接头焊接顺序,平面上应从中部对称地向四周发展;竖向根据有利于工艺协调,方便施工,保证焊接质量原则,制定焊接顺序;

(7)一节柱的各层梁安装完,立即安楼梯及压型钢板。楼面堆放物不能超过钢梁和压型钢板的承载力;

三、网 架 施 工

网架的安装方法,应根据网架受力和构造特点(如结构造型、网架刚度、外型特征、支承形式、支座构造等),在满足质量、安全、进度和经济效果的要求下,结合当地的施工技术条件和设备资源配备等因素,因地制宜综合确定。

常用的工地安装方法主要有:高空散装法、分条或分块安装法、高空滑移法、整体吊装法、整体提升法和整体顶升法。

1. 高空散装法

高空散装法安装网架,只要有一般的起重机械和扣件式钢管脚手架即可进行安装,对设计、施工无特殊要求,是一种较为合理的网架安装方法。近年来不仅螺栓连接节点的各类型网架采用此法安装,焊接空心球节点网架也采用此法安装。但高空散装法脚手架用量大、高空作业多、工期较长、需占建筑物场内用地,且技术上有一定难度。因此,采用高空散装法要因地制宜,并必须把握住以下技术关键,保证施工质量:

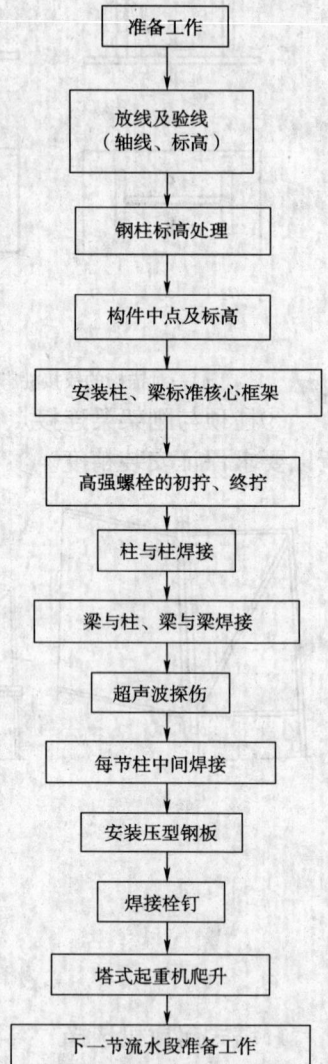

准备工作

放线及验线
(轴线、标高)

钢柱标高处理

构件中点及标高

安装柱、梁标准核心框架

高强螺栓的初拧、终拧

柱与柱焊接

梁与柱、梁与梁焊接

超声波探伤

每节柱中间焊接

安装压型钢板

焊接栓钉

塔式起重机爬升

下一节流水段准备工作

图 8-63　高层及超高层钢结构安装工艺流程

(1)确定合理的高空拼接顺序;

(2)严格控制基准轴线位置、标高及垂直偏差,并应及时纠正;

(3)严格按照技术标准和安全规程设置拼装支架;

(4)确定合理的网架支座落位措施。

2.分条或分块安装法

为了减少高空作业量和高空操作脚手架用量,在现场施工条件许可情况下(指网架周边有宽敞的道路和起重设备作业范围);施工单位的起重设备能力能够满足吊装要求时,对于正放类网架可采取地面制成条状或块状单元网架,用起重设备吊到高空设计位置,在高空逐条(块)就位状态下,总拼成网架整体。

所谓条状单元,是指沿网架长跨方向分割为若干区段,每个区段的宽度是1~3个网格。而其长度即为网架的短跨或1/2短跨。所谓块状单元,是指将网架沿纵横方向分割成矩形或正方形的单元。每个单元的重量以现有起重机能力胜任为准。由于条(块)状单元是在地面进行拼装,因而高空作业量较高空散装法大为减少,同时拼装支架也大减,又能充分利用现有起重设备,比较经济。这种安装方法适宜于分割后刚度和受力状况改变较小的各类中小型网架。

图8-64所示为一平面尺寸为45m×36m的斜放四角锥网架分块吊装实例。网架分成四个块状单元,而每块间留出一节间,在高空总拼时连接成整体,每个单元的尺寸为15.75m×20.25m,重约12t。用一台悬臂式桅杆起重机在跨外吊装,就位时,在网架中央搭设一个井字式支架以支承网架的块状单元。

图8-65所示为两向正交正放网架分条吊装的实例。该平面尺寸为45m×45m,网格尺寸

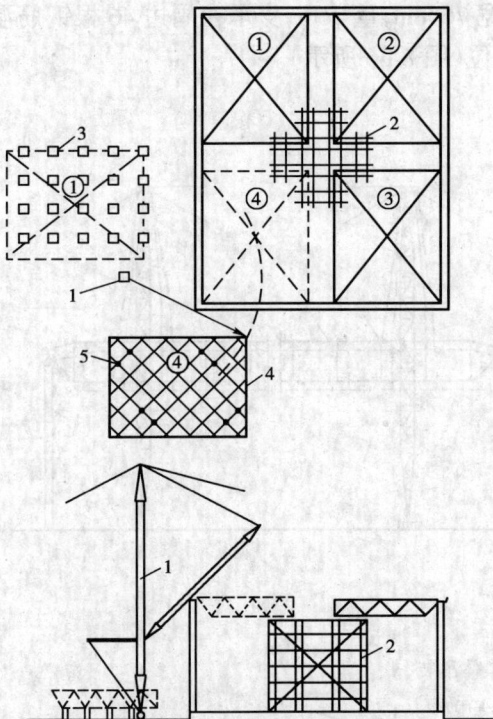

图8-64 分块吊装法

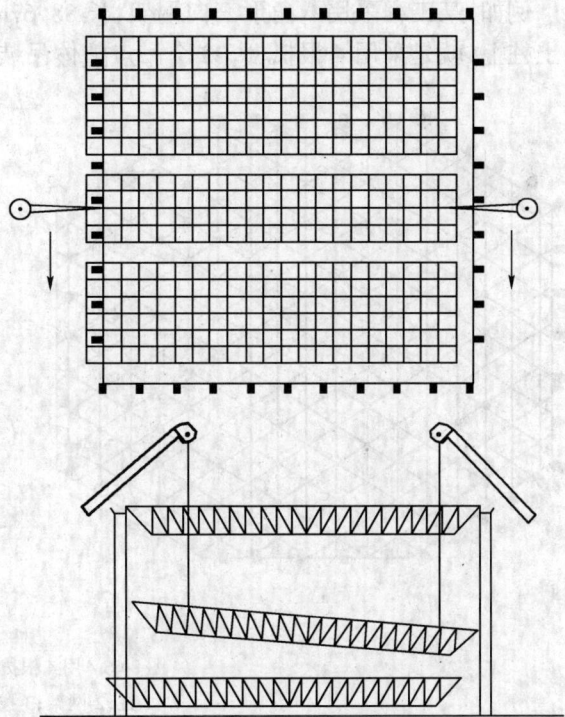

图8-65 分条吊装

1-悬臂扒杆;2-井字架;3-拼装砖墩①~④-网架分块编号;

4-临时封闭杆;5-吊点

277

为 2.5m,将网架共分成三个条状单元,每条重量分别为 15t、17t、15t,由两台汽车起重机进行吊装,条状单元之间空一节间在总拼时进行高空连接。由于施工场地十分狭小,以致条状单元只能在建筑物内制作,吊装时用倾斜起吊法就位,总拼时仍然需要搭设少量支架,在拼接处用钢管支顶调整后再行总拼焊接。

3. 高空滑移法

高空滑移法通过设置在网架端部或中部的局部拼装架(或利用已建结构物作为高空拼装平台)和设在两侧或中间的通长滑道;在地面拼成条状或块状单元,吊至拼装平台上拼装成滑移单元;用牵引设备将网架滑移到设计位置。它可以解决起重机械无法吊装到位的困难,在网架施工期间,土建作业可交错施工;拼装支架费用比高空散装法节省 50%;且占用建筑物周边场地少,有一边施工场地即可。近年来,随着牵引设备的机械化程度提高,我国许多大跨度网架采用此法施工,已取得明显经济效果。但高空滑移法必须具备拼装平台、滑移轨道和牵引设备;也存在网架落位的问题。因此高空滑移法施工必须解决高空拼装平台、滑移轨道设置、牵引设备及牵引力计算、网架落位等关键技术问题。

高空滑移法按滑移方式分逐条滑移法和逐条积累滑移法两种;按摩擦方式,又分为滚动式滑移和滑动式滑移两类。

4. 整体吊装法

整体吊装法适用于各种类型的网架结构,吊装时可在高空平移或旋转就位(这是与整体提升或整体顶升的根本区别)。整体吊装法分起重机吊装和拔杆吊装两大类。

例如,某工程采用八角形三向网架,长 88.67m,宽 76.8m,重 360t,支承在周边 46 根钢筋混凝土柱上,就是采用 4 根扒杆,32 个吊点整体吊装就位(图 8-66 所示)。

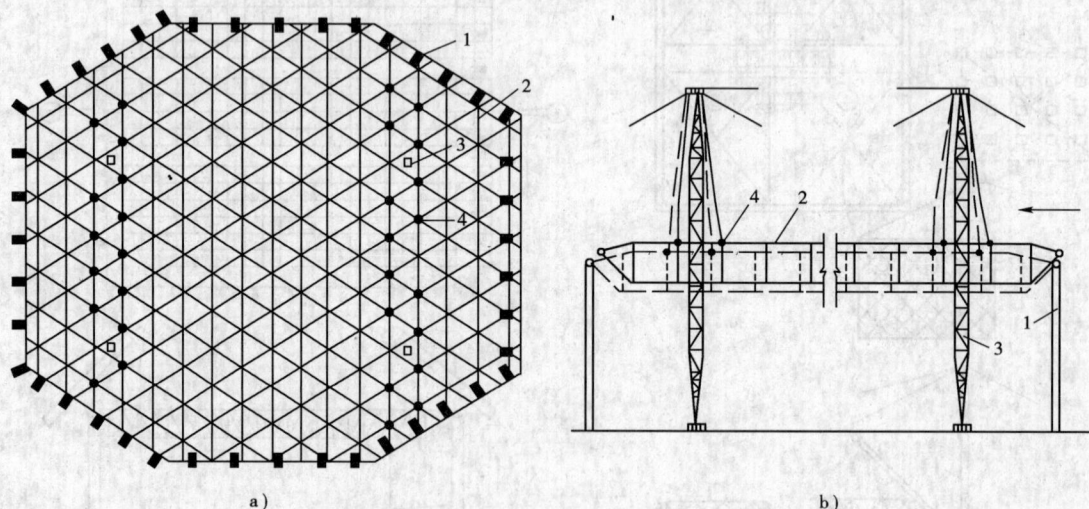

a)   b)

图 8-66 用 4 根拔杆整体吊装
1-柱;2-网架;3-拔杆;4-吊点

某工程 40m×40m 的双向正交斜放网架,重 55t,则采用 4 台履带式起重机抬吊就位(图8-67所示)。

5.整体提升法

整体提升法与整体吊装法的根本区别在于:前者只能作垂直起升,不能作水平移动或转动;后者不仅能够作垂直起升,而且可在高空作移动或转动。因此,整体提升法有两个特点:一是网架必须按高空安装位置在地面就位拼装,即高空安装位置和地面拼装位置必须要在同一投影面上;二是周边与柱子(或联系梁)相碰的杆件必须预留,待网架提升到位后再进行补装(补空)。大跨度网架整体提升有三种基本方法,即在拔杆上悬挂千斤顶提升网架;在结构上安装千斤顶,提升网架;在结构上安装升板机提升网架。

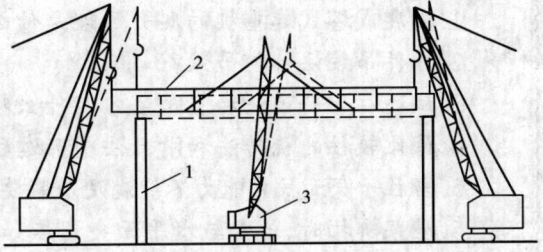

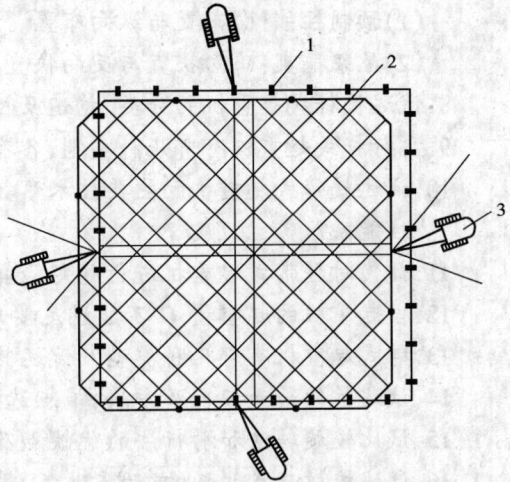

6.整体顶升法

整体顶升法是将网架在地面拼装后,用千斤顶整体顶升就位的施工方法。网架在顶升过程中,一般用结构柱做临时支承,但也有另设专门支架或枕木垛的。图 8-68 所示为用结构柱作临时支承的顶升顺序,图 8-68a)所示用千斤顶顶起搁置于十字架的网架;图 8-68b)所示移去十字架下的垫块,装上柱的缀板;图 8-68c)所示将千斤顶及横梁移至柱的上层缀板,便可进行下一顶升循环。

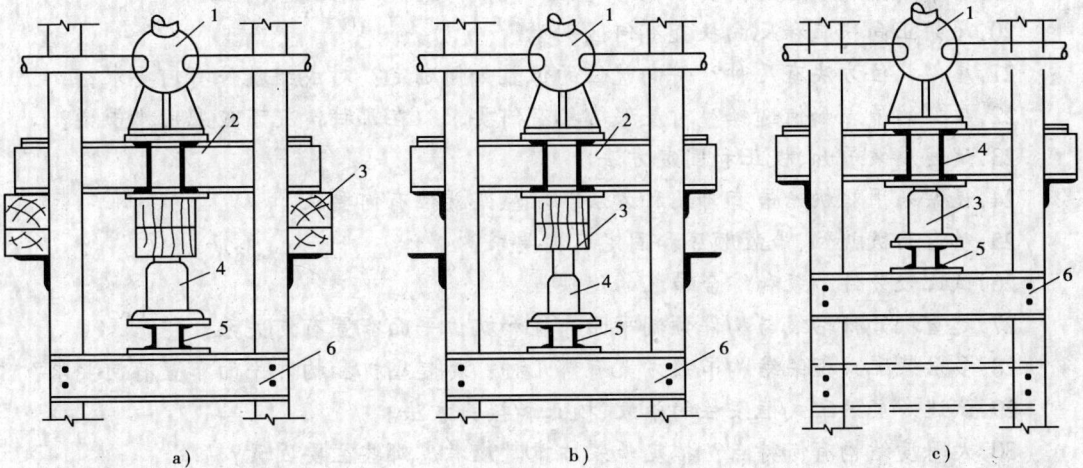

图 8-67　用 4 台起重机整体吊装
1-柱;2-网架;3-履带式起重机

a)   b)   c)

图 8-68　网架顶升工艺
1-网架;2-十字架;3-垫块;4-千斤顶;5-横梁;6-柱的缀板

思考题

1. 内爬式塔式起重机的爬升原理是什么？

2. 分件吊装法如何吊装？

3. 试述柱子斜吊法和直吊法各有什么特点？

4. 试比较柱的旋转法和滑升法吊升过程的区别及上述两种方法的优缺点。

5. 当柱子宽面抗弯能力不能满足吊装要求时，可采用何种绑扎方法？它有哪些优缺点。

6. 屋架绑扎时，吊索与水平面夹角应如何选取？为什么？

7. 在设备及施工场地许可的条件下，下列的吊装方案中宜优先考虑哪一种，简单说明理由。

   (1)预制柱：斜向布置与纵向布置。

   (2)屋架扶直：正向扶直与反向扶直。

8. 试述桅杆式起重机的分类、构造及性能。

9. 自行杆式起重机有哪几种类型，各有何特点？

10. 试述履带式起重机的主要技术参数及其相互关系，如何使用起重机的特性曲线及性能表？

11. 如何对履带式起重机进行稳定验算？

12. 当起重机的起重量 Q 不能满足要求时，应采取什么措施？

13. 塔式起重机有哪几种类型？试述其特点及适用范围。

14. 试述柱的吊升工艺及方法，吊点选择应考虑什么原则？

15. 试比较旋转法和滑行法的优缺点及适用范围，对柱的布置各有何要求？

16. 试述校核三点共弧(或两点共弧)进行斜向布置的方法。

17. 当柱采用双机抬吊时，应注意什么问题？试述双机抬吊的方法。

18. 如何对柱进行固定和校正？

19. 对屋架预制布置有何要求，其布置方式有哪几种？试比较其优缺点。

20. 屋架正向扶直和反向扶直有何区别？

21. 屋架就位方法有几种？斜向就位的位置如何确定？对成组就位有何要求？

22. 屋架的吊点如何选择？对屋架绑扎有何要求？在哪种情况下应采用横吊梁？

23. 试述屋架吊升、校正和固定方法。

24. 屋架采用双机始吊有哪几种方法？对屋架就位有何要求？

25. 对屋面板就位、吊装顺序和固定有何要求？

26. 试比较分件吊装和综合吊装的优缺点。

27. 起重机开行路线与构件预制平面布置和就位平面布置有何关系？

28. 多层装配式框架结构吊装方案有哪几种？对起重机和构件平面布置有何要求？

29. 试述多层装配式框架柱的吊装、校正和接头方法。

30. 大跨度结构有何特点？拟定吊装方案时应考虑哪些主要因素？

31. 网架结构有哪几种吊装方法？试述其施工工艺。

第九章 防水工程
DIJIUZHANG

防水工程施工在建筑工程施工中占有重要地位。工程实践表明,防水工程施工质量的好坏,不仅关系到建(构)筑物的使用耐久性,而且影响到人们的生产、生活环境和卫生条件。因此,防水工程的施工必须严格遵守有关操作规程,切实保证工程质量。

防水工程按其构造做法可分为两大类,即结构构件自防水和采用各种防水层防水。结构自防水,主要是应用结构构件材料的密实性及其某些构造措施(坡度、埋设止水带等),使结构构件起到防水作用。防水层防水,是在结构构件的迎水面或背水面或接缝处,附加防水材料做成防水层,起到防水作用。

防水技术根据所用材料不同,可分为刚性防水和柔性防水两类。刚性防水是指采用砂浆和混凝土类的刚性材料进行防水;柔性防水采用的是柔性材料,如各类卷材和沥青胶结材料等。

按照工程部位和用途,又可以分为屋面工程防水和地下工程防水。

第一节 屋面防水施工

根据建筑物的性质、重要程度、使用功能要求以及防水层耐用年限等,可将屋面防水分为四个等级(表9-1)。

屋面防水等级和设防要求
表 9-1

项目	屋面防水等级			
	I	II	III	IV
建筑物类别	特别重要或对防水有特殊要求的建筑	重要的建筑和高层建筑	一般的建筑	非永久性的建筑
防水层合理使用年限	25 年	15 年	10 年	5 年

项目	屋面防水等级			
	I	II	III	IV
防水层选用材料	宜选用合成高分子卷材、高聚物改性沥青防水卷材、金属板材、合成高分子防水涂料、细石混凝土等材料	宜选用高聚物改性沥青防水卷材、合成高分子防水卷材、金属板材、合成高分子防水涂料、高聚物改性沥青防水涂料、细石混凝土、平瓦、油毡瓦等材料	宜选用三毡四油防水卷材、高聚物改性沥青防水卷材、合成高分子防水卷材、金属板材、高聚物改性沥青防水涂料、合成高分子防水涂料、细石混凝土、平瓦、油毡瓦等材料	宜选用二毡三油沥青防水卷材、高聚物改性沥青防水涂料等材料
设防要求	三道或三道以上设防	二道防水设防	一道防水设防	一道防水设防

一、卷材防水屋面

卷材防水屋面适用于防水等级为 I-IV 级的屋面防水。卷材防水屋面是用胶结材料粘贴卷材铺设在结构基层上而形成防水层,进行防水的屋面,其构造如图 9-1 所示。

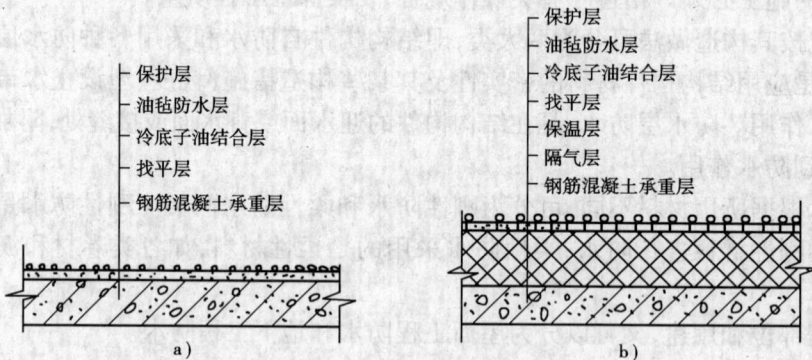

图 9-1　卷材屋面构造层次
a)不保温卷材屋面;b)保温卷材屋面

这种屋面具有重量轻、防水性能好的优点,其防水层(卷材)的柔韧性好,能适应一定程度的结构振动和胀缩变形。所用卷材有传统的沥青防水卷材、高聚物改性沥青防水卷材和合成高分子防水卷材等三大类若干品种。

1.防水材料

(1)基层处理剂

基层处理剂的选择应与所用卷材的材性相容。

常用的基层处理品剂有用于沥青卷材防水屋面的冷底子油,它的作用是使沥青胶与水泥砂浆找平层更好的粘结,其配合比(质量比)一般为石油沥青(40%)加柴油或者轻柴油(60%),俗称慢挥发性冷底子油,涂刷后(12~18)h 干;也可用快挥发性的冷底子油:石油沥青(30%)加汽油(70%)刷后(5~10)h 就可干。

涂刷冷底子油的施工要求为:在找平层完全干燥后,涂刷冷底子油,待冷底子油干燥后,立即做油毡防水层,否则,冷底子油粘灰尘后返工重刷。

用于高聚物改性沥青防水卷材屋面的基层处理品剂是聚氨酯煤焦油系的二甲苯溶液、氯丁胶乳溶液、氯丁胶沥青乳胶等。

用于合成高分子防水卷材屋面的基层处理剂,一般采用聚氨酯涂膜防水材料的甲料、乙料、二甲苯按 1:1.5:3 的比例配合搅拌,或者采用氯丁乳胶。

(2)胶粘剂

沥青卷材可选用玛琋脂或纯沥青(不得用于保护层)作为胶粘剂。沥青常采用 10 号和 30 号建筑沥青以及 60 号道路石油沥青,一般不使用普通沥青。这是因为普通沥青含蜡量较多,降低了石油沥青的粘结力和耐热度。通常在熬化的沥青中掺入适当的滑石粉(一般为 20% ~ 30%)或石棉粉(一般为 5% ~ 15%)等填充材料拌合均匀,形成沥青胶(俗称玛琋脂)。填入的填料改善沥青胶的耐热度,柔韧性等性能。

高聚物改性沥青卷材可选用橡胶或再生橡胶改性沥青的汽油溶液或水乳液作胶粘剂,其粘结剪切强度应大于 0.05MPa,粘结剥离强度应大于 8N/10mm;常用的胶结剂为氯丁橡胶改性沥青胶结剂。

合成高分子防水卷材可选用以氯丁橡胶和丁基酚醛树脂为主要成分的胶粘剂(如 404 胶等)或以氯丁橡胶乳液制成的胶粘剂,其粘结剥离强度不应小于 15N/10mm,其用量为 0.4 ~ 0.5kgm^2。施工前亦应查明产品的使用要求,与相应的卷材配套使用。

(3)卷材

主要防水卷材的分类参见表 9-2 所列。

主要防水卷材的分类表 表 9-2

类　别		防水卷材名称
沥青基防水卷材		纸胎、玻璃胎、玻璃布、黄麻、铝箔沥青卷材
高聚物改性沥青防水卷材		SRS、APP、SRS-APP、丁苯橡胶改性沥青卷材;胶粉改性沥青卷材,再生胶卷材、PVC 改性煤焦油沥青卷材等
合成高分子防水卷材	硫化型橡胶或橡塑共混卷材	三元乙丙卷材、氯硫化聚乙烯卷材、丁基橡胶卷材、氯丁橡胶卷材、氯化聚乙烯-橡胶共混卷材等
	非硫化型橡胶或橡塑共混卷材	丁基橡胶卷材、氯丁橡胶卷材、氯化聚乙烯-橡胶共混卷材等
	合成树脂系防水卷材	氯化聚乙烯卷材、PVC 卷材等
特种卷材		热溶卷材、冷自粘卷材、带孔卷材、热反射卷材、沥青等

各种防水材料及制品均应符合设计要求,具有质量合格证明,进场前应按规范要求进行抽样检查,严禁使用不合格产品。卷材要存放在阴凉通风处,严禁接近火源;运输、堆放时竖直搁置,高度不超过两层。避免存放变质。

2.卷材防水层施工的一般要求

(1)基层处理

基层处理的好坏直接影响屋面防水的施工质量。要求基层有足够的强度和刚度,承受荷载时不至于产生显著的变形。通常采用水泥砂浆找平层、细石混凝土找平层或沥青砂浆找平层作为基层。找平层表面应压实平整、清洁干燥,以保证能与卷材结合良好。排水坡度应符合设计要求。找平层宜留设 20mm 宽的分格缝嵌填密封材料，其最大间距不宜大于 6m(水泥砂浆或细石混凝土)或 4m(沥青砂浆)。找平层施工前应对基层洒水湿润，并在铺浆前 1 小时刷素水泥浆一度。找平层铺设按由远到近，由高到低的程序进行。在铺设时、初凝时和终凝前，均应抹平、压实，并捡查平整度。待找平层无松动、翻砂和起壳现象，并且强度达到 5MPa 以上时，允许铺贴卷材。基层处理剂可采用喷涂法或涂刷法施工。待前一遍喷、涂干燥后方可进行后一遍喷、涂或铺贴卷材、喷、涂基层处理剂前，应用毛刷对屋面节点、周边、拐角等处先行涂刷。

(2)卷材铺设

卷材铺设方向应符合下列规定：当屋面坡度小于 3% 时，卷材宜平行于屋脊铺贴；屋面坡度在 3%～15% 时，卷材可平行或垂直屋脊铺贴；当屋面坡度大于 15% 或屋面受震动时，沥青防水卷材应垂直屋脊铺贴。高聚物改性沥青防水卷材和合成高分子防水卷材可平行垂直屋脊铺贴。在铺设卷材时上下层卷材不得相互垂直铺贴。

屋面防水层施工时，应先做好节点、附加层和屋面排水比较集中部位的处理，然由屋面最低标高处向上施工。

铺贴卷材应采用搭接法，上下层及相邻两幅卷材搭接缝应错开。平行于屋脊铺设时，由檐口开始。两副卷材的长边的搭接应顺水流方向搭接；垂直于屋脊铺设时，由屋脊开始向檐口进行。搭接缝应顺年最大频率风向搭接。各种卷材的搭接宽度应符合表 9-3 的要求。搭接缝处必须用沥青胶仔细封严。

卷 材 搭 接 宽 度　　　　　　　　　　　　　　表 9-3

搭 接 方 向		短边搭接宽度(mm)		长边搭接宽度(mm)	
	铺贴方法	满粘法	空铺法 点粘法 条粘法	满粘法	空铺法 点粘法 条粘法
卷材种类					
沥青防水卷材		100	150	70	100
高聚物改性沥青防水卷材		80	100	80	100
合成高分子防水卷材	粘结法	80	100	80	100
	焊接法	50			

(3)沥青基防水卷材的铺贴方法

卷材的铺贴方法，通常用浇油法或刷油法、刮油法和撒油法四种。浇油法(俗称赶油法)是将沥青胶浇到基层上，然后推着卷材向前滚动来铺平压实卷材。刷油法是用毛刷将沥青胶在基层上刷开，然后快速铺压卷材。铺贴时，油毡要展平压实，使之与下层紧密粘结，卷材的接缝应用玛碲脂赶平封严。对容易渗漏水的薄弱部位(如天沟、檐口、泛水、水落口处等)、均应加铺 1～2 层卷材附加层。在铺贴第一层卷材时，为了保证足够的粘结力，在檐口、屋脊、屋面和转角处及突出屋面的连接处，至少有 800mm 宽的卷材涂满胶粘剂。待各层铺贴完后，再在上层表面浇一层(2～4mm 厚)的沥青胶，均匀铺撒粒径为 3～5mm 的热绿豆砂(预热到 100℃)。并滚压使其嵌入沥青胶内 1/3～1/2 粒径，形成绿豆砂保护层。

(4)高聚物改性沥青防水卷材和高分子卷材的铺贴方法

高聚物改性沥青防水卷材和高分子卷材的铺贴方法分为热熔法施工和冷贴法施工。

热熔法施工是指高聚物改性沥青热熔卷材的铺贴方法。热熔卷材是一种在工厂生产过程中底面即涂有一层软化点较高的改性沥青熔胶的卷材。其铺贴时不需涂刷胶粘剂,而用火焰烘烤后直接与基层粘贴。

冷贴法施工时应注意如下问题:

①胶粘剂的调配与搅拌

胶粘剂一般由厂家配套供应,对单组份胶粘剂只需开桶搅拌均匀后即可使用;而双组份胶粘剂则必须严格按厂家提供的配合比和配制方法进行计量、掺合、搅拌均匀后才能使用。同时有些卷材在与基层粘贴时采用的基层胶粘剂和卷材粘贴时采用的接缝胶粘剂为不同品种,使用时不得混用,以免影响粘贴效果。

②涂刷胶粘剂

某些卷材要求底面和基层表面均涂胶粘剂。卷材表面涂刷基层胶粘剂时,先将卷材展开摊铺在旁边平整干净的基层上,用长柄滚刷蘸胶粘剂,均匀涂刷在卷材的背面,不得涂刷得太薄而露底,也不得涂刷过多而产生聚胶。还应注意在搭接缝部位不得涂刷胶粘剂,此部位留作涂刷接缝胶粘剂,留置宽度即卷材搭接宽度。

涂刷基层胶粘剂的重点和难点与基层处理剂相同,即阴阳角、平立面转角处,卷材收头处、排水口、伸出屋面管道根部等节点部位。这些部位有增强层时应用接缝胶粘剂,涂刷工具宜用油漆刷,涂刷时,切忌在一处来回涂滚,以免将底胶"咬起",形成凝胶而影响质量。条粘法、点粘法应按规定的位置和面积涂刷胶粘剂。

③卷材的铺贴

各种胶粘剂的性能和施工环境不同,有的可以在涂刷后立即粘贴卷材,有的得待溶剂挥发一部分后才能粘贴卷材,尤以后者居多,因此要控制好胶粘剂涂刷与卷材铺贴的间隔时间。一般要求基层及卷材上涂刷的胶粘剂达到表干程度,其间隔时间与胶粘剂性能及气温、湿度、风力等因素有关,通常为 10 ~ 30min,施工时可凭经验确定:用指触不粘手时即可开始粘贴卷材。间隔时间的控制是冷粘贴施工的难点,这对粘结力和粘结的可靠性影响甚大。

④搭接缝的粘贴

卷材铺好压粘后,应将搭接部位的结合面清除干净,可用棉纱沾少量汽油擦洗。然后采用油漆刷均匀涂刷,不得出现露底、堆积现象。涂胶量可按产品说明控制,待胶粘剂表面干燥后(指触不粘)即可进行粘合。粘合时应从一端开始,边压合边驱除空气,不许有气泡和皱折现象,然后用手持压辊顺边认真仔细辊压一遍,使其粘结牢固。三层重叠处最不易压严,要用密封材料预先加以填封,否则将会成为渗水通道。高聚物改性沥青卷材也可用热熔法接缝。

搭接缝全部粘贴后,缝口要用密封材料封严,密封时用刮刀沿缝刮涂,不能留有缺口,密封宽度不应小于 10mm。

二、涂膜防水屋面

涂膜防水是采用高分子合成材料为主体的防水涂料,在常温下呈无定型液态,涂刷后能在基层表面结成坚韧的防水膜,形成防水层,以达到防水目的防水方式。涂膜防水屋面适用于防水等级为 III 级、IV 级的屋面防水,也可作为 I 级、II 级屋面多道防水设防中的一道防水层。防水涂料按液性状态可分为溶剂型、水乳型和反应型三种。按其物质的组成可分为沥青基防水涂料、高聚物改性沥青防水涂料、合成高分子防水涂料三类(表 9-4)。各种防水涂料的质量均应符合规定要求。

类　别		材　料　名　称
沥青基防水涂料		乳化沥青、水性石棉沥青涂料、膨润上沥青涂料、石灰乳化沥青涂料等
高聚物改性沥青防水涂料	溶剂型	再生橡胶沥青涂料、氯丁橡胶沥青涂料等
	乳液型	再生橡胶沥青涂料、丁苯胶乳沥青涂料、氯丁胶乳沥青涂料、PVC 煤焦油涂料等
合成高分子防水涂料	乳液型	硅橡胶涂料、丙烯酸酯涂料、AAS 隔热涂料等
	反应型	聚氨酯防水涂料、环氧树脂防水涂料等

当屋面结构层为装配式钢筋混凝土板时，在油膏嵌缝前，板缝下部应浇灌细石混凝土（≥C20）。并应掺微膨胀剂。板缝常用构造形式如图 9-2，上口留有 20～30mm 深凹槽，嵌填密封材料，通常用油膏或胶泥进行灌缝，为了加强防水效果。表面增设 250～350mm 宽的带胎体增强材料的加固保护层。

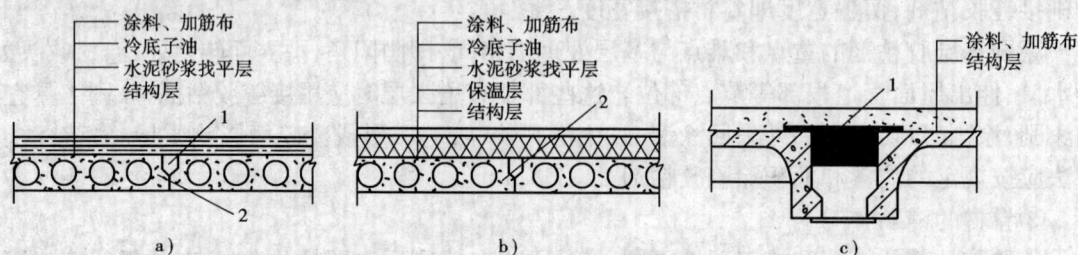

图 9-2　涂膜防水屋面构造图
a)无保温涂料防水屋面；b)有保温涂料防水屋面；c)槽形板涂料防水屋面
1-嵌缝油膏；2-细石混凝土

涂膜防水层施工的工艺流程为：清理、验收基层──→涂刷基层处理剂──→施工缓冲层及附加层──→施工涂膜防水层──→淋（蓄）水试验──→施工屋面保护层──→检查验收。

1.高聚物改性沥青涂料和合成高分子涂料的施工

高聚物改性沥青防水涂料和合成高分子防水涂料在使用于涂膜防水屋面时其设计涂膜总厚度在 3mm 以下，一般称之为薄质涂料，其施工方法基本相同：

（1）涂刷基层处理剂

基层处理剂的种类有以下三种：

①使用水乳型防水涂料，可用掺 0.2%～0.5% 乳化剂的水溶液或软化水将涂料稀释，比例一般为：防水涂料/乳化剂水溶液（或软水）＝1/（0.5～1）。

②若使用溶剂型防水涂料，由于其渗透能力比水乳型防水涂料强，可直接用涂料薄涂作基层处理。若涂料较稠，可用相应的溶剂稀释后使用。

③高聚物改性沥青防水涂料也可用沥青溶液（即冷底子油）作为基层处理剂，或在现场以煤油/30 号石油沥青＝60/40 的比例配制而成的溶液作为基层处理剂。

基层处理剂涂刷时，应用刷子用力薄涂，使涂料尽量刷进基层表面的毛细孔中，并将基层可能留下来的少量灰尘等无机杂质，像填充料一样混入基层处理剂中，使之与基层牢固结合。

（2）涂刷防水涂料

涂料涂刷可采用棕刷、长柄刷、胶皮板、圆滚刷等进行人工涂布，也可采用机械喷涂。

涂料涂布时,涂刷致密是保证质量的关键。刷基层处理剂时要用力薄涂,涂刷后续涂料时则应按规定的涂层厚度(控制材料用量)均匀、仔细地涂刷,各道涂层之间的涂刷方向相互垂直,以提高防水层的整体性和均匀性。涂层间的接槎,在每遍涂刷时应退槎 50~100mm,接槎时也应超过 50~100mm,避免在搭接处发生渗漏。

(3)铺设胎体增强材料

在涂料第二遍涂刷时,或第三遍涂刷前,即可加铺胎体增强材料。

由于涂料与基层粘结力较强,涂层又较薄,胎体增强材料不容易滑移,因此,胎体增强材料应尽量顺屋脊方向铺贴,以方便施工、提高劳动效率。

2.涂层施工完毕后应进行保护层施工

(1)当采用细砂等粒料作保护层时,应在刮涂最后一遍涂料时,边涂边撒布粒料,使细砂等粒料与防水层粘结牢固,并要求撒布均匀、不露底、不堆积。但是尽管精心施工,还会有与防水层粘结不牢或多余的细砂等粒料,因此要待涂膜干燥后,将多余的细砂等粒料及时清除掉,避免因雨水冲刷将多余的细砂等粒料堆积到排水口处,堵塞排水口而影响排水通畅或使屋面产生局部积水而影响防水效果。

(2)水乳刑防水涂料防水层上用细砂等粒料做保护层时,撒布后应进行辊压,因为在水乳型涂膜上撒布不同于在溶剂型涂膜上撒布,粘结不易牢固,所以要通过辊压使其与涂膜牢固粘结。多余粒料也应在涂膜固化后扫净。

(3)采用浅色涂料做保护层时,也应在涂膜固化后才能进行保护层涂刷,使得保护层与防水层粘结牢固,又不损伤防水层,充分发挥保护层对防水层的保护作用。

保护层材料的选择应根据设计要求及所用防水涂料的特性,(通常涂料说明书中对保护层材料有规定要求)而确定。一般薄质涂料可用浅色涂料或粒料作保护层,厚质涂料可用粉料或粒料作保护层。水泥砂浆、细石混凝土或板块保护层对这两类涂料均适用。

三、刚性防水屋面

刚性防水是以水泥、砂、石为原料,掺入少量的外加剂、高分子聚合物等材料,通过调整配合比,抑制或减少孔隙,增加材料密实性等方法配置的具有一定抗渗能力的水泥砂浆、混凝土作为防水材料,以达到防水目的。

刚性防水屋面适用于防水等级为 III 级的屋面防水,也可用作 I、II 级屋面多道防水设防中的一道防水层。不适用于设有松散材料保温层的屋面以及受较大冲击或震动的建筑屋面。

刚性防水屋面一般是在屋面上现浇一层厚度不少于 40mm 的细石混凝土,强度等级不低于 C20 的细石混凝土作为屋面防水层。为了使其受力均匀,有良好的抗裂和抗渗能力,在混凝土内配置有 φ6mm,间距为 100~200mm 的双向钢筋网片(在分格缝处应断开)。保护层厚度不小于 10mm,其构造如图 9-3 所示。

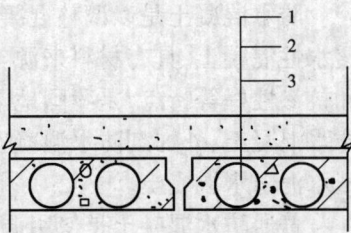

图 9-3 刚性防水屋面构造
1-预制板;2-隔离层;3-细石混凝土防水层

刚性防水屋面的防水层与基层间宜设置隔离层。细石混凝土内宜掺膨胀剂、减水剂、防水剂等并设纵横间距均不大于 6m 的分格缝,分格缝内应嵌填密封材料。当采用补偿收缩防水层时,可不做隔离层。

混凝土浇筑应按先远后近、先高后低的原则进行,一个分格缝内的混凝土必须一次浇筑完毕,不得留施工缝。钢筋网片应放置在混凝土中的上部,混凝土虚铺厚度为 1.2 倍压实厚度。先用平板振动器振实,然后用滚筒滚压至表面平整、泛浆,由专人抹光,在混凝土初凝时进行第二次压光。混凝土终凝时后养护(7 ~ 14)d。

第二节　地下防水工程施工

一、地下结构的防水方案与施工排水

1.地下结构的防水方案

当建造的地下结构超过地下正常水位时,必须选择合理的防水方案,采取有效措施以确保地下结构的正常使用。目前,常用的有以下几种方案:

(1)采用防水混凝土。它是以地下结构本身的密实性来实现防水功能,使结构承重和防水合为一体。目前应用广泛。

(2)在地下结构表面设防水层防水,常用的有砂浆防水层、卷材防水层、涂膜防水层等。

(3)"防排结合"防水。即采用防水加排水措施,排水方案可采用盲沟排水、渗排水、内排水等。此方法多用于重要的、面积较大的地下防水工程。

为增强防水效果,必要时采取"防""排"结合的多道防水方案。

2.地下防水工程施工期间的排水与降水

地下防水工程施工期间,应保持基坑内土体干燥,严禁带水或带泥进行防水施工,因此,地下水位应降至防水工程最低标高以下至少 300mm,并防止地表水流入基坑内,基坑内的地下水应及时排出,不得破坏基底受力范围内的土层构造,防止基土流失。

二、防水混凝土结构施工

1.防水混凝土的特点及应用

防水混凝土是以调整混凝土配合比、掺加外加剂或使用新品种水泥等方法配制而成的不透水性混凝土,具有材料来源丰富、施工简便、工期短、造价低、混凝土密实性、耐久性、憎水性和抗渗性好等特点,是我国地下结构防水施工时常用的一种材料。常用的防水混凝土有普通防水混凝土、外加剂防水混凝土(如掺三乙醇胺、氯化铁、加气剂或减水剂的防水混凝土)和膨胀水泥防水混凝土。

普通防水混凝土是使用调整配合比的方法,提高混凝土的密实性和抗渗能力的,适用于一般工民建结构及公共建筑的地下防水工程。普通防水混凝土的配合比应通过试验选定。选定配合比时,应按设计要求的抗渗等级提高 0.2MPa。其各项技术指标应符合下列规定:每立方米混凝土的水泥用量不少于 320kg;含砂率以 35% ~ 40% 为宜;灰砂比应为 1:2 ~ 1:2.5;水灰比不大于 0.6;坍落度不大于 60mm,如掺用外加剂或用泵送混凝土时,不受此限。膨胀水泥防水混凝土因密实性和抗裂性均较好而适用于地下工程防水和地上防水构筑物的后浇缝。

外加剂防水混凝土是在混凝土中加入一定量的外加剂,如减水剂、加气剂、防水剂及膨胀剂等,以改善混凝土性能和结构的组成,提高其密实性和抗渗性,达到防水要求。外加剂防水混凝土应按地下防水结构的要求及具体条件选用,其外加剂掺量、特点及其适用范围可参见表9-5。

防水混凝土常用外加剂 表9-5

种　　类		特　　点	适　用　范　围	掺量$\left(\dfrac{外加剂}{水泥重}\right)$
三乙醇胺防水混凝土		早强、抗渗标号高	工期紧迫、要求早强、抗渗要求高的工程	0.05%左右
加气剂防水混凝土		抗冻性好	有抗冻要求、低水化热要求的工程($f_u \leqslant$ 20MPa)	0.03%～0.05%
减水剂防水混凝土	木钙、糖密	混凝土流动性好,抗渗标号高	钢筋密集、薄壁结构、泵送混凝土、滑模结构等,或有缓凝与促凝要求的工程	0.2%～0.3%
	NNO、MF			0.5%～1.0%
氯化铁防水混凝土		抗渗性最好	水中结构、无筋、少筋结构、砂浆修补抹面	3%左右

2.地下防水混凝土结构的施工要点

防水混凝土模板应表面平整,拼缝严密不漏浆,吸水性小,有足够的承载力和刚度。一般情况下模板固定仍采用对拉螺栓,为防止在混凝土内造成引水通路,应在对拉螺栓或套管中部加焊(满焊)$\phi70～80$mm 的止水环或方形止水片。如模板上钉有预埋小方木,则拆模后将螺栓贴底割去,再抹膨胀水泥砂浆封堵,效果更好。

混凝土浇筑时应严格按配料单进行配料,为了增强均匀性,应采用机械搅拌,搅拌时间至少 2min,运输时防止漏浆和离析。混凝土浇筑时应分层连续浇筑,其自由倾落高度不得大于 1.5m,并采用机械振捣,不得漏振、欠振。

防水混凝土的养护条件对其抗渗性影响很大,终凝后 4～6h 即应覆盖草袋,12h 后浇水养护,3d 内浇水 4～6 次/d,3d 后 2～3 次/d,养护时间不少于 14d。

防水混凝土不能过早拆模,一般在混凝土浇筑 3d 后,将侧模板松开,在其上口浇水养护 14d 后方可拆除,拆模时混凝土必须达到 70%的设计强度,应控制混凝土表面温度与环境温度之差≤15℃。

施工缝是防水混凝土的薄弱环节,施工时应尽量不留或少留。底板混凝土必须连续浇筑,不得留施工缝;墙体一般不应留垂直施工缝,如必须留应留在变形缝处,水平施工缝应留在距底板面不小于 200mm 的墙身上。墙体有孔洞时,施工缝距离孔洞边缘不宜小于 300mm;不应留在剪力与弯距最大处或底扳与侧臂交接处。施工常用接缝形式有凸缝、凹缝或平直缝加止水带等。不继续浇筑混凝土前,应将施工缝处松散的混凝土凿去,清理浮粒和杂物,用水冲净并保持湿润,先铺一层 20～25mm 厚与混凝土同水灰比水泥砂浆后再浇混凝土。

三、水泥砂浆防水层施工

水泥砂浆防水层是一种刚性防水层,主要依靠特定的施工工艺要求或掺加防水剂来提高水泥砂浆的密实性或改善其抗裂性,从而达到防水抗渗的目的。水泥砂浆防水层分为刚性多层抹面防水层和掺外加剂的水泥砂浆防水层两大类。

1.刚性多层抹面防水层

刚性多层抹面防水层是利用不同配合比的水泥砂浆和水泥浆分层分次施工,相互交替抹压密实,以充分切断各层次刚性水泥凝结中的毛细孔网,达到防水的目的。刚性多层抹面防水层施工应连续进行,尽可能不留施工缝,一般顺序为先平面后立面。

通常在工程实践中,刚性防水层的向水面基层防水层采用五层做法(图9-4所示)。背水面采用四层做法(少一道水泥浆)。分层做法为:第一层,在浇水湿润的基层上先抹1mm厚素灰(用铁板用力刮抹5~6遍),再抹1mm找平。第二层,在素灰层初凝后终凝前进行,使砂浆压入素灰层0.5mm并扫出横纹。第三层,在第二层凝固后进行,做法同第一层。第四层,同第二层做法,抹后在表面用铁板抹压5~6遍,最后压光。第五层,在第四层抹压二遍后刷水泥浆一遍,随第四层压光。

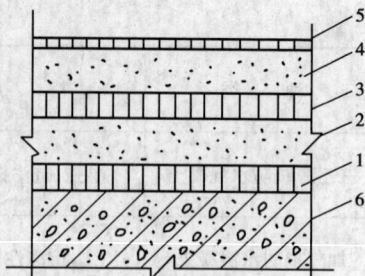

图 9-4 五层做法构造

1、3-素灰层 2mm;2、4-砂浆层 4~5mm;
5-水泥浆 1mm;6-结构层

养护可防止防水层开裂并提高不透水性,一般在终凝后约8~12h盖湿草包浇水养护14d。

2.掺防水剂水泥砂浆防水层

掺防水剂水泥砂浆又称防水砂浆,是在水泥砂浆中掺入占水泥重量的3%~5%的各种防水剂配制而成的,常用的防水剂有氯化物金属盐类防水剂和金属皂类防水剂。氯化物金属盐类防水剂的种类主要有氯化钙、氯化铝、氯化铁等金属盐类,掺入混凝土中后通过发生化学反应生成含水为氯硅酸钙、氯铝酸钙、氢氧化铁等胶体或化合物,以达到填充砂浆空隙,密实砂浆的作用,从而达到防水的目的。金属皂类防水剂又称避水浆,是采用碳酸钠或氢氧化钾等碱金属化合物、氨水、硬脂酸和水混合加热皂化配制而成的乳白色浆状液体。它具有塑化作用,可降低水灰比,可使水泥质点和浆料间形成憎水化吸附层并生成不溶性物质,起填充砂浆中微小空隙和堵塞毛细通道、切断和减少渗水孔道作用,增加砂浆的密实性,从而起到防水作用。

水泥砂浆防水层适用于埋深不大,不会因结构沉降、温度和湿度变化及受振动等产生有害裂缝的地下防水工程。

四、卷材防水层施工

卷材防水层属柔性防水层,具有较好的韧性和延伸性,防水效果较好。其基本要求与屋面卷材防水层相同。

将卷材防水层铺贴在地下结构的外侧(迎水面)称为外防水,外防水卷材防水层的铺贴方法,按其与地下结构施工的先后顺序分为外防外贴法(简称外贴法)和外防内贴法(简称内贴法)两种。

1.外贴法

外贴法是在垫层上铺好底层防水层后,先进行底板和墙体结构的施工,再把底面防水卷材延伸铺贴在墙体结构的外侧表面上,最后砌筑保护墙(图9-5所示)。其施工顺序如下:

首先在垫层四周砌筑永久性保护墙,高度300~500mm,其下部为永久性的(高度≥B+200~500mm,B为底板厚),上部为临时性的(高度为150(n+1)mm,n为卷材层数),并在保护墙下部干铺油毡条一层。然后铺设混凝土底板垫层上的卷材防水层,并留出墙身的接头。在墙上抹石灰砂浆找平层并将接头贴于墙上,然后进行底板和墙身施工,在做墙身防水层前,拆临时保护墙,在墙面上抹找平层、刷基层处理剂,将接头清理干净后逐层铺贴墙面防水层,最后砌永久性保护墙。

外贴法的优点是构筑物与保护墙有不均匀沉陷时,对防水层影响较小;防水层做好后即可进行漏水试验,修补亦方便。缺点是工期较长,占地面积大;底板与墙身接头处卷材易受损。在施工现场条件允许时,多采用此法施工。

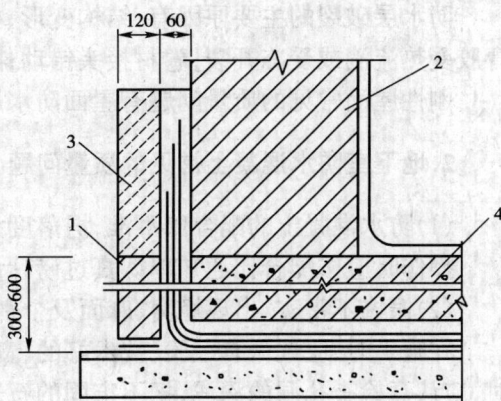

图 9-5 外贴法施工示意图
1-永久性保护墙;2-基础外墙;3-临时保护墙;
4-混凝土底板

2.内贴法

内贴法是在墙体未做前,在垫层边沿先砌筑保护墙,然后将卷材防水层铺贴在保护墙上,再进行底板和墙体施工(图 9-6 所示)。施工顺序如下:

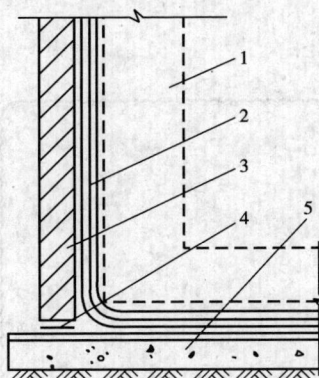

首先在垫层四周砌永久性保护墙,然后在垫层和保护墙上抹找平层,干燥后涂刷基层处理剂,再铺贴卷材防水层。铺设原则:先贴立面,后贴水平面,先贴转角,后贴大面,铺贴完毕后做保护层(砂或散麻丝加 10~20mm 厚 1:3 水泥砂浆),最后进行构筑物底板和墙体施工。

内贴法的优点是防水层的施工比较方便,不必留接头;施工占地面积小。缺点是构筑物与保护墙发生不均匀沉降时,对防水层影响较大;保护墙稳定性差;竣工后如发现漏水较难修补。这种方法只有当施工场地受限制,无法采用外贴法时才不得不用之。

图 9-6 内帖法施工示意图
1-尚未施工的地下室墙;2-卷材防水层;3-永久性保护墙;4-干铺油毡一层;5-混凝土垫层

五、常见质量问题及分析

1.屋面常见的质量问题

卷材屋面常见的质量问题有防水层起鼓、开裂、沥青流淌、老化等屋面漏水。

防水层起鼓通常是基层不干燥,应该使基层干燥,含水率在 6% 以内;避免在潮湿天气施工,防止卷材受潮。保证基层平整卷材铺贴均匀,封闭严实,同时潮湿基层宜做成排气屋面。所谓排气屋面,就在是铺贴第一层卷材(各种卷材)时,采用条粘、点粘、空铺等方法使卷材与基层之间留有纵横相互贯通的空隙作排气道,对于有保温层的层面,也可在保温层上的找平层上留槽作排气道,并在屋面或屋脊上设置一定的排气孔,(每 36M 左右一个)与大气相通,这样就能使潮湿基层中的水分蒸发排出,防止油毡起鼓。排气屋面适用于气候潮湿,雨量充沛,保温层或找平层含水率大,且干燥有困难地区。

为防止沥青胶流淌,要求沥青胶有足够的耐热度,较高的软化点,并且涂刷均匀,其厚度不超过 2mm,屋面坡度不宜过大。

防水层破裂的主要原因有:结构变形、找平层开裂;屋面刚度不够;建筑物不均匀陈降;沥青胶受热流淌或受冻开裂;卷材接头错动;防水层起鼓后内部气体受热膨胀等。

刚性屋面常见的质量问题有屋面防水层变形裂缝。

2.地下室防水混凝土常见的质量问题

(1)防水混凝土的配合比不准,坍落度大小不均

操作时应按配合比通知单认真过磅计量。坍落度应按施工标准始终保持一致。

(2)振捣不密实、出现蜂窝、麻面及个别孔洞现象

在施工时,应选派有经验、技术好的、责任心强的混凝土工进行振捣。一旦出现蜂窝孔洞时,应认真检查孔洞的深浅,把不牢固的石子剔掉,凿出新茬,用高标号的沙浆抹严压实,抹前应刷好结合层。孔洞较大较深的应当用细石混凝土捻实。

(3)施工缝留置的位置不对,做法不符合要求

地下室底板与墙连接,施工缝应留置在底板往上 300mm 处的立墙上。并在墙的上口预埋 10~15cm 宽的铁板,作为止水带也可以把混凝土做成凸形,凹形或企口形。

(4)外围灰土层不密实

分层夯实,即起隔水作用,又能保证室外工程不至于下沉。

思考题

1.试述卷材屋面的组成及对材料的要求。

2.在沥青胶结材料中加入填充料的作用是什么?

3.什么叫冷底子油?作用有哪些?如何配制?

4.刚性防水屋面找平层为何要留分格缝?如何留设?

5.如何进行屋面卷材铺贴?有哪些铺贴方法?

6.屋面卷材防水层最容易产生的质量问题有哪些?如何防治?

7.细石混凝土防水层的施工有何特点?如何预防裂缝和渗漏?

8.试述地下卷材防水层的构造及铺贴方法。各有何特点?

9.水泥砂浆防水层的施工特点是什么?

10.试述防水混凝土的防水原理、配制方法及其适用范围。

第十章 装饰装修工程
DISHIZHANG

装饰装修工程是设置于房屋或构筑物表面的饰面层,它不仅能增加建筑物的美观和艺术形象,而且能改善清洁卫生条件,美化城市和居住环境,有隔热、隔声、防腐、防潮的功能,还可以保护结构构件免受大自然的侵蚀,提高结构的耐久性。

装饰工程按用途可分为:

(1)保护装饰:防止结构物遭受大气侵蚀和人为的污染。

(2)功能装饰:保温、隔声、防火、防潮、防腐。

(3)饰面装饰:美化建筑、改善人类活动环境。

按工程部位可分为:外墙装饰、内墙装饰、顶棚装饰和地面装饰。

根据施工工艺和建筑部位的不同,建筑装饰工程可分为:抹灰工程、饰面工程、裱糊工程、涂料工程、吊顶隔墙与隔断工程、门窗工程、玻璃幕墙工程、地面工程等。

按所用材料可分为:水泥、石灰、石碴类、陶瓷类、石材类、玻璃类、涂料类、塑料类、木材类、金属类等饰面层。

按施工方法可分为:抹、刷、铺、贴、钉、喷、滚、弹、涂以及结构与装饰合一的施工装饰工程。

装饰工程具有工程量大、施工工期长、耗用劳动量多、占建筑物总造价高等特点。随着人们对生活环境和居住条件要求的提高,装饰材料发展迅速;对装饰工程的施工技术和质量也提出了更高的要求。本章介绍基本的抹灰工程、饰面板(砖)工程、涂料工程、裱糊工程、门窗工程以及玻璃幕墙工程施工。

第一节 抹 灰 工 程

抹灰工程按使用材料和装饰效果分为一般抹灰和装饰抹灰。一般抹灰有石灰砂浆、水泥石灰混合砂浆、水泥砂浆、聚合物水泥砂浆、膨胀珍珠岩水泥砂浆以及麻刀灰、纸筋灰、石膏灰等抹灰工程。装饰抹灰适用于面层为水刷石、水磨石、斩假石(剁斧石)、干粘石、假面砖、拉灰条、拉毛条、洒毛灰、喷砂、喷涂、滚涂、弹涂、仿石和彩色抹灰等的施工。

按照工程部位不同抹灰工程可分为墙面抹灰、顶棚抹灰、地面抹灰三种形式。

一、一般抹灰施工

抹灰层通常由底层、中层和面层组成(图 10-1 所示)。

底层:底层的作用是使抹灰与基层粘结并对基层初步找平,厚度为 5~9mm。底层所使用材料随基层不同而不同,室内砖墙面常用石灰砂浆、水泥石灰混合砂浆;室外砖墙面和有防潮防水的内墙面常用水泥砂浆或混合砂浆;对混凝土基层宜先刷素水泥浆一道,采用混合砂浆或水泥砂浆打底。

中层:中层主要起找平作用,厚度为 5~12mm。根据质量要求的不同,可一次或分次涂抹。中层涂抹之后,在灰浆凝固之前,应每隔一定距离交叉刻痕,以便与面层能更好的粘结。

面层:面层主要起装饰作用,也称罩面,厚度 2~5mm。所用材料根据设计要求的装饰效果而定。室内墙面抹灰,常用麻刀灰或纸筋灰;室外抹灰常用水泥砂浆或做成水刷石等饰面层。面层施工必须仔细操作,确保表面平整、光滑、无裂缝。

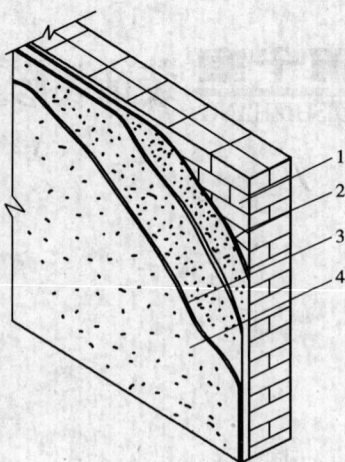

图 10-1 抹灰层的组成
1-底层;2-中层;3-面层;4-基层

1.一般抹灰质量要求

一般抹灰按质量要求分为普通抹灰、高级抹灰两种。普通抹灰做法是一底层、一面层,二遍成活。施工时要求分层赶平、修整和表面压光。高级抹灰做法是一底层、几遍中层、一面层,多遍成活。施工时要求阴阳角找方,设置标筋,分层赶平、修整,表面压光。

2.基层表面处理

抹灰前应对砖石、混凝土等基层表面作处理,清除灰尘、污垢和油渍等,并洒水湿润。对于平整光滑的混凝土表面,可在拆模时随即作凿毛处理,或用掺 10%107 胶的 1:1 水泥浆薄抹一层,或用混凝土界面处理剂处理。抹灰前还应检查钢、木门窗框位置是否正确,与墙连接是否牢固。连接处的缝隙应用水泥砂浆或水泥混合砂浆(加少量麻刀)分层嵌塞密实。凡室内管道穿越的墙洞和楼板洞,外墙上的施工孔洞等均应填嵌密实。

3.设置灰饼与标筋

为了有效地控制墙面抹灰层的厚度与垂直度,使抹灰面平整,抹灰层涂抹前应设置标筋(又称冲筋),作为底、中层抹灰的依据。

设置标筋时,先用托线板检查墙面的平整垂直程度,据以确定抹灰厚度(最薄处不宜小于 7mm),再在墙两边上角离阴角边 100~200mm 处按抹灰厚度用砂浆做一个四方形(边长约 50mm)标准块,称为"灰饼",然后根据这两个灰饼,用托线板或线锤吊挂垂直,做墙面下角的两个灰饼(高低位置一般在踢脚线上口),随后以上角和下角左右两灰饼面为准拉线,每隔 1.2~1.5m 上下加做若干灰饼。待灰饼稍干后在上下灰饼之间用砂浆抹上一条宽 100mm 左右的垂直灰埂,此即为标筋,作为抹底层及中层的厚度控制和赶平的标准,如图 10-2 所示。

顶棚抹灰一般不做灰饼和标筋,而是在靠近顶棚四周的墙面上弹一条水平线以控制抹灰层厚度,并作为抹灰找平的依据。

4.做护角

抹灰工程施工前,对室内墙面、柱面和门洞口的阳角,宜用 1:2 水泥砂浆做护角,其高度不应低于 2m,每侧宽度不应小于 50mm。对外墙窗台、窗楣、雨篷、阳台、压顶等上面应做流水坡度,下面应做滴水线或滴水槽,滴水槽的深度和宽度均不应小于 10mm,并整齐一致。

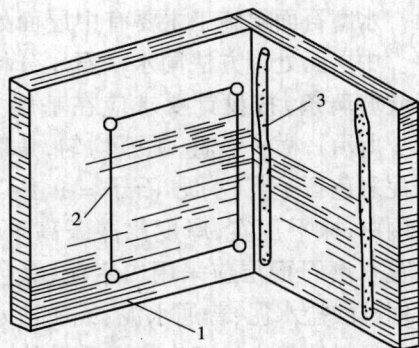

5.施工要点

抹灰时,要求分层涂抹。涂抹水泥砂浆每遍厚度
宜为 5~7mm。涂抹石灰砂浆和水泥混合砂浆每遍厚度宜为 7~9mm。抹灰层的平均总厚度:对于内墙,普通抹灰为 18mm,高级抹灰为 25mm;对于外墙,一般为 20mm,勒脚及突出墙面部分为 25mm;对于顶棚、板条、空心砖和现浇混凝土为 15mm,预制混凝土为 18mm,金属网为 20mm。分层涂抹时,水泥砂浆和水泥混合砂浆的抹灰层,应待前一层抹灰层凝结后,方可涂抹后一层;石灰砂浆的抹灰层,应待前一层 7~8 成干后,方可涂抹后一层。为提高抹灰效率和降低劳动强度,对于基体上的底层和中层抹灰也可采用机械喷涂。把搅拌好的砂浆经振动筛进入灰浆输送泵,通过管道由压缩空气将灰浆连续而均匀地喷涂在基体面上,最后找平搓实。

图 10-2　灰饼和冲筋
1-灰饼;2-引线;3-冲筋

二、装饰抹灰施工

装饰抹灰的种类很多,底层的做法基本相同。仅面层的做法不同。现将常用装饰抹灰面层做法简述如下:

1.水刷石面层施工

水刷石主要用于室外墙面的装饰抹灰。对于大面积的水刷石,为了加强墙体基层与抹灰层的连接,防止空鼓、开裂,墙面要加钢筋做拉结网。并适当分格,施工时按照设计要求在抹灰中层表面弹出分格线,粘贴分格条。

水刷石面层施工主要有中层面处理、面层抹灰和喷水冲刷三道工序。中层面处理方法是在已浇水湿润的砂浆面上刮水泥浆(水灰比为 0.37~0.40)一遍,以使面层与中层结合牢固。随即抹水泥石子浆,水泥石子浆的配合比视石子粒径而定,石子粒径为 4mm 时,配合比为 1:1.5,面层厚 8~12mm。待面层凝结前,先用棕刷蘸清水自上而下洗刷,使彩色石粒面外露出灰浆面 1~2mm 为度,紧接着用喷水器自上而下喷水冲洗。洗刷时应采取措施,防止沾污墙面。

水刷石抹灰层的外观质量要求是:石粒清晰,分布均匀,紧密平整,色泽一致,不得有掉粒和接茬痕迹。

2.水磨石面层施工

水磨石具有整体性好、耐磨不起灰、美观大方、可根据设计制成各种图案、装饰效果好等优点。按照装饰效果,可以分为普通水磨石与美术水磨石。按照施工方法有预制水磨石及现浇水磨石两种。

水磨石面层施工主要有中层面处理、镶嵌分格条、面层抹灰、分遍磨光、酸洗打蜡五道工序。中层面处理方法同水刷石。分格嵌条(铜条、铝条或玻璃条)按设计要求应在基层上镶嵌牢固(图10-3所示),横平竖直,圆弧均匀,角度准确。面层用水泥彩色石子浆(水泥:石子 = 1:1~1:1.25)填入分格网中,抹平压实,厚度比嵌条高 1~2mm。白色或浅色水磨石面层应采用白水泥,深色水磨石面层应采用硅酸盐水泥、普通水泥、或矿渣水泥。彩色水磨石中颜料的掺入量宜为水泥质量的 3%~5%。同时不得使用酸性颜料。面层抹灰后 1~2d 进行试磨,以

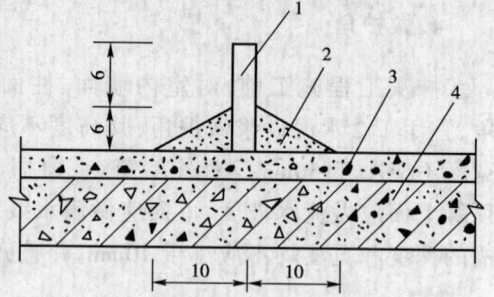

图 10-3 水磨石嵌条

1-嵌条;2-素水泥浆;3-水泥砂浆底层;4-混凝土基层

石子不松动为准。采用磨石机正式洒水分遍磨光,一般由粗至细分三遍进行。每次磨光后,用同色水泥浆填补砂眼,隔 3~5d 再磨。也就是磨光遍数不少于三遍,补浆两遍。这就是所说的"二浆三磨"法。最后,表面用草酸水溶液擦洗,使石子表面残存的水泥浆分解,石子清晰显露,晾干后进行打蜡,使其光亮如镜。水磨石面层外观质量要求表面平整光滑,石子显露均匀,无砂眼、磨纹和漏磨处,分格条位置准确且全部露出。

3.干粘石面层施工

干粘石面层施工主要有中层面处理、抹粘结层、甩粘石子三道工序。中层面处理为浇水湿润,刷水泥浆(水灰比为 0.40~0.50)一遍。粘结层为水泥砂浆或聚合物水泥砂浆,厚度为 4~6mm,砂浆的稠度不大于 80mm。用手工甩石子(粒径 4~6mm)时,先甩四周易干部位,后甩中部,边甩边接,用盛料盘接住未粘上的石子。甩完后随即用辊子或抹子压平压实,使石粒嵌入砂浆层中不小于粒径 1/2。干粘石面层外观质量要求是石粒粘结牢固,分布均匀,颜色一致,不露浆,不漏粘,阳角处不得有明显黑边。

4.斩假石面层施工

斩假石又称剁斧石,是仿制天然石料的一种饰面,用不同的骨料或掺入不同的颜料,可以仿制成仿花岗岩、玄武事、青条石等。

斩假石面层施工主要有中层面处理、面层抹灰和剁石三道工序。中层面处理同水刷石。面层抹灰采用 1:1.5 水泥白石屑浆,厚度为 10mm。罩面层应采用防晒措施或防冻措施,养护 2~3d,待面层强度达 60%~70% 时进行试剁,以石子不脱落为准。剁石时一般自上而下,先剁转角和四周边缘,后剁中间墙面,在墙角、柱子等边棱处,宜横剁出边条或留出窄小边条不剁。斩假石面层外观质量要求剁纹均匀顺直,深浅一致,不得有漏剁处。阳角处横剁和留出不剁的边条,应宽窄一致,棱角不得有损坏。

5.喷涂、滚涂、弹涂面层施工

喷涂饰面是利用压缩空气通过喷枪将聚合物砂浆均匀喷涂在底层上,此种砂浆由于掺入聚合物乳液因而具有良好的和易性及抗冻性,能提高装饰面层的表面强度与融结强度。通过调整砂浆的稠度和喷射压力的大小,可喷成砂浆饱满、波纹起伏的"波面",或表面不出浆而满布细碎颗粒的"粒状",亦可在表面涂层上再喷以不同色调的砂浆点,形成"花点套色"。喷涂施

工时,先在 10~13mm 厚的 1:3 水泥砂浆打底的中层砂浆面上,喷或刷 1:3(胶:水)107 胶水溶液一遍,使基层吸水率趋近一致及保证涂层粘结牢固。喷涂饰面层厚 3~4mm,连续分三遍喷涂而成,每遍不宜太厚,不得流坠。饰面层收水后,清理分格缝,缝内刷聚合物水泥砂浆,聚合物水泥砂浆喷涂常用配合比见表 10-1。

水泥砂浆喷涂常用配合比(重量比)　　　　表 10-1

饰面做法	水泥	颜料	细骨料	木质素磺酸钙	聚乙烯醇缩甲醛胶	石灰膏	砂浆稠度(cm)
波面	100	适量	200	0.3	10~15	—	13~14
波面	100	适量	40	0.3	20	100	13~14
粒状	100	适量	200	0.3	10	—	10~11
粒状	100	适量	400	0.3	20	100	10~11

滚涂饰面是将带颜色的聚合物砂浆均匀涂抹在底层上,随即用平面或带有拉毛、刻有花纹的橡胶、泡沫塑料滚子,滚出所需的图案和花纹,然后喷罩面甲基硅醇钠溶液形成饰面。滚涂施工时,对基层浇水湿润后,将聚合物水泥砂浆抹到墙体基层上,厚度按花纹大小确定,一般为 2~3mm;然后用滚子在面层上滚涂出花纹。其分层作法为:以 10~13mm 厚水泥砂浆打底,木抹搓平;粘贴分格条(施工前在分格处先刮一层聚合物水泥浆,滚涂前将涂有聚合物胶水溶液的电工胶布贴上,等饰面砂浆收水后揭下胶布);用 3mm 厚色浆罩面,随抹随用辊子滚出各种花纹;待面层干燥后,喷涂有机硅水溶液。滚涂为手工操作,工效比喷涂低。滚涂用的砂浆配合比为:水泥:砂 = 1:(0.5~1),另掺入占水泥量 20% 的 107 胶。

弹涂是利用手动或电动弹力器将不同色彩的聚合物水泥浆弹涂到色浆面层上,形成有类似于干粘石效果的装饰面。弹涂施工时,先对中层砂浆面浇水湿润,刷(喷)色浆一道,然后使用弹力器将色浆弹打到墙面上,形成 1~3mm 大小的圆形花点,弹涂面层厚为 2~3mm。其施工流程为:基层找平修正或做砂浆底灰——→调配色浆刷底色——→弹力器做头道色点——→弹力器做二道色点——→弹力器局部找均匀——→树脂罩面防护层。弹涂聚合物水泥砂浆常用配合比见表 10-2。

弹涂砂浆常用配合比(重量比)　　　　表 10-2

项目	水泥		颜料	水	聚乙烯醇缩甲醛胶
刷底色浆	普通硅酸盐水泥	100	适量	90	20
刷底色浆	白水泥	100	适量	85	13
弹花点	普通硅酸盐水泥	100	适量	55	11
弹花点	白水泥	100	适量	45	10

第二节　饰面板(砖)与幕墙工程

饰面工程是指把预制的饰面板(砖)铺贴或安装到基层表面上以形成装饰层的施工工作。饰面材料的种类很多,但基本上可分为饰面板和饰面砖两大类。

一、饰面板安装

1.石材饰面板安装

石材饰面板可分为天然石饰面板和人造石饰面板两大类:前者有大理石、花岗石和青石板饰面板等，后者有预制水磨石、预制水刷石和合成石饰面板等。

对于边长小于400mm的小规格饰面板可采用镶贴施工方法。先用厚12mm的1∶3水泥砂浆打底、刮平、找规矩，表面划毛。待底子灰凝固后，在已湿润的饰面板块背面抹上厚2～3mm的加适量107胶的水泥素浆，随即镶贴于基层表面上，并甩木锤轻敲，使水泥浆挤满整个背面，粘贴牢固，同时，用靠尺找平找直。对于边长大于400mm的大规格饰面板可采用湿挂安装法和干挂安装法施工。

（1）湿作业法

预拼及钻孔：安装前，先按设计要求在平地上进行试拼，校正尺寸，使宽度符合要求，板缝平直均匀，并调整颜色、花纹，力求色调一致，上下左右纹理通顺，不得有花纹横、竖突变现象。试拼后再分部位逐块按安装顺序予以编号，以便安装时对号入座。

绑扎钢筋网：采用湿作业法施工时，先剔凿出预埋在墙面或柱面内的钢筋，绑扎或焊接直径为 $\phi 6$ 或 $\phi 8$、间距为300～500mm的钢筋网，将选好的饰面板按设计要求在上下两侧钻孔，每侧边不得少于两个，孔内穿入铜丝。按预排的饰面板位置，由下往上，每层从中间或一端开始，依次将饰面板用铜丝与钢筋骨架绑扎固定，如图10-4所示。

弹线和安装：在墙（柱）上分块弹出水平线及垂直线。饰面板块间接缝宽度可垫木楔调整。

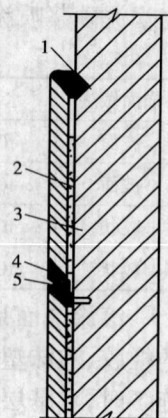

图10-4 湿挂安装
构造详图
1-预埋钢筋；2-填
缝砂浆；3-基层；
4-销钉；5-钢丝

灌浆：灌注砂浆前，应先在竖缝内填塞15～20mm深的麻丝或泡沫塑料条以防漏浆，并浇水将饰面板背面和基体表面湿润。用1∶2.5的水泥砂浆分层灌注，每层灌注高度为150～200mm，插捣密实，待其初凝后，检查板面位置无移动，方可灌注上层砂浆。待砂浆硬化后，清除填缝材料，用水泥色浆擦缝，使缝隙密实，颜色一致。湿作业法施工易使饰面产生"泛碱"、"花脸"现象，采用干挂法安装新工艺可避免这一现象。

（2）干挂安装法

干挂安装法又称干挂法。它利用高强、耐腐蚀的连接固定件把饰面板挂在建筑物结构的外表面上，中间留出适量空隙。在风荷载或地震作用下，允许产生适量变位，而不致使饰面板出现裂缝或发生脱落，当风荷载或地震消失后，饰面板又能随结构复位。干挂法分为普通干挂法和复合墙板干挂法。

干挂法解决了传统的灌浆湿作业法安装饰面板存在的施工周期长、自重大、不利于抗震、砂浆易污染外饰面等缺点，具有安装精度高、墙面平整、减轻建筑物自重、提高施工效率等特点，且板材与结构层之间留有40～100mm的空腔，具有保温和隔热作用，节能效果显著。采用干挂法安装花岗石、大理石、水磨石等大规格饰面板时，直接在板块侧面用电钻钻出孔径5mm，孔深12～15mm的圆孔，插入直径为5mm的销钉，然后将不锈钢连接器与安装在钢筋混凝土墙体内的膨胀螺栓或钢骨架相连接，如图10-5所示。

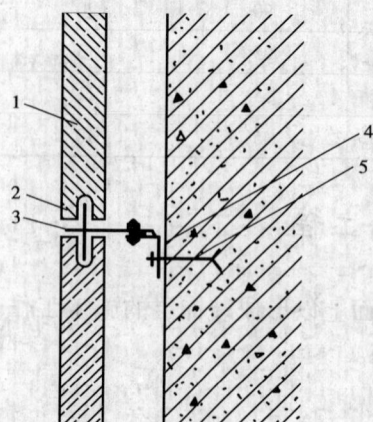

图10-5 干挂安装构造详图
1-饰面板；2-销钉；3-不锈钢二次挂件；4-不锈钢一次挂件；5-预埋件

2.铝合金装饰板安装

铝合金装饰板是诸多金属装饰板材料之一，是一种复合材料板材。它是选用钝铝、铝合金为原料,经冷压而成型的各种波形金属板材,故又称铝合金压型板。具有重量轻、易加工、强度高、刚度好、经久耐用、表面光亮等特点,广泛用于室内外墙面装饰和屋面装饰。铝合金装饰板的种类按表面处理方法分,有阳极氧化处理板和喷漆处理板,阳极氧化膜由于耐腐蚀性能好,故多用于室外,氧化膜的厚度越厚,耐腐蚀能力越高,成本也越高。按色彩分有银白色、古铜色、金色等。按几何尺寸分,有条形板和方形板。按吸声要求分,有穿孔铝合金板和不穿孔铝合金板。室内多用前者,而室外一般用不穿孔板。按装饰效果分,有铝合金花纹板、铝质浅花纹板、铝及铝合金波纹板、铝及铝合金压型板等。

铝合金饰面板常用的固定方法有两大类:一类是将饰面板用螺钉拧到型钢或木骨架上;另一类是将饰面板卡在特制的龙骨上。其施工工艺是:放线→固定骨架的连接件→固定骨架→安装铝合金板→收口构造处理。

放线:就是将骨架的位置弹到基层上,以保证骨架施工的准确性。放线最好一次放完,如有差错,可随时进行调整。

固定骨架的连接件:骨架的横竖杆件是通过连接件与基层固定,而连接件可与基层结构的预埋件焊接,亦可打设膨胀螺栓。要求连接件固定牢固,位置准确,不易锈蚀。

固定骨架:骨架应预先进行防腐处理,安装位置要准确,结合要牢固,横杆标高一致。骨架表面要平整。

安装铝合金饰面板:板的安装要牢固、平整、无翘起、卷边等现象。板与板之间的间隙一般为 10～20mm,用橡胶条或密封胶等弹性材料处理。安装完毕后,在易于被污染的部位,要用塑料薄膜覆盖保护;易被碰撞的部位,应设安全栏杆保护。

收口构造处理:系指饰面板安装后对水平部位的压顶,端部的收口,伸缩缝、沉降缝的处理,以及两种不同材料交接处的处理。因这些部位往往是饰面施工的重点,直接影响美观和功能,所以必须用特制的铝合金成型板进行妥善处理。

二、饰面砖镶贴

饰面砖镶贴一般指墙体釉面砖和无釉面砖、陶瓷锦砖以及玻璃锦砖的镶贴。

镶贴釉面砖和墙面砖的施工工艺为:基体处理→润基体表面→水泥砂浆打底→选砖预排→浸砖→镶贴面砖→勾缝→清洁面层。

饰面砖应镶贴在湿润、干净的基层上。对砖墙基体,先用水浇湿透后,用 1:3 水泥砂浆打底。木抹子搓平,隔天浇水养护。对混凝土基体,可将混凝土表面凿毛(或用界面处理剂处理)后,刷一道聚合物水泥砂浆,抹 1:3 水泥砂浆打底,木抹子搓平,隔天浇水养护。饰面砖镶贴前应选砖预排,以使拼缝均匀。釉面砖和墙面砖在镶贴前应浸水 2h 以上,冬期施工宜在掺入 2%盐的温水中浸泡 2h,待表面晾干后方可使用。饰面砖镶贴时,分段自下而上进行,立皮数杆,用水平拉通线作为镶贴面砖的基准线,用木分格条控制面砖间水平缝的宽度。面砖采用 1:2 水泥砂浆镶贴,砂浆厚度为 6～10mm。勾缝采用 1:1 水泥砂浆,先勾横缝,后勾竖缝,缝深宜凹进面砖 2～3mm。勾缝完成后,甩棉丝蘸 10%稀盐酸擦洗表面,并随即用清水冲洗干净。

镶贴陶瓷锦砖(马赛克)和玻璃锦砖的施工工艺为:基体处理→润基体表面→水泥砂浆打底→弹线→镶贴陶瓷、玻璃锦砖→纸调缝→嵌缝→清洗面层。与镶贴面砖不同,陶瓷和玻璃锦砖采用水泥浆或聚合物水泥浆镶贴。镶贴自上而下进行,每段施工自下而上进行。镶贴时应位置正确,仔细拍实,使其表面平整,待稳固后,用软毛刷蘸水刷纸面,将纸面湿润,揭净。揭纸后检查小块锦砖间的缝隙,在水泥浆初凝前调整缝隙宽度,适当拨正。嵌缝采用橡皮刮板将水泥浆在锦砖上刮一遍,接着用干水泥擦缝,并清洗面层残存的水泥浆。

饰面砖镶贴质量要求饰面板(砖)镶贴牢固,无歪斜、缺棱角和裂缝等缺陷;表面应平整、洁净,色泽协调;接缝应填嵌密实、平直,宽窄均匀,颜色一致。阴阳角的板(砖)搭接方向正确。

三、幕墙工程

幕墙是骨架结构的外围护墙,除自重和风力外一般不承受其他荷载。

幕墙按照组装方式:可以分为现场组装式与预制单元式。按照饰面材料的不同,可分为金属板幕墙、玻璃幕墙、纤维水泥板幕墙、混凝土悬挂板以及各种复合墙板幕墙。

玻璃幕墙采用的中空玻璃由两层或两层以上的玻璃构成,四周用高强、高气密性复合粘结剂将两片或多片玻璃与铝合金方格框粘结密封,中间充入干燥气体,框内填充干燥剂,以保证玻璃间的干燥度,还可以在玻璃上涂不同颜色或不同性能的薄膜。

玻璃幕墙的结构根据是否有固定玻璃的框架分为有框和无框两类。在有框玻璃幕墙中,又有明框和隐框两种,隐框玻璃幕墙又可以分为全隐框玻璃幕墙和半隐框玻璃幕墙两种。半隐框玻璃幕墙可以是横明竖隐、也可以是竖明横隐。而全隐框玻璃幕墙,没有传统幕墙的夹持玻璃和承重的铝合金外框(明框),厚度为 3～10 mm。玻璃(中空玻璃、浮法玻璃、彩色玻璃、钢化玻璃、夹胶玻璃、镜面反射玻璃等)完全依靠背面上的结构胶粘贴到铝型材框架上。这种铝合金全隐框玻璃幕墙,玻璃表面无框架,透明、轻盈、空间渗透性强,应用广泛。

典型的全隐型铝合金框架玻璃幕墙构造图 10-6 所示。用铝合金构件组成框格体系,框格体系通过预埋铁件固定到结构物上。在框格体系上固定玻璃框,玻璃用结构胶粘贴在玻璃框上,玻璃框及框格体系均隐在玻璃后面,从外侧看不到。

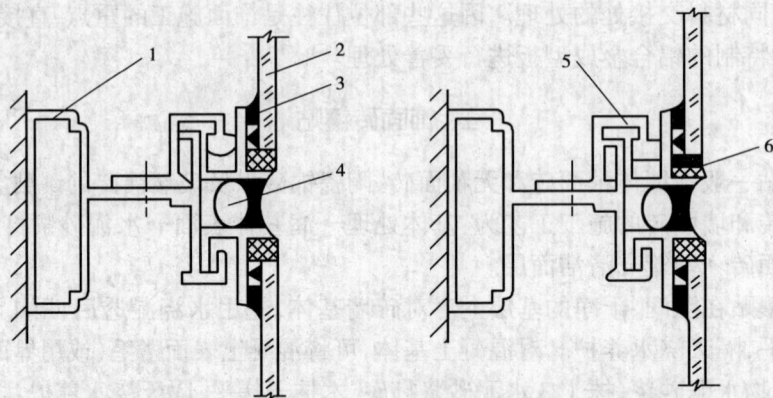

图 10-6 玻璃幕墙构造
1-铝横杆;2-玻璃;3-结构胶;4-垫杆;5-铝固定片;6-耐候胶

玻璃幕墙的施工工艺为:编制施工方案→测量放线→选适宜铝合金型材并下料→安装框格体系并校正→安装玻璃框→安装玻璃。

安装玻璃幕墙的部位应先进行测量和严格地找平。在预埋的紧固铁件上标出框格体系竖龙骨的安装位置线。框格体系铝合金型材下料尺寸偏差应在允许范围内。玻璃框所用铝合金型材断面形式与尺寸,必须符合玻璃安装与整体组装的配合要求。四角应连接牢固,不得松动。与玻璃胶接的表面翘曲度小于 1mm,连接处表面高低偏差小于 0.4mm,接缝间隙小于 0.3mm。

安装玻璃前,先用二甲苯、异丙醇或丁酮等净化剂清洗待涂胶的基材表面,以保证密封胶与之有良好的粘结。清洗后,在玻璃框端面上粘贴带双面不干胶的硬质聚乙烯泡沫塑料间隔垫条。该垫条既可临时固定玻璃,又可形成注胶槽口,防止注结构胶时非定向流淌。安装玻璃时,用吸盘把玻璃吸住,稳妥地镶入玻璃框内,与泡沫塑料垫条靠平粘牢。用手工胶轮或打胶机的气动胶轮将硅酮结构胶注入槽口,确保涂胶槽充满胶料,在胶料超出槽口而隆起时方可移动胶轮。注胶时,水平节点应从一侧往另一侧,垂直节点应从下而上,胶层内不允许产生空穴或胶面与基材产生缝隙。在注胶后至胶带表面固化前,一次压平节点胶层,使其呈微凹状,以消除胶料中空洞,确保与基材良好接触。玻璃板粘贴安装后,在板块接缝处注入耐候硅酮密封胶,以抵挡风雨的侵入和适应幕墙板块间因热胀冷缩而造成的接缝宽度调整,如图10-7所示。

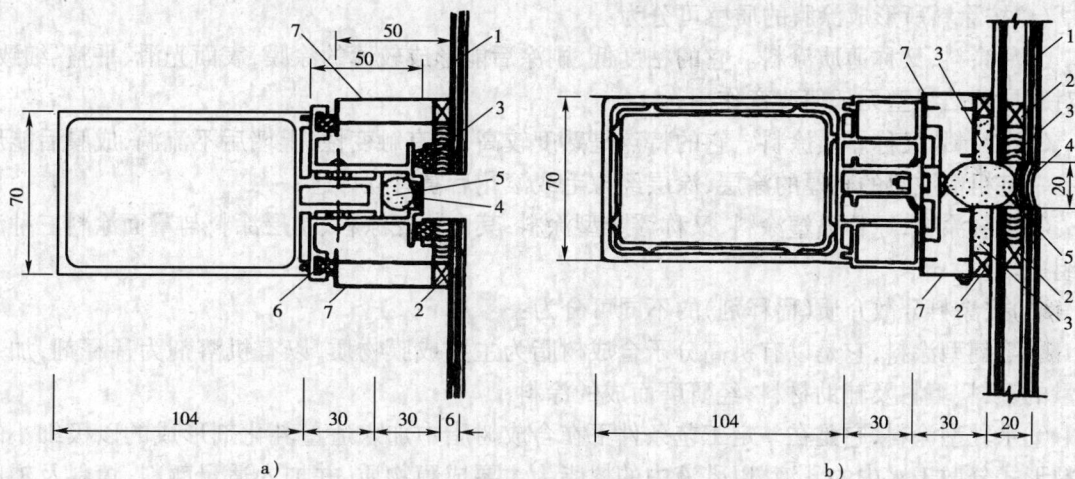

图10-7 隐框玻璃幕墙节点示意图
a)单层玻璃隐框幕墙;b)中空玻璃隐框幕墙
1-玻璃;2-垫块;3-结构胶;4-耐侯胶;5-泡沫棒;6-胶条;7-幕墙构造铝合金框

第三节 涂饰和裱糊工程施工

一、涂 饰 工 程

涂饰工程是指将涂料施涂于基层表面上以形成装饰保护层的一种饰面工程。涂料是指涂敷于物体表面并能与表面基体材料很好粘结形成完整而坚韧保护膜的材料,所形成的这层保护膜,又称涂层。

采用涂料作为建筑构件的保护和装饰材料,我国已有悠久的历史。早在二千多年前,我国便已能利用桐树籽榨得的桐油和漆树漆汁制成天然漆。由于早期涂料的主要原料是天然植物油和天然树脂(如桐油、亚麻仁油、松香、生漆等)都含有油类,故称之为油漆。随着石油化学工业和有机化学合成工业的发展,合成树脂品种不断增多,为涂料提供了广阔的原料来源。涂料所用的主要原料已为合成树脂所替代。现代涂料趋向于少用油或不用油,因此将油漆更名为涂料显然更切合实际。故涂料是各种油性和水性涂饰产品的总称,而旧时的油漆可称为油性涂料。

1.建筑涂料分类

建筑涂料的产品种类繁多,一般按下列几种方法进行分类:

(1)按使用的部位可分为:外墙涂料、内墙涂料、顶棚涂料、地面涂料、门窗涂料、屋面涂料等。

(2)按涂料的特殊功能可分为:防火涂料、防水涂料、防虫涂料、防霉涂料等。

(3)按涂料成膜物质的组成不同可分为:

①油性涂料,系指传统的以干性油为基础的涂料,即以前所称的油漆;

②有机高分子涂料,包括聚醋酸乙烯系、丙烯酸树脂系、环氧系、聚氨酯系、过氯乙烯系等。其中以丙烯酸树脂系建筑涂料性能优越;

③无机高分子涂料,包括有硅溶胶类、硅酸盐类等;

④有机无机复合涂料,包括聚乙烯醇水玻璃涂料、聚合物改性水泥涂料等。

(4)按涂料所形成涂膜的质感可分为:

①薄涂料,又称薄质涂料。它的粘度低,刷涂后能形成较薄的涂膜,表面光滑、平整、细致,但对基层凹凸线型无任何改变作用;

②厚涂料,又称厚质涂料。它的特点是熟度较高,具有触变性,上墙后不流淌,成膜后能形成有一定粗糙质感的较厚的涂层,涂层经拉毛或滚花后富有立体感;

③复层涂料,原称喷塑涂料,又称浮雕型涂料,其由封底涂料、主层涂料与罩面涂料三种涂料组成。

(5)按涂料分散介质(稀释剂)的不同可分为:

①溶剂型涂料,它是以有机高分子合成树脂为主要成膜物质,以有机溶剂为稀释剂,加入适量的颜料、填料及辅助材料,经研磨而成的涂料;

②水乳型涂料,它是在一定工艺条件下在合成树脂中加入适量乳化剂形成的以极细小的微粒形式分散于水中的乳液,以乳液中的树脂为主要成膜物质,并加入适量颜料、填料及辅助材料经研磨而成的涂料;

③水溶型涂料,以水溶性树脂为主要成膜物质,并加入适量颜料、填料及辅助材料经研磨而成的涂料。

2.建筑工程中常用油性涂料

建筑工程中常用油漆的种类及其主要特征如下:

(1)清油 清油又称鱼油、熟油,干燥后漆膜柔软,易发粘,多用于调稀厚漆和红丹防锈漆,也可单独涂于金属、木材表面或打底子及调配腻子。

(2)厚漆 厚漆又称铅油,有红、白、黄、绿、灰、黑等色,使用时需加清油、松香水等稀释。漆膜柔软,与面漆粘结性好,但干燥慢,光亮度、坚硬性较差。可用于各种涂层打底或单独作表面涂层,亦可用来调配色油和腻子。

(3)调和漆 调和漆分油性和磁性两类。油性调和漆的漆膜附着力强,有较高的弹性,不易粉化、脱落及龟裂,经久耐用,但漆膜较软,干燥缓慢,光泽差,适用于室外面层涂刷。磁性调和漆常用的有酯胶调和漆和酚醛调和漆等,漆膜较硬,颜色鲜明,光亮平滑,能耐水洗,但耐气候性差,易失光、龟裂和粉化,故仅用于室内面层涂刷。调和漆有大红、奶油、白、绿、灰、黑等色,不需调配,使用时只需调匀或配色,稠度过大时可用松节油或200号溶剂汽油稀释。

(4)清漆 清漆分油质清漆和挥发性清漆两类。油质清漆又称凡立水,常用的有酯胶清漆、酚醛清漆、钙酯清漆和醇酸清漆等。漆膜干燥快,透明光泽,适用于木门窗、板壁及金属表面罩光。挥发性清漆又称泡立水,常用的有漆片,漆膜干燥快,坚硬光亮,但耐水、耐热、耐气候性差,易失光,多用于室内木材面层的油漆或家具罩面。

（5）聚醋酸乙烯乳胶漆　这是一种性能良好的新型涂料和墙漆,适用于作高级建筑室内抹灰面、木材面的面层涂刷,亦可用于室外抹灰面。其优点是漆膜坚硬平整,附着力强,干燥快,耐暴晒和水洗,新墙面稍干燥即可涂刷。此外,还有磁漆、大漆、硝基纤维漆(即蜡克)、耐热漆、耐火漆、防锈漆及防腐漆等。

3.涂料施工

涂料工程施工包括基层处理、打底子、刮腻子和涂料涂饰等工序。

（1）基层处理

基层处理的工作内容包括基层清理和基层修补。

为保证涂膜能与基层牢固粘结在一起,基层表面必须干净、坚实、无酥松、脱皮、起壳、粉化等现象,基层表面的泥土、灰尘、污垢、粘附的砂浆等应清扫干净,酥松的表面应予铲除。为保证基层表面平整,缺棱掉角处应用1:3水泥砂浆(或聚合物水泥砂浆)修补,表面的麻面、缝隙及凹陷处应用腻子填补修平。

（2）打底子

为保证涂抹与基层连接牢固,木材表面的灰尘、污垢和金属表面的油渍、鳞皮、锈斑、焊渣、毛刺等必须清除干净。木料表面的裂缝等在清理和修整后应用石膏腻子填补密实、刮平收净,用砂纸磨光以使表面平整。木材基层缺陷处理好后表面上应作打底子处理,在处理好的基层表面上刷底子油一遍(可适当加色),并使其厚薄均匀一致,以保证整个油漆面色彩均匀。可使基层表面具有均匀吸收涂料的性能,以保证面层的色泽均匀一致。金属表面应刷防锈漆,涂料施涂前被涂物件的表面必须干燥,以免水分蒸发造成涂膜起泡,一般木材含水率不得大于12%,金属表面不得有湿气。

（3）刮腻子与磨平

腻子是油料加上填料(石膏粉、大白粉)、水或松香水拌制成的膏状物。抹腻子的目的是使表面平整。涂膜对光线的反射比较均匀,因而在一般情况下不易觉察的基层表面细小的凹凸不平和砂眼,在涂刷涂料后由于光影作用都将显现出来,影响美观。所以基层必须刮腻子数遍予以找平,并在每遍所刮腻子干燥后用砂纸打磨,保证基层表面平整光滑。需要刮腻子的遍数,视涂饰工程的质量等级,基层表面的平整度和所用的涂料品种而定。对于高级油漆施工,需在基层上全部抹一层腻子,待其干后用砂纸打磨,然后再抹腻子,再打磨,直到表面平整光滑为止。

（4）涂料的施涂

①一般规定

涂料在施涂前及施涂过程中,必须充分搅拌均匀,用于同一表面的涂料,应注意保证颜色一致。涂料新度应调整合适,使其在施涂时不流坠、不显刷纹,如需稀释应用该种涂料所规定的稀释剂稀释。

涂料的施涂遍数应根据涂料工程的质量等级而定。施涂溶剂型涂料时,后一遍涂料必须在前一遍涂料干燥后进行;施涂乳液型和水溶性涂料时后一遍涂料必须在前一遍涂料表干后进行。每一遍涂料不宜施涂过厚,应施涂均匀,各层必须结合牢固。

②施涂基本方法

涂料的施涂方法有刷涂、滚涂、喷涂、刮涂和弹涂等。

刷涂:它是用油漆刷、排笔等将涂料刷涂在物体表面上的一种施工方法。此法操作方便,适应性广,除极少数流平性较差或干燥太快的涂料不宜采用外,大部分薄涂料或云母状厚质涂料均可采用,但工效低,不适于快干性和扩散性不良的油漆施工。刷涂顺序是先左后右、先上后下、先底后面、先难后易。

滚涂:滚涂又称辊涂。它是利用滚筒(或称辊筒,涂料辊)蘸取涂料并将其涂布到物体表面上的一种施工方法。滚筒表面有的是粘贴合成纤维长毛绒,也有的是粘贴橡胶(称之为橡胶压辊),当绒面压花滚筒或橡胶压花压辊表面为凸出的花纹图案时,即可在涂层上滚压出相应的花纹。

喷涂:它是利用压力或压缩空气将涂料涂布于物体表面的一种施工方法。涂料在高速喷射的空气流带动下,呈雾状小液滴喷到基层表面上形成涂层。喷涂的涂层较均匀,颜色也较均匀,施工效率高,适用于大面积施工。可使用各种涂料进行喷涂。喷射时每层往复进行,纵横交错,一次不能喷得过厚,需分几次喷涂,以达到厚而不流,尤其是外墙涂料用得较多。

刮涂:它是利用刮板将涂料厚浆均匀地批刮于饰涂面上,形成厚度为 1~2mm 的厚涂层。常用于地面厚层涂料的施涂。

弹涂:它是利用弹涂器通过转动的弹棒将涂料以圆点形状弹到被涂面上的一种施工方法。若分数次弹涂,每次用不同颜色的涂料,被涂面由不同色点的涂料装饰,相互衬托,可使饰面增加装饰效果。

二、裱 糊 工 程

裱糊工程就是将壁纸、墙布用胶粘剂裱糊在结构基层的表面上。由于壁纸和墙布的图案、花纹丰富,色彩鲜艳,故更显得室内装饰豪华、美观、艺术、雅致。

1.裱糊工程常用材料

裱糊工程中常用的材料有普通壁纸、塑料壁纸、玻璃纤维墙布、无纺墙布及胶粘剂。普通壁纸系纸面纸基,透气性好,价格便宜,但不耐水,易断裂,已很少采用。塑料壁纸是以纸为基层,用高分子乳液涂布面层,再进行印花、压纹等工艺而制成。玻璃纤维墙布,是以玻璃纤维布为基层,表面涂上耐磨的树脂,印压成彩色的图案、花纹或浮雕。无纺墙布是采用棉、麻等天然纤维或涤、晴等合成纤维,经过无纺成型、上树脂、印压彩色花纹和图案而成的一种高级装饰墙布。

塑料壁纸、玻璃纤维墙布和无纺墙布是应用较广的内墙装饰材料,具有可擦洗、耐光、耐老化、颜色稳定、无毒、施工简单等特点,且花纹图案丰富多彩,富有质感,适用粘贴在抹灰层、混凝土基层、纤维板、石膏板和胶合板表面。

2.裱糊工艺

壁纸和墙布的裱糊工艺过程为:基层处理→弹垂直线→裁切壁纸(墙布)、闷水→涂刷胶粘剂→上墙、裱糊→赶压胶粘剂、气泡→修整清理。

(1)基层处理

裱糊工程基体或基层要求干燥,混凝土和抹灰层的含水率不大于 8%,木材制品含水率不大于 12 %。裱糊前,应将基体或基层表面的污垢、尘土清除干净。泛碱部位,用 9% 的稀醋酸中和、清洗。对突出基层表面的设备或附件卸下,钉眼、局麻点和缝隙等部位用油性腻子填平,再用砂纸磨平。为防止基层吸水过快,裱糊前用 1:1 的 107 胶水溶液涂刷基层以封闭墙面,并为粘贴壁纸提供一个粗糙面。底胶干后,根据房间大小、门窗位置、壁纸宽度和花纹图案的完整性进行弹线,从墙的阳角开始,以壁纸宽度弹垂直线,作为裱糊时的操作准线。

(2)裁纸、闷水和刷胶

壁纸粘贴前应进行预拼试贴,以确定裁纸尺寸,并使接缝花纹完整、效果良好。裁纸应根据弹线实际尺寸统筹规划,并编号按顺序粘贴,一般以墙面高度进行分幅拼花裁切,并注意留有 20~30mm 的余量。裁切时要用尺子压紧壁纸,刀刃紧贴尺边,一气呵成,使壁子边缘平直整齐,不得有纸毛和飞刺现象。

塑料壁纸有遇水膨胀,干后自行收缩的特性,因此,应将裁好的壁纸放入水槽中浸泡 3~5min,取出后把明水抖掉,静置 10min 左右,使纸充分吸湿伸胀,然后在墙面和纸背面同时刷胶进行裱糊。

胶粘剂要求涂刷均匀,不漏刷。胶粘剂的配合比见表 10-3。在基层表面涂刷胶粘剂应比壁纸宽 20~30mm,涂刷一段,裱糊一张,不应涂刷过厚。如用背面带胶的壁纸,则只需在基层表面涂刷胶粘剂。

胶粘剂的配合比　　　　　　　　表 10-3

胶粘剂用途	配 合 比
裱糊普通壁纸	(1)面粉中加明矾 10%或甲醛 0.2% (2)面粉中加酚 0.02%或硼酸 0.2%
裱糊塑料壁纸	(1)聚乙烯醇缩甲醛胶(甲醛含量 45%):羧甲基纤维素(2.5%溶液):水 = 100:30:50 (2)聚乙烯醇缩甲醛胶:水 = 1:1
裱糊墙布	聚醋酸乙烯酯乳胶:羧甲基纤维素(2.5%溶液) = 60:40

(3)裱糊

裱糊壁纸和墙布时,对需重叠对花的,应先裱糊对花,后用钢尺对齐裁下余边;对直接对花的,直接裱糊。裱糊中赶压气泡时,对于压延壁纸可用钢板刮刀刮平;对于发泡及复合壁纸只可用毛巾、海绵或毛刷赶平。裱糊好的壁纸或墙布经压实后,及时擦去挤出的胶粘剂,表面不得有气泡、斑污等。

裱糊工程完工并干燥后,即可验收。检查数量要选择有代表性的自然间,抽查 10%,但不得少于 3 间。质量要求粘贴牢固,表面平整,无气泡空鼓,各幅拼接横平竖直,拼接处花纹图案吻合,距墙面 1.5m 处正视,不显拼缝。

第四节　吊顶工程施工

吊顶棚又称吊顶。吊顶具有保温、隔热、隔音、吸声、装饰等作用,根据所采用材料不同吊顶分为木质骨架吊顶与金属(新型)骨架吊顶两类。

近年来随着各种新型吊顶材料的不断涌现促进了吊顶工程的发展,传统的木龙骨吊顶已被新型吊顶所取代,故本节仅介绍新型吊顶,新型吊顶按其结构形式分为活动式装配吊顶、隐蔽式装配吊顶、金属装饰板吊顶、开敞式吊顶等四种类型。

一、吊顶的基本组成

吊顶是由吊杆、龙骨骨架和装饰面板等三大部分组成。

1.吊杆

吊杆又称吊筋,其作用是将整个吊顶系统与结构件相连接,将整个吊顶荷载传递给结构构件承受。此外还可以用其调整吊顶棚的空间高度以适应不同场合不同艺术处理的需要。

2.龙骨骨架

吊顶龙骨骨架是由各种大小的龙骨组成,其作用是支撑并固定顶棚的罩面板以及承受作用在吊顶上的其他附加荷载。按骨架的承载能力可分为上人龙骨骨架和不上人龙骨骨架;按龙骨在骨架中所起作用可分为承载龙骨、覆面龙骨与边龙骨,承载龙骨是主龙骨,其与吊杆相连接,是骨架中的主要受力构件;覆面龙骨又称次龙骨,在骨架中起联系杆件的构造作用并为罩面板搁置或固定的支撑件;边龙骨又称封口角铝,主要用于吊顶与四周墙相接处,支撑该交接处的罩面板。

3.装饰面板

吊顶用装饰面板品种繁多,按尺寸规格大小一般可分为两大类:一类是幅面较大的板材,规格一般为(600~1200)mm×(1000~3000)mm;另一类是幅面较小成正方形的吊顶装饰板材,规格一般为(300~600)mm×(300~600)mm。按板材所用材料分有石膏类、无机矿物材料类、塑料类、金属类等。

二、活动式装配吊顶的施工

活动式装配吊顶是指装饰面板明摆浮搁在龙骨上、更换方便的一种吊顶形式。通常与铝合金吊顶龙骨或轻钢吊顶龙骨配套使用,龙骨一般外露(图 10-8 所示)。对于不上人吊顶,吊顶除自重外不承受附加荷载,通常只需采用 T、L 型吊顶铝合金龙骨组成不上人吊顶龙骨骨架。如果是上人吊顶还需承受附加荷载,要采用 T、L 型吊顶铝合金龙骨和 U 型吊顶轻钢龙骨组装成上人吊顶龙骨骨架,U 型吊顶轻钢龙骨的规格选择要根据附加荷载的大小而定。

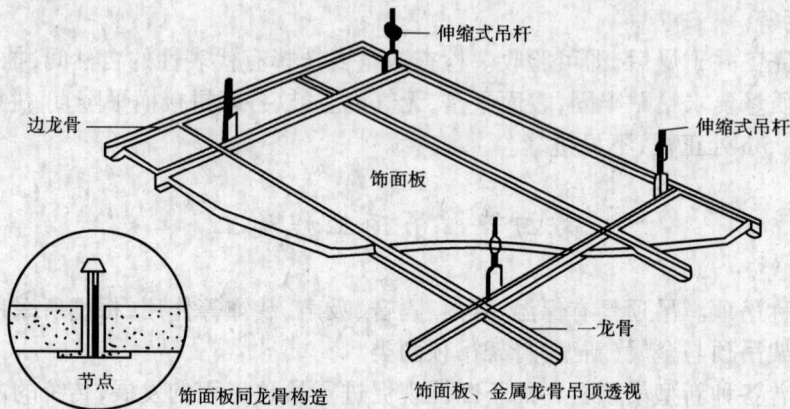

图 10-8 活动式吊顶构造示意图

常用的装饰板品种有矿棉板、装饰石膏板、钙塑板、泡沫塑料板等轻质板材。

吊顶的施工程序为:弹线定位→安装吊杆→安装与调平龙骨→安装装饰面板。

三、隐蔽式装配吊顶的施工

隐蔽式装配吊顶是指龙骨不外露,吊顶装饰面板表面呈现整体效果的一种吊顶形式(图10-9所示)。装饰面板固定到龙骨上的方式有三种,即用螺钉固定在龙骨上、用胶结剂粘结在龙骨上和将装饰面板加工成企口形式用龙骨将装饰面板连接成一整体。常用的装饰面板有胶合板、普通及耐火纸面石膏板、吸声用穿孔石膏板、矿棉板、钙塑板等,普通及耐火纸面石膏板具有块大、面平、易于安装、防火性好等一系列优点,故获得广泛应用。

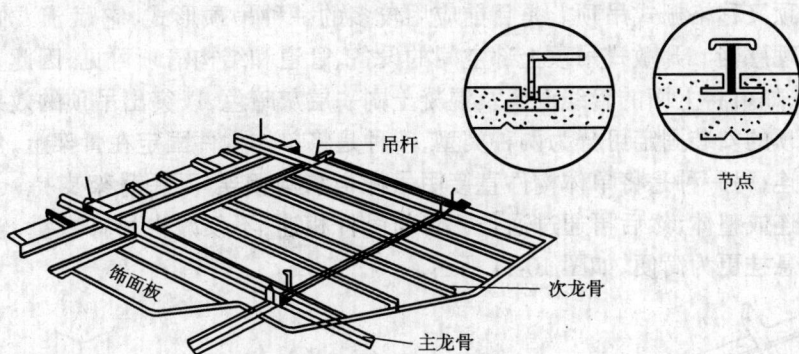

图 10-9　隐蔽式吊顶示意图

隐蔽式装配吊顶的施工程序为:弹线→固定吊杆→安装与调平龙骨→安装装饰面板→板面的饰面处理。

对于上人吊顶,U、C、L 型轻钢吊顶龙骨的布置方式有两种:一种是布置有横向龙骨,另一种是无横向龙骨。前者的优点是吊顶的稳定性好,纸面石膏板的长边可用自攻螺钉固定在横向龙骨上,使得板缝严密牢固可靠,缺点是龙骨及龙骨支托件的数量增多,增加吊顶工程费用和施工时间。后者是可节省龙骨及龙骨支托件,可降低工程费用加快施工进度,但吊顶稳定性较差。对于不上人吊顶轻钢龙骨骨架一般只采用次龙骨,吊顶是设在通长的纵向次龙骨上,其特点是节省了大量龙骨及吊挂件,较多地降低工程费用,也加快施工进度。

四、金属装饰板吊顶的施工

金属装饰板吊顶是以金属材料制成的吊顶板材配合新颖的金属龙骨材料组装成的一种风格独特的吊顶形式,具有强度高、质量轻、结构简单、拆装方便、防火、防潮、耐腐蚀、装饰性好等特点。金属装饰板有条形板(板条)和方形板(正方形和长方形)。金属装饰板按材质分有铝合金吊顶板、镀锌钢板吊顶板和彩色镀锌钢板吊顶板等,按其表面有无冲孔分有冲孔金属吊顶板和无冲孔金属吊顶板。金属装饰板吊顶的施工程序与前述吊顶的施工程序基本相似(图 10-10 所示)。

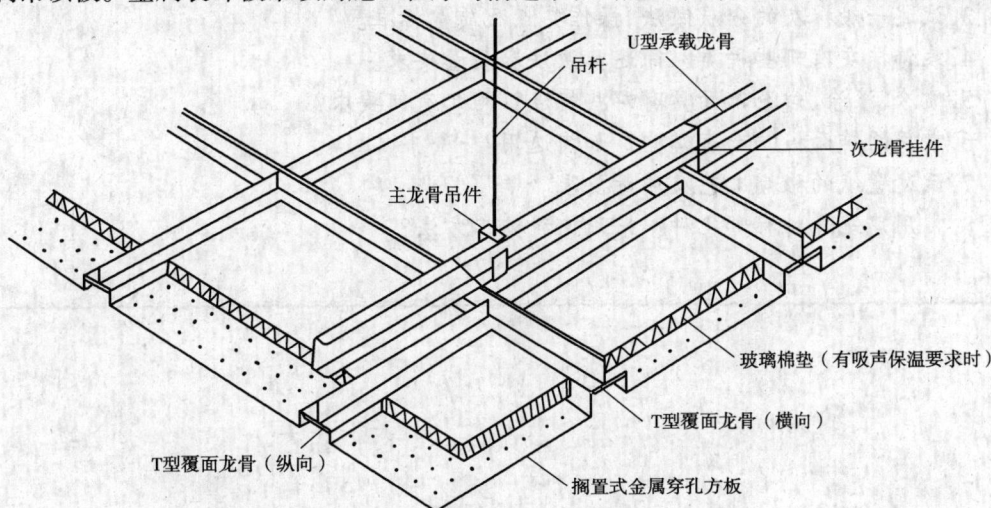

图 10-10　金属装饰板板吊顶的安装示意图

五、开敞式吊顶的施工

开敞式吊顶又称格栅式吊顶。是目前应用较多的一种吊顶形式,它赋予人们一种新颖的与众不同的心理感受。开敞式吊顶上部空间的设备、管道和结构清晰可见,因此要采取措施以模糊上部空间,如可将上面的管线设备及混凝土刷一层灰暗色,以突出吊顶的效果。

开敞式吊顶的安装固定可分为两种类型,一种是将单体构件固定在骨架上,然后将骨架用吊杆与结构相连;另一种是将单体构件直接用吊杆与结构相连,不用骨架支持;也有的将单体构件先用卡具连成整体,然后再通过通长钢管与吊杆相连,不仅减少吊杆数量,较之直接将单体构件用吊杆悬挂更为简便,如图 10-11 所示。

图 10-11　开敞式吊顶示意图

思考题

1.试述装饰工程的作用、特点及发展方向。

2.试述抹灰工程的分类及组成。

3.试述一般抹灰的分层做法、操作要点及质量标准。

4.装饰抹灰有哪些种类？简述其做法和质量要求。

5.喷涂、滚涂、弹涂饰面具有哪些特点？施工有何要求？

6.常用的饰面板(砖)有哪些？如何选用？

7.试述壁纸的裱糊工艺及质量要求。

8.常用建筑涂料有哪几种？采用何种施工方法？

第十一章 施工组织概论
DISHIYIZHANG

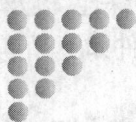

随着社会经济的发展和建筑技术的进步,现代建筑施工过程已成为一项十分复杂的生产活动。一个大型的建设项目施工安装工作,不但包括组织成千上万的各种专业建筑工人和数量众多的各类建筑机械、设备有条不紊的投入工程施工中,而且还包括组织种类繁多的,数以几十甚至几百吨级的建筑材料、制品和构配件的生产、运输、贮存和供应工作,组织施工机具的供应、维修和保养工作,组织施工现场临时供水、供电、供热,以及安排施工现场的生产和生活所需要的各种临时建筑物工作。这些工作的组织与协调,对于多快好省的进行工程建设具有十分重要的意义。

建筑施工组织就是针对工程施工的复杂性,来研究工程建设的统筹安排与系统管理的客观规律的一门学科,它研究如何组织、计划一项拟建工程的全部施工,寻求最合理的组织与方法。具体地说,施工组织的任务是根据建筑产品生产的技术经济特点,以及国家基本建设方针和各项具体的技术政策,实现工程建设计划和设计的要求,提供各阶段的施工准备工作内容,对人力、资金、材料、机械和施工方法等进行科学合理的安排,协调施工中各施工单位、各工种之间、资源与时间之间、各项资源之间的合理关系。在整个施工过程中,按照客观的技术、经济规律,做出科学、合理的安排,使工程施工取得相对最优的效果。

现阶段建筑施工组织学科的发展特点是广泛利用数学方法、网络技术和计算技术等定量性方法。应用现代化的计算手段——电子计算机,采用各种有效手段,对整个工程的施工进行工期、成本、质量的控制,达到工期短、质量好和成本低的目的。

组织管理者必须充分认识施工过程的特点,对所有环节要做到精心组织、严格管理、全面协调好施工中的各种关系。对于特殊、复杂的施工过程,要进行科学的分析,弄清主次矛盾,找出关键线路,有的放矢采取措施,合理组织各种资源的投入顺序、数量、比例,进行科学的工程排队,组织平行交叉流水作业,提高对时间、空间的利用,这样才能取得全面的经济效益和社会效益。

施工组织设计的对象是千差万别的,施工过程当中内部工作与外部联系是错综复杂的,没有一种固定不变的组织管理方法可运用于一切工程,因此,对不同的施工对象需采取不同的管理方式。

第一节　建筑产品及其生产的特点

一、建筑产品的特点

由于建筑产品的使用功能,平面与空间组织,结构与构造形式等特殊性,以及建筑产品所用材料的物理力学性能的特殊性,决定了建筑产品的特殊性,其具体条件如下:

(1)建筑产品在空间上的固定性

一般的建筑产品由自然地面以下的基础和自然地面以上的主体两部分组成(地下建筑全部在自然地面以下)。基础承受主体的全部荷载(包括基础的自重),并传给地基;同时将主体固定在地球上,任何产品都是在选定的地点上建造和使用的,与选定地点的土地不可分割,从建造开始至拆除均不能移动。所以,建筑产品的建造和使用地点在空间上是固定的。

(2)建筑产品的多样性

建筑产品不但要满足各种使用功能的要求,而且要体现出地区的民族风格,物质文明和精神文明,同时也受到不同地区自然条件诸因素的限制,因此,建筑产品在规模、结构、构造、形式、基础和装饰等诸方面变化纷繁,类型多样。

(3)建筑产品的体形庞大

无论是建筑复杂的建筑产品,还是简单的建筑产品,为了满足其使用功能的需要,并结合建筑材料的物理力学性能,需要大量的物质资源,占据广阔的平面与空间,因而建筑产品的形体庞大。

二、建筑产品生产的特点

由于建筑产品地点的固定性、类型的多样性和形体庞大等三大主要特点,决定了建筑产品生产的特点与一般工业产品的生产特点比较具有自身的特殊性,其具体特点如下:

(1)建筑产品生产的流动性

建筑产品地点的固定性决定了生产的流动性,一般的工业产品都是在固定的工厂、车间内进行生产,而建筑产品的生产是在不同的地区,或同一地区的不同现场,或同一现场的不同单位工程,或同一单位工程的不同部位组织工人,机械围绕着同一建筑产品进行生产,因此,使建筑产品的生产在地区与地区之间、现场之间和单位工程不同部位之间流动。

(2)建筑产品生产的单件性

建筑产品生产的地点的固定性和类型的多样性决定了产品生产的单件性。一般的工业产品是在一定的时期里,在统一的工艺流程中进行批量生产,而具体的一个建筑产品应在国家或地区的统一规划内,根据其使用功能要求,在选定的地点上单独设计和单独施工。即使是选用标准设计、通用构件或配件,由于建筑产品所在地区的自然、技术、经济条件的不同,也使建筑产品的结构或构造、建筑材料、施工组织和施工方法等也要因地制宜加以修改,从而使各建筑产品生产具有单件性。

(3)建筑产品生产的地区性

由于建筑产品的固定性决定了同一使用功能的建筑产品因其建造地点的不同必然受到建设地区的自然、技术、经济条件和社会条件的约束,使其结构、构造、艺术形式、室内设施、材料、施工方案等方面均各异。因此建筑产品的生产具有地区性。

(4)建筑产品生产周期长

由于建筑产品的固定性和体形庞大的特点决定了建筑产品生产周期长。因为建筑产品体形庞大,使得最终建筑产品的建成必然耗费大量的人力、物力和财力。同时,建筑产品的生产全过程还要受到工艺流程和生产程序的制约,使各专业、工种间必须按照合理的施工顺序进行配合和衔接。又由于建筑产品地点的固定性,使施工活动的空间具有局限性,从而导致建筑产品具有生产周期长、占用流动资金大的特点。

(5)建筑产品生产的露天作业多

建筑产品地点的固定和体形庞大的特点,决定了建筑产品生产露天作业多。因为形体庞大的建筑产品不可能在工厂、车间内直接进行施工,即使建筑产品生产达到了高度的工业化水平的时候,也只能在工厂内生产其各部门的构件或配件,仍然需要在施工现场内进行总装配后才能形成最终建筑产品。因此建筑产品的生产具有露天作业多的特点。

(6)建筑产品生产的高空作业多

由于建筑产品体形庞大,决定了建筑产品生产具有高空作业多的特点。特别是随着城市现代化的发展,高层建筑物的施工任务日益增多,使得建筑产品生产高空作业的特点日益明显。

(7)建筑产品生产组织协作的综合复杂性

由上述建筑产品生产的诸特点可以看出,建筑产品生产的涉及面广。在建筑企业的内部,它涉及到工程力学、建筑结构、建筑构造、地基基础、水暖电、机械设备、建筑材料和施工技术等学科的专业知识,要在不同时期、不同地点和不同产品上组织多专业、多工种的综合作业。在建筑企业外部,它涉及到各不同种类的专业施工企业,及城市规划、征用土地、勘察设计、消防、公用事业、环境保护、质量监督、科研试验、交通运输、银行行政、机具设备、物质材料、电、水、热、气的供应、劳务等社会各部门和各领域的复杂协作配合,从而使建筑产品生产的组织协作关系综合复杂。

第二节　组织项目施工的基本原则

施工组织设是施工企业和施工项目经理部施工管理活动的重要技术经济文件,也是完成国家和地区基本建设计划的重要手段。而组织工程项目施工则是为了更好到落实、控制和协调其施工组织设计的实施过程。所以组织工程项目施工就是一项非常重要的工作。根据建国以来的实践经验,结合建筑产品及其生产特点,在组织工程项目施工过程中应遵守以下几项基本原则:

1.认真执行工程建设程序

工程建设必须遵循的总程序主要是计划、设计和施工三个阶段。施工阶段应该在设计阶段结束和施工准备完成之后方可正式开始进行。如果违背基本建设程序,就会给施工带来混乱,造成时间上的浪费,资源上的损失、质量上的低劣等后果。

2.搞好项目排队,保证重点,统筹安排

建筑施工企业和施工项目经理部一切生产经营活动的最终目标就是尽快地完成拟建工程项目的建造,使其早日投产或交付使用。这样对于施工企业的决策人员来说,先建造哪部分,后建造哪部分,就成为其通过各种科学管理手段,对各种管理信息进行优化之后,做出决策的问题。通常情况下,根据拟建工程项目是否为重点工程、是否为有工期要求的工程或是否为续建工程等进行安排和分类排队,把有限的资源用于国家或业主最急需的重点工程项目,使其尽快地建成投产;同时照顾一般工程项目,把一般的工程项目和重点工程项目结合起来。实践证明,在时间上分期和在项目上分批,保证重点和统筹安排,是建筑施工企业和工程项目经理部在组织工程项目施工时必须遵循的。

3.遵循施工工艺及其技术规律,合理的安排施工程序和施工顺序

建筑产品及其生产有其本身的客观规律。这里既有建筑施工工艺及其技术方面的规律,也有建筑施工程序和施工顺序方面的规律。遵循这些规律去组织施工,就能保证各项施工活动的紧密衔接和相互促进,充分利用资源,确保工程质量,加快施工速度,缩短工期。

建筑施工工艺及其技术规律,是分部(项)工程固有的客观规律。例如钢筋加工工程,其工艺顺序是钢筋调直、除锈、下料、弯曲和成型,其中任何一道工序也不能省略或颠倒,这不仅是施工工艺要求,也是技术规律要求。因此在组织工程项目过程中必须遵循建筑施工工艺及其技术规律。

建筑施工程序和施工顺序是建筑产品生产过程中的固有规律。建筑产品生产活动是在同一场地和不同空间,同时或前后交错搭接的进行,前面的工作不完成,后面的工作就不能开始。这种前后顺序是客观规律决定的,而交错搭接则是计划决策人员争取时间的主观努力。所以在组织工程项目施工过程中必须科学的安排施工程序和施工顺序。

建筑施工程序和施工顺序是随着拟建工程项目的规模、性质、设计要求、施工条件和使用功能的不同而变化。但是经验证明其仍有可遵循的共同规律。

(1)施工准备与正式施工的关系

施工准备之所以重要,是因为它是后续生产能够按时开始的充分且必要的条件。准备工作没有完成就进行施工,不仅会引起工地的混乱,而且还会造成资源的浪费。因此安排施工程序的同时,首先安排其相应的准备工作。

(2)全场性工程与单位工程的关系

在正式施工时,应该首先进行全场性工程的施工,然后按照工程排队的顺序,逐个的进行单位工程的施工。例如平整场地、架设电线、敷设管网、修建铁路、修筑公路等全场性的工程均应在拟建工程正式开工之前完成。这样就可以使这些永久性工程在全面施工期间为工地的供电、给水、排水和场内外运输服务,不仅有利于文明施工,而且能够获得可观的经济效益。

(3)场内与场外的关系

在安排架设电线、敷设管网、修建铁路和修筑公路的施工程序时,应该先场外后场内;场外由远及近,先主干后分支;排水工程要先下游后上游。这样既能保证工程质量,又能加快施工速度。

(4)地下与地上的关系

在处理地下工程与地上工程时,应遵循先地下后地上和先深后浅的原则。对于地下工程要加强安全技术措施,保证其安全施工。

(5)主体结构与装饰工程的关系

一般情况下,主体结构工程施工在前,装饰工程施工在后。当主体工程在施工进展到一定程度后,为装饰工程的施工提供了工作面时,装饰工程施工可以穿插进行。当然随着建筑产品

生产工业化程度的提高,它们之间的先后时间间隔的长短也将会发生变化。

(6)空间顺序与工种顺序的关系

在安排施工顺序时,既要考虑施工组织要求的空间顺序,又要考虑施工工艺要求的工种顺序。空间顺序要以工种顺序为基础。工种顺序应该尽可能的为空间顺序提供有力的施工条件。研究空间顺序是为了解决施工流向的问题,它是由施工组织、缩短工期和保证质量的要求来决定的;研究工种顺序是为了解决工种之间在时间上合理的搭接问题,它必须在满足施工工艺的要求条件下,尽可能的利用工作面,使相邻两个工种在时间上合理的和最大限度的搭接起来。

4.采用流水施工方法和网络计划技术,组织有节奏、均衡、连续的施工

流水施工方法具有生产专业化强,劳动效率高;操作熟练,工程质量好;生产节奏性强,资源利用均衡;工人连续作业,工期短成本低等特点。国内外经验证明,采用流水施工方法组织施工,不仅能使拟建工程的施工有节奏、均衡、连续的进行,而且会带来很大的技术经济效果。

为此在组织设计工程项目施工时,应该采用流水作业和网络计划技术是极为重要的。

5.科学的安排冬雨季施工项目,保证全年生产的均衡性和连续性

由于建筑产品生产露天作业的特点,因此拟建工程项目的施工必然要受到气候和季节的影响。冬季的严寒和夏季的多雨,都不利于建筑施工的正常进行。如果不采取相应的、可靠的技术组织措施,全年施工的均衡性、连续性就不能得到保证。

随着施工工艺及其技术的发展,已经完全可以在冬雨季进行正常施工。但是由于冬雨季施工要采取一些特殊的技术组织措施,也必然会增加一些费用,因此在安排施工进度计划时应当严肃的对待、恰当的安排冬雨季施工的项目。

6.提高建筑工业化程度

建筑技术进步的重要标志之一是建筑工业化,而建筑工业化主要体现在认真执行工厂预制和现场预制相结合的方针,努力提高建筑机械化程度。

建筑产品的生产需要消耗巨大的社会劳动。在建筑施工过程中,尽量以机械化施工代替手工操作,尤其是大面积的平整场地、大量的土石方工程、大批量的装卸和运输,大型钢筋混凝土构件或钢结构构件的制作和安装等繁重施工过程的机械化施工,对于改善劳动条件、减轻劳动强度和提高劳动生产率等其经济效果都很显著。

目前我国建筑施工企业的技术装备程度还很不够,满足不了生产的需要。为此在组织工程项目施工时,要因地、因工程制宜。充分利用现有的机械设备。在选择施工机械过程中,要进行技术经济比较,使大型机械和中、小型机械结合起来,使机械化和半机械化结合起来,尽量扩大机械化施工范围,提高机械化施工强度。同时要充分发挥机械设备的生产率,保持其作业的连续性,提高机械设备的利用率。

7.尽量采用国内外先进的施工技术和科学管理方法

先进的施工技术与科学的施工管理手段相结合,是改善建筑施工企业和工程项目经理部的生产经营管理素质、提高劳动生产率、保证工程质量、缩短工期、降低工程成本的重要途径。为此在编制施工组织设计时应广泛的采用国内外的先进施工技术和科学的施工管理方法。

8.尽量减少暂设工程,合理的储备物资,减少物资运输量,科学的布置施工平面图。

暂设工程在施工结束之后就要拆除,其投资有效时间是短暂的,因此在组织工程项目施工时,对暂设工程和大型临时设施的用途、数量和建造方式等方面,要进行技术经济方面的可行性研究,在满足施工需要的前提下,使其数量最少和造价最低。这对于将低工程成本和减少施工用地都是十分重要的。

建筑产品生产所需要的建筑材料、构(配)件、制品等种类繁多、数量庞大,各种物资的储备数量、方式都必须科学合理。对物资库采用 ABC 分类法和经济定购批量法,在保证正常供应的前提下,其储备数额要尽可能的减少。这样可以大量减少仓库、堆场的占地面积,对于降低工程成本,提高工程项目经理部的经济效益,都是事半功倍的好办法。

建筑材料的运输费在工程成本中所占的比重也是相当可观的,因此在组织工程项目施工时,要尽量采用当地资源,减少其运输量。同时应该选择最优的运输方式、工具和线路,使其运输费最低。

减少暂设工程的数量和物资储备的数量,对于合理的布置施工平面图提供了有利条件。施工平面图在满足施工需要的情况下,尽可能使其紧凑和合理,减少施工用地,有利于降低工程成本。

上述原则,既是建筑产品生产的客观需要,又是加快施工速度、缩短工期、保证工程质量、降低工程成本、提高建筑施工企业和工程项目经理部的经济效益的需要,所以必须在组织施工过程中认真的贯彻执行。

第三节 工程项目施工准备工作

现代企业管理的理论认为,企业管理的重点是生产经营,而生产经营的核心是决策。工程项目施工准备工作是生产经营管理的重要组成部分,是对拟建工程目标、资源供应和施工方案的选择,及其空间布置和时间排列等诸方面进行的施工决策。

一、施工准备工作的重要性

基本建设是人们创造物质财富的重要途径,是我国国民经济的主要支柱之一。基本建设工程项目总的程序是按照计划、设计和施工三个阶段进行。施工阶段又分为施工准备、土建施工、设备安装、交工验收阶段。

由此可见,施工准备工作的基本任务是为拟建工程的施工建立必要的技术和物质条件,统筹安排施工力量和施工现场。施工准备工作也是施工企业搞好目标管理,推行技术经济承包的重要依据。同时施工准备工作还是土建施工和设备安装顺利进行的根本保证。因此认真的做好施工准备工作,对于发挥企业优势、合理供应资源、加快施工速度、提高工程质量、降低工程成本、增加企业经济效益、赢得企业社会信誉、实现企业管理现代化等具有重要的意义。

实践证明,凡是重视施工准备工作,积极为拟建工程创造一切施工条件,其工程的施工就会顺利的进行;凡是不重视施工准备工作,就会给工程的施工带来麻烦和损失,甚至给工程施工带来灾难,其后果不堪设想。

二、施工准备的分类

1.按工程项目施工准备工作的范围不同分类

按工程项目施工准备工作的范围不同,一般可分为全场性施工准备、单位施工条件准备和分部(项)工程作业条件准备等三种。

(1)全场性施工准备

它是以一个建筑工地为对象而进行的各项施工准备。其特点是它的施工准备工作的目的、内容都是为全场性施工服务的,它不仅要为全场性的施工活动创造有利条件,而且要兼顾单位工程施工条件的准备。

(2)单位施工条件准备

它是以一个建筑物或构筑物为对象而进行的施工条件准备工作。其特点是它的准备工作的目的、内容都是为单位工程施工服务的,它不仅是为该单位工作在开工前做好一切准备,而且要为分部分项工程做好施工准备工作。

(3)分部分项工程条件准备

它是以一个分部分项工程或冬雨季施工为对象而进行的作业条件准备。

2.按拟建工程所处的施工阶段的不同分类

按拟建工程所处的施工阶段不同,一般可分为开工前的施工准备和各施工阶段前的施工准备等两种。

(1)开工前的施工准备

它是在拟建工程正式开工前所进行的一切施工准备工作。其目的是为拟建工程正式开工前创造必要的施工条件。它既可能是全场性的施工准备,又有可能是单位施工条件的准备。

(2)各施工阶段前的施工准备

它是在拟建工程开工之后,每个施工阶段正式开工之前所进行的一切施工准备工作。其目的是为施工阶段正式开工创造必要的施工条件。如混合结构用的民用住宅的施工,一般可分为地下工程、主体工程、装饰工程和屋面工程等施工阶段,每个施工阶段的施工内容不同,所需要的技术条件、物资条件、组织要求和现场布置等方面也不同,因此在每个施工阶段开工之前,都必须做好相应的施工准备工作。

综上所述,可以看出:不仅在拟建工程开工之前要做好施工准备工作,而且随着工程施工的进展,在各施工阶段开工之前也要做好施工准备工作。施工准备工作既要有阶段性又要有连贯性,因此施工准备工作必须有计划、有步骤、分期的和分阶段进行,要贯穿拟建工程整个生产过程的始终。

三、施工准备工作的内容

工程项目施工准备工作按其性质及内容,通常包括技术准备、物资准备、劳动组织准备、施工现场准备和施工场外准备。

1.技术准备

技术准备是施工准备的核心。由于任何技术的差错或隐患都可能引起人身安全和质量事

故,造成生命、财产和经济的巨大损失。因此必须认真的做好技术准备工作。具体有如下内容:

1)熟悉、审查施工图纸和有关的设计资料

(1)熟悉、审查施工图纸的依据

①建设单位和设计单位提供的初步设计或扩大初步设计(技术设计)、施工图纸设计、建筑总平面、土方竖向设计和城市规划等资料文件;

②调查、搜集的原始资料;

③设计、施工验收规范和有关技术规定。

(2)熟悉、审查设计图纸的目的

①为了能够按照设计图纸的要求顺利的进行施工,生产出符合设计要求的最终建筑产品(建筑物或构筑物);

②为了能够在拟建工程施工开工之前,使从事建筑施工技术和经营管理的工程技术人员充分的了解和掌握设计图纸的设计意图、结构与构造特点和技术要求;

③通过审查发现设计图纸中存在的问题和错误,使其改正在施工开始之前,为拟建工程的施工提供一份准确、齐全的设计图纸。

(3)熟悉、审查设计图纸的内容

①审查拟建工程的地点、建筑总平面图同国家、城市或地区规划是否一致,以及建筑物或构筑物的设计功能和使用要求是否符合卫生、防火及美化城市方面的要求;

②审查图纸是否完整、齐全,以及设计图纸和资料是否符合国家有关工程建设的设计、施工方面的方针和政策;

③审查设计图纸与说明书在内容上是否一致,以及设计图纸与其各组成部分之间有无矛盾和错误;

④审查建筑总平面图与其它结构图在几何尺寸、坐标、标高、说明等方面是否一致,技术要求是否正确;

⑤审查工业项目的生产流程和技术要求,掌握配套投产的先后次序和相互关系,以及设备安装图纸与其相配合的土建施工图纸在坐标、标高上是否一致,掌握土建施工质量是否满足设备安装的要求;

⑥审查地基处理与基础设计同拟建工程地点的工程水文、地质等条件是否一致,以及建筑物或构筑物与地下建筑物或构筑物、管线之间的关系;

⑦明确拟建工程的结构形式和特点,复核主要承重结构的强度、刚度和稳定性是否满足要求,审查设计图纸中的工程复杂、施工难度大和技术要求高的分部分项工程或新结构、新材料、新工艺,检查现有施工技术水平和管理水平是否满足工期要求和质量要求并进行可行的技术措施加以保证;

⑧明确建设期限、分期分批投产或交付使用的顺序和时间,以及工程所用的主要材料、设备的数量、规格、来源和供货日期;

⑨明确建设、设计和施工等单位之间的协作、配合关系,以及建设单位可以提供的施工条件。

(4)熟悉、审查设计图纸的程序。熟悉、审查设计图纸的程序通常分为自审阶段、会审阶段和现场签证等三个阶段。

①设计图纸的自审阶段。施工单位收到拟建工程的设计图纸和有关技术文件后,应尽可

能的组织有关的工程技术人员熟悉和审查图纸,写出自审图纸的纪录。自审图纸的记录应包括对设计图纸的疑问核对设计图纸的有关建议。

②设计图纸的会审阶段。一般由建设单位主持,由设计单位和施工单位参加,三方进行设计图纸的会审。图纸会审时,首先由设计单位的工程主设人向与会者说明拟建工程的设计依据、意图和功能要求,并对特殊结构、新材料、新工艺和新技术提出设计要求;然后施工单位根据自审记录以及对设计意图的了解,提出对设计图纸的疑问和建议;最后在统一认识的基础上,对所探讨的问题逐一的做好记录,形成"图纸会审纪要",有建设单位正式行文,参加单位共同会签、盖章,作为与设计文件同时使用的技术文件和指导施工的技术文件和指导施工的依据,以及建设单位与施工单位进行工程结算的依据。

③设计图纸的现场签证阶段。在拟建工程施工的过程中,如果发现施工的条件与设计图纸的条件不符,或者发现图纸中仍然有错误,或者因为材料的规格、质量不能满足设计要求,或者因为施工单位提出了合理化建议,需要对设计图纸进行及时修订时,应遵循技术核定和设计变更的签证制度,进行图纸的施工现场签证。如果设计变更的内容对拟建工程的规模、投资影响较大时,要报请项目的原批准部门批准。在施工现场的图纸修改、技术核定和设计变更资料,都要有正式的文字记录,归入拟建工程施工档案,作为指导施工、竣工验收和工程结算的依据。

2)原始资料的调查分析

为了做好施工准备工作,除了要掌握有关拟建工程的书面资料外,还应该进行拟建工程的实地勘测和调查,获得有关数据的第一手资料,这对于拟定一个先进合理、切合实际的施工组织设计师非常必要的,因此应该做好以下几个方面的调查分析:

(1)自然条件的调查分析。建设地区自然条件的调查分析的主要内容有地区水准点和绝对标高等情况;地质构造、土的性质和类别、地基的承载力、地震级别和烈度等情况;河流流量和水质、最高洪水和枯水期的水位等情况;地下水位的高低变化情况,含水层的厚度、流向、流量和水质等情况;气温、雨、雪、风和雷电等情况;土的冻结深度和冬雨季的期限等情况。

(2)技术经济条件的调查分析。建设地区技术经济条件的调查分析的主要内容有:地方建筑施工企业的状况;施工现场的动迁状况;当地可利用的地方材料状况;国拨材料供应状况;地方劳动力和技术水平状况;当地生活供应、教育和医疗卫生状况;当地消防、治安状况和参加施工单位的力量状况。

3)编制施工图预算和施工预算

(1)编制施工图预算。施工图预算是技术准备工作的主要组成部分,这是按造施工图确定的工程量、施工组织所拟定的施工方法、建筑工程预算定额及其取费标准,由施工单位编制的确定建筑安装工程造价的经济文件,它是施工企业签订工程承包合同、工程结算、建设银行拨付工程价款、进行成本核算、加强经营管理等方面工作的重要依据。

(2)编制施工预算。施工预算是根据施工图预算、施工图纸、施工组织设计或施工方案、施工定额等文件进行编制的,它直接受施工图预算的控制。它是施工企业内部控制各项成本支出、考核用工、"两算"对比、签发施工任务单、限额领料、基层进行经济核算的依据。

4)编制施工组织设计

施工组织设计是施工准备工作的重要组成部分,也是指导施工现场全部生产活动的技术经济文件。建筑施工生产活动的全过程是非常复杂的物质财富再创造的过程,为了正确处理人与物、主体与辅助、工艺与设备、专业与协作、供应与消耗、生产与储存、使用与维修以及它们在空间布置、时间排列之间的关系,必须根据拟建工程的规模、结构特点和建设单位的要求,在原始资料调查分析的基础上,编制出一份能切实指导该工程全部施工活动的科学方案(施工组织设计)。

2.物资准备

材料、构(配)件、制品、机具和设备是保证施工顺利进行的物资基础,这些物资的准备工作必须在工程开工之前完成。根据各种物资的需要量计划,分别落实货源,安排运输和储备,使其满足连续施工的要求。

1)物资准备工作的内容

物资准备工作主要包括建筑材料的准备;构(配)件和制品的加工准备;建筑安装机具的准备和生产工艺设备的准备。

(1)建筑材料的准备。建筑材料的准备主要是根据施工预算进行分析,按照施工进度计划要求,按材料名称、规格、使用时间、材料储备定额和消耗定额进行汇总,编制出材料需要量计划,为组织备料、确定仓库、场地堆放所需的面积和组织运输等提供依据;

(2)构(配)件、制品的加工准备。根据施工预算提供的构(配)件、制品的名称、规格、质量和消耗量,确定加工方案和供应渠道以及进场后的储存地点和方式,编制出其需要量计划,为组织运输、确定堆场面积等提供依据;

(3)建筑安装机具的准备。根据采用的施工方案,安排施工进度,确定施工机械的类型、数量和进场时间。确定施工机具的供应办法和进场后的存放地点和方式。编制建筑安装机具的需要量计划,为组织运输、确定堆场面积等提供依据;

(4)生产工艺设备的准备。按照拟建工程工艺流程及工艺设备的布置图,提出工艺设备的名称、型号、生产能力和需要量,确定分期分批进场时间和保管方式,编制工艺设备需要量计划,为组织运输、确定堆场面积等提供依据。

2)物资准备工作的程序

物资准备工作的程序是搞好物资准备的重要手段。通常按如下程序进行:

(1)根据施工预算、分部(项)工程施工方法和施工进度的安排,拟定国拨材料、统配材料、地方材料、构(配)件及制品、施工机具和工艺设备等物资的需要量计划;

(2)根据各种物资需要量计划,组织货源,确定加工、供应地点和供应方式、清定物资供应计划合同;

(3)根据各种物资的需要量计划和合同,拟定运输计划和运输方案;

(4)按照施工总平面图的要求,组织物资按计划时间进场,在指定地点,按规定方式进行储存和堆放。

3.劳动组织准备

劳动组织准备的范围既有整个建筑施工企业的劳动组织准备,又有大型综合的拟建建设项目的劳动组织准备,也有小型简单的拟建单位工程的劳动组织准备。这里仅以一个拟建工程为例,说明其劳动组织准备工作的内容如下:

1)建立拟建工程项目的领导机构

施工组织机构的建立应遵循以下的原则:根据拟建工程项目的规模、结构特点和复杂程度,确定拟建工程项目施工的领导机构人选和名额;坚持合理分工与密切协作相结合;把有施工经验、有创新精神、有工作效率的人选入领导机构；认真执行因事设职、因职选人的原则。

2）建立精干的施工队组

施工队组的建立要认真考虑专业、工种的合理配合、技工、普工的比例要求满足合理的劳动组织，要符合流水施工组织方式的要求，确定施工队组（是专业施工队组，或是混合施工队组），要坚持合理、精干的原则；同时制定出该工程的劳动力需要量计划。

3）集结施工力量、组织劳动力进场

工地的领导机构确定之后，按照开工日期和劳动力需要量计划，组织劳动力进场，同时要进行安全、防火和文明施工等方面的教育，并安排好职工的生活。

4）向施工队组、工人进行施工组织设计、计划和技术交底

施工组织设计、计划和技术交底的目的是把拟建工程的设计内容、施工计划和施工技术等要求，详尽的向施工队组和工人讲解交待。这是落实计划和技术责任制的好办法。

施工组织设计、计划和技术交底的时间在单位工程或分部分项工程开工前及时进行，以保证施工严格的按照设计图纸、施工组织设计、安全操作规程和施工验收规范等要求进行施工。

施工组织设计、计划和技术交底的内容有工程的施工进度计划、月（旬）作业计划；施工组织设计，尤其是施工工艺、质量标准、安全技术措施、降低成本措施和施工验收规范的要求；新结构、新材料、新技术和新工艺的实施方案和保证措施；图纸会审中所确定的有关部位的设计变更和技术核定等事项。交底工作应该按照管理系统逐级进行，由上而下直到工人队组。交底的方式有书面形式、口头形式和现场示范形式等。

队组、工人接受施工组织设计、计划和技术交底后，要组织其成员进行认真的分析研究，弄清关键部位、质量标准、安全措施和操作要领。必要时应该进行示范，并明确任务及做好分工协作，同时建立健全的岗位责任制和保证措施。

5）建立健全各项管理制度

工地的各项管理制度是否建立、健全，直接影响其各项施工活动的顺利进行。有章不循其后果是严重的，而无章可循更是危险的。为此必须建立、健全工地的各项管理制度。通常内容如下：

工程质量检查与验收制度；工程技术档案管理制度；建筑材料（构件、配件、制品）的检查验收制度；技术责任制度；施工图纸学习与会审制度；技术交底制度；职工考勤、考核制度；工地及班组经济核算制度；材料出入库制度；安全操作制度；机具使用保养制度。

4.施工现场准备

施工现场是施工的全体参加者为夺取优质、高速、低消耗的目标，而有节奏、均衡连续的进行决战的活动空间。施工现场的准备工作，主要是为了给拟建工程的施工创造有利的施工条件和物资保证。其具体内容如下：

1）做好施工场地的控制网测量

按照设计单位提供的建筑总平面图及给定的永久性经纬坐标控制网和水准控制基桩，进行厂区施工测量，设置厂区的永久性经纬坐标桩，水准基桩和建立厂区工程测量控制网。

2）搞好"三通一平"

"三通一平"是指路通、水通、电通和平整场地。

路通：施工现场的道路是组织物资运输的动脉。拟建工程开工前，必须按照施工总平面图的要求，修好施工现场的永久性道路（包括厂区铁路、厂区公路）以及必要的临时性道路，形成

完整畅通的运输网络,为建筑材料进场,堆放创造有利条件。

水通:水是施工现场的生产和生活必不可缺少的。拟建工程开工之前,必须按照施工总平面图的要求,接通施工用水和生活用水的管线,使其尽可能与永久性的给水系统结合起来,做好地面排水系统,为施工创造良好的环境。

电通:电是施工现场的主要动力来源。拟建工程开工之前,要按照施工组织设计的要求,接通电力和电讯设施,做好其它能源(如蒸气、压缩空气)的供应,确保施工现场动力设备和通讯设备的正常运行。

平整场地:按照建筑施工总平面图的要求,首先拆除场地上妨碍施工的建筑物或构筑物,然后根据建筑总平面图规定的标高和土方竖向设计图纸,进行挖(填)土方的工程量计算,确定平整场地施工方案,进行平整场地的工作。

3)做好施工现场的补充勘探

对施工现场做补充勘探是为了进一步寻找枯井、防空洞、古墓、地下管道、暗沟和枯树根等隐蔽物,以便及时拟定处理隐蔽物的方案,并进行实施。为基础工程施工创造有利条件。

4)建造临时设施

按照施工总平面图的布置,建造临时设施,为正式开工准备好生产、办公、生活、居住和储存等临时用房。

5)安装、调试施工机具

按照施工机具需要量计划,组织施工机具进场,根据施工总平面图将施工机具安置在规定的地点或仓库。对于固定的机具要进行就位、搭棚、接电源、保养和调试等工作。对所有施工机具都必须在开工前进行检查和试运转。

6)做好建筑构(配)件、制品和材料的储存和堆放

按照建筑材料、构(配)件和制品的需要量计划组织进场,根据施工总平面图规定的地点和指定的方式进行储存和堆放。

7)及时提供建筑材料的试验申请计划

按照建筑材料的需要量计划,及时提供建筑材料的试验申请计划。如钢材的机械性能和化学成分等试验;混凝土或砂浆的配合比和强度等试验。

8)做好冬雨季施工安排

按照施工组织设计的要求,落实冬雨季施工的临时实施和技术措施

9)进行新技术项目的试制和试验

按照施工设计图纸和施工组织设计的要求,认真进行新技术项目的试制和试验。

10)设置消防、保安设施

按照施工组织设计的要求,根据施工总平面图的布置,建立消防、保安等组织机构和有关的规章制度,布置安排好消防、保安等措施。

5.施工的场外准备

施工准备除了施工现场的准备工作之外,还有施工现场外部的准备工作。其具体内容如下:

1)材料的加工和订货

建筑材料、构(配)件和建筑制品大部分均必须外购,工艺设备更是如此。这样如何与加工部门、生产单位联系,签订供货合同,搞好及时供应,对于施工企业的正常生产量时非常重要的;对于协作项目也是这样,除了要签订议定书之外,还必须做大量的有关方面的工作。

2)做好分包工作和签订分包合同

由于施工单位本身的力量所限,有些专业工程的施工、安装和运输等均需要向外单位委托。根据工程量、完成日期、工程质量和工程造价等内容,与其他单位签订分包合同、保证按时实施。

3)向上级提交开工申请报告

当材料的加工和订货及做好分包工作和签订分包合同等施工场外的准备工作后,应该及时的填写开工申请报告,并上报上级批准。

四、施工准备工作计划

为了落实各项施工准备工作,加强对其检查和监督,必须根据各项施工准备工作的内容、时间和人员,编制出施工准备工作计划。

综上所述,各项施工准备工作不是分离的、孤立的,而是互为补充,相互配合的。为了提高施工准备工作的质量、加快施工准备工作的速度,必须加强建设单位、设计单位和施工单位之间的协调工作,建立健全施工准备工作的责任制度和检查制度,使施工准备工作有领导、有组织、有计划和分期分批的进行,贯穿施工全过程的始终。

第四节 施工组织设计

一、编制施工组织设计的重要性

施工组织设计是用来指导拟建工程施工全过程中各项活动的技术、经济和组织的综合性文件。它的重要性主要体现在以下几个方面:

1.从建筑产品及其生产的特点来看

由建筑产品及其生产的特点可知,不同的建筑物或构筑物均有不同的施工方法,就是相同的建筑物或构筑物,其施工方法也不尽相同,即使同一个标准设计的建筑物或构筑物因为建造的地点不同,其施工方法也不得能完全相同。所以根本没有完全统一的、固定不变的施工方法可供选择,应该根据不同的拟建工程,编制不同的施工组织设计。这样必须详细研究工程的特点、地区环境和施工条件,从施工的全局和技术经济的角度出发,遵循施工工艺的要求,把施工中的各单位、各部门及各施工阶段之间的关系更好的协调起来。这就需要在拟建工程开工之前,进行统一部署,并通过施工组织设计科学的表达出来。

2.从建筑施工在工程建设中地位来看

基本建设的内容和程序是现计划、再设计和后施工三个阶段。计划阶段是确定拟建工程的性质、规模和建设期限;设计阶段是根据计划的内容编制实施建设项目的技术经济文件,把建设项目的内容、建设方法和投产后的经济效果具体化;施工阶段是根据计划和设计文件的规定制定实施方案,把人们主观设想变成客观现实。根据基本建设投资分配可知,在施工阶段中的投资占基本建设总投资的 60% 以上,远高于计划和设计阶段投资的总和。因此施工阶段是基本建设中最重要的一个阶段。认真的编制好施工组织设计,为保证施工阶段的顺利进行、实现预期的效果,其意义非常重要。

3. 从施工企业的经营管理程序来看

(1)施工企业的施工计划与施工组织设计的关系

施工企业的施工计划是根据国家或地区基本建设计划的要求,及企业对建筑市场所进行科学预测和中标的结果,结合本企业的具体情况,制定出企业不同时期的施工计划和各项技术经济指标。而施工组织是按具体的拟建工程对象的开竣工时间编制的指导施工的文件。对于现场性企业来说,企业的施工计划与施工组织设计是一致的,并且施工组织设计是企业施工计划的基础。对于区域性施工企业来说,当拟建工程属于重点工程时,为了保证其按期投产或交付使用,企业的施工计划要服从重点工程、有工期要求的工程和续建工程的施工组织是设计要求。施工组织设计对企业的施工计划起决定和控制性的作用,当拟建工程属于非重点工程时,尽管施工组织设计要服从企业的施工计划,但其施工组织设计对本身的施工仍然起决定性的作用。由此可见施工组织设计与施工企业两者之间有着极为密切的,不可分割的关系。

(2)施工企业生产的投入、产出与施工组织设计的关系

建筑产品的生产和其他工业产品的生产一样,都是按要求投入生产要素,通过一定的生产过程,而后生产出成品。建筑施工企业经营管理目标的实施过程就是从承担工程任务开始到竣工验收交付使用的全部施工过程的计划、组织和控制的投入、产出过程的管理,基础就是科学的施工组织设计。即按照基本建设计划、设计图纸规定的工期和质量、遵循技术先进、经济合理、资源少耗的原则,拟定周密的施工准备、确定合理的施工程序、科学的投入人才、技术、材料、机具和资金等五个要素,达到进度快、质量好和经济省等三个目标。可见施工组织设计是统筹安排施工企业生产的投入、产出过程的关键。

(3)施工企业的现代化管理与施工组织设计的关系

施工企业的现代化管理主要体现在经营管理素质和经营管理水平两个方面。施工企业的经营管理素质主要是竞争能力、应变能力、盈利能力、技术开发能力和扩大再生产能力等威力;施工企业的经营管理水平是计划与决策、组织与指挥、控制与协调和教育与激励等职能。经营管理素质和水平是企业管理的基础,也是实现企业的贡献目标、信誉目标、和职工福利目标等经营管理的目标的保证,同时经营管理又是发挥企业的经营管理素质和水平的关键过程。所以无论是企业经营管理素质的威力,还是企业经营管理的水平的职能,都是必须通过施工组织设计的编制、贯彻、检查和调整来实现。由此可见,施工企业的经营管理素质和水平的提高、经营管理目标的实现,都离不开施工组织设计的编制到实施的全过程。充分体现了施工组织设计对施工企业得现代化管理的重要性。

二、施工组织设计的作用

施工组织设计是根据国家或业主对拟建工程的要求,设计图纸和编制施工组织设计的基本原则,从拟建工程施工全过程中的人力、物力和空间等三个要素着手,在人力与物力、主体与辅助、供应与消耗、生产与储存、专业与协作、使用与维修和空间布置与时间排列等方面进行科学的、合理的部署,为建筑产品生产的节奏性、均衡性和连续性提供最优方案,从而以最少资源消耗取得最大的经济效果,使最终建筑产品的生产在时间上达到速度快和工期短;在质量上达到精度高和功能好;在经济上达到消耗少、成本低和利润高的目的。

施工组织设计的作用是对拟建工程施工的全过程实行科学管理的重要手段。通过施工组织设计的编制,可以全面考虑拟建工程的各种具体施工条件,扬长避短的拟定合理的施工方

案,确定施工顺序、施工方法、劳动组织和技术经济的组织措施,合理的统筹安排拟定施工进度计划,保证拟建工程按其投产或交付使用;也为拟建工程的设计方案在经济上的合理性,在技术上的科学性和在实施过程上的可能性进行论证提供论据;还为建设单位编制基本建设计划和施工企业编制施工计划提供依据。施工企业可以提前掌握人力、材料和机具使用上的先后顺序,全面安排资源的供应与消耗;可以合理的确定临时设施的数量、规模和用途;以及临时设施、材料和机具在施工场地上的布置方案。

通过施工组织设计的编制,可以预计施工过程中可能发生的各种情况,事先做好准备、预防,为施工企业实施施工准备工作计划提供依据;可以把拟建工程的设计与施工、技术与经济、前方与后方和施工企业的全部施工安排与具体工程的施工组织工作更紧密的结合起来;可以把直接参加的施工单位与协作单位、部门与部门,阶段与阶段、过程与过程之间的关系更好的协调起来。根据实践经验,对于一个拟建工程来说,如果施工组织设计编制的合理,能正确反映客观实际,符合建设单位和设计单位的要求,并且在施工过程中认真贯彻执行,就可以保证拟建工程施工的顺利进行,取得好、快、省和安全的效果,早日发挥基本建设投资的经济效益和社会效益。

三、施工组织设计的分类

施工组织设计按设计阶段的不同、编制对象范围的不同、使用时间的不同和编制内容的繁简程度不同,有以下分类情况:

1.按设计阶段的不同分类

施工组织设计的编制一般是同设计阶段相配合。

(1)设计按两个阶段进行时

施工组织设计分为施工组织总设计(扩大初步施工组织设计)和单位工程施工组织设计两种。

(2)设计按三个阶段进行时

施工组织设计分为施工组织设计大纲(初步施工组织条件设计)、施工组织总设计和单位工程施工组织设计三种。

2.按编制对象范围不同的分类

施工组织设计按编制对象范围的不同可分为施工组织总设计、单位工程施工组织设计、分部分项工程施工组织设计三种。

(1)施工组织总设计

施工组织总设计是以一个建筑群或一个建设项目为编制对象,用以指导整个建筑群或建设项目施工全过程的各项施工活动的技术、经济和组织的综合性文件。施工组织总设计一般在初步设计或扩大初步设计之后,由总承包企业的总工程师领导下进行编制。

(2)单位工程施工组织设计

单位工程施工组织设计是以一个单位工程(一个建筑物或构筑物,一个交工系统)为编制对象,用以指导其施工全过程的各项施工活动的技术、经济和组织的综合性文件。单位工程施工组织设计一般在施工图设计完成后,在拟建工程开工之前,由工程处的技术负责人领导下进行编制。

(3)分部分项工程施工组织设计

分部分项工程施工组织设计是以分部分项工程为编制对象,用以具体实施其施工全过程的各项施工活动的技术、经济和组织的综合性文件。分布分项施工组织施工设计一般是同单位施工组织设计的编制同时进行,并由单位工程的技术人员负责编制。

施工组织总设计、单位工程施工组织设计和分部分项工程施工组织设计之间有以下关系:施工组织总设计师对整个建设项目的全局性战略部署,其内容和范围比较概括;单位工程施工组织设计是在施工组织总设计的控制下,以施工组织总设计和企业施工计划为依据编制的,针对具体的单位工程,把施工组织总设计的内容具体化;分部分项工程施工组织设计是以施工组织总设计、单位工程施工组织设计和企业施工计划为依据编制的,针对具体的分部分项工程,把单位工程施工组是设计进一步具体化,它是专业工程具体的组织施工的设计。

3.按编制内容的繁简程度不同的分类

施工组织设计按编制内容的繁简程度不同可分为完整的施工组织设计和简单的施工组织设计两种。

(1)完整的施工组织设计

对于工程规模大、结构复杂、技术要求高、采用新结构、新技术、新材料和新工艺的拟建工程项目,必须编制内容相近的完整施工组织设计。

(2)简单的施工组织设计

对于工程规模小、结构简单、技术要求和工艺方法不复杂的拟建工程项目,可以编制一般仅包括施工方案,施工进度计划和施工总平面布置图等内容粗略的简单施工组织设计。

四、施工组织设计的内容

1.施工总设计的内容

(1)建设项目的工程概况;

(2)施工部署及主要建筑物或构筑物的施工方案;

(3)全场性施工准备工作计划;

(4)施工总进度计划;

(5)各项资源需要量计划;

(6)全场性施工总平面布置图;

(7)各项技术经济指标;

(8)结束语。

2.单位工程施工组织设计内容

(1)工程概况及其施工准备工作计划;

(2)施工方案的选择;

(3)单位工程施工准备工作计划;

(4)单位工程施工进度计划;

(5)各项资源需要量计划;

(6)单位工程施工平面图设计;

(7)质量、安全、节约及冬雨季施工的技术组织保证措施;

(8)主要技术经济指标；

(9)结束语。

3.分部分项工程施工组织设计的内容

(1)分部分项工程概况及其施工特点的分析；

(2)施工方法及施工机械的选择；

(3)分布分项工程施工准备工作计划；

(4)分部分项工程施工进度计划；

(5)劳动力、材料和机具等需要量计划；

(6)质量、安全和节约等技术组织保证措施；

(7)作业区施工平面图设计；

(8)结束语。

五、施工组织设计的编制

1.施工组织设计的编制

(1)当拟建工程中标后，施工单位必须编制建设施工组织设计。建设工程实行总包和分包的，由总包单位负责编制施工组织设计或者分阶段施工组织设计。分包单位在总包单位的总体部署下，负责编制分包工程的施工组织设计。施工组织设计应根据合同工期及有关的规定进行编制，并且要广泛征求各协作施工单位的意见。

(2)对结构复杂、施工难度大以及采用新工艺和新技术的工程项目，要进行专业性的研究，必要时组织专门会议，邀请有经验的专业工程技术人员参加，集中群众智慧，为施工组织设计的编制和实施打下坚定的群众基础。

(3)在施工组织设计编制过程中，要充分发挥各职能部门的作用，吸收他们参加编制和审定；充分利用施工企业的技术素质和管理素质，统筹安排、扬长避短，发挥施工企业的优势，合理的进行工序交叉配合的程序设计。

(4)当比较完整的施工组织设计方案提出之后，要组织参加编制的人员及单位进行讨论，逐项逐条的研究，修改后确定，最终形成正式文件，送主管部门审批。

2.编制施工组织设计的程序

(1)施工组织总设计的编制程序如图；

(2)单位工程施工组织设计的编制程序如图；

(3)分布分项工程施工组织设计的编制程序如图。

在编制施工组织设计时，除了要采用正确合理的编制方法外，还要采用科学的编制程序。同时必须注意有关信息的反馈。施工组织设计的编制过程是又粗到细，反复协调进行的，最终达到优化组织设计的目的。

六、施工组织设计的贯彻

施工组织设计的编制，只是为实施拟建工程项目的生产过程提供了一个可行的方案。这个方案的经济效果如何，必须通过实践去验证。施工组织设计贯彻的实质，就是把一个静态平衡方案,放到不断变化的施工过程中,考核其效果和检查其优劣的过程,以达到预定的目标。所以施工组织设计贯彻的情况如何,其意义是深远的,为了保证施工组织设计的顺利实施,应做好以下几个方面的工作:

(1)传达施工组织设计的内容和要求

经过审批的施工组织设计,在开工前要召开各级的生产、技术会议,逐渐进行交底,详细地讲解其内容、要求和施工的关键与保证措施,组织群众广泛讨论,拟订完成任务的技术组织措施,做出相应的决策。同时责成计划部门,制定出切实可行的和严密的施工计划,责成技术部门,拟订科学合理的具体的技术实施细则,保证施工组织设计的贯彻计划。

(2)制定各项管理制度

施工组织设计贯彻的顺利与否,主要取决于施工企业的管理素质和技术素质及经营管理水平。而体现企业素质和水平的标志,在于企业各项管理制度的健全与否。实践经验证明,只有施工企业有了科学的、健全的管理制度,企业的正常生产秩序才能维持,才能保证工程质量,保证施工组织设计的顺利实施。

(3)推行技术经济承包制

技术经济承包是用经济的手段和方法,明确承发包双方的责任。它便于加强监督和相互促进,是保证承包目标实现的重要手段。为了更好的贯彻施工组织设计,应该推行技术经济承包责任制,开展劳动竞赛,把施工过程中的技术经济责任同职工的物质利益结合起来。如开展全优竞赛,推行全优工程综合奖、节约材料奖和技术进步奖等,对于全面贯彻施工组织设计是十分必要的。

(4)统筹安排及综合平衡

在拟建工程项目的施工过程中,搞好人力、物力和财力的准备,而且在施工过程中的不同阶段也要做好相应的施工准备工作。这对于施工组织设计的贯彻执行是非常重要的。

七、施工组织设计的检查和调整

1.施工组织设计的检查

(1)主要指标完成情况的检查

施工组织设计的主要指标的检查,一般采用比较法。就是把各项指标的完成情况同计划规定的指标相对比。检查的内容应该包括工程进度、工程质量、材料消耗、机械使用和成本费用等,把主要指标数额检查同其相应的施工内容、施工方法和施工进度的检查结合起来,发现其问题,为进一步分析原因提供依据。

(2)施工总平面图合理性的检查

施工总平面图必须按固定建造临时设施,敷设管网和运输道路,合理地存放机具,堆放材料;施工现场要符合文明施工的要求;施工现场的局部断电、断水、断路等,必须事先得到有关部门批准;施工的每个阶段都要有相应的施工总平面图;施工总平面图的任何改变都必须有关部门批准。如果发现施工总平面图存在不合理性,要及时制定改进方案,报请有关部门批准,不断地满足施工进展的需要。

2.施工组织设计的调整

根据施工组织设计执行情况的检查,发现的问题及其产生的原因,拟定其改进措施或方案;对施工组织设计的有关部分或指标逐项进行调整;对施工总平面图进行修改。使施工组织设计在新的基础上实现新的平衡。

实际上,施工组织设计的贯彻、检查和调整是一项经常性的工作,必须随着施工的进展情况,加强反馈和及时地进行,要贯穿拟建工程项目施工过程的始终。

第五节 施工组织总设计

一、施工组织总设计的作用

施工组织总设计的主要作用有以下几方面:

(1)为建设项目或群体工程的施工做出全局性的战略部署;

(2)为做好施工准备工作,保证资源供应提供依据;

(3)为组织全工地性施工提供科学方案和实施步骤;

(4)为施工单位编制工程项目生产计划和单位工程的施工组织设计提供依据;

(5)为业主编制工程建设计划提供依据;

(6)为确定设计方案的施工可行性和经济合理性提供依据。

二、工程开展程序

确定工程分期分批施工的合理开展程序时,应主要考虑以下几点:

(1)为了充分发挥国家工程建设投资的效果,对于大中型建设项目,一般应该在保证工期的前提下分期分批建设。这样既可使各具体项目迅速建成,尽早投入使用,又可在全局上实现施工的连续性和均衡性,减少暂设工程数量,降低工程成本。至于分几期施工,各期工程包含哪些项目,则要根据生产工艺要求、建设单位或业主要求、工程规模大小和施工难易程度、资金、技术资源情况由建设单位或业主和施工单位共同研究确定。对于小型企业或大型建设项目的某个系统,由于工期较短或生产工艺的要求,亦可不必分期分批建设,采取一次性建成投产。

(2)统筹安排各类项目施工,保证重点,兼顾其它,确保工程项目按期投产。按照各项目的重要程度,应优先安排的项目是:

①按生产工艺要求,须先期投入生产或起主导作用的项目;

②工程量大、施工难度大、工期长的项目;

③运输系统、动力系统;

④生产上需先期使用的机修、车床、办公楼及部分家属宿舍等;

⑤对于建设项目中工程量大、施工难度不大、周期较短而又不急于使用的辅助项目,可以考虑与主攻项目相配合,作为平衡项目穿插在主攻项目的施工中进行。

(3)所有工程项目均应按照先地下、后地上;先深后浅;先干线后支线的原则进行安排。如地下管线和修筑道路的程序,应该先铺设管线,后在管线上修筑道路。

(4)要考虑季节对施工的影响。

三、工地加工厂组织

1.工地加工厂类型

通常工地加工厂类型主要有:钢筋混凝土预制构件加工厂、木材加工厂、粗木加工厂、细木加工厂、钢筋加工厂、金属结构构件加工厂和机械修理厂等。各种加工厂的结构形式,应根据使用期限而定,使用期限较短者采用简易结构,如一般油毡、铁皮或草屋面的竹木结构;使用期限较长者宜采用瓦屋面的砖木结构或装拆式活动房屋等。

2.工地加工厂面积确定

加工厂的建筑面积主要取决于:设备尺寸、工艺过程、生产能力和安全防火要求,通常可参考有关经验指标等资料确定。

四、工地仓库组织

1.工地仓库类型

工程施工中所用仓库有以下几种:
(1)转运仓库
设在车站、码头等地用来转运货物的仓库。
(2)中心仓库
是专用来贮存整个工地(或区域型建筑企业)所需的材料、贵重材料及需要整理配套的材料的仓库。
(3)现场仓库
是专为某项工程服务的仓库,一般均就近建在现场。
(4)加工厂仓库
专供某加工厂贮存原材料和加工半成品、构件的仓库。

2.工地仓库结构

工地仓库按保管材料的方法不同,可分为以下几种:
(1)露天仓库
用于堆放不因自然条件而影响性能、质量的材料。如砖、砂石、装配式混凝土构件等堆场。
(2)库棚
用于堆放防止阳光雨雪直接侵蚀的材料。如细木作零件、珍珠岩、沥青等的半封闭式仓库。
(3)封闭库房
用于储存防止风霜雨雪直接侵蚀变质的物品,贵重材料、五金器具以及细巧容易散失或损坏的材料。

3.确定工地物资储备量

材料储备一方面要确保工程施工的顺利进行,另一方面还要避免材料的大量积压,以免仓库面积过大,增加投资,积压资金。通常储备量根据现场条件,供应条件和运输条件来确定。

4.确定仓库面积

$$F = \frac{P}{Q \cdot K}$$

(11-1)

式中：F——仓库面积（m^2）；

P——仓库材料储备量；

Q——每平方米仓库面积能存放的材料、半成品和制品的数量；

K——仓库面积有效利用系数，考虑人行道和车道所占面积取为 05~0.8；

在设计仓库时，还应正确决定仓库的长度和宽度。仓库的长度应满足货物装卸的要求。

五、工地运输组织

工地运输方式有铁路运输、水路运输和汽车运输等。

（1）铁路运输具有运量大、运距长、不受自然条件限制等优点，但其投资大，筑路技术要求高，只有在拟建工程需要铺设永久性铁路专用线或者工地需从国家铁路上运输大量物料（年运输量在 20 万 t 以上者），方可采用铁路运输。

（2）水路运输是最经济的一种运输方式，在可能条件下，应尽量采用水运。采用水运时应注意与工地内部运输配合，码头上通常要有转运仓库和卸货设备，同时还要考虑洪水、枯水期对运输的影响。

（3）汽车运输是目前应用最广泛的一种运输方式，其优点是机动性大，操作灵活，行驶速度快，适合各类道路和物料，可直接运到使用地点，汽车运输特别适合于货运量不大，货源分散或地形复杂不宜于铺设轨道以及城市和工业区内的运输。

六、办公及福利设施组织

办公及福利设施类型有：

（1）行政管理和生产用房。包括办公室、传达室、车库和辅助性修理车间等。

（2）居住生活用房。包括家属宿舍，职工单身宿舍、招待所、商店、医务所、浴室等。

（3）文化生活用房。包括俱乐部、学校托儿所、图书馆、邮亭、广播室等。

应尽量利用施工现场及其附近的永久性建筑物，或者提前修建能够利用的永久性建筑，不足部分修建临时建筑物。临时建筑物修建时，遵循经济、适用、装拆方便的原则，按照当地的气候条件、工期长短确定结构形式。通常有帐蓬、装拆式房屋或利用地方材料修建的简易房屋等。

七、工地供水组织

1.工地供水类型

工地临时供水主要包括生产用水，生活用水和消防用水三种。

2.工地供水规划

（1）确定用水量

生产用水包括工程施工用水、施工机械用水。生活用水包括施工现场生活用水和生活区生活用水。

①工程施工用水量

$$q_1 = K_1 \sum \frac{Q_1 \cdot N_1}{T_1 \cdot b} \times \frac{K_2}{8 \times 3600} \tag{11-2}$$

式中：q_1——施工工程用水量（L/s）；

K_1——未预见的施工用水系数（1.05~1.15）；

Q_1——年（季）度工程量（以实物计量单位表示）；

N_1——单位工程量的用水量，实测或经验值（以 L 计）；

T_1——年（季）度有效工作日（d）；

b——每天工作班次；

K_2——用水不均衡系数（施工工程用水取 1.5，生产企业用水取 1.25）。

②施工机械用水量

$$q_2 = K_1 \sum Q_2 \cdot N_2 \cdot \frac{K_3}{8 \times 3600} \qquad (11\text{-}3)$$

式中：q_2——施工机械用水量（L/s）；

K_1——未预计施工用水系数（1.05~1.15）；

Q_2——同种机械台数（台）；

N_2——每台用水量，实测或经验值（以 L 计）；

K_3——施工机械用水不均衡系数（施工机械运输机械取 2.00，动力设备取 1.05~1.10）。

③施工现场生活用水量

$$q_3 = 1.1 \times \frac{P_1 N_4 K_5}{b \times 8 \times 3600} \qquad (11\text{-}4)$$

式中：q_3——施工现场生活用水量（L/s）；

P_1——施工现场高峰期生活人数（人）；

N_3——施工现场生活用水定额（L/人·日），估算或经验值；

K_4——施工现场生活用水不均衡系数（1.30~1.50）；

b——每天工作班次（班）；

1.1——未预见用水量的修正系数。

④生活区生活用水量

$$q_4 = \frac{P_2 N_4 K_5}{24 \times 3600} \qquad (11\text{-}5)$$

式中：q_4——生活区生活用水量（L/s）；

P_2——生活区居民人数（人）；

N_4——行政管理区昼夜全部用水定额（L/人·日），估算或经验值；

K_5——生活区用水不均衡系数（2.00~2.50）；

⑤消防用水量（q_5），见表 11-1 所列。

消 防 用 水 量　　　　　　　　表 11-1

序号	用水名称	火灾同时发生次数	单位	用水量
1	居民区消防用水 5000 人以上 10000 人以上 25000 人以上	一次 二次 三次	L/s L/s L/s	10 10~15 15~20
2	施工现场消防用水 施工现场在 25 公顷以内 每增加 25 公顷递增	一次	L/s	10~15 5

⑥总用水量 Q

a.当$(q_1 + q_2 + q_3 + q_4) \leqslant q_5$时,则

$$Q = q_5 + \frac{1}{2}(q_1 + q_2 + q_3 + q_4) \tag{11-6}$$

b.当$(q_1 + q_2 + q_3 + q_4) > q_5$时,则

$$Q = (q_1 + q_2 + q_3 + q_4) \tag{11-7}$$

c.当工地面积小于5万 m^2,并且$(q_1 + q_2 + q_3 + q_4) < q_5$时,则

$$Q = q_5 \tag{11-8}$$

最后计算的总用水量,还应增加10%,以补偿不可避免的水管渗漏损失。

(2)选择水源

工地临时供水水源有供水管道和天然水源两种。应尽可能利用现场附近已有供水管道,只有在工地附近没有现成的供水管道或现成给水管道无法使用以及给水管道供水量难以满足使用要求时,才使用江河、水库、泉水、井水等天然水源。

(3)确定供水系统

①临时供水系统可由进水装置、进水管和水泵组成。所选用的水泵应具有足够的抽水能力和扬程。

②贮水构筑物

一般有水池、水塔或水箱。在临时供水时,如水泵房不能连续抽水,则需设置贮水构筑物。其容量以每小时消防用水决定,但不得少于$10 \sim 20 m^3$。

③确定供水管径

在计算出工地的总需水量后,可计算出管径,公式如下:

$$D = \sqrt{\frac{4Q \times 1000}{\pi \cdot \upsilon}} \tag{11-9}$$

式中:D——配水管内径(mm);

Q——用水量(L/s);

υ——管网中水的流速(m/s)。

④选择管材

临时给水管道,根据管道尺寸和压力大小进行选择,一般干管为钢管或铸铁管,支管为钢管。

八、工地供电组织

建筑工地临时供电组织包括:计算用电总量,选择电源,确定变压器,确定导线截面面积并布置配电线路。

1.工地总用电计算

施工现场用电量大体上可分为动力用电量和照明用电量两类。在计算用电量时,应考虑以下几点:

总用电量可按下式计算:

$$P = 1.05 \sim 1.10\left(K_1 \frac{\sum P_1}{\cos\varphi} + K_2 \sum P_2 + K_3 \sum P_3 + K_4 \sum P_4\right) \tag{11-10}$$

式中：　　　　P——供电设备总需要容量(kVA)；

　　　　　　P_1——电动机额定功率(kW)；

　　　　　　P_2——电焊机额定容量(kVA)；

　　　　　　P_3——室内照明容量(kW)；

　　　　　　P_4——室外照明容量(kW)；

　　　　$\cos\varphi$——电动机的平均功率因数(施工现场最高为 $0.75 \sim 0.78$，一般为 $0.65 \sim 0.75$)；

K_1、K_2、K_3、K_4——需要系数($0.5 \sim 0.75$)。

2.选择电源

选择临时供电电源,通常有如下几种方案：

(1)完全由工地附近的电力系统供电,包括在全面开工之前把永久性供电外线工程作好,设置变电站。

(2)工地附近的电力系统能供应一部分,工地尚需增设临时电站以补充不足。

(3)利用附近的高压电网,申请临时加设配电变压器。

(4)工地处于新开发地区,没有电力系统时,完全由自备临时电站供给。

3.确定变压器

变压器功率可由下式计算：

$$P = K\left(\frac{\sum P_{\max}}{\cos\varphi}\right) \tag{11-11}$$

式中：P——变压器输出功率(kVA)；

　　K——功率损失系数,取 1.05；

$\sum P_{\max}$——各施工区最大计算负荷(kW)；

　　$\cos\varphi$——功率因数。

4.确定配电导线截面积

配电导线要正常工作,必须具有足够的力学强度、耐受电流通过所产生的温升并且使得电压损失在允许的范围内。

(1)按机械强度确定

在各种不同敷设方式下,导线按机械强度要求所必须的最小截面可参考有关的资料。

(2)按允许电流强度选择

①三相四线制线路上的电流强度可按下式计算：

$$I = \frac{P}{\sqrt{3} \cdot V \cdot \cos\varphi} \tag{11-12}$$

②二线制线路的电流强度可按下式计算：

$$I = \frac{P}{V \cdot \cos\varphi} \tag{11-13}$$

式中：I——电流强度(A)；

　　P——功率(W)；

　　V——电压(V)；

$\cos\varphi$——功率因数,临时电网取 0.7 ~ 0.75。

制造厂家根据导线的容许温升,制定了各类导线在不同的敷设条件下的持续容许电流值(详见有关资料),选择导线时,导线中的电流不能超过此值。

(3)按容许电压降确定

配电导线的截面可用下式确定:

$$S = \frac{\sum P \cdot L}{C \cdot \varepsilon} \tag{11-14}$$

式中:S——导线断面积(mm^2);

P——负荷电功率或线路输送的电功率(kW);

L——送电路的距离(m);

C——系数,视导线材料,送电压及配电方式而定;

ε——容许的相对电压降(即线路的电压损失百分比)。照明电路中容许电压降不应超过 2.5% ~ 5%。

所选用的导线截面应同时满足以上三项要求,即以求得的三个截面积中最大者为准,从导线的产品目录中选用线芯。

九、施工总平面图

施工总平面图是拟建项目施工场地的总布置图。它按照施工方案和施工进度的要求,对施工现场的道路交通、材料仓库、附属企业、临时房屋、临时水电管线等做出合理的规划布置,从而正确处理全工地施工期间所需各项设施和永久建筑、拟建工程之间的空间关系。

施工总平面图设计步骤如下:

1.场外交通的引入

(1)当大量物资由铁路运入工地,应首先解决铁路由何处引入及如何布置问题。场区内设有永久性铁路专用线时,通常可将其提前修建,以便为工程施工服务。但由于铁路的引入将严重影响场内施工的运输和安全,因此,铁路的引入应靠近工地一侧或两侧;仅当大型工地分为若干个独立的工区进行施工时,铁路才可引入工地中央,此时,铁路应位于每个工区的侧边。

(2)当大量物资由水路运进现场时,应充分利用原有码头的吞吐能力。当需增设码头时,卸货码头不应少于两个,且宽度应大于 2.5m,一般用石或钢筋混凝土结构建造。

(3)当大量物资由公路运进现场时,由于公路布置较灵活,一般先将仓库、加工厂等生产性临时设施布置在最经济合理的地方,再布置通向场外的公路线。

2.仓库与材料堆场的布置

(1)当采用铁路运输时,仓库通常沿铁路线布置,并且要留有足够的装卸前线。如果没有足够的装卸前线,必须在附近设置转运仓库。布置铁路沿线仓库时,应将仓库设置在靠近工地一侧,以免内部运输跨越铁路。同时仓库不宜设置在弯道处或坡道上。

(2)当采用水路运输时,一般应在码头附近设置转运仓库,以缩短船只在码头上的停留时间。

(3)当采用公路运输时,仓库的布置较灵活,一般中心仓库布置在工地中央或靠近使用的地方,也可以布置在靠近于外部交通连接处。砂石、水泥、石灰、木材等仓库或堆场宜布置在施工对象附近,以免二次搬运。一般笨重设备应尽量放在车间附近,其他设备仓库可布置在外围或其它空地上。

3.加工厂布置

一般应将加工厂集中布置在同一个地区,且多处于工地边缘。各种加工厂应与相应仓库或材料堆场布置在同一地区。

4.布置内部运输道路

根据加工厂、仓库及各施工对象的相对位置,研究货物转运图,区分主要道路和次要道路。

(1)在规划临时道路时,应充分利用拟建的永久性道路,提前修建永久性道路或者先修路基和简易路面,作为施工所需的道路,以达到节约投资的目的。若地下管网的图纸尚未出全,而又必须采取先施工道路、后施工管网的顺序时,临时道路就不能完全建造在永久性道路的位置,而应尽量布置在无管网地区或扩建工程范围地段上,以免开挖管道沟时破坏路面。

(2)道路应有两个以上进出口,道路末端应设置回车场,且尽量避免临时道路与铁路交叉。场内道路干线应采用环形布置,主要道路宜采用双车道,宽度不小于6m,次要道路宜采用单车道,宽度不小于3.5m。

(3)一般场外与省、市公路相连的干线,因其以后会成为永久性道路,因此,一开始就建成混凝土路面;场区内的干线和施工机械行驶路线,最好采用碎石级配路面,以利修补;场内支线一般为土路或砂石路。

5.行政与生活临时设施布置

应尽量利用建设单位的生活基地或其它永久性建筑,不足部分另行建造。

一般全工地性行政管理用房宜设在全工地入口处,以便对外联系;也可设在工地中间,便于全工地管理。工人用的福利设施应设置在工人较集中的地方,或工人必经之处。生活基地应设在场外,距工地500～1000m为宜。食堂可布置在工地内部或工地与生活区之间。

6.临时水电管网及其它动力设施的布置

水电从外面接入工地,沿主要干道布置干管、主线,然后与各用户接通。临时总变电站应设置在高压电引入处,不应放在工地中心;临时水池应放在地势较高处。设置在工地中心或工地中心附近的临时发电设备,沿干道布置主线;施工现场供水管网有环状、枝状和混合式三种形式。

根据工程防火要求,应设立消防站,一般设置在易燃物(木材、仓库等)附近,并须有通畅的出口和消防车道,其宽度不宜小于6m,沿道路布置消防栓时,其间距不得大于100m,消防栓到路边的距离不得大于2m。

工地电力网,一般3～10kV的高压线采用环状,380/220V低压线采用枝状布置。工地上通常采用架空布置,距路面或建筑物不小于6m。

应该指出,上述各设计步骤不是截然分开、各自孤立进行的,而是互相联系,互相制约的,需要综合考虑,反复修正才能确定下来。

第六节 单位工程施工组织设计

单位工程施工组织设计是由承包单位编制的用以指导施工全过程及施工活动的技术、组织、经济的综合性文件,它的主要任务是根据用户对项目的工期要求及施工对象的生产特点,结合企业的技术力量,对人力、资金、材料、机械和施工方法五种因素进行合理的安排,按照客观规律组织施工,以便在一定时间和空间内,用最优的技术经济指标,达到用户最满意的效果,完成土木工程产品的生产。

一、单位工程施工组织设计的内容

根据建筑物的规模大小、结构的复杂程度、采用新技术的内容、工期要求、建设地点的自然经济条件、施工单位的技术力量及其对该类工程的熟悉程度,单位工程施工组织设计的编制内容与深度有所不同。较完整的单位工程施工组织设计包含如下内容。

1.工程概况和施工条件

工程概况和施工条件分析是对拟建工程特点、地点特征、抗震设防的要求、工程的建筑面积和施工条件等所作的一个简要的、突出重点的介绍,其主要内容包括:

(1)工程建设概况

拟建工程的建设单位、工程名称、工程规模、性质、用途、资金来源及工程投资额、开竣工的日期、设计单位、施工单位(包括施工总承包和分包单位)、施工图纸情况、施工合同、主管部门的有关文件或要求,组织施工的指导思想等。

(2)工程施工概况

对工程全貌进行综合说明。主要介绍以下几方面情况:

①建筑设计特点　一般需说明,拟建工程的建筑面积、层数、高度、平面形状,平面组合情况及室内外的装修情况,并附平面、剖面简图。

②结构设计特点　一般需说明,基础的类型、埋置的深度、主体结构的类型、预制构件的类型及安装、抗震设防的烈度。

③建设地点的特征　包括拟建工程的位置、地形、工程地质条件、不同深度土壤的分析、冻结时间与冻结厚度、地下水位、水质、气温、冬雨季施工起止时间、主导风向、风力。

④施工条件包括"三通一平"情况(建设单位提供水、电源及管径、容量及电压等);现场周边的环境;施工用场地;地上、地下各种管线的位置;当地交通运输的条件;预制构件的生产及供应情况;预拌混凝土供应情况;施工企业、机械、设备和劳动力的落实情况;劳动的组织形式和内部承包方式等。

(3)工程施工特点

概括单位工程的施工特点和施工中的关键问题,以便在选择施工方案、组织资源供应、技术力量配备以及施工组织上采取有效的措施保证顺利进行。

2.施工准备工作

施工准备是单位工程施工组织设计的一项重要工作。施工准备工作宏观地分为物的准备和人的准备两大部分。施工准备工作主要有:

(1)施工现场的"三通(水通、电通及内外道路畅通)一平(平整场地)";

(2)各种建筑材料、半成品构配件及设备的准备和进场;

(3)施工设备及起重机械的准备;

(4)预制构件、门、窗以及预埋件等的加工,提出其数量和需要日期;

(5)施工现场临时仓库、工人休息室、办公室、机具房以及宿舍等临时建筑物的建造;

(6)准备各工种的劳动力;

(7)测量放线引水准点;

(8)熟悉和会审图纸;

(9)建立现场组织机构,进行培训,规范人的行为,为掌握新技术、新材料、新工艺、新设备创造条件;

(10)调查研究搜集必要的资料。

3.施工方案

施工方案是施工组织设计的核心内容,在编制施工方案的过程中要运用"系统"的观念及方法,研究其技术特征与经济作用;针对不同类型、等级、结构特点的工程制定出不同的施工方法;努力贯彻 ISO9000 系列的标准,走质量、效益型发展道路,施工方案的选择与制定需多方案比较,在比较中得到最佳方案。

施工方案主要包括:

(1)各主要工种的施工方法尤其是新技术、新工艺需详细说明;

(2)施工程序、施工顺序和施工流向的确定;

(3)施工段的划分(流水进度一章已包括);

(4)各主要工种选用机械及其布置和开行路线;

(5)确定构件现场预制与工厂预制的种类和数量。

4.施工进度计划表

介绍各分部分项工程的项目、数量、施工顺序、搭接和交叉作业。此外还应列出劳动力、材料、机具、预制构件、半成品等需用计划。

5.施工平面图

说明现场临时建筑物、围墙、机械、搅拌站及仓库等的位置。

6.施工技术、组织与保证安全措施

为了保证工程的质量要针对不同的工作、工种和施工方法,制定出相应的技术措施。制定不同的保证质量措施。同时要保证文明施工,安全施工。

(1)施工技术组织措施

主要是指在技术、组织方面对保证质量、安全、节约和季节施工所采用的方法。根据工程特点和施工条件主要制定以下技术组织措施:

①保证质量的关键是对工程施工中经常发生的质量通病制定防治措施。例如:对采用新工艺、新材料、新技术和新结构制定有针对性的技术措施;确保基础质量的措施;保证主体结构中关键部位的质量措施;保证各种内外装修质量的措施;以及复杂特殊工程的施工技术组织措施等。

②在组织工程施工过程中建立健全质量监督体系;建立自查、互查、质量员检查、工长检查、监理监察的质量检查系统,以保证各分项工程的质量。

③在施工组织过程中合理的穿插 QD 施工可加快工程的施工进度。但是,在不同程度上

影响施工的质量,这对施工组织人员来讲,组织施工必须严密,只有不断地对不同的结构的把握和分析;对不同的施工条件的适应和改善;对施工过程规律性东西的研究和掌握;对施工组织科学性、适用性的探索;对施工方法的总结与鉴别;对施工经验的总结与积累,才能保证工程的质量。

④在组织施工过程中,建立健全现代项目管理体制,要结合我国的国情,妥善设置。即在我国市场机制还不很完善的情况下,要使经济手段和行政手段相结合,一方面运用经济合同明确工程建设各方面的责任,建立相适应的项目管理体系;另一方面要运用原有的行政管理体系,为工程项目的顺利进行扫除障碍创造条件。

⑤施工组织上对于施工队伍的分包,必须以法律为准绳,不够资质的不能签合同,以确保工程质量。

(2)保证施工安全措施

保证安全的关键是贯彻安全操作规程,对施工中可能发生的安全问题提出预防措施并加以落实。主要包括以下几个方面:

①新工艺、新材料、新技术、新结构的安全技术措施;

②预防自然灾害。如防雷击、防滑等措施;

③高空作业的防护措施;

④安全用电和机电设备的保护措施;

⑤防火、防爆措施。

(3)冬雨季施工措施

①雨季施工措施　要根据工程所在地的雨量、雨期和工程特点和部位,在防淋、防潮、防泡、防淹、防拖延工期等方面,合理地安排施工任务,采取改变施工顺序、排水、加固、遮盖等措施。在工程的施工进度安排上,注意晴雨结合,并做好道路的防滑措施,做好现场的排水工作,经常疏通排水管道,防止堵塞。

②冬期施工措施　要根据所在地的气温、降雪量、工程内容和特点、施工条件等因素,在保温、防冻改善操作环境等方面,采取一定的冬期施工措施。对于不适宜或在冬季不容易保证质量的工作,合理安排在冬期以前或冬期以后进行,并及早做好技术、物资的供应和储备。加强冬季防火措施。

(4)降低成本措施

包括提高劳动生产率、节约劳动力、材料、机械设备费用、临时设施费用等方面措施。它是根据施工预算和技术组织措施计划进行编制的。

(5)防火措施

①对临时建筑的位置、结构、防火间距;对易燃、可燃材料存放地点、堆垛体积;工地消防给水管道、临时消防立管和室外消火栓的位置、管径;消防车道宽度和消防泵房的位置、泵的型号、规格、供电线路架设方位及电压;配备消防器材的种类和数量等进行周密的设计和布置。

②进入现场的施工水源和干管应满足要求(消防干管管径大于或等于100mm)。若建筑高度超过24m,设管径大于等于75mm的消防立管,并设加压泵房。消火栓接口管径65mm,消火栓控制半径25m。

③建立管理制度,制定线路不超负荷或短路措施。

④高耸建筑及时安装避雷系统。

⑤现场道路尽量做成环型,路宽>3.5m,无法形成环型设消防车回转场地。

7. 主要技术经济指标

技术经济指标应在编制相应的施工方案、施工技术组织措施计划的基础上进行计算。综合各项技术经济指标,全面衡量,最后选取最佳方案。确定的施工方案在施工上是可行的、技术上是先进的、经济上是合理的。评价施工组织设计的优劣,从以下两方面考虑:

(1)定性分析

根据过去施工完成经验对施工方案的一般优缺点进行分析和比较。例如:施工操作上的难易程度和安全;是否利用现有的机械设备;能否为后续工序提供有利条件;施工组织是否合理;是否能体现文明施工等。

(2)定量分析

对施工组织设计的各项主要指标进行计算,将对比指标进行量的分析、比较、评价,从而确定方案的优劣。不同类型的施工方案、施工方法,指标组成也不相同。一些主要指标计算方法如下:

①施工工期指标

单位工程的施工工期是指单位工程从破土动工至竣工之间的全部间隔天数,按日历天数计算,不扣除施工过程中的节假日,以及由于各种原因而停工的天数。单位工程施工前的准备工作,如平整场地、放线、原有结构物的清理等都不算正式开工,只从具备开工条件、有正式图纸、正式破土动工为准。单位工程竣工的日期是指按要求全部竣工的日期,房屋建筑物不包括生产设备部分,但应包括水、暖、电、通风、电梯工程及其组成部分的设备安装。

②单位建筑面积造价

人工、材料、机械和管理的综合货币指标,按下式计算:

$$单位建筑面积造价 = \frac{施工实耗的总费用(元)}{建筑总面积(m^2)} \tag{11-15}$$

③劳动生产率指标

人们在生产过程中的劳动效率,或者说是劳动者消耗一定劳动时间所创造出一定数量产品的能力,通常用单方用工指标来反映劳动力的使用和消耗水平。

$$单方用工 = \frac{总用工数(工日)}{建筑面积(m^2)} \tag{11-16}$$

④施工机械化程度指标

在考虑施工方案、施工方法时,应尽量提高施工机械化程度。机械化施工程度的高低,是衡量施工组织设计优劣的重要指标之一。

$$施工的机械化程度 = \frac{机械完成的实物量}{全部实物量} \times 100\% \tag{11-17}$$

$$单方大型机械费 = \frac{计划大型机械台班费(元)}{建筑面积(m^2)} \tag{11-18}$$

⑤降低成本指标

降低成本指标是一个重要指标,它综合地反映工程项目或分部工程由于采用施工方案不同、采用技术措施不同而产生的不同经济效果。降低成本可以用降低成本额和降低成本率来表示。

$$降低成本率 = \frac{降低成本额}{预算成本} \times 100\% \tag{11-19}$$

$$降低成本额 = 预算成本 - 计划成本 \qquad (11\text{-}20)$$

工程预算成本是以施工图预算为依据,按预算价格计划的成本。计划成本是按施工中采用的施工方案、施工方法和不同的技术及安全措施要求所确定的工程成本。

⑥主要材料节约指标

主要材料是指钢材、木材、水泥等,在编制施工组织设计选择施工方案及施工方法时,应根据提出的技术措施计算出主要材料的节约用量。

$$主要材料节约量 = 预算用量 - 计划用量 \qquad (11\text{-}21)$$

$$主要材料节约率 = \frac{主要材料计划节约量}{主要材料预算用量} \times 100\% \qquad (11\text{-}22)$$

施工组织设计技术经济指标比较,往往会出现某一方案的某些指标较为理想,而另外方案的其它指标则比较好,这时应综合各项经济指标,全面衡量,选取最佳方案。有时可能会因施工特定条件和建设单位的具体要求,某项指标成为选择方案的决定条件,其它指标只作参考,此时在进行施工方案选择时,应根据具体对象和条件作出正确的分析和决策。

综上所述,单位工程的施工组织设计的内容主要是施工方案、施工进度计划和施工平面图三大部分,简称"图、案、表"。

二、单位工程施工组织设计的编制程序和依据

1.编制程序

根据单位工程种类、工程的特点和现场的施工条件,编制的程序繁简不一。这里将单位工程施工组织设计的一般编制程序用框图 11-1 表示。

在单位工程已具备施工图纸,又经过图纸会审之后方可进行施工组织设计的编制。但是,推行招标制度之后,规定了投标书中要附有施工组织设计。这时的单位工程施工组织设计一般采用简化的施工方案来代替,待中标后再补充修订和编制正式的施工组织设计。因此这时的施工组织设计编制程序相对简单些。

2.编制的依据

单位工程施工组织设计的编制依据主要有:

(1)上级主管部门和建设单位对该工程项目的有关要求。如建设工期要求、工程名称、用地范围、质量等级、全套施工图纸和对施工的要求等。

(2)施工组织总设计(或大纲)。当单位工程为建筑群体中的一个组成部分时,则该建筑工程的施工组织设计必须按照总设计的有关规定和要求进行编制。

(3)企业的年度施工计划对本工程的安排和规定的各项指标。

(4)工程的预算文件及工程承包的合同。提供本工程 工程量(分部分项或分段分层的工程量)和预算成本的数据。

(5)地质与气象资料。即勘测设计、气象、城建等部门和施工企业对建设地区或建设地点提供和积累的自然条件与技术经济条件资料。如地形、地质、地上、地下施工障碍物、水准点、气象、交通运输、水电源、地下水、暴雨后场地积水情况和排水情况、施工期间的最低和最高气温、雨量等等。

(6)材料、预制构件及半成品等的供应情况,包括:主要材料、构件、半成品的来源及供应情

```
┌─────────────────┐   ┌─────────────────┐   ┌─────────────────┐
│   施工组织总设计  │   │ 熟悉、审查、会审图纸、│   │  单位工程的施工条件 │
│                 │   │   检查原始资料    │   │                 │
└────────┬────────┘   └────────┬────────┘   └────────┬────────┘
         │                     │                     │
         │            ┌────────▼────────┐            │
         │            │    计算工程量     │            │
         │            └────────┬────────┘            │
         │            ┌────────▼────────┐            │
         │            │    施工预算      │            │
         │            └────────┬────────┘            │
         │     ┌───────────────▼───────────────┐     │
  否 ◄───┼─────┤     选择施工方案、施工方法       ├─────┼──► 否
         │     └───────────────┬───────────────┘     │
         │              ◄工程的直接费►  可              │
         │                     │                     │
         │              ◄施工进度计划►  可              │
         │                     │
```

计算工程量

施工预算

选择施工方案、施工方法

工程的直接费   否 / 可

施工进度计划   否 / 可

| 施工机具、设备、大型工具需用量计划 | 材料、预制构件、半成品需用量计划 | 劳动力需用量计划 |

确定临时生产、生活设施

确定临时供水、供电管线

编制施工准备工作计划

施工平面图

施工技术、安全措施

主要技术经济指标、质量指标   否 / 可

审批

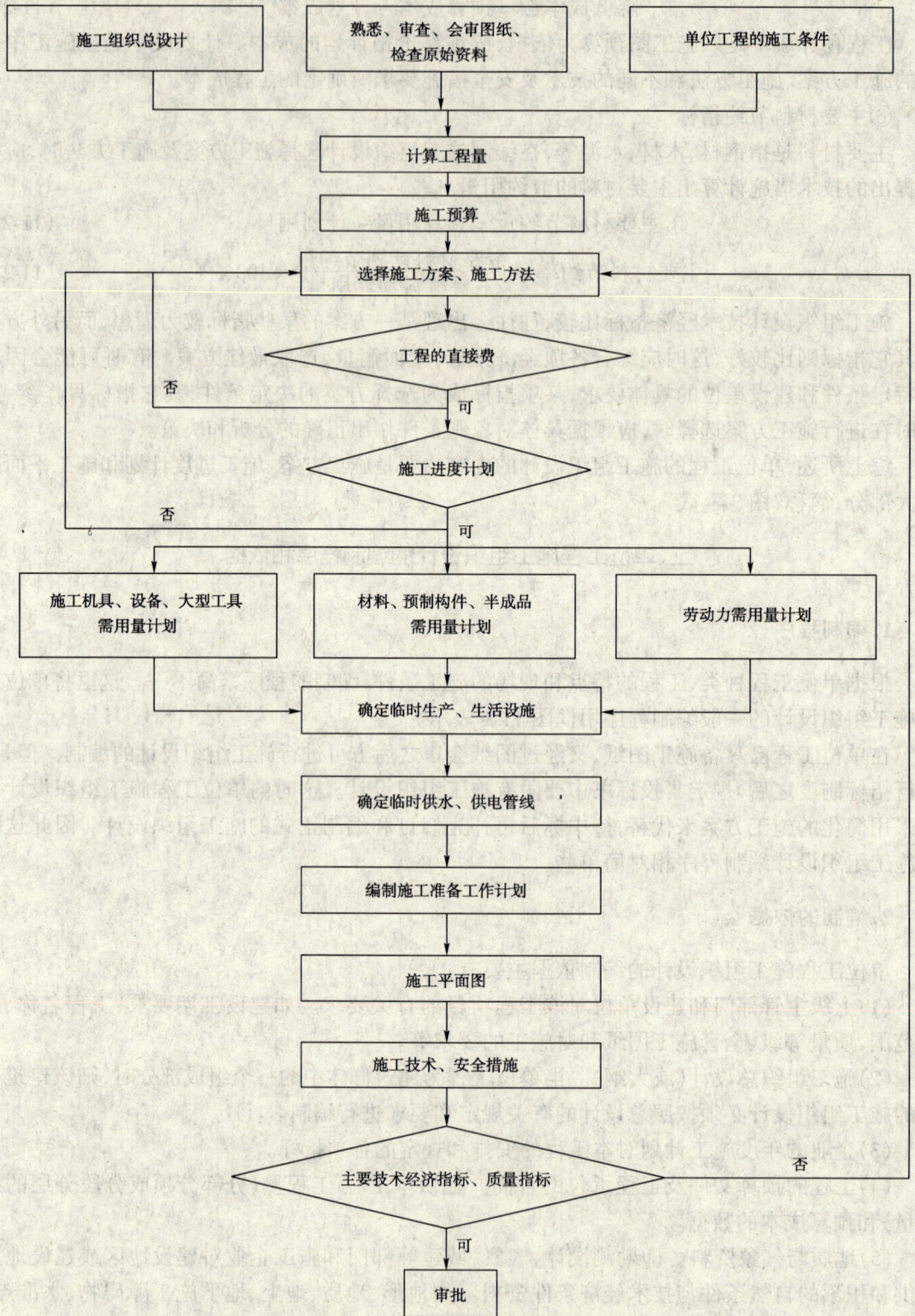

图 11-1　单位工程施工组织设计编制程序

况,以及预制构件的运距及运输条件等。

(7)建设单位可提供的条件。如施工用地、水电供应、临时设施等。其中包括水源、电源供应量和水质以及是否需要单独设置变压器。

(8)劳动力、机械配备情况。

(9)国家的有关规定、规范、规程及各省、市、地区的操作规程和定额、工程使用的全套的施工图纸和定额手册。

(10)施工用地范围及施工许可证。

三、施工方案的选择

施工方案的选择是单位工程施工组织设计的核心工作,是单位工程施工组织设计中带决策性的重要环节。应在拟定的几个可行的施工方案中,经过分析、比较,选用最优的施工方案,并作为安排施工进度计划和设计施工平面图的依据。

施工方案的选择,一般包括施工起点流向和施工顺序;重要分部分项工程的施工方法和施工机械的选择;确定工程施工的流水组织等。

在拟定施工方案之前应首先研究决定该工程施工中的几个主要问题:

①整个单位工程施工的分段情况。每一施工段中配备的主要机械情况,机械配备与施工段工程量及运输量是否相适应;

②工程施工中哪些构件是现场预制,哪些构件是预制构件厂供应;

③结构吊装和设备安装的配合。各协作单位的确定以及土建单位与各协作单位的协调情况;

④施工的总工期。

关于确定工程施工的流水组织,将在流水施工原理一章中进行介绍,本节重点阐述施工顺序、施工方法、施工机械的选择以及确定施工流向等。

1.确定施工起点的流向

施工流向是解决单位工程在空间的合理施工顺序问题。确定施工起点的流向,就是确定单位工程在平面上和竖向上施工开始的部位和进展方向。对于单层建筑物或长线工程,确定出在平面上的施工流向;对于多层除确定每层的水平流向外,还需确定垂直流向。施工流向涉及一系列施工活动的展开和进程,是组织施工的重要环节,确定单位工程施工起点流向时应考虑以下因素:

①生产性房屋应注意生产工艺流程情况。凡将影响其他工段试车投产的工段应优先施工。当房屋有高低层或高低跨并列时应先从并列处开始施工。如:柱子的吊装应从高低并列处开始;房屋的防水层施工应按先低后高方向施工;基础施工应按先深后浅的顺序施工;对装配式房屋:结构吊装与构件运输不能相互交叉。

②满足用户使用上的需要。

③技术复杂、耗时间长的区段或部位应优先施工。

④施工组织和现场的实际条件。如土方工程开挖,为了便于土方的外运,施工起点一般应选在离通路远的部位,由远而近的流向进行。

⑤分部(分项)工程的特点和相互关系。

在流水施工中,施工起点流向决定了各施工段的施工顺序。施工流向是对时间和空间的充分利用,特别是采用平行流水立体交叉作业时,合理的施工流向,不仅是工程质量的保证,也是安全施工的保证。施工起点流向也不是一成不变的,在现场的施工过程中,根据现场的实际条件可灵活安排。对于有局部区段或部位需提前交付要求的工程,施工流向安排要符合部分工程提前使用的需要。

2.施工程序的确定

施工程序是指施工中不同阶段的不同工作内容,按照其固有的先后次序,循序渐进向前开展的客观规律。

在单位工程施工中,施工程序一般按"先地下、后地上","先主体、后围护","先结构、后装饰","先土建、后设备"的原则进行。上述施工程序是一般原则不是一成不变的,在工程施工过程中,需要结合具体工程结构特征,施工条件和建设要求,合理确定该工程的施工程序。例如:随着高层超高层建筑的兴起,工程基础则越来越加深,但城市内场地狭小是普遍现象。为了保证基坑边坡及基坑周边建筑的稳定性,在深基坑的施工中出现了许多支护方法,同时也应用了许多先进新颖的支护技术,其中"逆施法"、"半逆施法"即为一例。此种方法施工程序则与一般原则不同,它应用了地上地下同时施工的特殊程序。

3.施工方法和施工机械的选择

在单位工程施工中,施工方法及机械选择的主要根据是施工对象的建筑结构特征、工程量的大小、工期的长短、资源供应的条件、现场的条件以及施工企业的技术装备水平等因素。先提出几个可行的方案,通过比较,择优选用。

(1)主要分部(分项)工程的施工方法

主要分部(分项)工程的施工方法是施工方案的核心。选定的原则是:条件允许、方法先进可行和符合国家(国际)标准要求。

拟定施工方法时,对于按照常规做法和工人熟悉的分项工程,则不必详细拟定,只要提出应注意的一些特殊问题就行了。一般应重点考虑以下几个方面:

①工程量大的,在单位工程中占重要地位的分部分项工程。

②施工技术复杂或采用新技术、新工艺、新材料及对工程质量起关键作用的分部(分项)工程。如:钢筋的接头、钢材的焊接工艺等。

③不熟悉的特殊结构工程或由专业施工单位施工的特殊专业工程。如:球节点网架结构的制作、安装等。

施工方法和施工机械的选择是紧密联系的。在技术上它解决各主要施工过程的施工手段和工艺问题。如:土方的开挖应采用什么机械完成;浇筑大体积混凝土的水平运输采用什么方案等;除此之外,还需从施工组织角度注意以下几个问题:

①施工方法的技术先进性和经济合理性的统一。

②施工机械的适用性和多用性的兼顾,尽可能充分发挥施工机械的效率和利用率。

③施工单位的技术特点和施工习惯以及现有机械可能利用的情况。

④所选用的施工方法对施工工期的影响。

(2)施工机械的选择

施工机械的选择是施工方案选择的中心环节。

在选择施工机械时,应该首先选择主导工程的施工机械。根据工程的特点决定其最适宜的类型。例如：选择土方工程的施工方法和施工机械时，必须考虑到土壤的性质、工程量的大小、挖土机和运输设备的行驶条件等。选择挖土机的斗容量还需考虑开挖掌子面的高度。假如掌子高度小，挖土机斗容量大，土斗不能装满土壤，就会降低挖土机的生产率。

表 11-2 给出了正铲挖土机开挖不同高度掌子时的合理斗容量。

开挖不同高度掌子面的合理斗容量　　　　　　　　　　　表 11-2

挖土机斗容量（正铲）（m³）	掌子面最小高度（m）		
	I 级土壤	II、III 级土壤	IV 级以上土壤
0.5	1.5	2.0	2.5
1.0	2.0	4.0	4.5
2.0	2.5	5.0	5.5
3.0	3.5	6.0	6.5

实践表明，用斗容量为 2m³ 的正铲挖土机开挖掌子高度等于 2m 的 I 级土壤，比开挖掌子高度为 3m 的同类土壤，其生产效率要降低 40% 以上。由此可见选择施工机械除了技术可能性以外，机械对施工条件的适应性和充分发挥生产效率的问题是十分重要的。

为了充分发挥主导机械的效率，选择与主导机械直接配套的各种辅助机械或运输工具时，应该使其生产能力互相协调一致，并且能够保证充分利用主导机械的生产率。

在建筑工程施工中，垂直运输机械是必不可少的，尤其是高层或超高层结构的施工，由于高度大、工程量大，其垂直运输机械的选用，是一项十分重要的工作。高层和超高层建筑结构施工主要采用塔式起重机作垂直运输工具，由于高层或超高层建筑地下层和基础较深，首层（或二层）一般设有群房，平面造型又较复杂，且内外装修材料做法多样化等，因此要综合考虑上述条件进行选型和布置。

选择的原则是：所选塔吊的起重能力、提升速度及所需的回转工作半径，均应满足施工的需要，并能满足立拆塔吊和锚固、顶升的要求。

在一个施工场地上，如果拥有大量同类型而型号不同的机械，会使机械管理工作复杂化，所以应力求一项工程的施工机械型号尽可能少些。为此，对于工程量大的工程应采用专用机械；对于工程量小而分散的情况，尽可能采用多用途的机械。

（3）施工脚手架的选用

在结构的施工过程中，脚手架是必不可少的重要工具，选用合适与否将直接影响施工的顺利进行和安全，其选用的原则是：

①具有适当的工作面：脚手架的宽度、一步架的高度、离墙的距离、能满足工人操作和堆量、运送少量材料的要求。

②具有稳定的结构和足够的承载能力：保证施工期间，在最大使用荷载（规定限值）作用下，不变形、不倾斜、不摇晃。

③要与楼层或作业面的高度相适应：搭设的垂直运输设施（如高架、门架等），要使材料的运送能顺利地由垂直运输转入水平运输（这里指每一层的楼面水平运输）。

④搭设、拆除和搬运方便：能长期周转使用，搭拆能满足施工需要。

⑤要有可靠的安全防护设施：包括防滑、防坠落、防雷电等措施。

⑥经济合理、先进：如能采用吊挂、悬挂等方法时，尽量不采用单、双排支搭到顶的方式。

4.确定施工顺序

施工顺序是指分项工程或工序之间在时间上展开的先后顺序。

确定施工顺序是为了按照客观规律组织施工,解决工种之间在时间上的搭接问题。在保证质量和安全的前提下,充分利用空间,争取时间,实现缩短工期的目的。

确定施工顺序要考虑多方面的因素,应注意以下几个方面:

(1)符合施工工艺要求,各种施工过程之间客观存在的工艺顺序关系,在确定施工顺序时,必须服从这种关系。

(2)必须考虑施工方法和施工机械的相互协调,以及选择施工方法和施工机械的要求。不同的施工方法所采用的施工机械有可能不同,其施工顺序也可能不同。

(3)满足施工组织的要求。

如在建造某些重型车间时,由于这种车间内通常都有较大、较深的设备基础,如先造厂房,然后再建造设备基础,在设备基础挖土时可能会破坏厂房的柱基础,在这种情况下,必须先进行设备基础的施工,然后再进行厂房柱基础的施工,或者两者同时进行。

(4)必须确保质量和安全施工的要求。

(5)必须适应建设地点气候变化要求

例如在华东、中南地区施工时,应当考虑雨季施工的特点;在华北、东北、西北地区施工应当考虑冬季施工的特点。

四、单位工程施工进度安排和资源需要量计划

施工进度计划是施工组织设计的中心内容,是在承包合同规定的条款下,在规定施工方案基础上对各分部分项工程的开始和结束时间作出具体的日程安排。一般可用横道进度计划或网络进度计划表示。

1.施工进度计划的作用

(1)控制单位工程的施工进度,保证在规定的工期内完成符合质量要求的工程任务。

(2)按照单位工程各施工过程的施工顺序,确定各施工过程的持续时间以及它们相互间(包括土建工程与其它专业工程之间)的配合关系。

(3)确定施工所必须的各类资源(人力、材料、机械设备、水电等)的需要量。

(4)为施工准备工作、编制月旬作业计划提供依据。

2.施工进度计划编制的依据

(1)经过审批后的单位工程的全部施工图纸、标准图集、有关技术资料、现场地形图等。

(2)现场有关的水文、地质、气象和其它技术经济资料。

(3)合同规定的开工、竣工日期及工期。

(4)单位工程的施工方案。

(5)施工图预算。

(6)劳动定额及机械台班定额。

(7)施工条件(劳动力、机械、材料)的供应能力,专业单位(如设备安装等)配合土建施工的能力。

(8)其它有关要求和资料。

3.施工进度计划目标

(1)工期应满足规定的要求。

(2)施工现场各种临时设施的规模,在合理范围内尽可能最小。

(3)施工机械、设备、工具、模具、周转材料等在合理的范围内最少,并尽可能重复利用。

(4)尽可能组织连续均衡施工,在整个工程施工期间,施工现场的劳动人数在合理的范围内尽可能保持一定的最小数目。

(5)尽可能减少因组织安排不善、停工待料所引起的时间损失。

4.施工进度计划的表示方法

施工进度计划一般采用水平图表(横道图)、垂直图表和网络图的形式。本节主要阐述用横道图编制施工进度计划的方法和步骤。横道图的表示形式见表11-3所列。

单位工程施工进度横道图表　　　　　　　　　表11-3

序号	分部分项工程名称	工程量		时间定额	劳动量		需用机械		工作班次	每班人数	工作天数	施工进度					
		单位	数量		工种	工日数量	名称	台班				月					
												5	10	15	20	25	30

从表中可以看出,它由左右两部分组成。左边部分反映各分部分项工程相应的工程量、定额、劳动量、采用的定额、需要的劳动量或机械台班数以及参加施工的工人数和施工机械等,右边上部是从规定的开工之日起至竣工之日止的时间表。下边是用横向线条表示的进度指示图表,是按左边的计算数据设计出来的,它用线条形象地表示出各个分部分项工程的施工进度和总工期,它反映出各分部分项工程项目相互间关系和各个施工队在时间和空间上开展工作的相互配合关系。表的右边部分有月、日,用分格表示。每格可代表一天或五天或一周、一旬等都可。

5.编制步骤

编制单位工程施工进度计划前应熟悉图纸和有关资料、调查施工条件,并按下述步骤编制:

(1)确定分部分项工程项目,划分施工过程

施工进度表中所列项目是指直接完成单位工程的各分部分项工程的施工过程。首先按照施工图纸和施工顺序,将拟建单位工程的各个施工过程列出,并结合施工方法、施工条件和劳动组织等因素,加以适当调整,确定填入施工进度计划表中的施工过程。

所有分部分项工程项目及施工过程在进度计划表上填写时应按施工顺序排列。

在确定分部分项工程项目时,应注意以下问题:

①工程项目划分的粗细程度

分部分项工程项目划分的粗细程度根据进度计划的具体要求而定。对于控制性进度计划,项目的划分应粗一些,一般只列出分部工程的名称。而实施性的单位工程进度计划,项目可划得细一些,特别是对工期有影响的项目不能漏项,以便掌握施工进度,指导施工。为使进度计划能简明清晰,原则上应在可能条件下尽量减少工程项目的数目,能合并的就合并,能不列出的就不列出。

②施工过程的划分要结合所选择的施工方案

分部分项工程项目的划分,要在熟悉图纸的基础上,按施工方案所确定的合理顺序列出。由于施工方案和施工方法的不同,会影响工程项目名称、数量及施工顺序,因此,工程项目划分应与所选施工方法相协调一致。

③对于分包单位施工的专业项目,可安排与土建施工相配合的进度日期,但要明确一些要求。

④划分分部分项工程项目时,还要考虑建筑结构的特点及劳动组织等因素。

⑤所有施工过程的项目名称,均应参考现行定额手册上的项目名称。

(2)计算工程量

工程量的计算应根据施工图和工程量计算规则进行。分部分项工程项目确定后,可分段计算工程量,计算中应注意以下几个问题:

①各分部分项工程的工程量计算单位应与现行定额手册中所规定的单位相一致。

②计算工程量应与确定施工方法相一致,要结合施工方法满足安全技术的要求。如土方开挖,应根据土壤的类别和是否放坡,是否增加支撑或工作面等进行调整计算。

③当施工组织要求分区、分段、分层施工时,工程量计算应按分区、分段、分层来计算,以利于施工组织及进度计划的编制。

(3)确定劳动量和机械台班数

所谓劳动量是指完成某施工过程所需要的工日数(人工作业时)和台班数(机械作业时)。根据各分部分项工程的工程量(Q)、施工方法和现行的劳动定额,综合单位的实际情况计算各施工过程的劳动量或机械台班数(P)。其计算式如下:

$$P = Q/S \text{ 或 } P = Q \times H \tag{11-23}$$

式中:P——某分项工程所需的劳动量(工日、台班);

Q——某分项工程的工程量(m^3、m^2、t 等);

S——某分项工程的产量定额(m^3、m^2、t/工日或台班);

H——某分项工程的时间定额(工日或台班/m^3、m^2、t 等)。

在使用定额时可能会出现以下几种情况:

①计划中的一个项目包括了定额中的同一性质的不同类型的几个分项工程,这时可采用第一种方法计算,即:用其所包括的各分项工程的工程量与其各自的产量定额或时间定额算出各自的劳动量,然后求和即为计划中项目的劳动量,其计算公式如下:

$$P = \frac{Q_1}{S_2} + \frac{Q_2}{S_2} + \frac{Q_3}{S_3} + \Lambda\Lambda + \frac{Q_n}{S_n} = \sum_{i=1}^{n} \frac{Q_n}{S_n} \tag{11-24}$$

式中:　　　P——计划中某一项目的劳动量;

Q_1、Q_2、$Q_3 \cdots Q_n$——同一性质各个不同类型分项工程的工程量;

S_1、S_2、$S_3 \cdots S_n$——同一性质各个不同类型分项工程的产量定额;

　　　　　n——计划中的一个工程项目所包括定额中同一性质不同类型分项工程的个数。

也可采用第二种计算方法:首先计算平均定额,再用平均定额计算劳动量,其计算式如下:

$$\bar{S} = \frac{Q_1 + Q_2 + \Lambda\Lambda + Q_n}{\dfrac{Q_1}{S_1} + \dfrac{Q_2}{S_2} + \Lambda\Lambda + \dfrac{Q_n}{S_n}} \tag{11-25}$$

式中:$\bar{S}$——同一性质不同类型分项工程的平均产量定额。

②施工计划中的某个项目采用了尚未列入定额手册的新技术或特殊的施工方法,计算时可参考类似项目的定额或经过实际测算确定临时定额。

(4)确定各施工过程的作业天数

计算各分项工程施工持续天数的方法有两种:

①根据配备的人数或机械台数计算天数

计算式如下:

$$t = \frac{P}{RN} \tag{11-26}$$

式中:t——完成某分项工程的施工天数;

R——每班配备在该分部分项工程上的施工机械台数或人数;

N——每天的工作班次;

P——该分部分项工程所需要的劳动量。

②根据工期的要求倒排进度

首先根据总工期和施工经验,确定各分项工程的施工时间,然后计算出每一分项工程所需要的机械台数或工人数,计算如下:

$$R = \frac{P}{tN} \tag{11-27}$$

工作班制一般宜采用一班制,因其能利用自然光照,适宜于露天和空中交叉作业,有利于安全和工程质量。若采用二班或三班制工作,可以加快施工进度,并且能够保证施工机械得到更充分的利用。但是,也会引起技术监督、工人福利以及施工地点照明等方面费用增加。因此,没有必要对所有的施工过程都采用二班、三班制工作。一般来说,应该尽量把辅助工作和准备工作安排在第二班内,以便主要的施工过程在第二天白班能够顺利地进行。只有那些使用大型机械的主要施工过程(如使用大型挖土机、使用大型的起重机安装构件等),为了充分发挥机械的能力才有必要采用二班制工作。三班制工作应尽量避免,因为在这种情况下,施工机械的检查和维修无法进行,不能保证机械经常处在完好的状态,三班制施工只有在以下几种情况下采用:

a.工艺要求不能间断的工作。例如:地下抗渗混凝土构筑物的施工。

b.从安全施工角度考虑。例如:在深基坑内基础施工阶段,为了防止边坡坍方需尽快完成地下部分施工,然后立即回填土,而在组织施工时,多利用三班制工作。

c.工期的特殊要求。如果工期要求很紧,为达到按时完工必须采用三班制施工。

对于机械化施工过程,如果计算出的工作持续天数同所要求的相比太长或太短,则可以增加或减少机械的台数,从而调整工作的持续时间。

在安排每班的劳动人数时,必须考虑以下几点:

a.最小劳动组合。很多分项工程的施工都必须有几个人共同配合才能进行工作。最小劳动组合是指某一施工过程要进行正常施工所必须的最低限度的人数及其合理组合。例如砌墙,只有技工不行,必须有普工配合。

b.最小工作面。所谓工作面是指施工对象上可能安排工人和布置机械的地段,用来反映施工过程在空间布置的可能性。最小工作面是指每一个工人或一个班组施工时必须要有足够的工作面才能发挥效率,保证施工安全。一个分项工程在组织施工时,安排工人数的多少受到工作面的限制,不能为了缩短工期,而无限制地增加工人的人数,否则会由于工作面过狭,不能充分发挥工作效率,甚至发生安全事故。

c.可能安排的人数。根据现场实际情况(如劳动力供应情况、技工技术等级及人数等),在最少必需人数和最多可能人数的范围之内,安排工人人数。如果在最小工作面的情况下,安排了最多人数仍不能满足工期要求时,可以组织两班制或三班制。

(5)编排施工进度计划

各分部分项工程的施工顺序和施工天数确定后,即用横道图表的右半部分按照施工顺序及施工天数进行初排,然后经检查调整后编排出正式的施工进度计划。

编排施工进度计划的基本要求:

①力求保证施工过程(特别是主导工程)连续施工,尽可能组织流水作业。

②各施工过程在满足工艺要求前提下,应尽可能最大限度的搭接起来。

③编排的施工进度计划,必须保证合同规定的工期要求,否则应进行调整,可提前,但不能施后。

④要保证工程质量和安全生产。

编排施工进度计划的步骤如下:

①首先找出并安排控制工期的主导分部工程,然后安排其余分部工程,并使其与主导分部工程最大可能平行进行或最大限度的搭接施工;

②在主导分部工程中,首先安排主导分项工程,然后安排其它分项工程,并使进度与主导分项工程同步而不致影响主导分项工程的展开。

③在编排施工进度计划时,先安排影响主导工程进度的施工过程,再安排其余施工过程。

④经以上三步编排后得到初始的进度计划,然后要进行进度计划的检查和调整工作。

为适应现代信息社会的快速发展、科学管理项目,提高工作效率,在编排施工进度计划时可利用项目管理应用软件(如 Microsoft project98)。

(6)施工进度计划的检查和调整

检查的内容包括:

①工期是否达到要求;

②工艺顺序是否合理,主导工作是否连续施工,其余分部工作与主导工作的平行或搭接是否合理。施工平面和空间安排是否合理。

③劳动力、机械台班、材料、工具需用量是否均衡。主要施工机械是否充分发挥其作用及利用的合理性。

检查发现了问题要及时调整,调整的方法有三:一是延长或缩短工序的持续时间;二是在施工顺序允许的条件下,将调整的工序向前或向后移动;三是必要时可改变施工方法和施工组织措施。

各分部分项工程互相都有一定的联系,当变动某一工序的时间安排时,一是要注意其前后左右工序之间相互的影响,否则原有矛盾解决了,又产生了新的矛盾。

编排施工进度计划除上述方法外,还可根据工期要求采用倒排进度的方法,这种方法适用于工期要求紧或竣工时间已定不可改变的情况下。倒排进度时,更应注意施工顺序的合理性,平行或搭接工作的适时性,尽可能使劳动力、材料等供应均衡。

最后绘制正式进度计划。表11-4 即为四层砖混结构住宅工程用横道图表示的施工进度计划实例。

在实际施工中,影响施工进度计划贯彻执行因素很多,如气候、地质、材料设备、设计变更等等。在编制施工进度计划时,虽然作了周密的计划,但是在执行过程当中还需要善于使主观的东西适应客观情况和条件的变化,随时掌握工程动态,不断地修改和调整进度计划,只有这

施工进度计划表

表 11-4

编号	工程名称	量度单位	工程数量	产量定额 规定值	产量定额 采用值	劳动力需要总量(工或台班)	每天出勤人数	工程延续天数	机械名称	工作进度(天)
1	准备工作									
2	人工开挖基槽	m³	600	6.1		96	16	6		
3	碎砖三合土垫层	m³	90	1.2		84	14	6		
4	砌筑砖基础	m³	99	1.36		72	12	6		
5	墙基回填土	m³	402	5.5		72	12	6		
6	砌四层砖墙和安装门窗框	m³ 樘	707 324	1.15 1.30	600 24		25 1	24 24		
7	楼板及楼梯安装	块	1569	5.49		336	14	24		
8	楼板灌缝	m²	2480	21.0		120	5	24		
9	木屋架安装	m²	1190	12.4		96	4	24		
10	门扇安装和窗扇安装	扇	291 186	4.8 10.0		72	3	24		
11	吊天棚平顶	m²	472	15.0		48	2	24		
12	屋顶等现浇混凝土	m³	19.5	0.6		30	5	6		
13	抹屋顶防水层	m²	650	13.0		48	8	6		
14	外墙抹灰	m²	1650	8.2		180	5	36		
15	天棚平顶抹灰	m²	1860	8.2		216	6	36		
16	内墙抹灰	m²	5225	11.4		468	13	36		
17	水泥粉地坪	m²	440	13.8		36	1	36		
18	木企口地板安装	m²	1175	1.78		648	18	36		
19	门窗油漆	m²	515	8.22		72	2	36		
20	电气安装	2%				92	2	46		
21	卫生设备安装	5%				156	4	39		
22	其它	15%				5.16	6	86		

工作进度(天)刻度: 2 4 6 8 10（重复）

劳动力动态曲线数值: 48 44 44 51 55 58 60 40 43 33 28 55 36 23 57 50 42 28 10 36 22 30 36

样,施工进度计划才有可能起到指导施工的作用。为了考虑现场的实际施工条件的变化,在编排初始进度计划时,适当的留有余地以利计划的顺利执行。

6.施工准备工作计划

施工准备是完成单位工程施工任务的基本条件。

施工准备工作不但在开工前需要,而且在工程施工期间仍要对分部分项工程的施工做好准备工作,直至工程交付使用为止。

一般的单位工程施工前的准备工作包括,组织和技术(包含图纸、预算文件、协议书、合同、施工执照等)准备;征地拆迁;临时设施修建;物资和施工机具、设备的准备;运输及储备;施工现场管理机构的建立和施工队伍的集结;现场的"三通一平"、冬雨季施工准备。

一般施工准备工作计划的安排,是在考虑建设单位能够提供条件的基础上来安排的。为体现施工企业的作业风范,应尽量安排的紧凑些,对一些要进行审批才能进行的工作,先进行审批,否则会影响现场计划的执行。如:现场临时设施的修建必须符合防火部门的要求。

7.资源需要量计划

资源需要量计划中包括:劳动力需要量;主要材料需要量;构件需要量;施工机具需要量等。以单位工程施工进度计划为依据,编制以上资源需用量计划。

劳动力需要量计划,是将单位工程各施工进度表内所列的各项施工进程每天所安排的工人人数汇总而成(细致要求时可按工种汇制)。用于劳动力调配和工地生活设施的安排,见表11-5。材料需要量计划见表11-6,构件、加工品、施工机具等计划按表11-7、表11-8、表11-9。

×× 工程劳动力需要量计划　　　　　　　　　　表 11-5

序号	工种名称	需用总工日数	月					月				

×× 工程材料需要量计划　　　　　　　　　　表 11-6

序号	材料名称	规格	需用量		供应时间	备注
			单位	数量		

×× 工程构件及加工半成品需要量计划　　　　　表 11-7

序号	品名	图号和型号	规格	需要量		加工单位	供应日期	备注
				单位	数量			

序号	机具名称	型号规格	单位	数量	货源	使用起止时间	备注

××工程运输计划 表 11-9

序号	需运项目	单位	数量	货源	运距(公里)	运输量(吨公里)	所需运输工具			需用起止时间
							名称	吨位	台班	

五、单位工程施工平面布置图设计

单位工程施工平面图是单位工程施工组织设计中的重要组成部分。是对一个建筑物或构筑物的施工现场的平面规划和空间布置。合理的施工平面布置对于顺利执行施工进度计划也是非常重要的。对现场的文明施工、工程成本、工程质量和安全都会产生直接的影响。

1.设计内容和依据

(1)设计内容

①总平面图上已建和拟建的地上、地下建筑物或构筑物和各种管线的位置、尺寸;

②移动式起重机(包括有轨起重机)开行路线及垂直运输设施的位置;

③地形等高线、测量放线标桩的位置和取舍土方的地点;

④为施工服务的临时设施的布置;

⑤各种材料(包括水、暖、电、卫材料)、半成品、构件以及工业设备等仓库和堆场;

⑥场内的施工道路布置及引入铁路、公路和航道位置;

⑦临时的给水管线、供电线路、蒸气及压缩空气管道等布置;

⑧一切安全及防火设施的设置。

(2)设计的依据

单位工程施工平面图应在施工设计人员踏勘现场、取得现场第一手资料的基础上,根据施工方案和施工进度计划的要求进行设计。设计时依据的资料有:

①建设地区的原始资料

自然条件调查资料,用以解决由于气候(冰冻、洪水、风、雹等)、运输等相关问题。也用于布置地表水和地下水的排水沟。确定易燃、易爆及有碍人体健康的设施布置等。

建设地域的竖向设计资料和土方平衡图,用以解决水、电管线的布置和土方的填挖及弃土、取土位置。

建设单位及工地附近可供租用的房屋、场地、加工设备及生活设施,用以决定临时建筑及设施所需要及其空间位置。

②设计资料

总平面图:用以正确确定临时建筑及其他设施位置,以及修建工地运输道路和解决排水等所需的资料。

一切已有和拟建的地下、地上管道位置,用以决定原有管道的利用或拆除以及新管线的敷设与其它工程的关系。并注意不能在拟建管道的位置上搭设临时建筑。

③施工组织设计资料

单位工程的施工方案、进度计划及劳动力、施工机械需要量计划等，用以了解各施工阶段的情况，以利分阶段布置现场。根据各阶段不同的施工方案决定各种施工机械的位置；吊装方案与构件预制、堆场的布置。

各种材料、半成品、构件等的需用量计划。用以决定仓库、材料对堆放场地位置、数量及场地的规划。

2.单位工程施工平面图设计的原则

(1)在满足施工条件下，要紧凑布置，尽可能减少施工用地，不占用农田。在市区改建工程中，只能在规定时间内占用公路或人行街道。一切临时性建筑设施，尽量不占用或少占用拟建永久性建筑物的位置，以免造成不应有的搬迁和拆除。能利用的原有建筑尽量利用，以利节约。

(2)最大限度缩短工地内部运距，尽量减少场内的二次搬运。各种材料构件、半成品应按进度计划分期分批进场，尽量布置在使用地点附近或在垂直运输机械的回转半径之内。

(3)临时设施的布置，应便于工人的生产和生活，使工人休息室距施工地点距离最近，往返节省时间。

(4)要符合劳动保护、技术安全及防火的要求。

根据上述设计原则，结合现场的实际情况，根据各类工程的不同特点分阶段布置平面图。可安排几个可行的方案。从施工用地的面积、施工临时道路、管线长度、施工场地利用率、场地材料搬运量及搬运距离等方面进行分析比较，选其技术上合理，费用上经济的方案。

3.单位工程施工平面图的设计步骤

单位工程施工平面图的设计步骤如图11-2所示。

(1)确定垂直运输机械的位置

垂直运输机械的位置，直接影响仓库、料堆、砂浆和混凝土搅拌站的位置以及道路、水、电线路的布置等。它是施工平面布置的核心内容，必须首先考虑。

①固定式垂直运输设备的布置

固定式垂直运输设备包括井架、门架、桅杆式起重机等，它们的布置主要根据其机械性能、建(构)筑物的平面形状和大小、施工段的划分情况、起重高度、材料和构件的重量、运输道路等情况而定。其目的是充分发挥起重机械的能力，做到使用安全、方便、便于组织流水施工，并使地面与楼面上的水平运输距离最短。固定式起重运输设备中卷扬机的位置与井架、门架等距离要适中，以便使司机能够看到整个升降过程。井架、龙门架的数

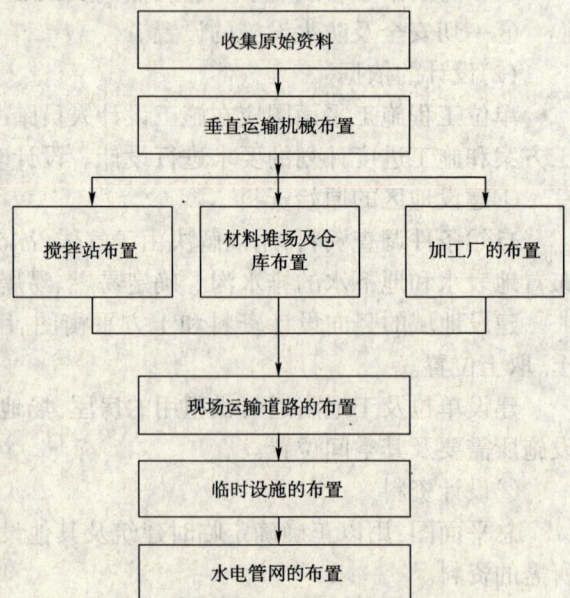

图 11-2　施工平面图设计步骤

量要根据施工进度、垂直提升的构件和材料数量、台班的工作效率等因素确定,其服务范围一般为 50～60m。井架应立在外脚手架之外,并有一定距离为宜,一般为 5～6m。

②自行杆式起重机的布置

布置自行杆式起重机时,要考虑其起重高度、构件的重量、回转半径、吊装方法、建(构)筑物的平面形状等。并在吊装屋面及各楼层的预制板时要考虑最小起重臂臂长(Lmin)的影响,避免臂杆与已建结构或构件相碰撞。布置自行杆式起重机的开行路线要尽量的短,尤其是对汽车式或轮胎式起重机,尽量使其停机一次能吊足够多的构件,避免反复打支腿影响吊装的速度。

③塔式起重机的布置

塔式起重机,既可以进行垂直运输也可进行现场的水平运输,它分为固定式、轨道式、内爬式、附着式四种:

a.轨道式塔式起重机的布置

布置塔式起重机的轨道时要结合建(构)筑物的平面形状和四周的场地条件综合考虑,要使建(构)筑物平面尽量处于塔臂的活动范围之内,避免出现"死角",要使构件、成品及半成品、堆放位置及搅拌站前台尽量处于塔臂的活动范围之内。同时做好轨道四周的排水工作。布置塔吊时还要注意安塔、拆塔是否有足够的场地,尤其是拆塔。同时还应注意塔基是否坚实可靠;双塔回转时是否有重合碰撞的可能性等。

b.固定式塔式起重机的布置

固定式塔式起重机不需铺设轨道。但其作业范围与有轨式塔式起重机相比较小。附着式塔式起重机占地面积小,且起重高度大,可自升高,但对建(构)筑物作用有附着力。其塔基多为桩基或厚大体积的钢筋混凝土塔基,塔基的施工与结构基础施工尽量同步进行。内爬式塔式起重机布置在建(构)筑物内侧,且作用有效范围大,适用高层建(构)筑物的施工。两种机械的布置均应在满足起重高度和起重量的前提下进行,使拟建建(构)筑物在塔吊半径的回转范围之内。

(2)确定搅拌站、仓库和材料、构件堆场的位置。

考虑到运输和装卸料的方便,搅拌站、仓库和材料堆场、构件堆场的位置应尽量靠近使用地点或在起重能力范围以内,以缩短运距,避免二次搬运。

根据施工阶段、施工部位和起重机械的类型不同,材料、构件等堆场位置一般应遵循以下几点要求:

①当采用固定式垂直运输设备时,施工材料宜布置在垂直运输机械附近;当采用自行杆式起重机进行水平或垂直运输时,应沿起重机的开行路线来布置,且其位置应在起重臂的最大起重半径范围内;当采用塔式起重机进行垂直运输时,应布置在塔式起重机有效的起重幅度范围内。

②多种材料同时布置时,对大宗的、重量大的和先期使用的材料尽可能靠近使用地点或起重机附近布置;而少量的、轻的、后期使用的材料则可布置得稍远一些。如砂、石、水泥等大宗材料的布置,可尽量布置在搅拌站附近,使搅拌材料运至搅拌机的运距尽量短。

③按不同的施工阶段,使用不同材料的特点,在其相同的位置上可布置不同的材料。

(3)现场运输道路的布置

现场道路必须满足材料、构件等物品的运输及消防的要求。现场的主要道路应尽可能利用永久性道路。现场道路布置时,单行道路宽不小于 3.5m,双行道路宽在 6m 以上,以保证现场车辆行驶畅通。为使运输工具有回转的可能性,道路应围绕单位工程环型布置,转弯半径要满足最长车辆拐弯的要求。路基要坚实,做到雨期不泥泞不翻浆。道路两侧要设有排水沟,以利雨期排水,排水沟深度不小于 0.4m,底宽不小于 0.3m。

(4)确定各类临时设施的位置

临时设施分为生产性临时设施,如钢筋加工棚和水泵房、木工加工房;非生产性临时设施如办公室、工人休息室、警卫室、食堂、厕所等。

①木工棚、钢筋加工棚的位置,宜布置在建(构)筑物四周稍远一点的位置,且有一定的材料、成品堆放场地。

②易燃易爆品仓库应远离锅炉房等。

③现场的生活福利设施也为非生产性临时设施,应尽量少设,必须设置的临时设施应考虑使用方便,但又不妨碍施工,并要符合防火、保卫的规定。

(5)布置水电管网

①施工水网的布置

现场用水包括生产、生活、消防用水三大类。在可能的条件下,单位工程施工用水及消防用水要尽量利用工程永久性供水系统,以便节约临时供水设施费用。

a.施工用的临时给水管。一般由建设单位的干管或自行布置的干管接到施工现场。布置时应力求管网长度最短,管径大小、龙头的位置与数量按工程实际规定的大小而定。管道应埋入地下,尤其是受天气寒冷的影响,要埋置冰冻层以下,避免冬期施工时水管冻裂。也防止汽车及其他 机械在上面行走压坏水管。临时管线不要布置在将要修建的建(构)筑物或室外管沟处,以免这些项目开工时,切断了水源影响施工用水。

b.应按防火要求,设置室外消防栓。

c.高层建筑施工一般要设置高压水泵和楼层临时消火栓。消火栓作用半径为 50m ,其位置在楼梯通道处或外架子、垂直运输井架附近。冬期施工还要采取防冻保温措施。

d.为了排除地面水和地下水,应及时修通永久性下水道。并结合现场地形在建(构)筑物周围设置排水沟。

②施工供电布置

a.根据计算出的各个施工阶段所需及最大用电量,选择变压器和配电设备。根据用电设备的位置及容量,确定动力和照明供电线路。变压器应设在现场边缘,靠近高压线入口处。

b.线路应尽量设在道路一侧,不得妨碍交通和施工机械运转,在塔吊臂杆范围以内要改用地下电缆。线路距建(构)筑物的水平距离应大于 1.5m。

c.架空线路应尽量保持线路水平,以免电杆受力不均。在低压线路中架空线与施工建(构)筑物水平距离不小于 10m,与地面距离不小于 6m;跨越建(构)筑物或临时设施时,垂直距离不小于 2.5m。

施工是一个复杂多变的生产过程,工地上的实际布置情况是随时在改变着的。但是对整个施工期间使用的一些主要道路、垂直运输机械、水电管线和房屋不应轻易改变其位置,只是各种材料堆放、工具的堆放场地须根据不同的施工阶段调整其布置的位置。

对于大型土木工程,施工期限较长或建设地点较为狭小的工程,要按施工阶段布置几张平面图。而较小的工程,按主要施工阶段布置一张平面图即可。

(6)某工程施工平面布置图实例(图 11-3 所示)

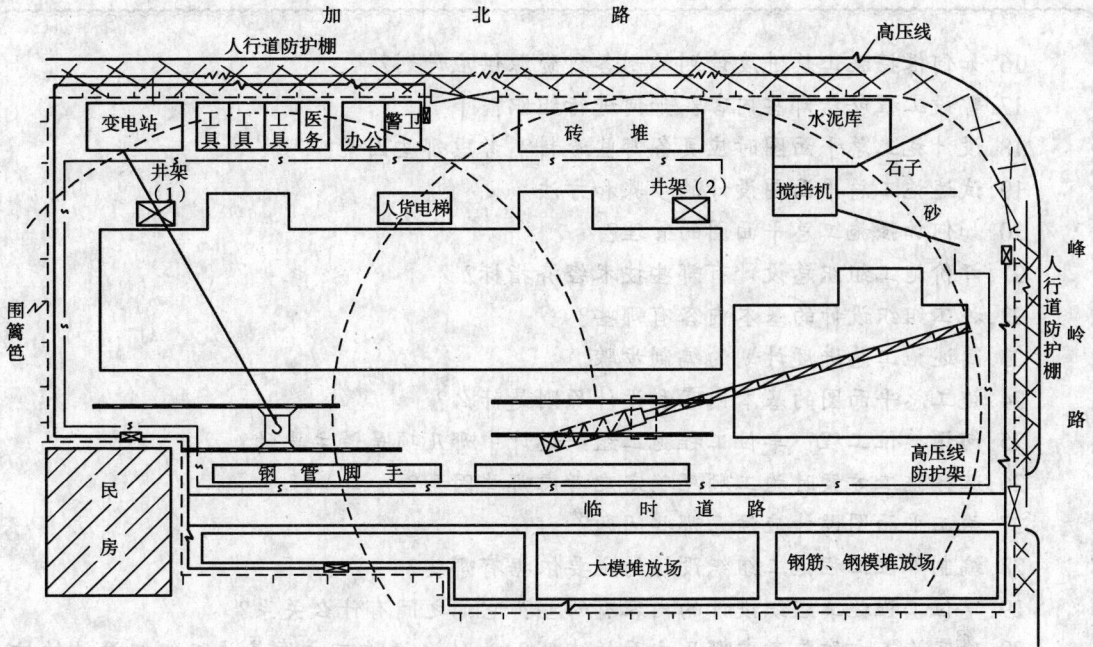

图 11-3 某工程施工平面图

思考题

1. 施工准备工作包括哪些内容?

2. 确定仓库面积时,应考虑的因素有哪些?

3. 施工平面图布置中应该考虑的业务组织有哪些?

4. 施工用电计算包括什么内容?

5. 建筑施工具有哪些特点?

6. 试述组织施工的基本原则。

7. 原始资料包括哪些内容? 在组织施工时如何利用这些资料?

8. 施工准备工作有哪些主要内容? 试述施工准备工作的重要意义。

9. 施工组织设计有几种类型? 其基本内容有哪些?

10. 试述施工组织设计的作用,如何贯彻和执行?

11. 如何对施工组织设计进行检查和调整?

12. 试述施工组织总设计编制的程序及依据。

13. 施工部署包括哪些内容?

14. 试述施工总进度计划的作用、编制的原则和方法。

15. 试分析施工总进度计划与基本建设投资经济效益的关系。

16.如何根据施工总进度计划编制各种资源供应计划？

17.暂设工程包括哪些内容？如何进行组织？

18.设计施工总平面图时应具备哪些资料？考虑哪些因素？

19.试述施工总平面图设计的步骤和方法。

20.如何加强施工总平面图的管理？

21.评价施工组织总设计有哪些技术经济指标？

22.施工组织设计的基本内容有哪些？

23.简述施工总进度计划的编制步骤。

24.施工总平面图的基本内容和设计原则是什么？

25.何谓单位工程？单位工程施工组织设计中哪几项是最主要的？

26.选择施工方案时施工顺序确定应考虑哪些因素？

27.施工平面图设计应注意哪些问题？

28.编制单位工程施工组织设计的主要依据有哪些？

29.单位工程施工组织设计的内容有哪些？它们之间有什么关系？

30.确定施工方案要考虑哪几方面的内容？为什么说施工方案是施工组织设计的核心？

31.单位工程施工进度计划的编制步骤是什么？

32.单位工程各分部分项工程的工作日如何计算？劳动定额的取定要考虑哪些问题？

33.单位工程施工平面图的内容有哪些？

34.单位工程施工平面图的设计步骤有哪些？

35.试述砖混结构施工的施工顺序和施工方法。

36.如何进行施工方案的技术经济评价？

37.什么是施工起点流向？如何进行确定？试举例说明。

第十二章 流水施工基本原理
DISHIERZHANG

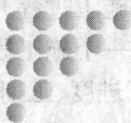

第一节 流水施工的基本概念

建筑产品的生产是一个复杂的过程,对于同一建筑物而言,每个施工单位的组织方法和施工水平各有不同。一项工程采取何种施工组织方法,主要取决于工程对象规模、建筑平面形式、结特点、所采取的技术手段、施工单位的机械装备水平以及其他施工条件等因素。为保证建筑施工组织能均衡地、有节奏地、连续地进行,在建筑施工组织中推行流水作业的组织方法、是实现建筑产品的工期短、质量优、成本低目标的有效方法之一。

一、流水作业的基本概念

流水作业是一种先进的生产组织方式,即把整个的加工过程划分成若干个不同的工序,按照一定的顺序像流水似地进行生产。它是在劳动分工、合作和劳动工具专业化的基础上产生出来的,最早应用在工业生产上,后来应用于所有生产领域。生产实践已经证明,流水作业法可以充分地利用工作时间和操作空间,减少非生产性的劳动消耗,提高生产率,而且已收到良好的经济效益,其基本特点在于生产过程具有连续性、均衡性和节奏性。

建筑工程的"流水施工"来源于工业生产中的"流水作业",但又有所不同。在工业生产中,生产工人和设备的位置是固定的,产品按生产加工工艺在生产线上进行移动加工,从而形成加工者与被加工对象之间的相对流动;而在建筑施工过程中,建筑产品有固定性的特点,因此,在建筑工程中的流水施工是建筑产品的位置固定不动,由生产工人带着材料和机具等在建筑物的空间上从前一段到后一段进行移动生产形成的。

二、组织施工的基本方式

组织施工的方式有依次施工、平行施工和流水施工三种,为了能更清楚的说明它们各自的特点、概念及流水施工的优越性,下面举一例对它们进行分析和对比。

【例 12-1】 有三个单元的一幢建筑物的基础工程,已知各单元的工程量都相等,且都分为基槽挖土、做混凝土垫层、砌筑基础和回填土四个施工过程。假设每个施工过程在一个施工段上的持续时间都是1天(以一个单元为一个施工段),四个施工过程分别由特定的工作人员来完成;其中,挖土方工作队由 10 人组成,做混凝土垫层工作队由 8 人组成,砌筑基础工作队由 14 人组成,回填土工作队由 5 人组成,分别选择依次施工、平行施工和流水施工这三种方式组织施工,并加以比较。

1.依次施工

依次施工是按照一定的施工顺序,前一个施工过程完成后,后一个施工过程开始施工;或先按一定的施工顺序完成前一个施工段上的全部施工过程后再进行下一个施工段的施工,直到完成所有的施工段。按照依次施工的方式组织上述工程施工,其施工进度、工期和劳动力动态变化曲线如图 12-1 所示。由图 12-1 可见依次施工具有以下优缺点:

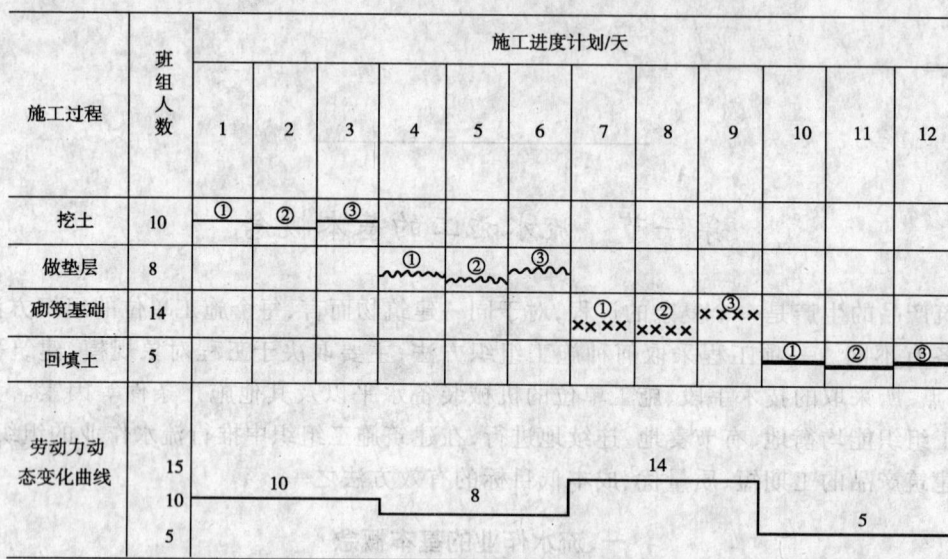

图 12-1　依次施工组织方式图表

(1)优点

①单位时间内投入的资源量较少且较均衡,有利于资源供应的组织工作;

②施工现场的组织、管理较简单。

(2)缺点

①不能充分利用工作面去争取时间,工期长;

②各专业班组不能连续工作,产生窝工现象;

③不利于实现专业化施工,不利于改进工人的操作方法和施工机具,不利于提高劳动生产率和工程质量。

因此,依次施工一般适用于工作面有限、规模较小的工程。

2.平行施工

平行施工即组织几个相同的工作队(或班组),在各施工段上同时开工、齐头并进、并且同时完工的一种施工组织方式。将例 12-1 中的基础工程组织平行施工,如图 12-2 所示。由图 12-2 可见平行施工具有以下优缺点:

(1)优点

充分利用了工作面,工期短。

(2)缺点

①单位时间内投入施工的资源量成倍增长,资源供应集中,现场临时设施也相应增加;

②不利于实现专业化施工队伍连续作业,不利于提高劳动生产率和工程质量;

③施工现场组织、管理较复杂。

所以,平行施工的组织方式只有在拟建工程任务十分紧迫、工作面允许以及资源保证供应的条件下才适用。

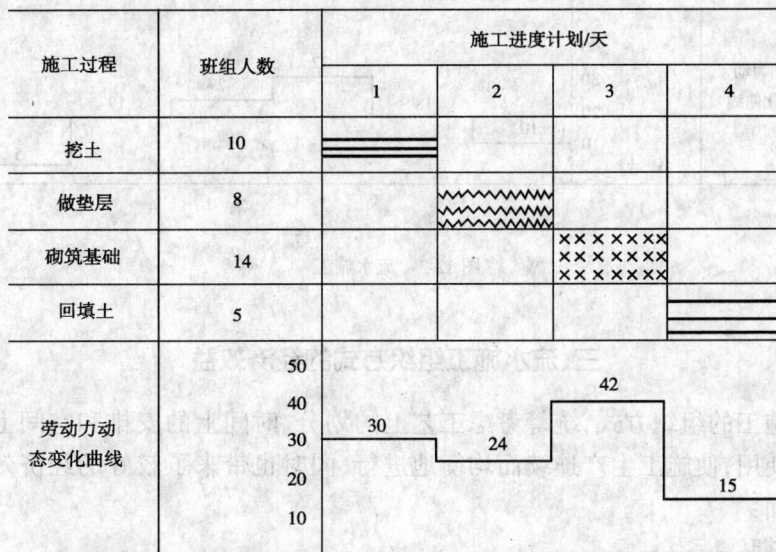

施工过程	班组人数	施工进度计划/天			
		1	2	3	4
挖土	10	▬▬▬			
做垫层	8		∿∿∿		
砌筑基础	14			×××××	
回填土	5				▬▬▬
劳动力动态变化曲线	50 40 30 20 10	30	24	42	15

图 12-2 平行施工

3.流水施工

流水施工是将拟建工程项目的全部建造过程在工艺上分解为若干个施工过程(也就是划分为若干个工作性质相同的分部、分项工程或工序),同时在平面上划分成若干个劳动量大致相等的施工段,在竖向上划分成若干个施工层。然后按照施工过程相应地组织若干个专业工作队(或班组),同一施工队按照一定的流向在各施工段上流动,不同的施工队按工艺顺序依次投入施工,并使相邻两个专业工作队,在开工时间上最大限度地、合理地搭接起来,保证工程项目施工全过程在时间和空间上,有节奏、连续、均衡地进行下去,直到完成全部工程任务。将例 12-1 中的基础工程组织流水施工,如图 12-3 所示,由图 12-3 可见流水施工具有以下特点:

(1)科学地利用了工作面,工期较合理;

(2)实现了专业化施工,可使工人的操作技术熟练,更好地保证工作质量,提高劳动生产率;

(3)专业工作队能够连续作业,相邻的专业工作队之间实现了最大限度的合理搭接;

(4)单位时间内投入施工的资源量较为均衡,有利于资源供应的组织工作;

(5)为文明施工和现场的科学管理创造了有利条件。

显然,采用流水施工的组织方式明显优于依次施工和平行施工。

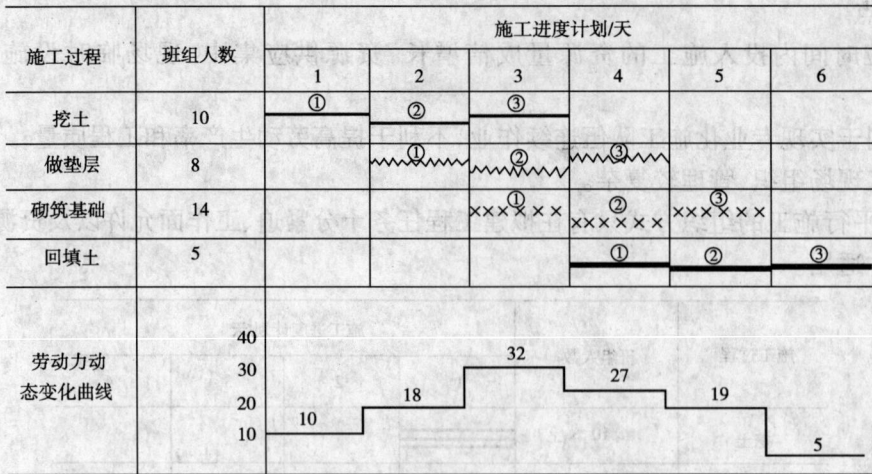

施工过程	班组人数	施工进度计划/天					
		1	2	3	4	5	6
挖土	10	①	②	③			
做垫层	8		①	②			
砌筑基础	14			①	②	③	
回填土	5				①	②	③
劳动力动态变化曲线	40 30 20 10	10	18	32	27	19	5

图 12-3　流水施工

三、流水施工组织方式的经济效益

采用流水施工的组织方式,统筹考虑工艺上的划分、时间上的安排和空间上的布置,使劳动力得以合理使用,使施工生产连续而均衡地进行,同时也带来了较好的经济效益,具体表现在以下几个方面:

(1)缩短工期

采用流水施工,消除了各专业班组投入施工后的等待时间,充分利用时间与空间,在一定条件下相邻两施工过程还可以互相搭接,因而可以大大地缩短工期(一般工期可缩短 1/3～1/2 左右)。

(2)提高劳动生产率

工作班组实行专业化生产,人员工种比较固定,为工人提高技术水平、改进操作方法以及革新生产工具创造了有利条件,因而促进了劳动生产率的不断提高和工人劳动条件的改善(一般可提高劳动生产率 30% 以上)。

(3)施工质量更容易保证

正是由于实行了专业化生产,工人的技术水平及熟练程度也不断提高,从而使工程质量更容易得到保证和提高,便于推行全面质量管理工作,为创造优良工程提供了条件。

(4)资源供应均衡

在资源使用上,克服了高峰现象,供应比较均衡,有利于资源的采购、组织、存储、供应等工作。

(5)降低工程成本

由于流水施工具有缩短工期、资源供应均衡等优点,同时工人技术水平和劳动生产率的提高,可以减少用工量和施工临时设施的建造量,可以减少有关费用支出,从而达到了降低工程成本,提高经济效益的目的(一般可降低成本 6%～12%)。

值得强调的是,取得以上经济效益仅仅是改变了施工组织的形式。

四、组织流水施工需考虑的因素

组织流水施工需考虑的因素主要有：

(1)划分施工过程

首先把拟建工程的整个建造过程分解成若干个施工过程或工序，每个施工过程或工序分别由固定的专业班组来完成。如木工负责支模板、钢筋工负责绑扎钢筋、混凝土工负责混凝土的浇筑等。

(2)划分施工段

根据组织流水施工的要求，将拟建工程在平面上尽可能地划分为劳动量大致相等的若干个施工段。

(3)每个施工过程组织独立的施工班组

每个施工过程均应组织独立的施工班组，负责本施工过程的施工，每个班组按施工顺序依次、连续、均衡地从一个施工段转移到另一个施工段反复完成相同的工作。

(4)建立生产节奏，确定每一施工过程在各施工段上的延续时间

根据各施工段劳动量的大小及安排人数或机械数量等因素，确定各专业班组在各施工段上作业的延续时间。

(5)主要施工过程必须连续、均衡地施工

主要施工过程是指工程量大、施工持续时间较长的施工过程。对于主要施工过程，必须安排在各施工段之间连续施工，并尽可能均衡施工。而对于其他次要施工过程，可考虑与相邻施工过程合并或安排合理间断施工，以便缩短施工工期，如图12-4所示。图中 A、B、C、D 分别表示挖土、垫层、砌基础、回填土四个施工过程。

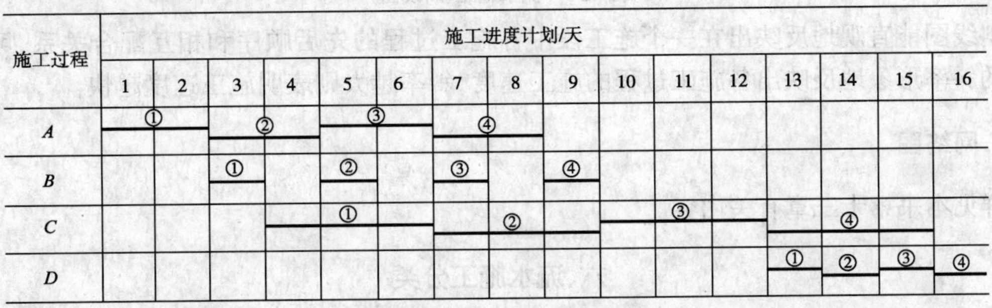

施工过程	施工进度计划/天															
	1	2	3	4	5	6	7	8	9	10	11	12	13	14	15	16
A	①		②		③		④									
B			①		②		③		④							
C					①		②			③				④		
D													①	②	③	④

图 12-4　流水施工(部分间断)

(6)相邻的施工过程按施工工艺要求，尽可能组织平行搭接施工

组织各施工过程之间的合理关系，在工作面及相关条件允许的情况下，除必要的技术与组织间歇时间外，相邻的施工过程应最大限度地安排在不同的施工段上平行搭接施工，以达到缩短总工期的目的。

五、施工进度计划的表示形式

在实际工程施工中，一般用图表来表达施工进度计划，通常有横道图、斜线图和网络图三种表示形式，但横道图和网络图用得相对更多一些。

1.横道图

横道图又称水平图表,其表达形式如图 12-4 所示。其左边列出各施工过程的名称,右边用水平线段(即横道)在时间坐标下画出施工进度。横道的长度则表示某施工过程在某个施工段的作业延续时间,横道位置的起止表示某施工过程在某施工段上作业开始、结束的时间。

横道图绘制简单,流水施工直观、形象、易懂,使用方便。

2.斜线图

斜线图又称垂直图表,其表达形式如图 12-5 所示。其左边列出各施工段(施工段的编号一般由下向上编写),右边用画在时间坐标下的斜线表示施工过程,斜线水平投影的长度表示某施工过程在某个施工段的持续时间,施工过程的紧前、紧后关系由斜线的前后位置表示。

图 12-5 流水施工(斜线图)

斜线图能直观地反映出在一个施工段中各施工过程的先后顺序和相互配合关系,可由其斜线的斜率形象地反映出各施工过程的施工速度,斜率越大则表明施工速度越快。

3.网络图

详见本书第十三章有关内容。

六、流水施工分类

流水施工的分类是组织流水施工的基础,其分类方法可按不同的流水特征来划分。

1.按流水施工的组织范围划分

根据组织流水施工的工程对象范围的大小,流水施工可划分为分项工程流水施工、分部工程流水施工、单位工程流水施工和群体工程流水施工。其中最重要的是分部工程流水施工,又称专业流水,它是组织流水施工的基本方法。单位工程或群体工程的流水施工常采用分别流水法,它是组织单位工程或群体工程流水施工的重要方法。

(1)分项工程流水施工

亦称细部流水或施工过程流水,它是在一个专业工种内部组织起来的流水施工,即一个工作队(组)依次在各施工段进行连续作业的施工方式。如安装模板的工作队依次在各段上连续完成模板工作。它是组织流水施工的基本单元。

(2)分部工程流水施工

又称专业流水,它是在一个分部工程内部各分项工程之间组织起来的流水施工,即由若干个在工艺上密切联系的工作队(组)依次连续不断的在各施工段上重复完成各自的工作,直到所有工作队都经过了各施工段,完成所有过程为止。例如钢筋混凝土工程由支模板、扎钢筋、浇筑混凝土三个分项工程组成,木工、钢筋工、混凝土工三个专业队组依次在各施工段上完成各自的工作。

(3)单位工程流水施工

它是在一个单位工程内部各分部工程之间组织起来的流水施工。即所有专业班组依次在一个单位工程的各施工段上连续施工,直至完成该单位工程为止。一般地,它由若干个分部工程流水组成。如多层全现浇钢筋混凝土框架结构房屋的土建部分是由基础分部工程流水、主体分部工程流水、围护分部工程流水和装饰分部工程流水所组成。

(4)群体工程流水施工

群体工程流水又称综合流水,俗称大流水施工。它是在单位工程之间组织起来的流水施工,是指为完成群体工程而组织起来的全部单位工程流水的总和,即所有工作队依次在工地上建筑群的各施工段上连续施工的总和。如一个住宅小区建设、一个工业厂区建设等所组织的流水施工中,由多个单位工程的流水施工组合而成的流水施工方式。

以上四种流水方式中,其中分项工程流水和分部工程流水是流水施工的基本方式,而单位工程流水和群体工程流水实际上是分部工程流水的推广应用,因此我们应认真研究专业流水。

2.按流水施工的节奏特征划分

根据流水施工的节奏特征,流水施工可划分为有节奏流水施工和无节奏流水施工(非节奏流水施工)。其中,有节奏流水施工又可分为等节奏流水施工(全等节拍流水施工)和异节奏流水施工(异节拍流水施工)。而异节奏流水施工又可分为成倍节拍流水施工和不成倍节拍流水施工,成倍节拍流水施工又可分为一般成倍和加快成倍节拍流水施工两种。如图 12-6 所示。

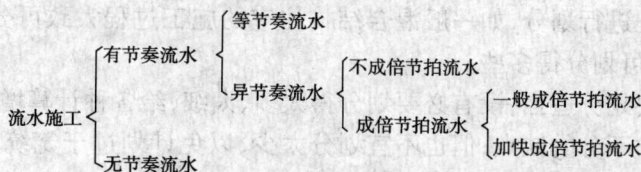

图 12-6　流水施工分类示意图

第二节　流水施工参数

在组织流水施工时,用以描述流水施工在工艺流程、空间布置和时间安排等方面的特征和各种数量关系的参数称为流水施工参数。按其性质的不同,一般可分为工艺参数、时间参数和空间参数。

一、工 艺 参 数

工艺参数是指在组织流水施工时,用以表达流水施工在施工工艺上的开展顺序及其特征的参数。它包括施工过程数和流水强度两个参数。

1.施工过程数 n

组织流水施工时,通常把施工对象划分为若干个施工过程,对每一个施工过程组织一个或几个专业班组进行施工。施工过程的数目一般用 n 来表示,它是流水施工的基本参数之一。在项目施工过程中,施工过程所包含的施工范围,依据具体工程项目的特点,可大可小。既可以是分项工程,又可以是分部工程,也可以是单位工程,还可以是单项工程。

(1)施工过程分类

依据工艺性质的不同,可分为制备类、运输类和砌筑安装类三类施工过程。

①制备类施工过程

是指预先加工和制造建筑半成品、构配件等而进行的施工过程。如砂浆、混凝土、钢筋、构配件及制品的制备过程。

②运输类施工过程

是指将建筑材料、构配件、设备和制品等物资,运到工地仓库或现场操作使用地点而形成的施工过程。

以上两类施工过程一般不占用施工对象空间,也不影响总工期,通常不列入施工进度计划;但当其占有施工对象空间并影响总工期时,则应列入施工进度计划。

③砌筑安装类施工过程

是指在施工对象上直接进行加工而形成建筑产品的过程。它占有施工对象空间并影响总工期,必须列入施工进度计划。如墙体砌筑工程、结构安装工程、钢筋混凝土工程等。

(2)施工过程数 n 的确定

①施工过程数目的确定,可依据项目结构特点、施工进度计划在客观上的作用、采用的施工方法及对工程项目的工期要求等因素综合考虑。一般情况下,可根据施工工艺顺序和专业班组性质按分项工程进行划分,如一般混合结构住宅的施工过程大致可分为 20 ~ 30 个;对于工业建筑,施工过程可划分得多些。

②施工过程数要划分适当,没有必要划分得太多、太细,给各种计算增添麻烦,在施工进度计划上也会带来主次不分的缺点;但也不宜划分太少,以免计划过于笼统,失去指导施工的作用。

③当编制控制性的施工进度计划时,其施工过程应划分的粗些、综合性大些,一般只列出分部工程名称,如基础工程、主体结构工程、吊装工程、装修工程、屋面工程等。当编制实施性的施工进度计划时,其施工过程应划分的细些、具体些,可将分部工程再分解为若干个分项工程,如将基础工程分解为挖土、做垫层、浇筑混凝土基础、回填土等。对于其中起主导作用的分项工程,往往需要考虑按专业工种组织专业施工队进行施工,为便于掌握施工进度和指导施工,可将分项工程再进一步分解成若干个由专业工种施工的工序作为施工过程。

2.流水强度 V

每一施工过程在单位时间内所完成的工程量(如浇捣混凝土施工过程每工作班能浇捣多

少立方米混凝土),称为流水强度,也称为流水能力或生产能力,一般用 V 表示。

(1)机械施工过程的流水强度

$$V = \sum_{i=1}^{x} R_i S_i \tag{12-1}$$

式中:R_i——第 i 种施工机械的台数;

$\quad$ S_i——第 i 种施工机械的定额台班生产率(即机械产量定额);

$\quad$ x——用于同一施工过程的主导施工机械种类数。

(2)手工操作过程的流水强度

$$V = RS \tag{12-2}$$

式中:R——每一施工队(或班组)工人人数;

$\quad$ S——每一工人每班产量定额。

二、空 间 参 数

在组织流水施工时,用以表达流水施工在空间布置上所处状态的参数,均称为空间参数。它包括工作面、施工段数和施工层(数)。

1.工作面 A

工作面是表明施工对象上可能安置多少工人进行操作或布置多少施工机械进行施工的场所空间大小。根据施工过程的不同,它可以用不同的计量单位。在组织流水施工时,通常是前一施工过程的结束为后一个(或几个)施工过程提供了工作面。最小工作面是指施工队(班组)为保证安全生产和充分发挥劳动效率所必须的工作面。工作面确定的是否合理将直接影响专业工种工人的生产效率,施工段上的工作面必须大于施工队伍的最小工作面。主要工种的最小工作面的参考数据见表 12-1 所列。

主要工种最小工作面参考数据 表 12-1

工 作 项 目	每个技工的工作面	说 明
砌筑砖基础	7.6m/人	以 1 砖半计,2 砖乘以 0.8,3 砖乘以 0.55
砌筑砖墙	8.5m/人	以 1 砖计,1 砖半乘以 0.71,2 砖乘以 0.57
混凝土柱、墙基础	8.0m³/人	机拌、机捣
混凝土设备基础	7.0m³/人	机拌、机捣
现浇钢筋混凝土柱	2.45m³/人	机拌、机捣
现浇钢筋混凝土梁	3.20m³/人	机拌、机捣
现浇钢筋混凝土楼板	5.0m³/人	机拌、机捣
预制钢筋混凝土柱	5.3m³/人	机拌、机捣
预制钢筋混凝土梁	3.6m³/人	机拌、机捣
预制钢筋混凝土屋架	2.7m³/人	机拌、机捣
预制钢筋混凝土平板、空心板	1.91m³/人	机拌、机捣
预制钢筋混凝土大型屋面板	2.62m³/人	机拌、机捣

工 作 项 目	每个技工的工作面	说　明
混凝土地坪及面层	40.0m²/人	机拌、机捣
外墙抹灰	16.0m²/人	
内墙抹灰	18.5m²/人	
卷材屋面	18.5m²/人	
门窗安装	11.0m²/人	

2. 施工段数 m

为了有效地组织流水施工,通常将施工项目在平面上划分为若干个劳动量相等或大致相等的施工区段,称为施工段。施工段数目以 m 表示。它是流水施工基本参数之一。

(1)划分施工段的目的

是为了组织流水施工,保证不同的施工班组在不同的施工段上同时进行施工,并使各施工班组能按一定的时间间隔转移到另一个施工段进行连续施工,既消除等待、停歇现象,又互不干扰。

(2)划分施工段的原则

①施工段的分界应尽可能与结构界限或幢号相一致,宜设在伸缩缝、温度缝、沉降缝和单元尺寸等处;如果必须将分界线设在墙体中间时,应将其设在门窗洞门处,以减少施工缝的数量,有利于结构的整体性。

②各个施工段上的劳动量(或工程量)应大致相等,相差幅度不宜超过 10% ~ 15%。只有这样,才能保证在施工班组人数不变的情况下,使同一施工过程在各段上的施工持续时间相等,从而保证组织连续、均衡、有节奏的流水施工。

③为充分发挥工人(或机械)生产效率,不仅要满足专业工种对最小工作面的要求,且要使施工段所能容纳的劳动力人数(或机械台数)要满足最小劳动组合要求。

所谓最小劳动组合,就是指某一施工过程进行正常施工所必须的最低限度的工人数及其合理组合。如砖墙砌筑施工,包括砂浆搅拌、材料运输、砌砖等多项工作,一般人数不宜少于18 人,如果人数太少,则无法组织正常的流水施工;而技工、壮工的比例也以 2:1 为宜,这就是砌筑砖墙施工队(班组)的最小劳动组合。

④施工段数目要适宜,对于某一项工程,若施工段数过多,则每段上的工程量就较少,势必要减少班组人数,使得工作面不能被充分利用,拖长工期;若施工段数过少,则每段上的工程量较大,又造成施工段上的劳动力、机械和材料等的供应过于集中,互相干扰大,不利于组织流水施工,有时还会造成"断流"的现象,也会使工期拖长。

⑤划分施工段时,应以主导施工过程的需要来划分。主导施工过程是指劳动量较大或技术复杂、对总工期起控制作用的施工过程,如多层全现浇钢筋混凝土结构的混凝土工程就是主导施工过程。

⑥施工段的划分还应考虑垂直运输机械和进料的影响。一般用塔吊时分段可多些,用井架等固定式机械时,分段应与机械布置相适应,以免跨段进行楼面水平运输而造成的混乱。

⑦当有层间关系(即拟建工程又分层又分段)时,为使各施工队(班组)能连续施工(即各施工过程的施工队做完第一段能立即转入第二段,施工完第一层的最后一段能立即转入第二层

的第一段），每层的施工段数应满足下列要求：$m \geq n$ 或 $m \geq \sum b_i$（b_i 为第 i 个施工过程的施工队数）。

（3）施工段数 m 与施工过程数 n 的关系

为了更好的说明这一问题，下面举一例来进行分析。

【例 12-2】 一个二层现浇钢筋混凝土框架工程，施工过程数 $n=4$，各施工过程的流水节拍均为 $t=1$，则施工段数 m 与施工过程数 n 之间有下列三种情况，如图 12-7、图 12-8、图 12-9 所示。

分层	施工过程	施工进度(天)											
		1	2	3	4	5	6	7	8	9	10	11	12
第一层	扎柱钢筋	①	②	③	④								
	支模板		①	②	③	④							
	扎梁板钢筋			①	②	③	④						
	浇筑混凝土				①	②	③	④					
第二层	扎柱钢筋					①	②	③	④				
	支模板						①	②	③	④			
	扎梁板钢筋							①	②	③	④		
	浇筑混凝土								①	②	③	④	

图 12-7 当 $m=n$ 时的流水作业

分层	施工过程	施工进度(天)												
		1	2	3	4	5	6	7	8	9	10	11	12	13
第一层	扎柱钢筋	①	②	③	④	⑤								
	支模板		①	②	③	④	⑤							
	扎梁板钢筋			①	②	③	④	⑤						
	浇筑混凝土				①	②	③	④	⑤					
第二层	扎柱钢筋						①	②	③	④	⑤			
	支模板							①	②	③	④	⑤		
	扎梁板钢筋								①	②	③	④	⑤	
	浇筑混凝土									①	②	③	④	⑤

图 12-8 当 $m>n$ 时的流水作业

当 $m=n$ 时，施工队（组）连续施工，施工段上无间歇，工期 11 天，比较理想。

当 $m>n$ 时，施工队（组）仍能连续施工，但每层混凝土浇筑完毕后不能立即进行扎柱钢筋，因为第一层第⑤施工段的扎柱钢筋尚未完成，施工队（组）不能及时进入第二层第①段进行施工，施工段出现停歇，致使工期延至 13 天。但不一定有害，有时甚至是必要的，这时可利用停歇的工作面作为养护、备料、放线等准备工作。所以这种组织方式也常被采用。

当 $m<n$ 时，尽管施工段上未出现停歇，但因施工队（组）不能及时投入第二层施工段进行施工，则各施工队（组）不能保持连续施工而造成窝工。因此，采用这种方式对一个建筑物组织流水作业是不合适的，必须杜绝这种情况出现。但是在建筑群中可与另一些建筑物组织大流

水,从而消除窝工现象。

综上所述,可知组织流水施工,当有层间关系时,应满足 $m \geq n$;当无层间关系时,施工段数的确定则不受此约束。

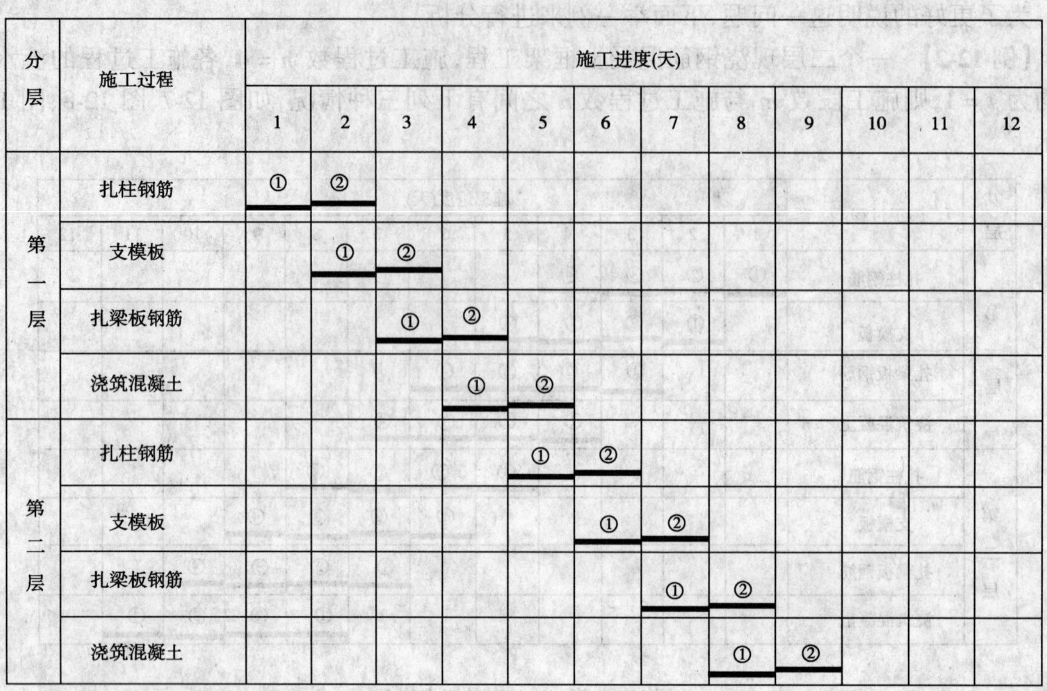

分层	施工过程	施工进度(天)											
		1	2	3	4	5	6	7	8	9	10	11	12
第一层	扎柱钢筋	①	②										
	支模板		①	②									
	扎梁板钢筋			①	②								
	浇筑混凝土				①	②							
第二层	扎柱钢筋					①	②						
	支模板						①	②					
	扎梁板钢筋							①	②				
	浇筑混凝土								①	②			

图 12-9　当 $m < n$ 时的流水作业

3.施工层数 j

在组织流水施工时,为满足专业工种对操作高度的要求,通常将施工项目在竖向上划分为若干个操作层,这些操作层均称为施工层。一般施工层数用 j 表示。

施工层的划分,要视工程项目的具体情况,根据建筑物的高度、楼层来确定。如砌筑工程的施工层高度一般为 1.2~1.4m,即一步脚手架的高度作为一个施工层;室内抹灰、木装修、油漆、玻璃和水电安装等,可以一个楼层作为一个施工层。

三、时 间 参 数

时间参数是指在组织流水施工时,用以表达各流水施工过程的工作持续时间及其在时间排列上的相互关系和所处状态的参数。主要有流水节拍、流水步距、流水总工期、间歇时间、平行搭接时间 5 种。

1.流水节拍 t

流水节拍是指从事某一施工过程的专业工作队(组)在一个施工段上的工作持续时间。流水节拍是流水施工的主要参数之一,其大小可以反映施工速度的快慢和施工的节奏性。流水节拍小,则施工速度快,节奏感强;反之则相反。

(1)流水节拍的确定方法

①定额计算法

即利用公式套用定额进行计算，此时流水节拍的计算公式如下：

$$t_{ij} = \frac{Q_{ij}}{S_i n_{ij} b_{ij}} = \frac{P_{ij}}{n_{ij} b_{ij}} = \frac{Q_{ij} H_i}{n_{ij} b_{ij}} \tag{12-3}$$

式中：t_{ij}——第 i 施工过程在第 j 施工段上的流水节拍；

Q_{ij}——第 i 施工过程在第 j 施工段上的工程量；

P_{ij}——第 i 施工过程在第 j 施工段上的劳动量；

S_i——第 i 施工过程的人工或机械产量定额；

H_i——第 i 施工过程的人工或机械时间定额；

n_{ij}——第 i 施工过程在第 j 施工段上的施工班组人数或机械台数；

b_{ij}——第 i 施工过程在第 j 施工段上的每天工作班制。

有时，也可在 t_i 已知的情况下，利用上式反算某施工过程的班组人数（或机械台数）。

②三时估算法

对某些采用新技术、新工艺的施工过程，往往缺乏定额，此时可采用"三时估算法"，即

$$t_i = \frac{a + 4m + c}{6} \tag{12-4}$$

式中：t_i——某施工过程在某施工段的流水节拍；

a——某施工过程完成某施工段工程量的最乐观时间（即按最顺利条件估计的最短时间）；

m——某施工过程完成某施工段工程量的最可能时间（即按正常条件估计的正常时间）；

c——某施工过程完成某施工段工程量的最悲观时间（即按最不利条件估计的最长时间）。

③工期计算法

对于有工期要求的工程，可采用工期计算法（也称倒排进度法）。其方法是首先将一个工程对象划分为几个施工阶段，根据规定工期，估计出每一阶段所需要的时间，然后将每一施工阶段划分为若干个施工过程，并在平面上划分为若干个施工段（在竖向上划分施工层），再确定每一施工过程在每一施工段的作业持续时间，即

$$t_j = \frac{T_j}{m} \tag{12-5}$$

式中：t_j——施工过程 j 的流水节拍；

T_j——施工过程 j 的工作持续时间；

m——施工段数目。

当施工段数目确定以后，流水节拍越大，工期就越长。因此，在理论上总是希望流水节拍越小越好。但实际上，流水节拍的确受到工作面大小的限制，每一施工过程在各个施工段上都有其最小的流水节拍，其数值可按下式计算：

$$t_{min} = \frac{A_{min} \times \mu}{S} \tag{12-6}$$

式中：t_{min}——施工过程在某个施工段上的最小流水节拍；

A_{min}——每个工人所需的最小工作面；

μ——单位工作面的工程量含量；

S——该施工过程的产量定额。

最后即可确定出各施工过程在各施工段（层）上的作业时间，即流水节拍。

(2)确定流水节拍时应考虑的因素

从理论上讲,总希望流水节拍越小越好,但在确定流水节拍时应考虑以下因素:

①施工班组人数要适宜。既要满足最小劳动组合人数的要求(它是人数的最低限度),又要满足最小工作面的要求(它是人数的最高限度),不能为了缩短工期而无限制地增加人数,否则由于工作面不足会降低劳动效率,且容易发生安全事故。

②工作班制要恰当。工作班制应根据工期、工艺等要求而定。当工期不紧迫,工艺上又无连续施工的要求时,一般采用一班制;当组织流水施工时为了给第二天连续施工创造条件,某些施工过程可考虑在夜班进行,即采用两班制;当工期较紧或工艺上要求连续施工,或为了提高施工机械的使用率,某些项目可考虑采用三班制施工,如现浇混凝土楼板,为了满足工艺上的要求,常采用两班制或三班制施工。

③机械的台班效率或机械台班产量的大小。

④要考虑各种资源(劳动力、机械、材料、构配件等)的供应情况。

⑤流水节拍值一般应取半天的整倍数。

2.流水步距 K

流水步距是指相邻两个施工班组在保证施工顺序、满足连续施工和保证工程质量要求的条件下相继投入同一施工段开始工作的间隔时间(不包括技术间歇时间和组织间歇时间,也不必减去搭接时间),通常由符号 K 表示。

流水步距的大小对工期影响很大,在施工段不变的情况下,流水步距小,则工期短;反之,则工期长。

流水步距的数目取决于参加流水的施工过程数,如施工过程数为 n 个,则流水步距的总数为 $n-1$ 个。

流水步距应取半天的整倍数。

3.流水工期 T_L

流水工期是指在组织某工程的流水施工时,从第一个施工过程进入第一个施工段开始施工算起,到最后一个施工过程退出最后一个施工段的施工为止的总持续时间。

4.间歇时间

(1)技术间歇时间 Z_1

技术间歇时间是指在组织流水施工时,为了保证工程质量,由施工规范规定的或施工工艺要求的在相邻两个施工过程之间必须留有的间隔时间,一般用 Z_1 表示。例如混凝土浇筑后的养护时间、砂浆抹面的干燥时间、油漆面的干燥时间等。

(2)组织间歇时间 G

组织间歇时间是指在组织流水施工时,由于考虑组织上的因素,两相邻施工过程在规定流水步距之外所增加的必要时间间隔,一般用 G 表示。它是为对前一施工过程进行检查验收或为后一施工过程的开始做必要的施工准备工作而考虑的间歇时间。例如混凝土浇筑之前要检查钢筋及预埋件并作记录、砌筑墙身前的弹线时间、回填土以前对埋设的地下管道的检查验收时间等都属于组织间歇时间。

在组织流水施工时,技术间歇和组织间歇可以统一考虑,但是二者的概念、作用和内涵是不同的,施工组织者必须清楚。

(3)层间间歇时间 Z_2

是指由于技术或组织方面的原因,层与层之间需要间歇的时间,一般用 Z_2 表示。

实际上,层间间歇就是位于两层之间的技术间歇或组织间歇。

5.搭接时间 D

搭接时间是指相邻两个施工过程同时在同一施工段上工作的重叠时间,通常用 D 表示。

一般情况下,相邻两个施工过程的专业施工队在同一施工段上的关系是前后衔接关系,即前者全部结束后者才能开始。但有时为了缩短工期,在工作面允许的前提下,也可以在前者完成部分可以满足后者的工作面要求时,让后者提前进入同一施工段,两者在同一施工段上平行搭接施工。

第三节 流水施工的基本方式

流水施工方式根据流水节拍特征的不同,可分为全等节拍流水、成倍节拍流水、不成倍节拍流水和无节奏流水四种。

一、全等节拍流水

在组织流水施工时,如果所有的施工过程在各个施工段上的流水节拍均相等,这种流水施工组织方式称为全等节拍流水,又可称为固定节拍流水或等节奏流水。

1.基本特征

(1)同一施工过程在各个施工段上的流水节拍均相等,如果有 m 个施工段,则有:

$$t_1 = t_2 = \cdots = t_{m-1} = t_m = t(常数) \tag{12-7}$$

(2)不同施工过程的流水节拍彼此也都相等,如果有 n 个施工过程,则有:

$$t_1 = t_2 = \cdots = t_{n-1} = t_n = t(常数) \tag{12-8}$$

(3)各施工过程之间的流水步距也相等,且等于其流水节拍,即:

$$K_{1,2} = K_{2,3} = \cdots = K_{n-1,n} = K = t(常数) \tag{12-9}$$

(4)专业工作队数 n_1 等于施工过程数 n,即:

$$n_1 = n \tag{12-10}$$

2.施工段数的确定

(1)如果没有层间关系,可按划分施工段原则的前六条确定施工段数。

(2)如果有层间关系,为使各施工队能够连续施工,则七条原则均应考虑,故全等节拍流水施工的施工段数还应满足:

$$m \geq n + \frac{\sum Z_1 + Z_2 + \sum G - \sum D}{K} \tag{12-11}$$

式中:$\sum Z_1$——一个施工层内的各个施工过程间的技术间歇时间之和;

$\sum G$——一个施工层内的各个施工过程间的组织间歇时间之和;

$\sum D$——一个施工层内的各个施工过程间的搭接时间之和；

Z_2——层间间歇时间。

3. 工期计算

全等节拍流水施工的工期可按下式计算：

$$T = (m_j + n - 1)K + \sum Z_1 + \sum G - \sum D \qquad (12\text{-}12)$$

式中：T——流水施工工期；

K——流水步距；

j——施工层数；

m——施工段数；

n——施工过程数。

上面两个公式中，如果没有间歇和搭接时间，则可视为零；工期计算中，如果只有一个施工层，则可看作 $j = 1$。

【例 12-3】 某分部工程由 A、B、C、D 四个施工过程组成，划分两个施工层组织流水施工，流水节拍均为 1 天，施工过程 B 完成后需养护 1 天施工过程 C 才能开始，且层间间歇时间为 2 天。为了保证工作队连续作业，试确定施工段数，计算工期，绘制流水施工进度表。

解：由题意应组织全等节拍流水施工则有：

(1)确定流水步距

$$K = t = 1(\text{天})$$

(2)确定施工段数

$$m \geqslant n + \frac{\sum Z_1 + Z_2}{K} = 4 + \frac{1+2}{1} = 7(\text{段}), \text{取 } m = 7(\text{段})$$

(3)计算工期

$$T = (m_j + n - 1)K + \sum Z_1 = (7 \times 2 + 4 - 1) \times 1 + 1 = 18(\text{天})$$

(4)绘制流水施工进度计划表，如图 12-10 所示。

施工层	施工过程	施工进度（天）																	
		1	2	3	4	5	6	7	8	9	10	11	12	13	14	15	16	17	18
第一层	A	①	②	③	④	⑤	⑥	⑦											
	B		①	②	③	④	⑤	⑥	⑦										
	C				①	②	③	④	⑤	⑥	⑦								
	D					①	②	③	④	⑤	⑥	⑦							
第二层	A								①	②	③	④	⑤	⑥	⑦				
	B									①	②	③	④	⑤	⑥	⑦			
	C											①	②	③	④	⑤	⑥	⑦	
	D												①	②	③	④	⑤	⑥	⑦

$(n-1)K + \sum Z_1$ $m_j K$

图 12-10 全等节拍流水施工进度计划表

【例 12-4】 某砖混结构住宅工程的基础工程，分两段组织施工，各分项工程施工过程及劳动量见表 12-2 所列，已知垫层混凝土和条形基础混凝土浇筑后均需养护 1 天后方可进行下一道工序施工。

某砖混结构住宅楼基础工程劳动量一览表

表 12-2

序号	施工过程	劳动量(工日)	施工班组人数
1	基槽土方开挖	184	35
2	垫层混凝土浇筑	28	
3	条基钢筋绑扎	24	14
4	条基混凝土浇筑	60	
5	砖基础墙砌筑	106	18
6	基槽回填土	46	14
7	室内地坪回填土	40	

(1)若工期没有规定,试按全等节拍流水组织施工,计算工期,并绘制流水施工进度计划表。

(2)若本工程已规定基础工程工期为 15 天,试组织全等节拍流水施工。

解:(1)当工期没有规定时:

①确定施工过程

由于混凝土垫层的劳动量较小,故将其与相邻的基槽挖土合并为一个施工过程"基槽挖土、垫层浇筑";将工程量较小的钢筋绑扎与混凝土浇筑合并为一个施工过程"混凝土基础";将工种相同的基槽回填土与室内地坪回填土合并为一个施工过程"回填土"。

②确定主导施工过程的施工班组人数与流水节拍

本工程中,基槽挖土、混凝土垫层的合并劳动量最大,所以是主导施工过程。根据工作面、劳动组合和资源情况,该施工班组人数确定为 35 人,将其填入表 12-2。其流水节拍根据公式

(12-3)中 $t_{ij} = \dfrac{P_{ij}}{n_{ij} b_{ij}}$,并取两个工作班制,计算如下:

$$t = \frac{184 + 28}{35 \times 2} \approx 3(天)$$

③确定其他施工过程的施工班组人数

因为是全等节拍流水施工,即各个施工过程的流水节拍均为 3 天,所以可由公式(12-3)反算其他施工过程的施工班组人数(均按两个工作班考虑),计算后还应验证是否满足工作面、劳动组合和资源情况的要求。经计算分别为 14 人、18 人和 14 人,将它们也填入表12-2 中。

④计算工期

根据式(12-12)计算工期如下:

$$T = (mj + n - 1)K + \sum Z_1 = (2 \times 1 + 4 - 1) \times 3 + (1 + 1) = 17(天)$$

⑤绘制流水施工进度计划表,如图 12-11 所示。

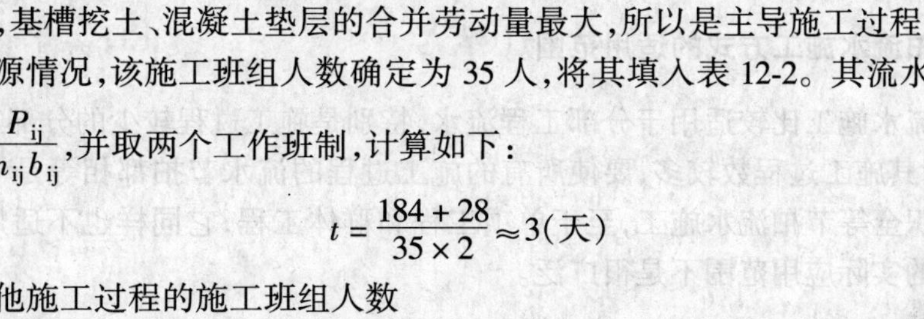

施工过程	施工进度(天)
	1 2 3 4 5 6 7 8 9 10 11 12 13 14 15 16 17
基槽挖土、混凝土垫层	① ②
混凝土基础	① ②
砌砖基础墙	① ②
回填土	① ②

图 12-11 某住宅楼基础工程流水施工进度计划表

(2)当规定基础工程工期为 15 天时

①确定流水节拍

按式 $T = (mj + n - 1)K + \sum Z_1$ 反算如下:

$$t = K = \frac{T - \sum Z_1}{mj + n - 1} = \frac{15 - (1 + 1)}{2 \times 1 + 4 - 1} = 2.6, \text{取 } t = 2.5(\text{天})$$

②确定各施工过程的施工班组人数

根据式(12-3)反算各施工过程的施工班组人数,并验证是否满足工作面和劳动组合等的要求。经计算分别为 42 人、17 人、21 人和 17 人。

③计算工期

$$T = (mj + n - 1)K + \sum Z_1 = (2 \times 1 + 4 - 1) \times 2.5 + (1 + 1) = 14.5(\text{天})$$

满足规定工期要求。

④绘制流水施工进度计划表,如图 12-12 所示。

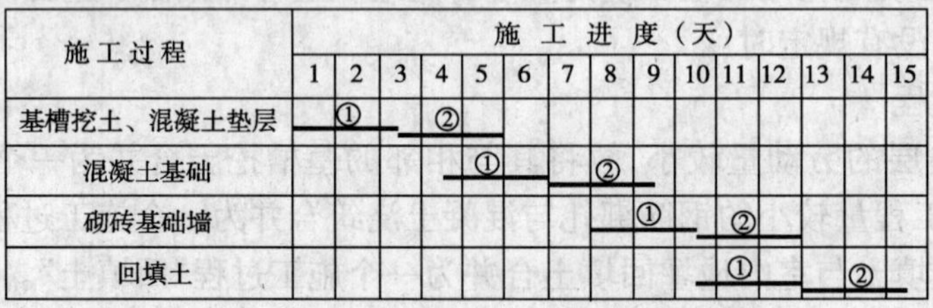

施工过程	施 工 进 度 (天)														
	1	2	3	4	5	6	7	8	9	10	11	12	13	14	15
基槽挖土、混凝土垫层	①			②											
混凝土基础				①			②								
砌砖基础墙								①			②				
回填土											①			②	

图 12-12 某住宅楼基础工程流水施工进度计划表

4.全等节拍流水施工方式的适用范围

全等节拍流水施工比较适用于分部工程流水,特别是施工过程较少的分部工程,而对于一个单位工程,因其施工过程数较多,要使所有的施工过程的流水节拍都相等是十分困难的,所以一般不宜组织全等节拍流水施工,至于单项工程和群体工程,它同样也不适用。因此,全等节拍流水施工的实际应用范围不是很广泛。

二、不成倍节拍流水施工

在实际工程中,往往由于各方面的原因(如工程性质、复杂程度、劳动量、技术组织等),采用相同的流水节拍来组织施工,显然是比较困难的。如某些施工过程要求尽快完成;或者某些施工过程工程量过少,流水节拍较小;或者某些施工过程的工作面受到限制,不能投入较多的人力、机械,而使得流水节拍较大,因而会出现各细部流水的流水节拍不等的情况,此时便可采用异节奏流水施工的组织形式来组织施工。异节奏流水施工又可分为不成倍节拍流水和成倍节拍流水施工两种。

不成倍节拍流水施工就是指同一施工过程在各个施工段上的流水节拍相等,不同施工过程之间的流水节拍不完全相等,也不成倍数关系的流水施工方式。

1.基本特征

(1)同一施工过程在各个施工段上的流水节拍均相等;

(2)不同施工过程之间的流水节拍不完全相等,也不成倍数关系;

(3)流水步距不完全相等;

(4)专业工作队数等于施工过程数,即 $n_1 = n$。

2.流水步距的确定

应按下列公式计算:

$$K_{i,i+1} = t_i(当 \ t_i \leqslant t_{i+1}时) \tag{12-13}$$

$$K_{i,i+1} = mt_i - (m-1)t_{i+1}(当 \ t_i > t_{i+1}时) \tag{12-14}$$

式中:$K_{i,i+1}$——第 i 施工过程与第 $i+1$ 施工过程之间的流水步距;

t_i——第 i 施工过程的流水节拍;

t_{i+1}——第 $i+1$ 施工过程的流水节拍。

m——施工段数。

3.计算工期

不成倍节拍流水施工的工期可按下式计算:

(1)当只有一个施工层时

$$T = \sum K_{i,i+1} + T_n + \sum Z_1 + \sum G - \sum D \tag{12-15}$$

或

$$T = \sum K_{i,i+1} + mt_n + \sum Z_1 + \sum G - \sum D \tag{12-16}$$

(2)当有多个施工层时

$$T = j \cdot \sum K_{i,i+1} + (j-1)K' + T_n + j(\sum Z_1 + \sum G - \sum D) + (j-1)Z_2 \tag{12-17}$$

或

$$T = j \cdot \sum K_{i,i+1} + (j-1)K' + mt_n + j(\sum Z_1 + \sum G - \sum D) + (j-1)Z_2 \tag{12-18}$$

式中:T——流水施工工期;

$\sum K_{i,i+1}$——一个施工层内的流水步距之和;

K'——本层最后一个施工过程与后一层第一个施工过程之间的流水步距;

T_n——最后一个(第 n 个)施工过程的总持续时间;

t_n——最后一个(第 n 个)施工过程的流水节拍。

式中其他符号的含义同前。

【例 12-5】 某分部工程由甲、乙、丙、丁四个施工过程组成,分三段组织施工,各施工过程的流水节拍分别为 2 天、4 天、3 天、3 天,且施工过程乙完成后需有 1 天的组织间歇时间,试组织流水施工。

解:(1)计算流水步距

因为 $t_甲 < t_乙$,所以 $K_{甲,乙} = t_甲 = 2(天)$

因为 $t_乙 > t_丙$,所以 $K_{乙,丙} = mt_乙 - (m-1)t_丙 = 3 \times 4 - (3-1) \times 3 = 6(天)$

因为 $t_丙 = t_丁$,所以 $K_{丙,丁} = t_丙 = 3(天)$

(2)计算工期

$$T = \sum K_{i,i+1} + mt_n + \sum G = (2+6+3) + 3 \times 3 + 1 = 21(天)$$

(3)绘制流水施工进度计划表,如图 12-13 所示。

4.不成倍节拍流水施工的适用范围

不成倍节拍流水施工适用于分部和单位工程流水施工,它允许不同施工过程采用不同的流水节拍,因此在进度安排上比全等节拍流水和成倍节拍流水灵活,实际应用范围更广泛。

施工过程	施工 进 度（天）																				
	1	2	3	4	5	6	7	8	9	10	11	12	13	14	15	16	17	18	19	20	21
甲	①		②		③																
乙				①			②					③									
丙										①			②			③					
丁													①			②			③		

$\sum K_{i,i+1} + \sum G$　　　　$T_n = mt_n$

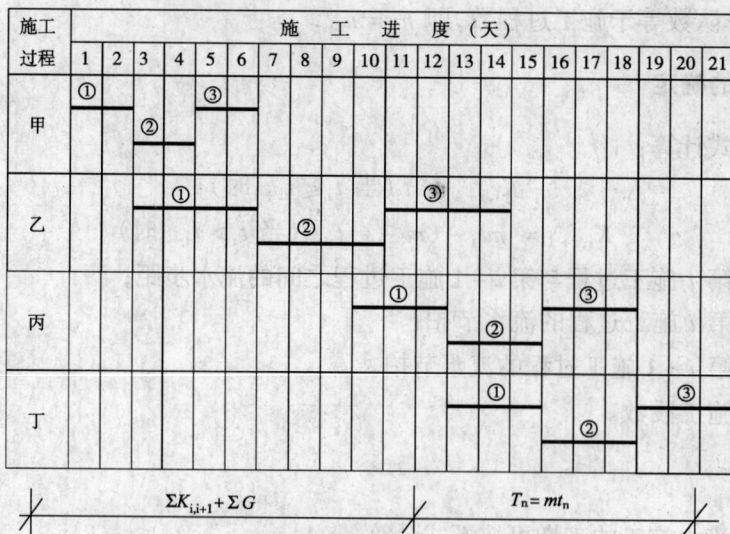

图 12-13　不成倍节拍流水施工进度计划表

三、成倍节拍流水施工

成倍节拍流水施工是指同一施工过程在各个施工段上的流水节拍相等，不同的施工过程之间的流水节拍不完全相等，但各个施工过程的流水节拍均为其中最小流水节拍的整数倍的流水施工方式。成倍节拍流水又分为一般成倍节拍流水和加快成倍节拍流水施工两种情况。

1.一般成倍节拍流水施工

（1）基本特征

①同一施工过程在各个施工段上的流水节拍均相等；

②不同施工过程之间的流水节拍不完全相等，但等于或为其中最小流水节拍的整数倍；

③流水步距不完全相等；

④专业工作队数等于施工过程数，即 $n_1 = n$。

（2）一般成倍节拍流水施工的计算

一般成倍节拍流水的流水步距及工期计算方法同不成倍节拍流水施工。

【例 12-6】　某分部工程划分为 A、B、C、D 四个施工过程，分五段组织施工，各施工过程的流水节拍分别为 4 天、6 天、2 天、4 天，A、B 两个过程可搭接 1 天，且施工过程 C 完成后需有 2 天的技术间歇时间，试组织一般成倍节拍流水施工。

解：（1）计算流水步距

因为 $t_A < t_B$，所以 $K_{A,B} = t_A = 4$（天）

因为 $t_B > t_C$，所以 $K_{B,C} = m t_B - (m-1) t_C = 5×6 - (5-1)×2 = 22$（天）

因为 $t_C = t_D$，所以 $K_{C,D} = t_C = 2$（天）

（2）计算工期

$$T = \sum K_{i,i+1} + mt_n + \sum Z_1 - \sum D = (4 + 22 + 2) + 5×4 + 2 - 1 = 49（天）$$

（3）绘制流水施工进度计划表，如图 12-14 所示。

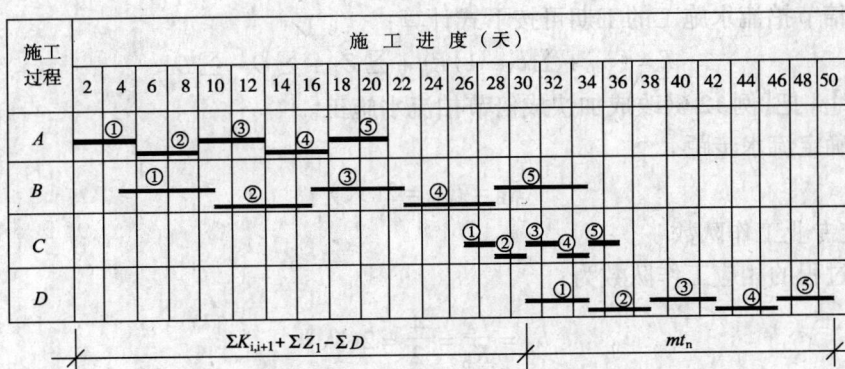

图 12-14　一般成倍节拍流水施工进度计划表

2.加快成倍节拍流水施工

对一般成倍节拍流水施工,若工期要求较紧且现场条件(如工作面满足要求,不致降低生产效率)允许的情况下,可通过增加施工机械或施工班组的措施加快施工进度,转化成类似于 n 个施工过程的全等节拍流水施工,所不同的仅是在组织安排上应将这些机械或专业班组以交叉的方式安排在不同的施工段上施工,这种组织方式称为加快成倍节拍流水。

(1)基本特征

①同一施工过程在各个施工段上的流水节拍均相等;

②不同施工过程之间的流水节拍不完全相等,但等于或为其中最小流水节拍的整数倍;

③流水步距都相等,均等于其中最小的流水节拍;

④专业工作队总数大于施工过程数,即:

$$n_1 > n$$

(2)加快成倍节拍流水施工的计算

计算步骤如下:

①确定流水步距 K_b

所有流水步距均等于最小的流水节拍,即:

$$K_b = t_{min} \tag{12-19}$$

②确定专业工作队数

各施工过程的相应工作队数为:

$$b_i = \frac{t_i}{K_b} \tag{12-20}$$

专业工作队总数为:

$$n_1 = \sum b_i \tag{12-21}$$

③确定施工段数 m

a.如果没有层间关系,可按划分施工段原则的前六条确定施工段数。

b.如果有层间关系,为使各施工队能够连续施工,则七条原则均应考虑,故成倍节拍流水施工的施工段数还应满足:

$$m \geqslant \sum b_i + \frac{\sum Z_1 + Z_2 + \sum G - \sum D}{K_b} \tag{12-22}$$

④计算工期

377

加快成倍节拍流水施工的工期可按下式计算：

$$T = (mj + \sum b_i - 1)K_b + \sum Z_1 + \sum G - \sum D \qquad (12\text{-}23)$$

例【12-7】 把【例 12-6】改成加快成倍节拍流水施工。

解：(1)确定流水步距

$$K_b = t_{min} = 2(\text{天})$$

(2)确定专业工作队数

各施工过程的相应工作队数为：

$$b_A = \frac{t_A}{K_b} = \frac{4}{2} = 2(\text{队})$$

$$b_B = \frac{t_B}{K_b} = \frac{6}{2} = 3(\text{队})$$

$$b_C = \frac{t_C}{K_b} = \frac{2}{2} = 1(\text{队})$$

$$b_D = \frac{t_D}{K_b} = \frac{4}{2} = 2(\text{队})$$

专业工作队总数为：

$$n_1 = \sum b_i = 2 + 3 + 1 + 2 = 8(\text{队})$$

(3)计算工期

$$T = (mj + \sum b_i - 1)K_b + \sum Z_1 - \sum D = (5 \times 1 + 8 - 1) \times 2 + 2 - 1 = 25(\text{天})$$

(4)绘制流水施工进度计划表,如图 12-15 所示。

对图 12-15 作进一步分析可知:组织加快成倍节拍流水可使各工序步调一致,衔接紧密,不但各施工过程连续施工,而且无空闲的施工段,因而总工期较短。但在组织加快成倍节拍流水时,纳入流水的专业班组不宜太多,以免造成现场混乱和管理工作的复杂。

值得说明的是,加快成倍节拍流水的组织方式,与采用"两班制"、"三班制"的组织方式有所不同。"两班制"、"三班制"的组织方式,通常是指同一个专业班组在同一施工段上连续作业 16 小时("两班制")或 24 小时("三班制");或安排两个专业班组在同一施工段上各作业 8 小时累计 16 小时("两班制"),或安排三个专业班组在同一施工段上各作业 8 小时累计 24 小时("三班制")。因而,在进度计划

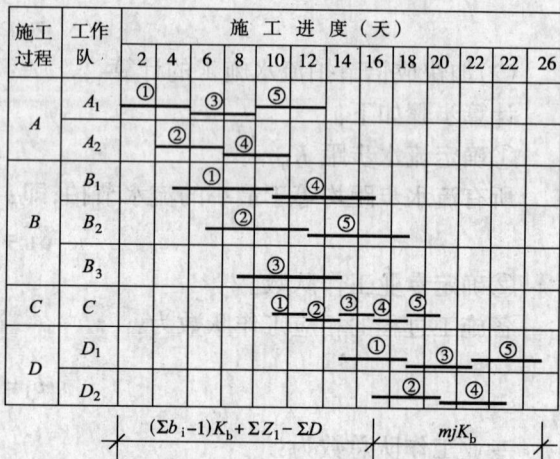

图 12-15 加快成倍节拍流水施工进度计划表

上反映出的流水节拍应为原流水节拍的 1/2("两班制")或 1/3("三班制")。而加快成倍节拍流水的组织方式,是将增加的专业班组与原专业班组分别以交叉的方式安排在不同的施工段上进行作业,因而其流水节拍不发生变化。

【例 12-8】 某三层的分部工程有 A、B、C 三个施工过程组成,其流水节拍分别为 2 天、4 天、2 天,B、C 两个施工过程之间有 2 天的组织间歇时间,C 施工过程干完后需要间歇 1 天的时间,后一层才能开始施工。为保证各工作队能连续施工,试确定施工段数,计算工期,并绘制

流水施工进度表。

解:由题意可组织加快成倍节拍流水施工。

(1)确定流水步距

$$K_b = t_{min} = 2(天)$$

(2)确定专业工作队数

各施工过程的相应工作队数为:

$$b_A = \frac{t_A}{K_b} = \frac{2}{2} = 1(队)$$

$$b_B = \frac{t_B}{K_b} = \frac{2}{2} = 1(队)$$

$$b_C = \frac{t_C}{K_b} = \frac{2}{2} = 1(队)$$

专业工作队总数为:

$$n_1 = \sum b_i = 1 + 2 + 1 = 4(队)$$

(3)确定施工段数

$$m \geqslant \sum b_i + \frac{Z_2 + \sum G}{K_b} = 4 + \frac{1+2}{2} = 5.5,取\ m = 6(段)$$

(4)计算工期

$$T = (mj + \sum b_i - 1)K_b + \sum G = (6 \times 3 + 4 - 1) \times 2 + 2 = 44(天)$$

(5)绘制流水施工进度计划表,如图 12-16 所示。

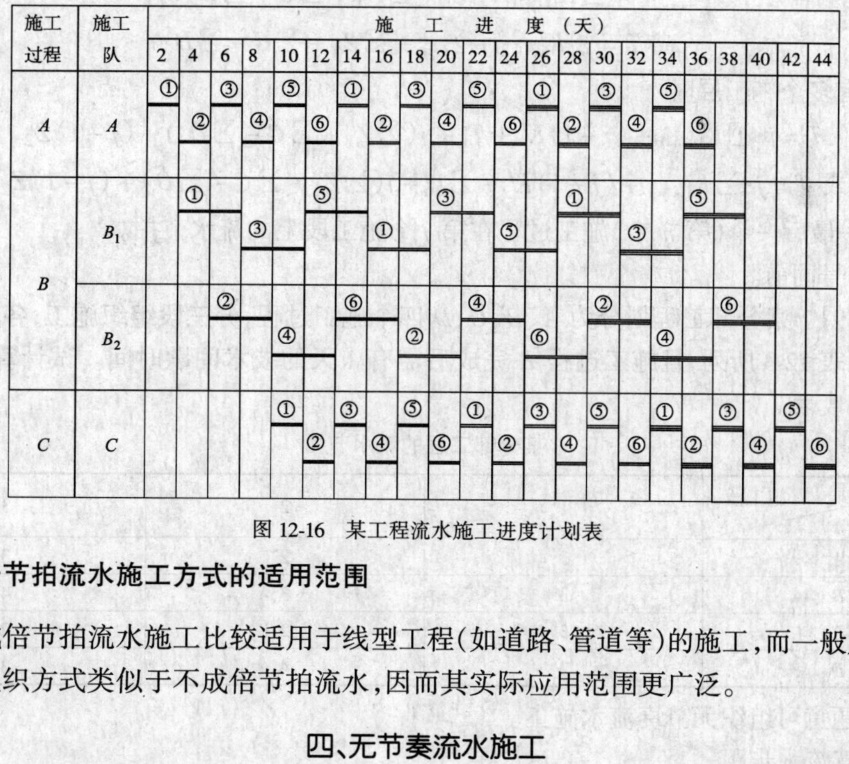

图 12-16　某工程流水施工进度计划表

3.成倍节拍流水施工方式的适用范围

加快成倍节拍流水施工比较适用于线型工程(如道路、管道等)的施工,而一般成倍节拍流水施工的组织方式类似于不成倍节拍流水,因而其实际应用范围更广泛。

四、无节奏流水施工

在实际施工中,某些工程的某些施工过程在不同施工段上的工程量彼此不完全相等,各专业工作队的生产效率相差也较大,从而导致各流水节拍不完全相等,不可能组织成等节奏或异节奏流水,这时可以组织成无节奏流水施工。无节奏流水施工就是指各施工过程在各施工段上的流水节拍均不完全相等的流水施工,又称非节奏流水施工。

1.基本特征

(1)同一施工过程在不同施工段上的流水节拍不完全相等;

(2)不同施工过程的流水节拍也不完全相等;

(3)流水步距不完全相等;

(4)专业工作队数 n_1 等于施工过程数 n,即:$n_1 = n$。

2.流水步距的确定

无节奏流水施工相邻施工过程间的流水步距可采用"最大差法"(也称潘特考夫斯基法)计算,即"累加数列错位相减取大差"。首先把每个施工过程在各个施工段上的流水节拍依次累加,逢段求和得出各施工过程流水节拍的累加数列;将两相邻施工过程的累加数列的后者均向后错一位,两数列相减得出一个新数列,新数列中的最大者即为这两个相邻施工过程间的流水步距。

3.计算工期

无节奏流水施工的工期,计算公式基本同不成倍节拍流水。

(1)当只有一个施工层时

$$T = \sum K_{i,i+1} + T_n + \sum Z_1 + \sum G - \sum D \tag{12-24}$$

$$或 \ T = \sum K_{i,i+1} + \sum t_n^j + \sum Z_1 + \sum G - \sum D \tag{12-25}$$

(2)当有多个施工层时

$$T = j \cdot \sum K_{i,i+1} + (j-1)K' + T_n + j\left(\sum Z_1 + \sum G - \sum D\right) + (j-1)Z_2 \tag{12-26}$$

$$或 \ T = j \cdot \sum K_{i,i+1} + (j-1)K' + \sum t_n^j + j\left(\sum Z_1 + \sum G - \sum D\right) + (j-1)Z_2 \tag{12-27}$$

式中:t_n^j——最后一个(第 n 个)施工过程在第 j 个施工段上的流水节拍。

其他符号同前。

【例 12-9】 某分部工程划分为 A、B、C、D 四个施工过程,分三段组织施工,各施工过程的流水节拍见表 12-3 所列,且施工过程 B 完成后需有 1 天的技术间歇时间。试计算工期,绘制流水施工进度表。

某分部工程的流水节拍 表 12-3

施工过程 \ 施工段	1	2	3
A	2	2	3
B	3	3	4
C	3	2	2
D	3	4	3

解: 由题意可组织无节奏流水施工。

(1)计算流水步距

①求 $K_{A,B}$

$$\begin{array}{r} 2\ \ 4\ \ 7 \\ -)\quad 3\ \ 6\qquad 10 \\ \hline 2\ \ 1\ \ 1\quad -10 \end{array}$$

$\therefore K_{A,B}=2(天)$

②求 $K_{B,C}$

$$\begin{array}{r} 3\ \ 6\ 10 \\ -)\quad 3\ \ 5\qquad 9 \\ \hline 3\ \ 3\ \ 5\quad -9 \end{array}$$

$\therefore K_{B,C}=5(天)$

③求 $K_{C,D}$

$$\begin{array}{r} 3\ \ 5\ 9 \\ -)\quad 3\ \ 7\qquad 10 \\ \hline 3\ \ 2\ \ 2\quad -10 \end{array}$$

$\therefore K_{C,D}=3(天)$

(2)计算工期

$T=\sum K_{i,i+1}+T_n+\sum Z_1=(2+5+3)+(3+4+3)+1=21(天)$

(3)绘制流水施工进度计划表,如图 12-17 所示。

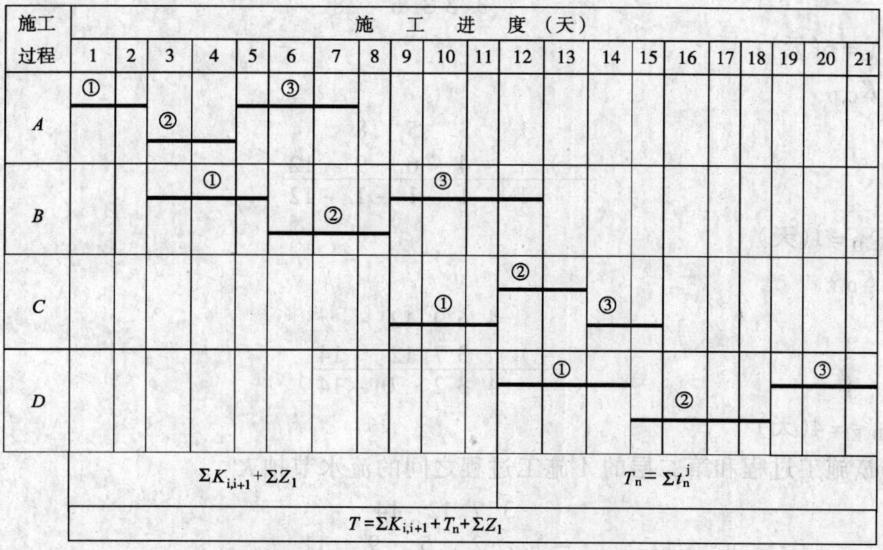

图 12-17　无节奏流水施工进度计划表

【例 12-10】　某两层的分部工程划分为 A、B、C、D、E 五个施工过程,分四段组织施工,各施工过程的流水节拍见表 12-4 所列,已知施工过程 C 完成后需有 2 天的组织间歇时间,且层间间歇时间为 1 天,试组织流水施工。

某分部工程的流水节拍(天)　　　　　　　　表 12-4

施工过程＼施工段	①	②	③	④
A	2	3	4	2
B	3	1	2	5
C	1	2	2	3

施工过程 ＼ 施工段	①	②	③	④
D	4	2	3	3
E	3	4	5	2

解:由题意可组织无节奏流水施工。

(1)确定流水步距

①求 $K_{A,B}$

$$
\begin{array}{r}
2\ 5\ 9\ 11\ \ \ \ \ \ \\
-)\quad 3\ 4\ 6\ \ \ 11\\
\hline
2\ 2\ 5\ 5\ -11
\end{array}
$$

$\therefore K_{A,B}=5(天)$

②求 $K_{B,C}$

$$
\begin{array}{r}
3\ 4\ 6\ 11\ \ \ \ \ \\
-)\quad 1\ 3\ 5\ \ \ 8\\
\hline
3\ 3\ 3\ 6\ -8
\end{array}
$$

$\therefore K_{B,C}=6(天)$

③求 $K_{C,D}$

$$
\begin{array}{r}
1\ \ \ 3\ \ \ 5\ \ \ 8\ \ \ \ \ \ \ \\
-)\quad 4\ \ \ 6\ \ \ 9\ \ \ 12\\
\hline
1\ -1\ -1\ -1\ -12
\end{array}
$$

$\therefore K_{C,D}=1(天)$

④求 $K_{D,E}$

$$
\begin{array}{r}
4\ 6\ 9\ 12\ \ \ \ \ \\
-)\quad 3\ 7\ 12\ \ \ 14\\
\hline
4\ 3\ 2\ \ \ 0\ -14
\end{array}
$$

$\therefore K_{D,E}=4(天)$

⑤求 E 施工过程和第二层的 A 施工过程之间的流水节拍K'

$$
\begin{array}{r}
3\ 7\ 12\ 14\ \ \ \ \ \\
-)\quad 2\ 5\ 9\ \ \ 11\\
\hline
3\ 5\ 7\ 5\ -11
\end{array}
$$

$\therefore K'=7(天)$

(2)计算工期

$$
\begin{aligned}
T &= j\cdot\sum K_{i,i+1}+(j-1)K'+T_n+j\cdot\sum G+(j-1)Z_2\\
&= 2\times(5+6+1+4)+7+(3+4+5+2)+2\times2+1\\
&= 58(天)
\end{aligned}
$$

(3)绘制流水施工进度计划表,如图 12-18 所示。

4.无节奏流水施工的适用范围

在实际工程中,无节奏流水是流水施工中应用最多的一种方式。因为它不像有节奏流水施工那样有一定的时间规律约束,在进度上安排比较灵活、自由,因此适用性较强。它适用于各种结构性质和规模的工程,如分部工程和单位工程及大型建筑群的流水施工等。

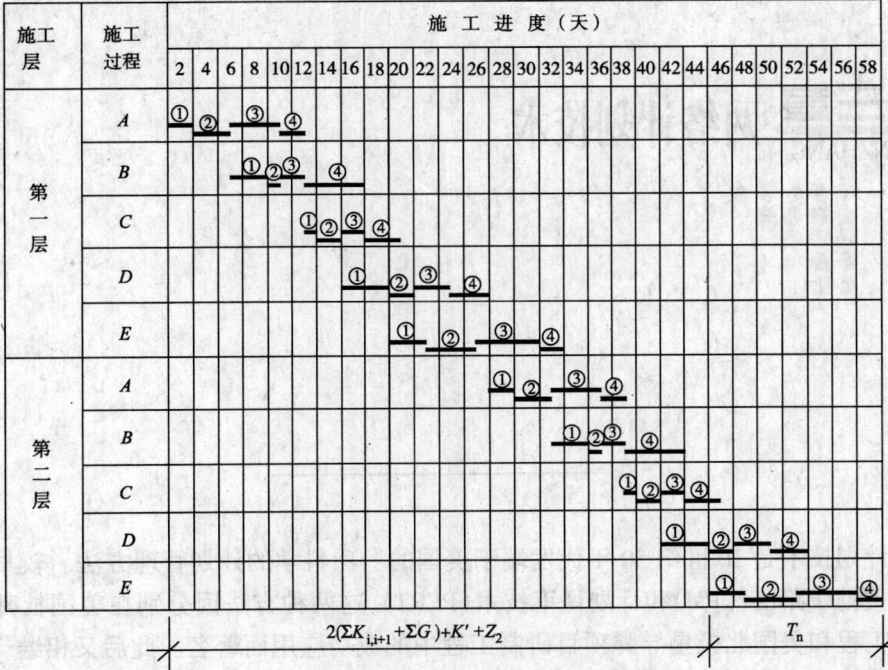

施工层	施工过程	施工进度(天)
第一层	A	①②③④
	B	①②③ ④
	C	①②③④
	D	① ②③ ④
	E	① ② ③ ④
第二层	A	① ② ③ ④
	B	①②③ ④
	C	① ② ③④
	D	① ②③ ④
	E	① ② ③ ④

$$2(\Sigma K_{i,i+1} + \Sigma G) + K' + Z_2 \qquad T_n$$

图 12-18　无节奏流水施工进度计划表

思考题

1.组织施工的方式有哪些?各有什么特点?

2.简述流水施工概念,组织流水施工需考虑哪些因素?

3.说明流水施工的技术经济效果。

4.流水施工有哪些参数?如何确定?

5.施工段数与施工过程数的关系是怎样的?

6.什么是"最小工作面"?什么是"最小劳动组合"?

7.如何对流水施工进行分类?分为哪些种类?

8.流水施工按流水节拍特征不同可分为哪几种方式?各有什么特点?

第十三章 网络计划技术

DISHISANZHANG

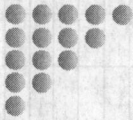

网络计划技术是 20 世纪 50 年代发端于美国的一项科学的计划管理方法。较早的网络计划方法是关键线路法(CPM)和计划评审技术(PERT),这两种方法因分别在美国杜邦公司化工设备维修工程和美国北极星导弹项目研制工程中的成功应用而著名。此后又相继产生了决策关键线路法(DCPM)、搭接网络计划法(OLN)、图示评审技术(GERT)、随机网络计划技术(QGERT)、风险型随机网络技术(VERT)等多种网络计划方法。由于网络计划技术在缩短项目建设周期、项目成本控制、合理调配资源、统筹协调项目实施、项目决策等方面体现出的科学有效性,从而使网络计划技术被世界各国公认为是一种内容丰富、行之有效、应用广泛的现代生产管理的科学方法。

网络计划技术由我国已故著名数学家华罗庚教授于 1965 年介绍到我国,称之为"统筹法",并开展了一系列推广活动,在我国经济建设中取得了良好效果,为提高我国的经济管理、工程管理水平发挥了积极作用。为规范网络计划技术在我国的实施推广,国家有关部门颁布了一系列标准、规程,目前正在执行的主要包括《网络计划技术常用术语》(GB/T13400.1—1992)、《网络计划技术网络图画法的一般规定》(GB/T13400.2—1992)、《网络计划技术在项目管理中应用的一般程序》(GB/T13400.3—1992)和《工程网络计划技术规程》(JGJ/T121—99)。

第一节 网络计划技术的基本概念

一、网络计划技术的基本概念

网络计划技术是应用网络计划对项目的进度、资源、成本等方面进行适当的协调与安排,以保证项目目标顺利实现的一种科学的计划管理技术。网络计划是指用网络图表达任务构成、工作顺序并加注工作时间参数的进度计划。网络图是表达网络计划的基本工具和手段,是网络计划的具体体现形式。网络图是由箭线和节点组成的,用来表示工作流程的有向、有序网状图形。

一个完整的网络计划过程由两个阶段组成,即初始计划阶段和优化调整阶段。首先找出各工作间的相互制约、相互依赖、相互衔接的逻辑关系,估算完成各工作所需的时间,通过绘制网络图计算各种时间参数,确定关键工作和关键线路。然后再根据时间、资源或成本等约束条件的要求,利用最优化原理等方法,对初始计划方案进行优化、调整和改善,直至找到最优网络计划方案。

　　最优网络计划的确定和网络计划的实施是不同的。网络计划技术的应用仅仅为项目目标的顺利实现提供了可能性,要保证项目目标的顺利实现还取决于项目施工组织是否合理、施工技术的选用是否得当等其他因素,网络计划技术作为一种计划管理方法,对于建设项目的物资技术条件等方面的"硬"约束是无能为力的。

二、网络计划技术的特点

　　现代工程项目越来越体现出具有投资规模大、建设规模大、技术复杂程度高的特点。数十年来,在网络计划技术的应用过程中,人们真切地感受到网络计划技术所带来的巨大经济效益,尤其是伴随着计算机技术在工程建设领域的广泛应用,与 20 世纪 20 年代美国人甘特提出的甘特图(横道图)相比,网络计划技术更加显现出其优越性。其主要优点有:

　　(1)能够全面反映各工作之间的相互制约、相互依赖和相互衔接的逻辑关系。

　　(2)能够通过时间参数计算找到关键线路,确定关键工作,有利于项目管理者抓住项目实施中的关键环节,统筹安排项目实施,避免项目建设在进度、成本和资源等方面的失衡。

　　(3)用计算机技术,在客观条件发生变化时,及时对计划方案进行调整优化,尤其是对于复杂的计划方案的调整优化更具有便利性。

　　(4)能够通过网络计划的优化,进行不同计划方案的比选,确定出适合项目的最优方案。

　　(5)能够为项目管理提供较大的工程信息量,有利于项目管理者把握项目建设进展状况,明确项目建设中的得与失。

　　任何事物都是一分为二的,网络计划技术也同样存在一些欠缺,例如:绘制相对繁琐;不如横道图简单易懂,表达不够直观;不能清晰反映流水作业情况;对使用者素质要求较高等。

三、网络计划的分类

　　从不同的角度出发,可以将网络计划划分为不同的类型,目前常见的网络计划类型见表 13-1 所列。

第二节　双代号网络计划

一、双代号网络计划的构成和基本符号

　　双代号网络计划是通过双代号网络图表达的,双代号网络图是以箭线及其两端节点的编号表示工作的网络图,其基本构成要素有 3 个,即箭线、节点和线路。

分类原则	类型	特点描述
按表示方法分	单代号网络计划	以每个节点表示一项工作,箭线仅表示工作间的逻辑关系
	双代号网络计划	以箭线及两端的节点表示一项工作
按目标数目分	单目标网络计划	仅有一个最终节点(目标)
	多目标网络计划	有多个最终节点(多个独立目标)
按有无时间坐标分	时标网络计划	有时间坐标的网络计划
	非时标网络计划	无时间坐标的网络计划
按工作性质分	肯定型网络计划	工作、工作之间的逻辑关系和工作持续时间三者都是肯定的
	非肯定型网络计划	工作、工作之间的逻辑关系和工作持续时间三者至少有一项是不肯定的
按编制层次分	总网络计划	以整个计划任务为对象编制的网络计划
	局部网络计划	以计划任务的一部分为对象编制的网络计划
按工作衔接特点分	普通网络计划	前后工作按首尾衔接方式连接
	搭接网络计划	前后工作间存在搭接时距
	流水网络计划	能够反映流水作业的网络计划

1. 箭线

箭线主要用来代表一项工作或一个施工过程,并通过箭线连接一项工作或一个施工过程的起始节点和终止节点。箭线所代表的工作可大可小,在总网络计划中,箭线可以表示一个单位工程或一个工程项目。在局部网络计划中,箭线可以表示一个分项工程。一般在绘制双代号网络图时,往往在箭线的上方标注本工作名称,在箭线的下方标注本工作消耗的资源数(通常标注本工作持续时间,根据需要有时也标注资金成本或劳动力消耗等),如图 13-1a)、b)所示。

就某一箭线所表示的工作而言,可称其为本工作;称紧排在本工作之前的箭线所表示的工作为紧前工作,称紧排在本工作之后的箭线所表示的工作为紧后工作。如图 13-2 所示,视 B 工作为本工作时,A 工作就是紧前工作,C 工作就是紧后工作。视 C 工作为本工作时,B 工作就为紧前工作。D 工作就是紧后工作。可见紧前工作或紧后工作不是绝对的,要根据所选定的本工作而定。

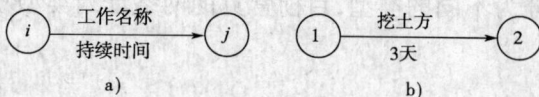

图 13-1 箭线的标注

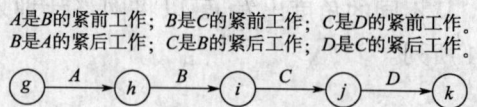

图 13-2 紧前工作和紧后工作

在双代号网络计划图中,一般根据能够正确表达工作间的逻辑关系以及使所绘制的网络图清晰、美观来确定箭线的长短。箭线的长短与本工作消耗的资源数量之间并无联系。在长度上也不存在比例关系。

箭线的指向就是工作的进行方向,箭尾表示工作的开始,箭头表示工作的结束,箭线应按惯例从左指向右。通常情况下,完成一项工作需要消耗一定的物质资源,并且占用一定的时间和空间;有时一些工作仅仅耗用一定的时间,并无明显的物质资源消耗,例如:混凝土的自然养护,这时,也可以将其视为一项工作。针对以上情形下实际存在的工作,在绘制网络图时都可以用一条实箭线来表达。但在实际绘制双代号网络图时,出于逻辑关系表达上的需要,我们必须虚拟出一项或几项并不实际存在的工作,这种只表示前后相邻工作之间的逻辑关系,既不占用时间,也不耗用资源的虚拟工作称为虚工作。绘制双代号网络图时用一条一端带有箭头的虚线即虚箭线来表示。如图 13-3 中的工作 A、B、C、D 均是实际存在的工作即实工作,采用实箭线表示;工作 i~j 为虚工作,采用虚箭线表示。

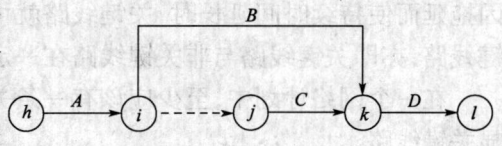

图 13-3 实箭线与虚箭线

2. 节点

节点是网络图中箭线端部的圆圈或其他形状的封闭图形。它是各箭线之间的连接点,代表各工作开始或结束的瞬间,节点本身并不消耗资源和时间。节点应按照从左至右由小到大的顺序进行编号,各编号不得重复,并保证箭尾节点编号小于箭头节点编号,编号既可以连续也可以不连续。网络图中的第一个节点,表示一项任务的开始,称为起点节点;网络图中的最后一个节点,表示一项任务的完成,称为终点节点;其余的节点称为中间节点。任何一个中间节点都有指向该节点的箭线和从其引出的箭线,前者称为该节点的内向箭线,后者称为该节点的外向箭线,任何一个中间节点都是其内向箭线所表示的工作的终止节点,都是其外向箭线所表示的工作的起始节点。如图 13-4 所示,节点 1 和节点 6 分别为起点节点和终点节点,节点 2、节点 3、节点 4 和节点 5 均为中间节点;节点 2 的内向箭线有一条即 1-2,外向箭线有两条即 2-3 和 2-5;节点 2 既是箭线 1-2 的终止节点,又是箭线 2-3 与箭线 2-5 的起始节点。

3. 线路

线路是指网络图中从起点节点开始,沿箭头方向顺序通过一系列箭线与节点,最后达到终点节点的通路。在一个网络图中,线路往往有许多条,各条线路上都有若干项工作,同一条线路上每项工作的持续时间之和,表明了此线路从起点节点到终点节点所需的持续时间,其中持续时间最长的线路称为此网络图的关键线路,其余的线路则称为非关键线路,关键线路上的工作称为关键工作。如图 13-5 所示,在网络图的三条线路中,线路 1-3-4-5 因持续时间最长为 12 天,所以此线路为关键线路,另外两条线路 1-2-4-5 和 1-4-5 持续时间分别为 8 天、7 天,均为非关键线路。

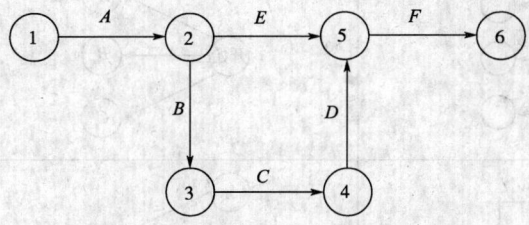

图 13-4 节点示意图

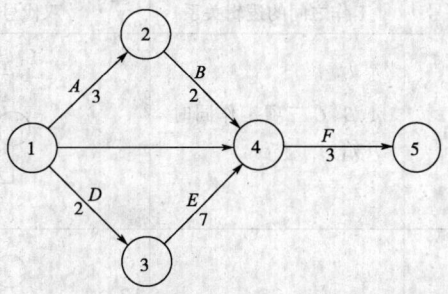

图 13-5 关键线路与非关键线路

由于关键线路持续时间长,因此关键线路的持续时间就是整个计划任务的总工期。鉴于关键工作持续时间的长短对整个计划任务的完成会产生直接影响,项目管理者可以通过合理压缩关键工作的持续时间来调整计划任务的工期,当关键线路的持续时间缩短或非关键线路因拖延而使持续时间延长时,关键线路就可能转变成非关键线路,非关键线路就可能转变成关键线路,亦即关键线路与非关键线路在一定条件下可以相互转化。

在一个网络计划中,至少应该有一条关键线路,绘制网络图时常常用粗箭线或双箭线来凸显关键线路。

二、双代号网络图的绘制

1.工作间的逻辑关系

在任何一项工程任务中,不同工作之间都存在着一定的顺序关系,某些工作的进行必须要受到其他工作完成情况的制约,因此必须以其他工作的完成为前提,或通过本工作的完成为其他工作的进行创造条件。这种工作之间相互制约或依赖的关系称为工作间的逻辑关系。

工作间的逻辑关系可以分为工艺关系和组织关系两种。工艺关系是指各生产性工作之间由施工工艺、施工技术决定的先后顺序关系,或非生产性工作之间由工作程序决定的先后顺序关系。组织关系是指出于资源调配的需要或组织安排的考虑而规定的工作先后顺序关系。

工作间的顺序关系在网络图上可以直观体现为先后关系、平行关系和交叉关系。先后关系表示各工作按先后顺序进行作业;平行关系表示若干项工作同时进行作业,很显然平行作业可以减少总时耗,但资源供应强度可能增加;交叉关系亦即交叉作业形式,它兼有先后关系与平行关系的特点,体现在网络图上就是增多对虚箭线(虚工作)的使用频率,是网络图绘制过程中容易产生表达错误的地方。

2.双代号网络图中常见逻辑关系的表示方法

根据所表达的实际工作任务的繁简,网络图中各工作间逻辑关系既可能复杂也可能简单。要正确对各工作间的逻辑关系进行表示,必须很好地掌握不同逻辑关系的表示方法,表13-2中列出了网络图中常见逻辑关系的表示方法。这里虽然不可能包罗所有可能出现的逻辑关系,但复杂逻辑关系都是由表中所示的简单逻辑关系所构成的,应用时可灵活组合。

网络图中常见逻辑关系的表示方法 表13-2

序号	工作之间的逻辑关系	双代号网络图表示方法	单代号网络图表示方法
1	A、B、C 三项工作同时开始	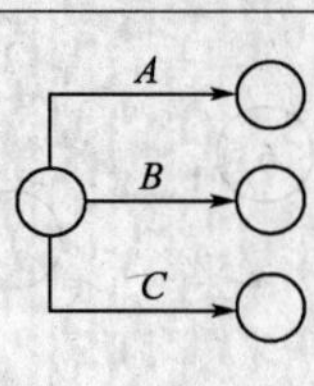	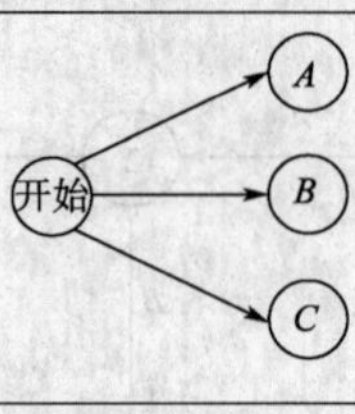
2	A、B、C 三项工作同时结束	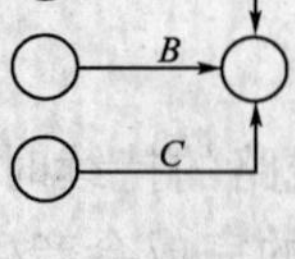	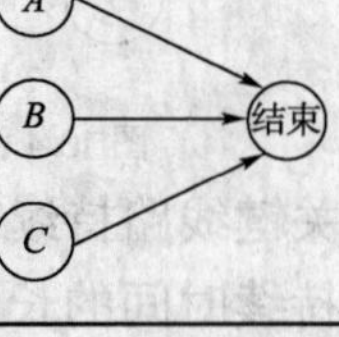

序号	工作之间的逻辑关系	双代号网络图表示方法	单代号网络图表示方法
3	A 完成后进行 B 和 C		
4	A、B 完成后进行 C		
5	A、B 都完成后进行 C 和 D		
6	A 完成后进行 C A、B 都完成后进行 D		
7	A、B 都完成后进行 D A、B、C 都完成后进行 E D、E 都完成后进行 F		
8	A 完成后进行 C B 完成后进行 E A、B 都完成后进行 D		

3. 绘制双代号网络图的基本规则

(1)必须正确反映各工作间的逻辑关系。

(2)不允许出现闭合的循环回路。图 13-6 中 A、B、C 三项工作就处在一个闭合的循环回路中,形成三者逻辑关系上的混乱。

(3)不允许出现相同编号的节点或相同编号的不同箭线。图 13-6 中有两个编号均为 6 的节点;表示工作 K、P 的两条箭线均为 7-8,箭线两端的节点编号相同。

(4)不允许出现没有箭头节点或箭尾节点的箭线。图 13-6 中表示工作 S 和工作 Q 的箭线分别缺少箭尾节点和箭头节点。

(5)不允许出现没有箭头的连线或双向箭头连线。图 13-6 中表示工作 G 的箭线没有箭头;表示工作 F 的箭线为双箭头。

(6)不允许从一条箭线中间直接引出另外一条箭线。图 13-6 中表示工作 E 的箭线不是从节点引出的,而是从表示 D 工作的箭线中间引出的。

(7)同一个工作不能在同一个网络图中反复出现两次。图 13-6 中工作 L 出现两次,分别由编号 9-11 和编号 8-10 的箭线表示。

(8)同一个网络图中只能有一个起点节点,单目标网络计划图中只允许有一个终点节点。图 13-6 中有两个起点节点 1 和 2,两个终点节点 11 和 12。

(9)尽量避免出现交叉的箭线,箭线必须交叉时可采用过桥法、指向法或断线法表示。如图 13-7 所示。

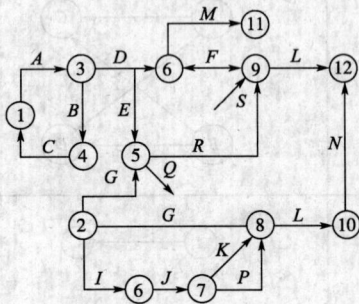

图 13-6　绘制规则示例

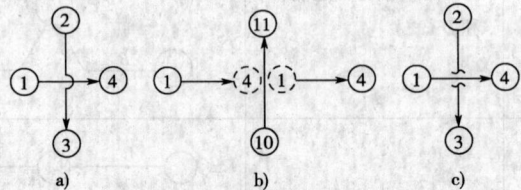

图 13-7　箭线交叉时的表示方法
a)过桥法;b)指向法;c)断线法

4.网络图的绘制步骤

(1)合理确定组成计划任务的各项工作,明确各项工作间的逻辑关系,明确将要通过网络图标示的各项数据值。

(2)选择网络图类型,确定网络图排列方式。

(3)按照从左至右的顺序,由起始工作开始依次绘制各项工作,直到终止工作完成。

(4)从起始工作向终止工作依次检查有无工作及逻辑关系的错漏。

(5)通盘检查网络图绘制是否存在不符合绘图规则的地方,如果存在不妥之处应进行修正。

(6)按照节点编号规则进行节点编号。

(7)如果编制的网络计划比较复杂,工程规模较大,一般应先分别绘制各分部工程的局部网络图,然后再根据相互之间的逻辑关系进行连接,形成该工程的总体网络计划图。

5.绘制双代号网络图应注意的问题

(1)层次清晰、重点突出

网络图绘制过程中往往首先注重的是逻辑关系的合理表达,还应当按照便于使用的原则对绘制出的网络图进行整理,使其能够清楚反映在工艺上或组织上的相互关系,使其层次清晰、重点突出。

（2）图面规整、流畅

网络图的绘制除了要满足前面介绍的基本规则外，一幅好的网络计划图应体现出规整、流畅，令人赏心悦目。例如绘制时尽量以水平箭线为主，竖向箭线为辅，尽量不使用斜箭线和曲箭线；避免使用逆向箭线，以免产生逻辑关系混乱；尽量减少箭线交叉等。

（3）合理使用虚工作

虚工作是为合理体现工作间的逻辑关系而虚拟的工作，它既不消耗时间也不消耗资源。虚工作的使用给网络图的绘制带来很大方便，但虚工作的使用不应过多、过滥，网络图绘制结束前应当检查虚工作的使用是否合理，删除多余的虚工作，这也是保证网络图绘制质量的重要一环。

6. 双代号网络图的排列

网络图的主要功能就是指导施工，因此网络图的绘制应通过适当的排列布局更加形象地体现出施工特点，从而有利于施工管理人员把握现场状况。网络图的排列方式很多，可以有施工工艺排列法、施工段排列法、楼层排列法、栋号排列法和作业单位排列法等。

例如：某基础工程施工有基坑开挖、垫层施工、基础砌筑和基坑土方回填等4个施工过程，分成4个施工段组织流水施工，图 13-8a)、b)是该工程任务双代号网络图分别按施工工艺排列与按施工段排列的绘图示例。

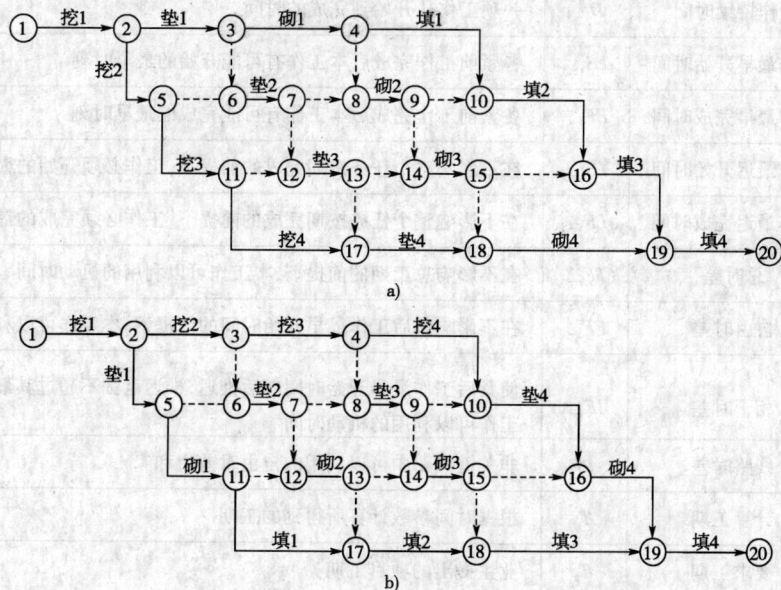

图 13-8 双代号网络图的排列

【例 13-1】 试根据表 13-3 工作逻辑关系绘制双代号网络图。

工作逻辑关系表   表 13-3

工作	A	B	C	D	E	F	G	H	I	J	K	L	M
紧后工作	D、C	E、F	H、K	G、I	H、K	L	L	J	K	M	-	-	-

解：根据工作逻辑关系表绘制的双代号网络图，如图 13-9 所示。

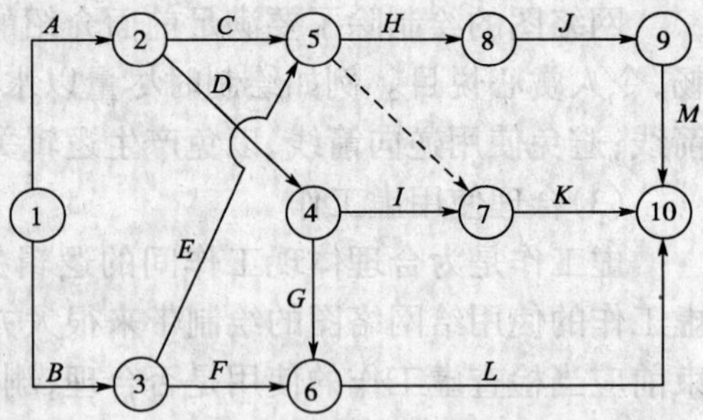

三、双代号网络图时间参数的计算

1.时间参数的分类

没有时间参数的网络图只能算是一张组织和工艺流程图，要实现通过网络图对网络计划进行控制、优化和调整的目的，必须进行时间参数的计算。为确定计算工期、找出关键线路和非关键线路提供依据，使各项工作在时间上的相互关系得以明确，从而为施工管理人员进行科学决策提供帮助。时间参数可分为节点时间参数、工作时间参数和线路时间参数等。以工作 i-j 为例，各时间参数的表示符号及其含义见表 13-4 所列。

图 13-9　双代号网络图绘制示例

时间参数的分类　　　　　　表 13-4

类别	名称	符号	含义
节点时间参数	节点最早时间	ET_i	以该节点为开始节点的各项工作的最早开始时间
	节点最迟时间	LT_i	以该节点为完成节点的各项工作的最迟完成时间
工作时间参数	工作持续时间	D_{i-j}	一项工作从开始到完成的时间
	工作最早开始时间	ES_{i-j}	各紧前工作完成后本工作有可能开始的最早时刻
	工作最早完成时间	EF_{i-j}	各紧前工作完成后本工作有可能完成的最早时刻
	工作最迟开始时间	LS_{i-j}	在不影响整个任务按期完成的前提下，工作必须开始的最迟时刻
	工作最迟完成时间	LF_{i-j}	在不影响整个任务按期完成的前提下，工作必须完成的最迟时刻
	总时差	TF_{i-j}	在不影响总工期的前提下，本工作可以利用的机动时间
	自由时差	FF_{i-j}	在不影响紧后工作最早开始时间的前提下，本工作可以利用的机动时间
	相干时差	IF_{i-j}	使紧后工作最早开始时间向后推迟，推迟范围不超过其最迟开始时间，本工作可以利用的机动时间
线路时间参数	线路时差	PF	非关键线路中可以利用的自由时差之和
	计算工期	T_c	根据时间参数计算所得到的工期
	要求工期	T_r	业主提出的项目工期
	计划工期	T_p	根据要求工期和计算工期所确定的作为实施目标的工期

2.时间参数的计算

在关键线路法中，时间参数的计算主要采用图上计算法进行，包括节点计算法和工作计算法。

（1）节点法计算时间参数

节点计算法是指先计算各节点的时间参数，再根据节点时间参数计算各工作的时间参数。节点最早时间应从网络图的起点节点开始，按照编号从小到大依次计算，直至终点节点。节点最迟时间应从网络图终点节点开始,沿着逆向箭线的方向,按照节点编号从大到小进行计算,直至起点节点。各时间参数的计算见表 13-5 所列。

节点法计算时间参数 表 13-5

参数名称		计算公式	说明
节点最早时间 ET_i	起点节点 ET_i	$ET_i = 0$	对起点节点的最早时间无规定时,通常取其为零。如另有规定,可按规定取值
	其他节点 ET_j	$ET_j = ET_i + D_{i-j}$	当节点 j 仅有一条内向箭线时,取该箭线箭尾节点的最早时间与该工作持续时间之和
		$ET_j = \max\{ET_i + D_{i-j}\}$	当节点 j 有多条内向箭线时,取各箭线箭尾节点的最早时间与各工作持续时间之和的最大值
计算工期 T_c	T_c	$T_c = ET_n$	取终点节点 n 的最早时间 ET_n 为计算工期
节点最迟时间 LT_i	终点节点 LT_n	$LT_n = T_p$	终点节点的最迟时间取网络计划的计划工期 T_p。对要求工期无特殊要求时可取 $T_p = T_c$,则有 $LT_n = T_c$,即 $LT_n = ET_n$
	其他节点 LT_i	$LT_i = LT_j - D_{i-j}$	当节点 i 仅有一条外向箭线时,节点 i 的最迟时间 LT_i 为箭头节点的最迟时间与该工作持续时间之差
		$LT_i = \min\{LT_j - D_{i-j}\}$	当节点 i 有多条外向箭线时,节点 i 的最迟时间 LT_i 为各箭线箭头节点的最迟时间与各工作持续时间之差的最小值
工作最早开始时间 ES_{i-j}		$ES_{i-j} = ET_i$	工作最早开始时间 ES_{i-j} 等于该工作起始节点的最早时间 ET_i
工作最早完成时间 EF_{i-j}		$EF_{i-j} = ES_{i-j} + D_{i-j} = ET_i + D_{i-j}$	工作最早完成时间是工作在最早开始时间开始进行,持续了 D_{i-j} 时间后才结束的时间
工作最迟完成时间 LF_{i-j}		$LF_{i-j} = LT_j$	工作最迟完成时间等于该工作结束节点的最迟时间
工作最迟开始时间 LS_{i-j}		$LS_{i-j} = LF_{i-j} - D_{i-j} = LT_j - D_{i-j}$	工作最迟开始时间应保证工作经过持续时间 D_{i-j} 不影响工作在最迟完成时间 LF_{i-j} 完成

(2)工作法计算时间参数

工作计算法是指不计算节点的时间参数,直接计算各工作的时间参数。各时间参数的计算见表 13-6 所列。

工作法计算时间参数 表 13-6

参数名称	计算公式	说　明
工作最早开始时间 ES_{i-j}	$ES_{i-j} = 0$	当未规定开始节点的最早开始时间时,起始工作 $i-j$ 的最早开始时间取零
	$ES_{i-j} = ES_{h-i} + D_{h-i}$	当 $i-j$ 工作只有一个紧前工作 $h-i$ 时,$i-j$ 工作最早开始时间为紧前工作 $h-i$ 的最早开始时间与 $h-i$ 工作持续时间之和
	$ES_{i-j} = \max\{ES_{h-i} + D_{h-i}\}$	受逻辑关系的制约,当 $i-j$ 工作有多个紧前工作时,$i-j$ 工作最早开始时间应取各紧前工作最早开始时间与各紧前工作持续时间之和的最大值

参数名称	计算公式	说　　明
工作最早完成时间 EF_{i-j}	$EF_{i-j} = ES_{i-j} + D_{i-j}$	$i-j$ 工作按最早开始时间 ES_{i-j}开始进行，经过持续时间 D_{i-j}完成工作时所对应的时间就是 $i-j$ 工作的最早完成时间。据此可有 $ES_{i-j} = EF_{h-i}$或 $ES_{i-j} = \max\{EF_{h-i}\}$
计算工期 T_c	$T_c = \max\{EF_{i-n}\}$	计算工期取各最后完成工作最早完成时间的最大值。
工作最迟完成时间 LF_{i-j}	$LF_{i-n} = T_p$	对于最后完成的各项工作，取计划工期作为其最迟完成时间。当未规定要求工期 T_r 时，可取计划工期等于计算工期，即 $T_p = T_c$ 所以有 $LF_{i-n} = T_c$
	$LF_{i-j} = LF_{j-k} - D_{j-k}$	当 $i-j$ 工作仅有一个紧后工作 $j-k$ 时，其最迟完成时间取紧后工作最迟完成时间与紧后工作持续时间之差
	$LF_{i-j} = \min\{LF_{j-k} - D_{j-k}\}$	当 $i-j$ 工作有多个紧后工作时，其最迟完成时间取各紧后工作最迟完成时间与各紧后工作持续时间之差的最小值
工作最迟开始时间 LS_{i-j}	$LS_{i-j} = LF_{i-j} - D_{i-j}$	$i-j$ 工作的最迟开始时间应保证经过工作持续时间 D_{i-j}不影响工作的最迟完成。据此可有 $LF_{i-j} = LS_{j-k}$或 $LF_{i-j} = \min\{LS_{j-k}\}$

（3）时差的计算

时差是指工作的机动时间，通过计算时差可以确定工作所具有的机动时间，从而可以使项目的组织管理者根据机动时间决定对工作进行压缩、延长等调整工作以保证项目目标的实现。采用图上计算法进行网络图时间参数计算时，需要计算的时差主要为总时差和自由时差。

总时差是指在不影响总工期的前提下，本工作可以利用的机动时间。自由时差是指在不影响其紧后工作最早开始时间的前提下，本工作可以利用的机动时间。通过图 13-10 可以帮助我们理解总时差、自由时差的含义，同时该图也反映了工作时间参数之间的关系。

如图 13-10 所示，$i-j$ 工作可以推迟开始（完成）的时间范围极限是从 $i-j$ 工作最早开始（完成）时间到 $i-j$ 工作最迟开始（完成）时间，$i-j$工作在此时间段内推迟开始（完成）不会对总工期造成影响，亦即这个时间范围是 $i-j$ 工作可以利用的最大时间范围值，这个值就是总时差。因此，总时差可以表示为：$TF_{i-j} = LS_{i-j} - ES_{i-j}$或 $TF_{i-j} = LF_{i-j} - EF_{i-j}$。

在总时差范围内有这样一个时间段，$i-j$ 工作的推迟开始不会影响其紧后工作 $j-k$ 在

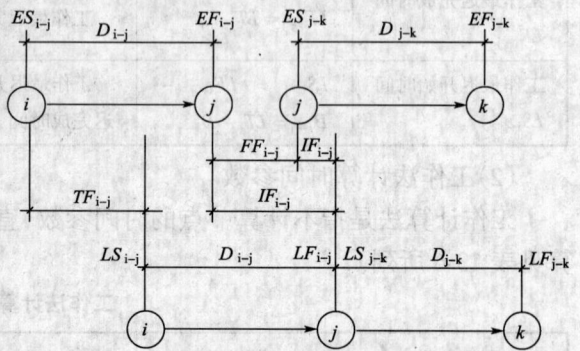

图 13-10　时差关系示意图

最早开始时间开始，这个时间段就是 $j-k$ 工作的最早开始时间至 $i-j$ 工作最早开始时间范围内去掉 $i-j$ 工作的持续时间，这个时间段即自由时差。它可以表示为：

$$FF_{i-j} = ES_{j-k} - ES_{i-j} - D_{i-j} = ES_{j-k} - EF_{i-j}$$

对于网络图中的结束工作，利用上式计算自由时差时，取 $FF_{i-n} = ET_n - EF_{i-n}$。

在总时差范围内除有一个时间段为自由时差外，还有一个时间段称为相干时差，相干时差体现的是 $i-j$ 工作的推迟开始不影响总工期，但会影响其紧后工作 $j-k$ 在最早开始时间开始。相干时差可以表示为：$IF_{i-j} = TF_{i-j} - FF_{i-j}$或 $IF_{i-j} = LF_{i-j} - ES_{j-k}$。

关于时差有以下几点结论：

①如果总时差为零，说明工作没有机动时间，为关键工作。

②如果总时差为零，则自由时差和相干时差也都不存在。

③如果存在总时差，说明工作有可利用的机动时间，为非关键工作。

④总时差属于本工作，同时也为一条线路所共有。

⑤自由时差一定小于或等于总时差，如果存在自由时差，说明本工作有可以自由利用的机动时间，并且利用自由时差不会对紧后工作产生影响。

（4）时间参数在网络图上的标注

在应用图上计算法计算时间参数时，时间参数可以按照图 13-11 所示进行标注。将工作名称和工作持续时间分别标注在箭线的上方和下方，将计算的工作时间参数标注在箭线上方，如果计算有节点时间参数，一般应将节点时间参数标注在节点圆圈上方，有时为构图方便将其标注在节点圆圈下方或侧面也可以；如果为虚工作则图中箭线应为虚箭线。

3.关键线路的确定

在网络图中持续时间最长的线路就是关键线路。通过时间参数计算也可判断关键线路，当计划工期与计算工期相等时，总时差为零的线路就是关键线路；当计划工期与计算工期

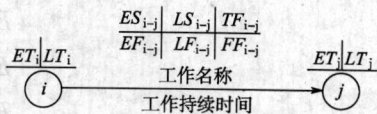

图 13-11 时间参数的标注

不同时，总时差等于计划工期与计算工期之差的线路就是关键线路。关键线路上的工作就是关键工作。需要注意的是，在一个网络图中关键线路往往不止一条，但至少应该有一条。

【例 13-2】 请采用图上计算法计算图 13-12 所示双代号网络图各节点时间参数和各工作时间参数，找出关键工作和关键线路，并指出计算工期。

解：（1）计算节点时间参数

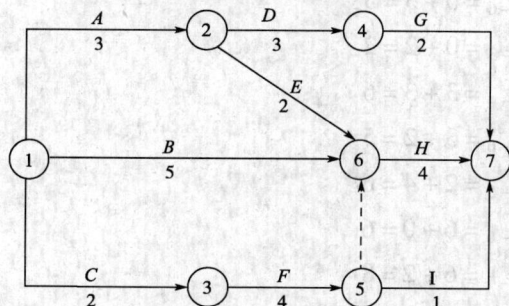

图 13-12 双代号网络图时间参数算例

节点最早时间应从网络图的起点节点开始，按照编号从小到大依次计算，直至终点节点。由于没有规定起始节点的最早时间，因此，节点 1 最早时间可以取 $ET_1 = 0$

根据公式 $ET_j = ET_i + D_{i-j}$ 有：

$$ET_2 = 0 + 3 = 3$$
$$ET_3 = 0 + 2 = 2$$
$$ET_4 = 3 + 3 = 6$$
$$ET_5 = 2 + 4 = 6$$

节点 6 有多条内向箭线，因此应根据公式 $ET_j = \max\{ET_i + D_{i-j}\}$ 确定其最早时间，即：

$ET_6 = \max\{3 + 2、0 + 5、6 + 0\} = 6$，同理，终点节点 7 的最早时间为：

$ET_7 = \max\{6 + 2、6 + 4、6 + 1\} = 10$，则有计算工期 $T_c = ET_7 = 10$。

节点最迟时间应从网络图终点节点开始，逆着箭线的方向，按照节点编号从大到小进行计算，直至起点节点。因无要求工期，故节点 7 的最迟时间取 $LT_7 = ET_7 = 10$。

根据公式 $LT_i = LT_j - D_{i-j}$ 有：$LT_6 = 10 - 4 = 6$

节点 5 有多条外向箭线，因此应根据公式 $LT_i = \min\{LT_j - D_{i-j}\}$ 确定其最迟时间，即：

$LT_5 = \min\{6 - 0、10 - 1\} = 6$。同理，依次可得：$LT_4 = 8，LT_3 = 2，LT_2 = 4，LT_1 = 0$。

(2)计算工作时间参数

首先计算各工作最早开始时间和最早完成时间,计算顺序是顺着箭线方向从起始工作开始依次计算。

工作 A、B、C 为并列关系的三个起始工作,其最早开始时间均与起点节点 1 的最早时间相等即:$ES_{1-2} = ES_{1-6} = ES_{1-3} = ET_1 = 0$。

根据公式 $ES_{ij} = ET_i$ 有 D、E、F 的最早开始时间分别为:$ES_{2-4} = ET_2 = 3$,$ES_{2-6} = ET_2 = 3$,$ES_{3-5} = ET_3 = 2$。

同理可得:$ES_{5-6} = 6$,$ES_{4-7} = 6$,$ES_{6-7} = 6$,$EF_{5-7} = 6$。

以上是按照节点法计算的,也可以按照工作法进行计算,根据公式 $ES_{i-j} = ES_{h-i} + D_{h-i}$ 有:

$$ES_{2-4} = ES_{1-2} + D_{1-2} = 0 + 3 = 3$$
$$ES_{2-6} = ES_{1-2} + D_{1-2} = 0 + 3 = 3$$
$$ES_{3-5} = ES_{1-3} + D_{1-3} = 0 + 2 = 2$$
$$ES_{5-6} = ES_{3-5} + D_{3-5} = 2 + 4 = 6$$
$$ES_{4-7} = ES_{2-4} + D_{2-4} = 3 + 3 = 6$$
$$ES_{5-7} = ES_{3-5} + D_{3-5} = 2 + 4 = 6$$

由于 H 工作有多个紧前工作,因此,H 工作的最早开始时间可根据公式 $ES_{i-j} = \max\{ES_{h-i} + D_{h-i}\}$ 进行计算,即:

$$ES_{6-7} = \max\{ES_{2-6} + D_{2-6}、ES_{1-6} + D_{1-6}、ES_{5-6} + D_{5-6}\} = \max\{3 + 2、0 + 5、6 + 0\} = 6$$

根据前面计算所得各工作最早开始时间,可按照公式 $EF_{i-j} = ES_{i-j} + D_{i-j}$ 计算各工作最早完成时间,分别为:

$$EF_{1-2} = ES_{1-2} + D_{1-2} = 0 + 3 = 3$$
$$EF_{1-6} = ES_{1-6} + D_{1-6} = 0 + 5 = 5$$
$$EF_{1-3} = ES_{1-3} + D_{1-3} = 0 + 2 = 2$$
$$EF_{2-4} = ES_{2-4} + D_{2-4} = 3 + 3 = 6$$
$$EF_{2-6} = ES_{2-6} + D_{2-6} = 3 + 2 = 5$$
$$EF_{3-5} = ES_{3-5} + D_{3-5} = 2 + 4 = 6$$
$$EF_{5-6} = ES_{5-6} + D_{5-6} = 6 + 0 = 6$$
$$EF_{4-7} = ES_{4-7} + D_{4-7} = 6 + 2 = 8$$
$$EF_{5-7} = ES_{5-7} + D_{5-7} = 6 + 1 = 7$$
$$EF_{6-7} = ES_{6-7} + D_{6-7} = 6 + 4 = 10$$

下面计算各工作最迟开始时间和最迟完成时间,工作最迟时间参数是逆箭线方向,从网络图的结束工作向起始工作计算的。根据公式 $LF_{i-j} = LT_j$ 可得各工作最迟完成时间分别为:

$$LF_{4-7} = LT_7 = 10$$
$$LF_{6-7} = LT_7 = 10$$
$$LF_{5-7} = LT_7 = 10$$
$$LF_{2-4} = LT_4 = 8$$
$$LF_{2-6} = LT_6 = 6$$
$$LF_{5-6} = LT_6 = 6$$

$$LF_{3-5} = LT_5 = 6$$

$$LF_{1-2} = LT_2 = 4$$

$$LF_{1-6} = LT_6 = 6$$

$$LF_{1-3} = LT_3 = 2$$

根据公式 $LS_{i-j} = LF_{i-j} - D_{i-j}$ 可得各工作最迟开始时间分别为:

$$LS_{4-7} = LF_{4-7} - D_{4-7} = 10 - 2 = 8$$

$$LS_{6-7} = LF_{6-7} - D_{6-7} = 10 - 4 = 6$$

$$LS_{5-7} = LF_{5-7} - D_{5-7} = 10 - 1 = 9$$

$$LS_{2-4} = LF_{2-4} - D_{2-4} = 8 - 3 = 5$$

$$LS_{2-6} = LF_{2-6} - D_{2-6} = 6 - 2 = 4$$

$$LS_{5-6} = LF_{5-6} - D_{5-6} = 6 - 0 = 6$$

$$LS_{3-5} = LF_{3-5} - D_{3-5} = 6 - 4 = 2$$

$$LS_{1-2} = LF_{1-2} - D_{1-2} = 4 - 3 = 1$$

$$LS_{1-6} = LF_{1-6} - D_{1-6} = 6 - 5 = 1$$

$$LS_{1-3} = LF_{1-3} - D_{1-3} = 2 - 2 = 0$$

(3)计算时差

首先根据公式 $TF_{i-j} = LS_{i-j} - ES_{i-j}$ 计算出各工作总时差分别为:

$$TF_{1-2} = LS_{1-2} - ES_{1-2} = 1 - 0 = 1$$

$$TF_{1-6} = LS_{1-6} - ES_{1-6} = 1 - 0 = 1$$

$$TF_{1-3} = LS_{1-3} - ES_{1-3} = 0 - 0 = 0$$

$$TF_{2-4} = LS_{2-4} - ES_{2-4} = 5 - 3 = 2$$

$$TF_{2-6} = LS_{2-6} - ES_{2-6} = 4 - 3 = 1$$

$$TF_{3-5} = LS_{3-5} - ES_{3-5} = 2 - 2 = 0$$

$$TF_{5-6} = LS_{5-6} - ES_{5-6} = 6 - 6 = 0$$

$$TF_{4-7} = LS_{4-7} - ES_{4-7} = 8 - 6 = 2$$

$$TF_{6-7} = LS_{6-7} - ES_{6-7} = 6 - 6 = 0$$

$$TF_{5-7} = LS_{5-7} - ES_{5-7} = 9 - 6 = 3$$

再根据公式 $FF_{i-j} = ES_{j-k} - EF_{i-j}$ 计算出各工作自由时差分别为:

$$FF_{1-2} = ES_{2-4} - EF_{1-2} = 3 - 3 = 0$$

$$FF_{1-6} = ES_{6-7} - EF_{1-6} = 6 - 5 = 1$$

$$FF_{1-3} = ES_{3-5} - EF_{1-3} = 2 - 2 = 0$$

$$FF_{2-4} = ES_{4-7} - EF_{2-4} = 6 - 6 = 0$$

$$FF_{2-6} = ES_{6-7} - EF_{2-6} = 6 - 5 = 1$$

$$FF_{3-5} = ES_{5-7} - EF_{3-5} = 6 - 6 = 0$$

工作 G、H、I 为结束工作,因此,可按公式 $FF_{i-n} = ET_n - EF_{i-n}$ 计算其自由时差,即:

$$FF_{4-7} = ET_7 - EF_{4-7} = 10 - 8 = 2$$

$$FF_{6-7} = ET_7 - EF_{6-7} = 10 - 10 = 0$$

$$FF_{5-7} = ET_7 - EF_{5-7} = 10 - 7 = 3$$

在各时间参数计算过程中,按照时间参数标注方法,将以上各时间参数的计算结果随算随注在相应位置,如图 13-13 所示。

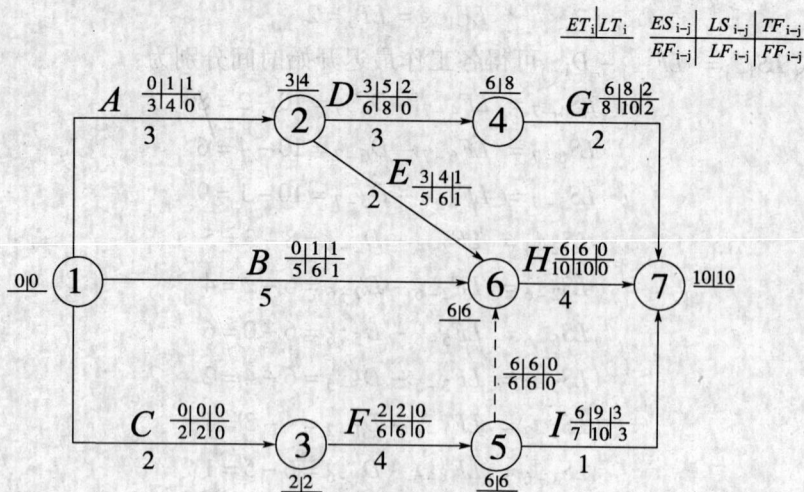

图 13-13　时间参数计算结果

（4）确定关键线路和关键工作

通过观察时间参数计算结果可知,由总时差为零的工作组成的线路有一条,即 1-3-5-6-7,此条线路就是关键线路,如图 13-13 中双线所示,组成该条线路的工作 C、F、H 就是关键工作。

（5）确定计算工期

关键线路的线路时间就是计算工期,本网络图的计算工期为 10 天。

四、双代号时标网络计划

1.双代号时标网络计划的含义

前面我们所介绍的双代号网络计划通过标注在箭线下方的数字来表示工作持续时间,因此,在绘制双代号网络图时,并不强调箭线长短的比例关系,这样的双代号网络图必须通过计算各个时间参数才能反映出各工作进展的具体时间情况。如果将横道图中的时间坐标引入非时标网络计划,就可以很直观地从网络图中看出工作最早开始时间、自由时差以及总工期等时间参数,我们称这种以时间坐标为尺度编制的网络计划为时标网络计划。

双代号时标网络计划由时标计划表和双代号网络图两部分组成。在时标计划表顶部或下部可单独或同时加注时标,时标单位可根据网络计划的具体需要确定为时、天、周、月或季等。

2.双代号时标网络计划的绘制

双代号时标网络计划有两种绘制方法:一种是先绘制非时标网络计划图,再计算时间参数,然后在时标计划表中按照先关键线路后非关键线路的顺序,将网络计划图绘制出来;另一种是先不计算时间参数,直接在时标计划表中绘制网络图。

绘制双代号时标网络计划时应遵守以下方法和要求:

(1)时标网络计划宜按最早时间编制。

(2)节点圆圈的中心必须对准相应的时标位置。

(3)按照从左至右的顺序绘制,按照工作持续时间在时标表上绘制节点外向箭线,中间节点须在其所有内向箭线都绘制出来之后,按最长箭线定位;其余箭线用波浪线补齐。

(4)虚工作必须以垂直方向的虚箭线表示,如果虚箭线两端的节点在水平方向上有距离,则用波浪线作为其水平连线。

根据上述原则,将图 13-14 所示的双代号网络图按照最早时间绘制成的时标网络计划如图 13-15 所示。

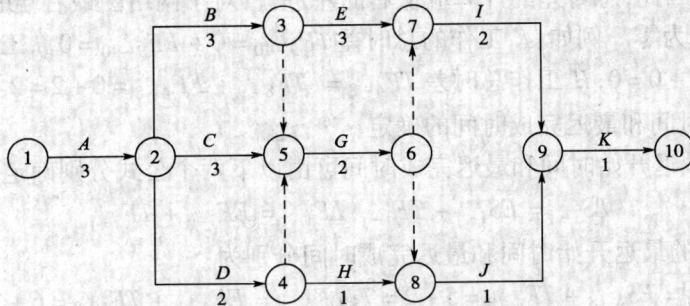

图 13-14　双代号网络计划图

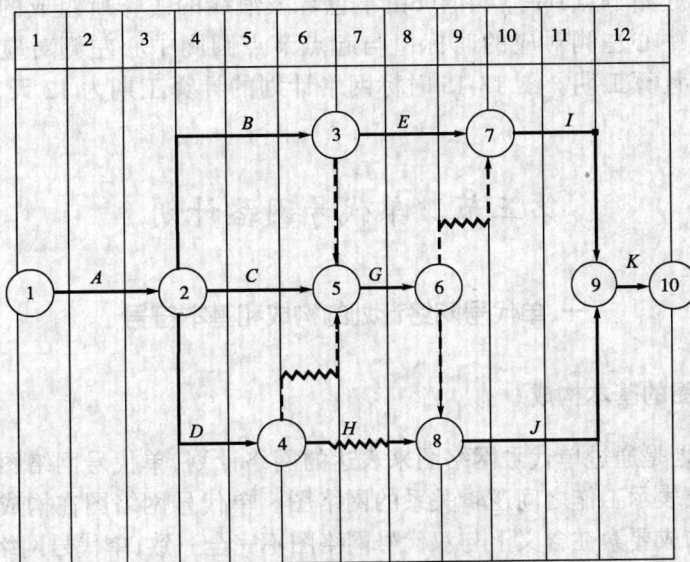

图 13-15　双代号时标网络图

3.双代号时标网络计划的时间参数

(1)最早开始时间和最早完成时间的确定

在图 13-15 所示的双代号时标网络计划中,可以直接找到工作的最早开始时间和最早完成时间。每条实箭线的箭尾节点圆圈中心所对应的左侧时标值就是该工作的最早开始时间,实箭线向右的末端所对应的左侧时标值就是该工作的最早完成时间。例如:H 工作的最早开始时间和最早完成时间分别为 $ES_{4-8} = 5$、$EF_{4-8} = 6$。

（2）自由时差的确定

在图 13-15 中，各工作的自由时差也可以直接找到。波浪线的水平投影所占时标数就是波浪线所在箭线代表的工作的自由时差;没有波浪线的工作自由时差为零。例如:H 工作波浪线水平投影所占时标数为 2 个,因此,H 工作的自由时差 $FF_{4-8}=2$。工作 A、B、C、D、E、G、I、J、K 的自由时差都为零。

（3）总时差的确定

工作 $i-j$ 的总时差等于其紧后工作 $j-k$ 总时差与本工作自由时差之和。如果 $i-j$ 工作有多个紧后工作,则取其紧后工作总时差的最小值与本工作自由时差之和,即 $TF_{i-j}=\min\{TF_{j-k}\}+FF_{i-j}$。因此,总时差的计算应从右向左进行,对于网络图最右端的结束工作可视其紧后工作的总时差为零。例如:K 工作的总时差 $TF_{9-10}=0+FF_{9-10}=0$,J 工作总时差 $TF_{8-9}=TF_{9-10}+FF_{8-9}=0+0=0$,$H$ 工作总时差 $TF_{4-8}=TF_{8-9}+FF_{4-8}=0+2=2$。

（4）最迟开始时间和最迟完成时间的确定

工作 $i-j$ 的最迟开始时间和最迟完成时间可由以下两个公式分别确定:

$$LS_{i-j}=ES_{i-j}+TF_{i-j};LF_{i-j}=EF_{i-j}+TF_{i-j}$$

例如:工作 H 的最迟开始时间和最迟完成时间分别为:

$$LS_{4-8}=ES_{4-8}+TF_{4-8}=5+2=7;LF_{4-8}=EF_{4-8}+TF_{4-8}=6+2=8$$

（5）关键线路和计算工期的确定

从时标网络图起始节点到终点节点,由不包含波浪线的工作所组成的线路就是关键线路。终点节点圆圈中心左侧对应的时标值与起点节点圆圈中心左侧对应的时标值的差值为时标网络计划的计算工期。图 13-15 时标网络计划的计算工期为 12 天,关键线路是 1-2-3-7-9-10。

第三节　单代号网络计划

一、单代号网络计划的构成和基本符号

1. 单代号网络图的基本构成

单代号网络计划是通过单代号网络图来表达的网络计划,单代号网络图是以节点及其编号表示工作,以箭线表示工作之间逻辑关系的网络图。单代号网络图在构成上与双代号网络图是相同的,但其构成要素在含义上与双代号网络图不完全一致,单代号网络图中的一个节点就代表一项工作,箭线仅仅表示工作间的逻辑关系。在单代号网络图中,没有双代号网络图中的虚箭线所表示的虚工作,但可以有虚拟的起始节点或终止节点。

2. 单代号网络图的基本符号

单代号网落图的基本符号包括节点和箭线,如图 13-16 所示。节点可以用圆圈或方框表示,节点也应从左至右、由小到大进行编号,由于每个节点就代表一项工作,因此,在节点圆圈或方框内除标注节点编号外,还须注明工作名称以及工作持续时间。如果是虚拟的起始节点或终止节点,在工作名称的标注位置注上"开始"或"结束"即可。箭线应绘制成直线、斜线或折线,沿箭线方向表示工作进展的方向和工作间的逻辑关系,在单代号网络图中

没有虚箭线。

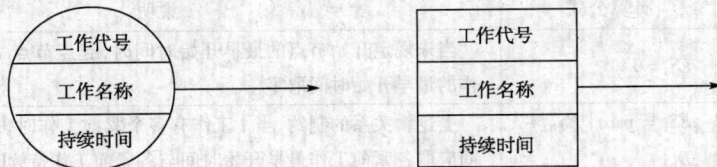

图 13-16 单代号网络图的基本符号

二、单代号网络图的绘制

双代号网络图的绘制规则在单代号网络图中基本都是适用的,只是需要注意,为了在单目标网络计划图中避免出现两个或两个以上起始节点或终止节点,需要设置虚拟的起始节点或终止节点。单代号网络图常见逻辑关系的表示方法可见表 13-2 所列。

【例 13-3】 根据表 13-7 所给各工作间的逻辑关系绘制单代号网络图。

表 13-7

工作代号	A	B	C	D	E	F	G	H
紧后工作	C、D	E	F	G、H	H	G	-	-
持续时间	3	2	4	2	5	3	1	2

解:根据表 13-7 所绘制的单代号网络图如图 13-17 所示。

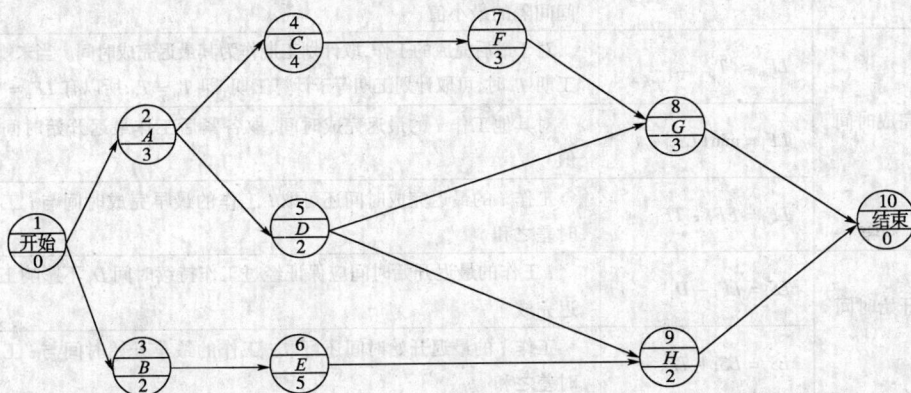

图 13-17 单代号网络图绘制示例

三、单代号网络计划时间参数的计算

1.单代号网络计划时间参数的内容

单代号网络图时间参数的计算内容和计算方法与双代号网络图十分相似,只是在单代号网络图中引入了时间间隔这个时间参数。单代号网络计划中,相邻两项工作 i 和 j 的时间间隔 $LAG_{i,j}$ 是指 j 工作的最早开始时间 ES_j 与其紧前工作 i 的最早完成时间 EF_i 的差值。单代号网络图各时间参数的具体计算公式见表 13-8 所列。

参数名称	计算公式	说明
工作最早开始时间 ES_i	$ES_i = 0$	当未规定开始节点的最早开始时间时,起点节点 i 所代表的起始工作的最早开始时间取零
	$ES_i = \max\{ES_h + D_h\}$	受逻辑关系的制约,当 i 工作有多个紧前工作时,i 工作最早开始时间应取各紧前工作最早开始时间与各紧前工作持续时间之和的最大值
工作最早完成时间 EF_i	$EF_i = ES_i + D_i$	i 工作按最早开始时间 ES_i 开始进行,经过持续时间 D_i 完成工作时所对应的时间就是 i 工作的最早完成时间。据此可有 $ES_i = \max\{ES_h + D_h\} = \max\{EF_h\}$
计算工期 T_c	$T_c = EF_n$	计算工期等于终点节点的最早完成时间
时间间隔 $LAG_{i,j}$	$LAG_{i,j} = ES_j - EF_i$	工作 i 和工作 j 的时间间隔 $LAG_{i,j}$ 取 j 工作的最早开始时间 ES_j 与其紧前工作 i 的最早完成时间 EF_i 的差值
工作总时差 TF_i	$TF_n = T_p - EF_n$	终点节点 n 所代表的结束工作的总时差等于计划工期 T_p 与终点节点的最早完成时间 EF_n 的差值。如果对计划工期没有要求,可以取计划工期等于计算工期,则有:$TF_n = T_c - EF_n = 0$
	$TF_i = \min\{TF_j + LAG_{i,j}\}$	终点节点以外的其他节点的工作总时差 TF_i 取其各紧后工作总时差 TF_j 与相应各时间间隔 $LAG_{i,j}$ 之和的最小值
工作自由时差 FF_i	$FF_n = T_p - EF_n$	终点节点 n 所代表的结束工作的自由时差等于计划工期 T_p 与终点节点最早完成时间 EF_n 的差值。如果对计划工期没有要求,可以取计划工期等于计算工期,则有:$FF_n = T_c - EF_n = 0$
	$FF_i = \min\{LAG_{i,j}\}$	终点节点以外的其他节点的工作自由时差 FF_i 取其与各紧后工作时间间隔的最小值
工作最迟完成时间 LF_i	$LF_n = T_p$	对于最后完成的工作,取计划工期作为其最迟完成时间。当未规定要求工期 T_r 时,可取计划工期等于计算工期,即 $T_p = T_c$,所以有 $LF_n = T_c$
	$LF_i = \min\{LS_j\}$	对其他工作 i 的最迟完成时间,取各紧后工作最迟开始时间的最小值
	$LF_i = EF_i + TF_i$	工作 i 的最迟完成时间还可取 i 工作的最早完成时间与 i 工作的总时差之和
工作最迟开始时间 LS_i	$LS_i = LF_i - D_i$	i 工作的最迟开始时间应保证经过工作持续时间 D_i 不影响工作的最迟完成
	$LS_i = ES_i + TF_i$	工作 i 的最迟开始时间还可取 i 工作的最早开始时间与 i 工作的总时差之和

通过上表可以看出,单代号网络图时间参数可以按照 $ES_i - EF_i - T_c - LAG_{i,j} - TF_i - FF_i - LF_i - LS_i$ 的顺序进行计算,其中 TF_i 和 LF_i 是逆箭线方向计算的。

2. 单代号网络计划时间参数的标注

单代号网络计划时间参数可以按照图 13-18 所示的形式进行标注。

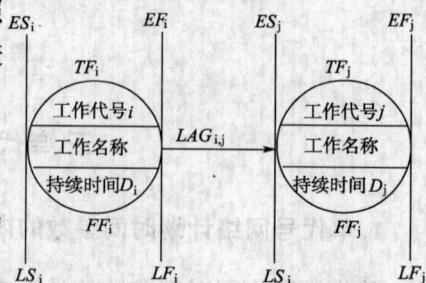

3. 关键工作和关键线路的确定

单代号网络计划中确定关键工作的方法与双代号网

图 13-18 单代号网络计划时间参数的标注

络计划相同,取总时差最小的工作为关键工作。由关键工作组成的线路为关键线路,关键线路上所有工作之间的时间间隔均应为零。

【例 13-4】 计算如图 13-19 所示单代号网络计划时间参数,并确定关键线路。

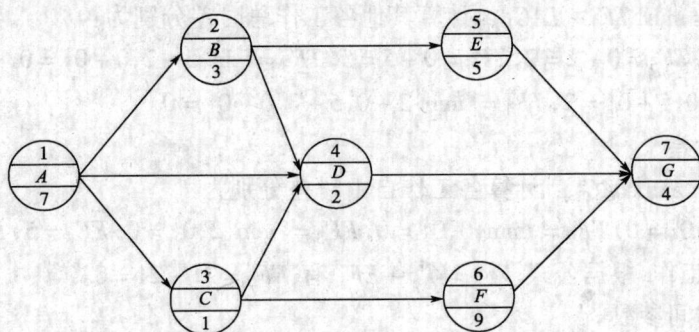

图 13-19 单代号网络计划时间参数计算示例

解:(1)计算最早时间参数

A 工作为起始工作,取其最早开始时间 $ES_1 = 0$,根据公式 $EF_i = ES_i + D_i$ 有 A 工作最早完成时间 $EF_1 = ES_1 + D_1 = 0 + 7 = 7$。

B 工作最早开始时间可根据公式 $ES_i = \max\{ES_h + D_h\} = \max\{EF_h\}$ 计算,有 $ES_2 = EF_1 = 7$。

B 工作最早完成时间 $EF_2 = ES_2 + D_2 = 7 + 3 = 10$。

C 工作最早开始时间 $ES_3 = EF_1 = 7$,最早完成时间 $EF_3 = ES_3 + D_3 = 7 + 1 = 8$。

D 工作最早开始时间根据公式 $ES_i = \max\{ES_h + D_h\} = \max\{EF_h\}$ 有:

$$ES_4 = \max\{EF_1, EF_2, EF_3\} = \max\{7, 10, 8\} = 10$$

最早完成时间 $EF_4 = 10 + 2 = 12$。

同理,可以计算工作 E、F、G 的最早时间参数分别为:$ES_5 = 10$,$EF_5 = 15$,$ES_6 = 8$,$EF_6 = 17$,$ES_7 = 17$,$EF_7 = 21$。

(2)确定计算工期

根据公式 $T_c = EF_n$,计算工期为:$T_c = EF_7 = 21$。

(3)计算时间间隔

根据公式 $LAG_{i,j} = ES_j - EF_i$ 计算相邻各工作之间时间间隔,计算结果标注在各箭线上,如图 13-20 所示。

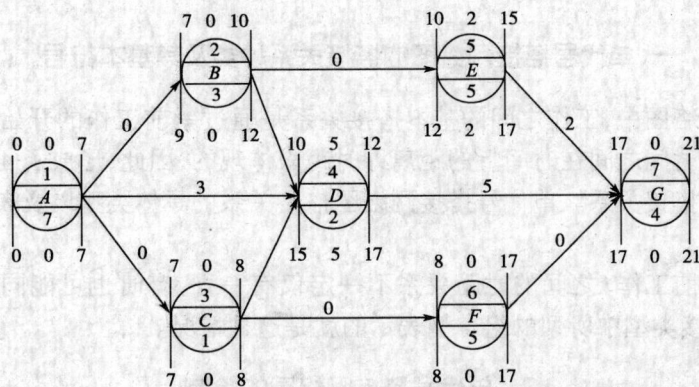

图 13-20 单代号网络计划时间参数计算结果

(4)计算总时差

总时差需从右至左逆箭线方向计算,先计算结束工作 G 的总时差,根据 $TF_n = T_c - EF_n$ 有 $TF_7 = 0$。

根据公式 $TF_i = \min\{TF_j + LAG_{i,j}\}$ 计算其他各工作总时差分别为:

$TF_6 = 0 + 0 = 0$,$TF_5 = 0 + 2 = 2$,$TF_4 = 0 + 5 = 5$,$TF_3 = \min\{5 + 2, 0 + 0\} = 0$,

$TF_2 = \min\{2 + 0, 5 + 0\} = 2$,$TF_1 = \min\{2 + 0, 5 + 3, 0 + 0\} = 0$

(5)计算自由时差

根据公式 $FF_i = \min\{LAG_{i,j}\}$ 计算各工作自由时差分别为:

$FF_1 = \min\{0, 3, 0\} = 0$,$FF_2 = \min\{0, 0\} = 0$,$FF_3 = \min\{2, 0\} = 0$,$FF_4 = 5$,$FF_6 = 0$

G 工作为结束工作,根据公式 $FF_n = T_c - EF_n$ 有 $FF_7 = 21 - 21 = 0$。

(6)计算最迟时间参数

最迟完成时间应从右至左逆箭线计算,先计算 G 工作最迟时间参数,根据公式 $LF_n = T_c$ 有 G 工作最迟完成时间 $LF_7 = 21$,根据公式 $LS_i = LF_i - D_i$ 有 G 工作最迟开始时间 $LS_7 = 21 - 4 = 17$。其他工作最迟完成时间可根据公式 $LF_i = \min\{LS_j\}$ 进行计算。经计算其他工作的最迟完成时间和最迟开始时间分别为:$LF_6 = 17$,$LS_6 = 8$,$LF_5 = 17$,$LS_5 = 12$,$LF_4 = 17$,$LS_4 = 15$,$LF_3 = 8$,$LS_3 = 7$,$LF_2 = 12$,$LS_2 = 9$,$LF_1 = 7$,$LS_1 = 0$。

(7)确定关键线路

通过上面的计算可知,工作 A、C、F、G 为关键工作,线路 A-C-F-G 为关键线路。如图 13-20 中加粗线所示。各参数计算结果如图 13-20 所标注。

第四节　单代号搭接网络计划

在前面所学习的网络计划中,各项工作之间的关系都是顺序衔接关系,即本工作只有在其紧前工作全部完成之后才能开始。但是,在工程实际中往往在紧前工作开始一段时间后,就能够为本工作提供工作面,具备了一定的空间条件、工艺条件和组织条件时,本工作就可以插入,而不必等到紧前工作完全结束。毫无疑问,这样的施工进度计划安排使得工作间形成了一种搭接关系,按照搭接关系组织施工可以缩短工期。合理表达工作间这种搭接关系的单代号网络图,就是单代号搭接网络计划图,单代号搭接网络计划图是单代号搭接网络计划的具体体现。

一、单代号搭接网络图的搭接关系种类及其基本符号

单代号搭接网络图中,工作之间的基本搭接关系是通过紧前工作的开始或完成时间与本工作的开始或完成时间之间在时间上的距离即时距来体现的,因此,形成了 4 种基本类型的单代号搭接网络图的搭接关系。单代号搭接网络图搭接关系的具体类型以及表达符号可以见表 13-9 所列。

本工作 i 与紧前工作 j 之间的时距关系不一定仅有一种,有时也可能同时存在几种时距关系,表 13-9 的搭接类型中所列的组合型表示的就是这种情况。

二、单代号搭接网络图的绘制

单代号搭接网络图的绘制与单代号网络图基本相同,用节点表示工作,而箭线及其上面的

时距符号表示相邻工作间的逻辑关系,没有虚工作,但可以有虚拟的开始节点和结束节点,可以用 S_t 和 F_{in} 分别作为虚拟的起始节点和结束节点的代号。为避免在单代号搭接网络图中出现两个以上起点节点,如果没有与本工作的开始有关的类型箭线指向本工作,则应在本工作和起点节点之间另外增加 *FTS* 型的虚箭线;同理,为避免在单代号搭接网络图中出现两个以上终点节点,如果没有与本工作的结束有关的类型箭线从本工作引出,则应在本工作和终点节点之间另外增加 *FTS* 型的虚箭线。

代号搭接网络图的搭接类型及其表达符号 表 13-9

搭接类型	搭接网络图	含义
开始到开始 STS	i —STS=a→ j	i 工作开始 a 后 j 工作才能开始,即 i 工作与 j 工作由开始到开始的时距是 a
开始到结束 STF	i —STF=b→ j	i 工作开始 b 后 j 工作才能结束,即 i 工作与 j 工作由开始到结束的时距是 b
结束到开始 FTS	i —FTS=c→ j	i 工作结束 c 后 j 工作才能开始,即 i 工作与 j 工作由结束到开始的时距是 b
结束到结束 FTF	i —FTF=d→ j	i 工作结束 d 后 j 工作才能结束,即 i 工作与 j 工作由结束到结束的时距是 c
组合型	i —STS=a，FTF=d→ j	i 工作开始 a 后 j 工作才能开始,同时,i 工作结束 d 后 j 工作才能结束,即 i 工作与 j 工作由开始到开始的时距是 a,由结束到结束的时距是 d

【例 13-5】 根据表13-10所给各工作间的逻辑关系绘制单代号搭接网络图。

表 13-10

工作	S_t	A				B	C		D		E	F	G	H
持续时间	0	6				8	14		10		10	14	4	4
紧后工作	A	B	C	D	E	E	F	F	F	G	H	H	-	-
时距关系	-	STS = 2	FTF = 3	FTF = 2	FTS = 2	STS = 7	STS = 3，FTF = 6	FTF = 13	FTS = 0	STS = 4	STS = 2	-	-	

解:根据表 13-10 所绘制的单代号搭接网络图如图 13-21 所示。

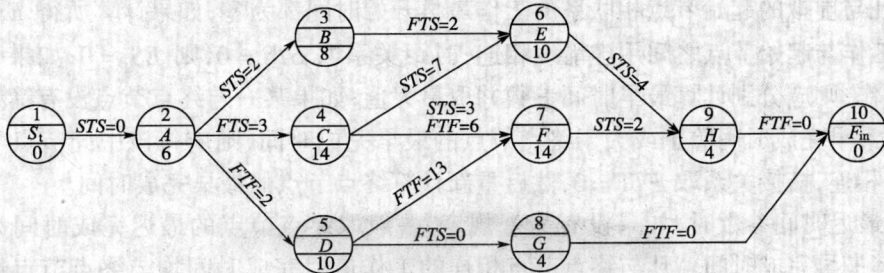

图 13-21 单代号搭接网络图绘制示例

三、单代号搭接网络图时间参数的计算

1. 单代号搭接网络计划时间参数的内容

由于单代号搭接网络计划中需要考虑前后工作间搭接类型和时距的限制,因此,在单代号

搭接网络计划时间参数计算过程中也需要考虑搭接类型和时距。单代号搭接网络计划时间参数的计算与单代号网络计划时间参数的计算不完全相同,具体计算方法见表 13-11 所示。

单代号搭接网络图时间参数计算表　　　　　　　　　　表 13-11

紧前工作 i 与紧后工作 j 的搭接类型	STS	STF	FTS	FTF	组合型
最早时间参数	$ES_j = ES_i + STS$ $EF_j = ES_j + D_j$	$EF_j = ES_i + STF$ $ES_j = EF_j - D_j$	$ES_j = EF_i + FTS$ $EF_j = ES_j + D_j$	$EF_j = EF_i + FTF$ $ES_j = EF_j - D_j$	按照不同搭接类型分别计算最早时间参数,从中取最大值
计算工期 T_c	计算工期 T_c 取与终点节点相联系的各紧前工作最早完成时间的最大值				
最迟时间参数	$LS_i = LS_j - STS$ $LF_i = LS_i + D_i$	$LS_i = LF_j - STF$ $LF_i = LS_i + D_i$	$LF_i = LS_j - FTS$ $LS_i = LF_i - D_i$	$LF_i = LF_j - FTF$ $LS_i = LF_i - D_i$	按照不同搭接类型分别计算最迟时间参数,从中取最小值
时间间隔 $LAG_{i,j}$	$LAG_{i,j} = ES_j - ES_i - STS$	$LAG_{i,j} = EF_j - ES_i - STF$	$LAG_{i,j} = ES_j - EF_i - FTS$	$LAG_{i,j} = EF_j - EF_i - FTF$	按照相邻工作之间的不同搭接类型分别计算,从中取最小值
工作总时差 TF_i	终点节点总时差取 $TF_n = T_p - EF_n$,如果未规定要求工期可取计划工期等于计算工期,即 $T_p = T_c$,则 $TF_n = T_c - EF_n = 0$				
	除终点节点以外的 i 工作总时差等于其各紧后工作总时差与其同各紧后工作时距之和的最小值,即 $TF_i = \min\{TF_j + LAG_{i,j}\}$				
工作自由时差 FF_i	终点节点自由时差取 $FF_n = T_p - EF_n$,如果未规定要求工期可取计划工期等于计算工期,即 $T_p = T_c$,则 $FF_n = T_c - EF_n = 0$				
	除终点节点以外的工作的自由时差等于其同各紧后工作时间间隔的最小值,即 $FF_i = \min\{LAG_{i,j}\}$				

需要注意的是,在计算最早时间参数时,如果没有另外规定,一般取起始节点的最早开始时间为零;凡与虚拟的起始节点相联系的工作最早开始时间都为零;如果计算所得 ES_j 值为负数,需将该工作与起始节点之间用虚箭线相连,时距关系取 $STS = 0$,则 $ES_j = 0$;如果 j 工作有多个紧前工作,则应分别计算最早时间参数并取最大值;如果某一与终点节点没有箭线联系的中间节点的最早完成时间等于或大于终点节点的最早完成时间,则应将该中间节点与终点节点以虚箭线相连,搭接关系取 $FTF = 0$,然后重新计算终点节点的最早完成时间。

在计算最迟时间参数时,如果没有另外规定,一般取终点节点的最迟完成时间为计算工期,即等于其最早完成时间。凡与终点节点相连的工作最迟完成时间均与终点节点最迟完成时间相同。如果 j 工作有多个紧后工作,则应分别计算最迟时间参数并取最小值。如果某一与终点节点没有箭线联系的中间节点的最迟完成时间等于或大于终点节点的最迟完成时间,则应将该中间节点与终点节点以虚箭线相连,搭接关系取 $FTF = 0$,然后,重新计算该中间节点最迟完成时间。

显然,在单代号搭接网络图时间参数的计算中,最早时间参数是从左至右顺着箭线方向计算的,最迟时间参数和时差是从右至左逆箭线方向计算的。由于工作之间有搭接关系的存在,因此,需要根据时间参数计算的阶段性结果对网络图中的一些工作关系进行修正,如表 13-11 中所列,在某些情况下需在节点之间增加虚箭线以保证计算的合理性。

2.单代号搭接网络计划时间参数的标注

单代号搭接网络计划时间参数可以按照图 13-22 所示的形式进行标注。

3.关键工作和关键线路的确定

总时差为最小的工作应为关键工作;从起点节点到终点节点均为关键工作,且线路上所有工作的时间间隔均为零的线路应为关键线路。

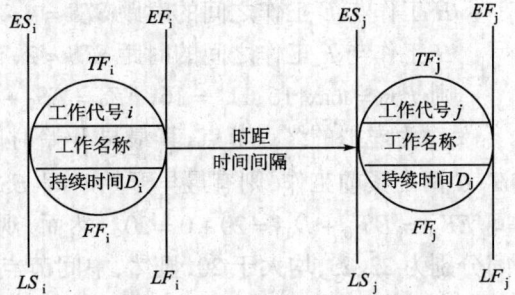

图 13-22　单代号搭接网络计划时间参数的标注

【**例 13-6**】　计算图 13-21 所示单代号搭接网络图时间参数并确定计算工期、关键工作和关键线路。

解:(1)计算最早时间参数

最早时间参数应从左向右顺着箭线方向计算。

S_t 为起始节点,取最早开始时间 $ES_1 = 0$,则 $EF_1 = ES_1 + D_1 = 0 + 0 = 0$

A 工作与起始节点相连,有 $ES_2 = ES_1 = 0, EF_2 = ES_2 + D_2 = 0 + 6 = 6$

B 工作与 A 工作之间的时距 $STS = 2$,则:

$ES_3 = ES_2 + STS = 0 + 2 = 2, EF_3 = ES_3 + D_3 = 2 + 8 = 10$

C 工作与 A 工作之间的时距 $FTF = 3$,则:

$EF_4 = EF_2 + FTF = 6 + 3 = 9, ES_4 = EF_4 - D_4 = 9 - 14 = -5 < 0$

将 C 工作与起始节点用虚箭线相连(图 13-23),搭接关系取为 $STS = 0$,所以有 $ES_4 = 0$,则 $EF_4 = ES_4 + D_4 = 0 + 14 = 14$

D 工作与 A 工作之间的时距 $FTF = 2$,则:

$EF_5 = EF_2 + FTF = 6 + 2 = 8, ES_5 = EF_5 - D_5 = 8 - 10 = -2 < 0$

将 D 工作与起始节点用虚箭线相连(图 13-23),搭接关系为 $STS = 0$,所以有 $ES_5 = 0$,则 $EF_5 = ES_5 + D_5 = 0 + 10 = 10$

E 工作有 B、C 两个紧前工作,应分别计算后取最大值:

E 工作与 B 工作之间的时距 $FTS = 2$,则:$ES_6 = EF_3 + FTS = 10 + 2 = 12$

E 工作与 C 工作之间的时距 $STS = 7$,则:$ES_6 = ES_4 + STS = 0 + 7 = 7$

则:$ES_6 = \max\{12、7\} = 12, EF_6 = ES_6 + D_6 = 12 + 10 = 22$

F 工作有 C、D 两个紧前工作,并且 F 工作与 C 工作之间有两个时距关系,应分别计算后取最大值:

F 工作与 C 工作之间按照时距 $STS = 3$ 计算,则:$ES_7 = ES_4 + STS = 0 + 3 = 3$

按照时距 $FTF = 6$ 计算,则:$EF_7 = EF_4 + FTF = 14 + 6 = 20, ES_7 = EF_7 - D_7 = 20 - 14 = 6$

F 工作与 D 工作之间的时距 $FTF = 13$,则:$EF_7 = EF_5 + FTF = 10 + 13 = 23, ES_7 = EF_7 - D_7 = 23 - 14 = 9$

取 $ES_7 = \max\{3、6、9\} = 9, EF_7 = ES_7 + D_7 = 9 + 14 = 23$

G 工作与 D 工作之间的时距 $FTS = 0$,则:

$ES_8 = EF_5 + FTS = 10 + 0 = 10, EF_8 = ES_8 + D_8 = 10 + 4 = 14$

H 工作有 E、F 两个紧前工作,应分别计算后取最大值:

H 工作与 E 工作之间的时距 $STS = 4$,有 $ES_9 = ES_6 + STS = 12 + 4 = 16$

H 工作与 F 工作之间的时距 $STS = 2$,有 $ES_9 = ES_7 + STS = 9 + 2 = 11$

则 $ES_9 = \max\{16、11\} = 16, EF_9 = ES_9 + D_9 = 16 + 4 = 20$

F_{in} 为虚拟的终点节点,其最早开始时间应等于紧前工作的最早完成时间,本例中 F_{in} 有 H、G 两个紧前工作,则有最早开始时间 $ES_{10} = \max\{EF_8、EF_9\} = \max\{14、20\} = 20$,最早完成时间 $EF_{10} = ES_{10} + D_{10} = 20 + 0 = 20$。然而,观察各中间节点可以发现,$E$、$F$ 工作的最早完成时间分别为 22、23,均大于 20,显然,中间节点的最早完成时间大于终点节点的最早完成时间是不符合逻辑的。因此,应通过虚箭线分别将 E、F 工作与终点节点相连(图 13-23),使 E、F 工作与终点节点建立联系,时距均为 $FTF = 0$,重新计算终点节点的最早开始时间和最早完成时间有:$ES_{10} = \max\{22、23、20、14\} = 23, EF_{10} = ES_{10} + D_{10} = 23 + 0 = 23$。

将各工作最早时间参数的计算结果标注在网络图上,如图 13-23 所示。

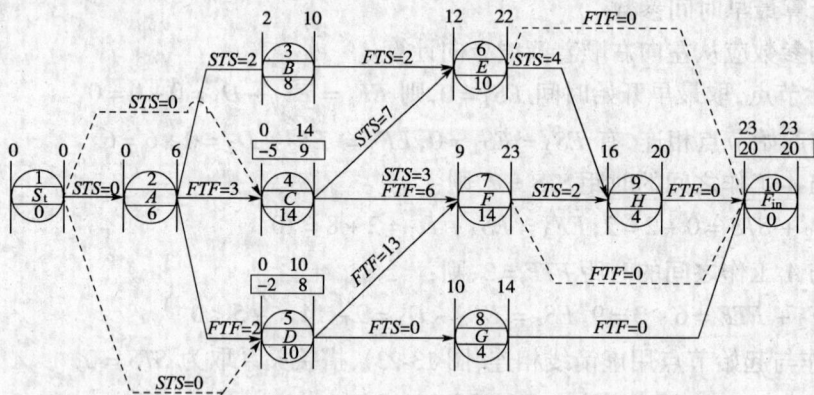

图 13-23　最早时间参数的计算

(2)确定计算工期

通过最早时间参数的计算可知,计算工期为 $T_c = 23$。

(3)计算最迟时间参数

最迟时间参数应从右至左逆着箭线方向计算。

F_{in} 为虚拟的终点节点,取最迟完成时间等于最早完成时间,$LF_{10} = EF_{10} = 23$,最迟开始时间 $LS_{10} = LF_{10} = 23$。

E、F、G、H 均与终点节点 F_{in} 相连,因此它们的最迟完成时间均与 F_{in} 的最迟完成时间相同,即 $LF_6 = LF_7 = LF_8 = LF_9 = LF_{10} = 23$,所以,$E$、$F$、$G$ 与 H 的最迟开始时间分别为:$LS_6 = LF_6 - D_6 = 23 - 10 = 13, LS_7 = LF_7 - D_7 = 23 - 14 = 9, LS_8 = LF_8 - D_8 = 23 - 4 = 19, LS_9 = LF_9 - D_9 = 23 - 4 = 19$。

D 工作的紧后工作为 F、G,因此,需分别计算取最小值:

D 工作与 F 工作的时距为 $FTF = 13$,有 $LF_5 = LF_7 - FTF = 23 - 13 = 10$

D 工作与 G 工作的时距为 $FTS = 0$,有 $LF_5 = LS_8 - FTS = 19 - 0 = 19$

D 工作的最迟完成时间为 $LF_5 = \min\{10, 19\} = 10$,最迟开始时间 $LS_5 = LF_5 - D_5 = 10 - 10 = 0$

C 工作的紧后工作为 E、F，因此，需分别计算取最小值：

C 工作与 E 工作的时距为 $STS=7$，有 $LS_4 = LS_6 - STS = 13 - 7 = 6$

C 工作与 F 工作的时距为 $STS=3$，$FTF=6$，也需分别计算：

由 $STS=3$ 有 $LS_4 = LS_7 - STS = 9 - 3 = 6$

由 $FTF=6$ 有 $LF_4 = LF_7 - FTF = 23 - 6 = 17$，则 $LS_4 = LF_7 - D_4 = 17 - 14 = 3$

C 工作的最迟开始时间为 $LS_4 = \min\{6,6,3\} = 3$，最迟完成时间 $LF_4 = LS_4 + D_4 = 3 + 14 = 17$

B 工作的紧后工作为 E，由 $FTS=2$ 有 B 工作的最迟完成时间 $LF_3 = LS_6 - FTS = 13 - 2 = 11$

最迟开始时间 $LS_3 = LF_3 - D_3 = 11 - 8 = 3$

A 工作的紧后工作为 B、C、D，因此，需分别计算取最小值：

A 工作与 B 工作的时距为 $STS=2$，有 $LS_2 = LS_3 - STS = 3 - 2 = 1$ 则 $LF_3 = LS_3 + D_3 = 1 + 6 = 7$

A 工作与 C 工作的时距为 $FTF=3$，有 $LF_2 = LF_4 - FTF = 17 - 3 = 14$

A 工作与 D 工作的时距为 $FTF=2$，有 $LF_2 = LF_5 - FTF = 10 - 2 = 8$

A 工作的最迟完成时间为 $LF_2 = \min\{7,14,8\} = 7$，最迟开始时间 $LS_2 = LF_2 - D_3 = 7 - 6 = 1$

起始节点 S_t 的最迟开始时间 $LS_1 = 0$，最迟完成时间 $LF_1 = 0$

将各工作最迟时间参数的计算结果标注在网络图上，如图 13-24 所示。

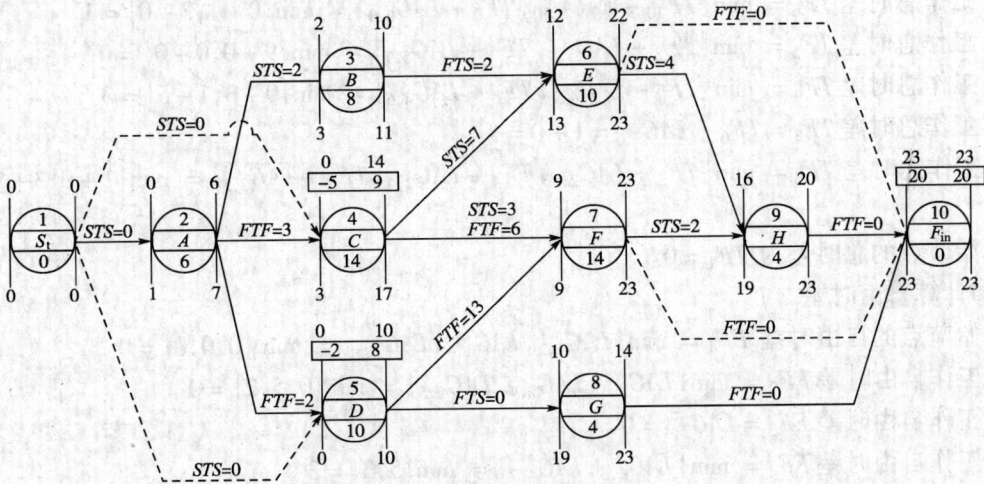

图 13-24　最迟时间参数的计算

(4)计算时间间隔

$LAG_{1,2} = ES_2 - ES_1 - STS = 0 - 0 - 0 = 0$

$LAG_{1,4} = ES_4 - ES_1 - STS = 0 - 0 - 0 = 0$

$LAG_{1,5} = ES_5 - ES_1 - STS = 0 - 0 - 0 = 0$

$LAG_{2,3} = ES_3 - ES_2 - STS = 2 - 0 - 2 = 0$

$LAG_{2,4} = EF_4 - EF_2 - FTF = 14 - 6 - 3 = 5$

$LAG_{2,5} = EF_5 - EF_2 - FTF = 10 - 6 - 2 = 2$

$$LAG_{3,6} = ES_6 - EF_3 - FTS = 12 - 10 - 2 = 0$$

$$LAG_{4,6} = ES_6 - ES_4 - STS = 12 - 0 - 7 = 5$$

$$LAG_{4,7} = \min\{ES_7 - ES_4 - STS, EF_7 - EF_4 - FTF\} = \min\{9 - 0 - 3, 23 - 14 - 6\} = 3$$

$$LAG_{5,7} = EF_7 - EF_5 - FTF = 23 - 10 - 13 = 0$$

$$LAG_{5,8} = ES_8 - EF_5 - FTS = 10 - 10 - 0 = 0$$

$$LAG_{6,10} = EF_{10} - EF_6 - FTF = 23 - 22 - 0 = 1$$

$$LAG_{6,9} = ES_9 - ES_6 - STS = 16 - 12 - 4 = 0$$

$$LAG_{7,9} = ES_9 - ES_7 - STS = 16 - 9 - 2 = 5$$

$$LAG_{7,10} = EF_{10} - EF_7 - FTF = 23 - 23 - 0 = 0$$

$$LAG_{8,10} = EF_{10} - EF_8 - FTF = 23 - 14 - 0 = 9$$

$$LAG_{9,10} = EF_{10} - EF_9 - FTF = 23 - 20 - 0 = 3$$

(5)计算总时差

终点节点的总时差为 $TF_{10} = 0$。

H 工作总时差 $TF_9 = TF_{10} + LAG_{9,10} = 0 + 3 = 3$

G 工作总时差 $TF_8 = TF_{10} + LAG_{8,10} = 0 + 9 = 9$

F 工作总时差 $TF_7 = \min\{TF_{10} + LAG_{7,10}, TF_9 + LAG_{7,9}\} = \min\{0 + 0, 3 + 5\} = 0$

E 工作总时差 $TF_6 = \min\{TF_{10} + LAG_{6,10}, TF_9 + LAG_{6,9}\} = \min\{0 + 1, 3 + 0\} = 1$

D 工作总时差 $TF_5 = \min\{TF_8 + LAG_{5,8}, TF_7 + LAG_{5,7}\} = \min\{9 + 0, 0 + 0\} = 0$

C 工作总时差 $TF_4 = \min\{TF_7 + LAG_{4,7}, TF_6 + LAG_{4,6}\} = \min\{0 + 3, 1 + 5\} = 3$

B 工作总时差 $TF_3 = TF_6 + LAG_{3,6} = 1 + 0 = 1$

A 工作总时差 $TF_2 = \min\{TF_3 + LAG_{2,3}, TF_4 + LAG_{2,4}, TF_5 + LAG_{2,5}\} = \min\{1 + 0, 3 + 5, 0 + 2\} = 1$

起始节点的总时差为 $TF_1 = 0$。

(6)计算自由时差

起始节点的自由时差 $FF_1 = \min\{LAG_{1,2}, LAG_{1,4}, LAG_{1,5}\} = \min\{0, 0, 0\} = 0$

A 工作自由时差 $FF_2 = \min\{LAG_{2,3}, LAG_{2,4}, LAG_{2,5}\} = \min\{0, 5, 2\} = 0$

B 工作自由时差 $FF_3 = LAG_{3,4} = 0$

C 工作自由时差 $FF_4 = \min\{LAG_{4,6}, LAG_{4,7}\} = \min\{5, 3\} = 3$

D 工作自由时差 $FF_5 = \min\{LAG_{5,7}, LAG_{5,8}\} = \min\{0, 0\} = 0$

E 工作自由时差 $FF_6 = \min\{LAG_{6,10}, LAG_{6,9}\} = \min\{1, 0\} = 0$

F 工作自由时差 $FF_7 = \min\{LAG_{7,9}, LAG_{7,10}\} = \min\{5, 0\} = 0$

G 工作自由时差 $FF_8 = LAG_{8,10} = 9$

H 工作自由时差 $FF_9 = LAG_{9,10} = 3$

终点节点 F_{in} 的自由时差取 $FF_{10} = 0$。

(7)确定关键工作和关键线路

单代号搭接网络计划中总时差最小的工作就是关键工作。关键线路是从起始节点到终点节点均为关键工作,并且所有工作的时间间隔均为 0。据此可知,本例中关键线路为:S_t—D—F—F_{in}。

以上时间参数计算及关键线路如图 13-25 所示。

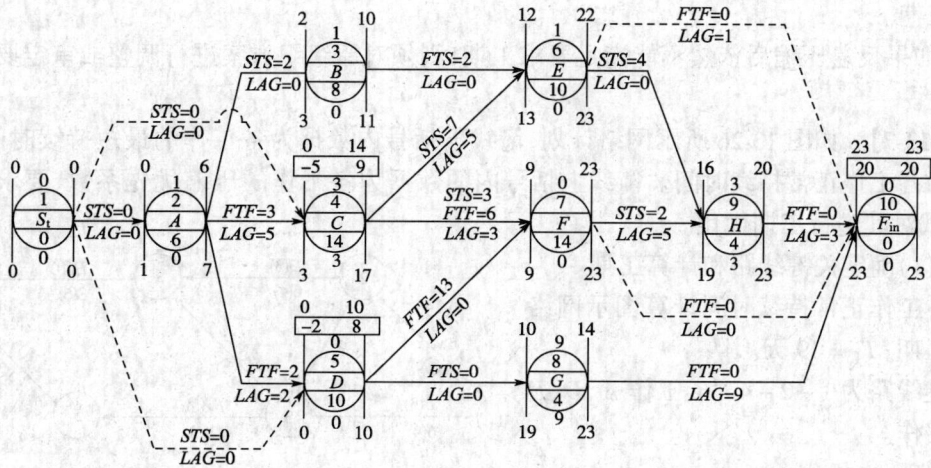

图 13-25　单代号搭接网络计划时间参数的计算

第五节　网络计划的优化与调整

根据工程实际需要,能够正确地绘制不同类型的网络计划图,通过计算时间参数找出关键线路和关键工作,确定计算工期,这仅仅是运用网络计划进行工程项目施工管理的第一步,此时的网络计划只能称作初始网络计划。还应进一步检查初始网络计划是否满足施工项目在目标工期、成本控制、资源供应等多种约束条件的要求,绝大多数情况下,需要对初始网络计划进行修改和调整,使之满足既定的约束条件,以求用最少的资源消耗获得最大的收益,这种网络计划才是满意方案。总之,通过时间参数的调整,按照工期、资源、成本等衡量指标的要求,不断地修改和调整初始网络计划,寻求最满意方案的过程就称为网络计划的优化。它包括工期优化、工期—成本优化和工期—资源优化。

一、工 期 优 化

在工程实际中,经常遇到初始网络计划的计算工期超过要求工期的情况。此时,可以通过改变施工工艺、增加人工、材料和机械设备的投入等措施加快施工进度,工期优化方法可以帮助施工项目管理人员所采取的缩短工期的措施更有针对性、更有效率。目前,人们最常用的工期优化方法是选择法,其主要优化步骤为:

(1)确定初始网络计划的关键线路、关键工作和计算工期。

(2)根据要求工期确定计算工期应压缩的工期数。

(3)确定各关键工作可以压缩的工作持续时间。压缩后的工作持续时间不能小于工作的最短持续时间,同时,应保证持续时间压缩后的工作仍为关键工作。

(4)选择适宜的关键工作对其工作持续时间进行压缩。所谓适宜的关键工作是指工作持续时间压缩后对质量影响不大、费用增加最少同时又有充足备用资源的关键工作。可以根据各项工作持续时间压缩后对质量影响程度、费用增加程度和资源充足程度进行综合考虑,并以优先系数的形式对此加以量化,优先系数小的工作可以优先压缩。

(5)上述步骤进行工期压缩后,若计算工期还不能满足要求工期,可重复进行压缩直至达到要求工期。

(6)如果反复压缩后依然不能满足要求工期,则须对原组织方案进行调整或审定要求工期的合理性。

【例13-7】 如图13-26所示网络计划,箭线下括号内数据为各工作的最短持续时间,括号外数据为各工作正常持续时间。箭线上括号内的数据为各工作的压缩优先系数,要求工期为15天。试对其进行工期优化。

解:(1)确定关键线路和计算工期

按各工作正常持续时间计算图示网络计划总工期,$T_C = 19$天。

关键线路为$1-2-4-6$,工作A、D、H为关键工作。

(2)第一次优化

比较各关键工作优先系数大小,工作

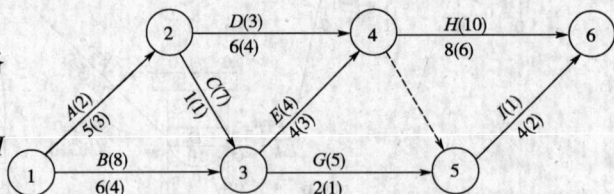

图13-26　工期优化示例

A优先系数为2最小,取工作A为工作持续时间压缩对象,可压缩时间为$\Delta T = 5 - 3 = 2$天,则工作A持续时间取3天,据此,重新计算总工期得$T_{C1} = 18$天,关键线路变为$1-3-4-6$,为保证工作A仍为关键工作,工作A的工作持续时间只能压缩1天,即取工作A的持续时间为4天,关键线路成为两条:$1-2-4-6$和$1-3-4-6$,计算工期$T_{C1} = 18$天,如图13-27所示。

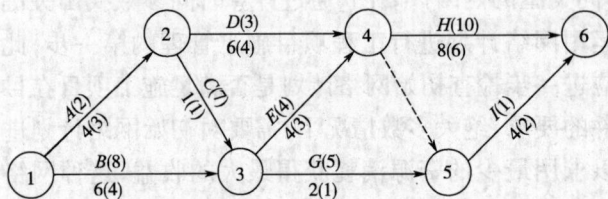

图13-27　第一次优化结果

(3)第二次优化

由于通过第一次优化,关键线路成为两条,因此第二次优化时,应保证两条线路的工期同时被压缩,这就需要考虑被压缩的工作进行合理组合,为了便于比较优先系数可以采用列表法,见表13-12所列。

由表13-12可知,优化方案d的优先

系数最小,因此选择d方案,即工作A、E同时进行压缩,工作A和工作E都只有1天可以压缩,即压缩天数为$\Delta T = 4 - 3 = 1$天,则计算工期为$T_{C2} = 17$天,关键线路未变。

(4)第三次优化

经过前面的优化,工作A与工作E已没有可继续压缩的空间。根据表13-12可知,只能在方案a与方案e两者之间进行选择,显然,根

优化方案比选　　　　　表13-12

优化方案	压缩对象	压缩对象优先系数
a	H	10
b	D、E	7
c	A、B	10
d	A、E	6
e	B、D	11

据优先系数的比较应选择方案a,即以工作H作为进一步优化的对象。工作H的压缩天数为$\Delta T = 8 - 6 = 2$,关键线路未变,计算工期为$T_{C3} = 15$天,满足要求工期,至此优化结束。

二、工期—成本优化

在工程建设中,人们常常希望在尽可能缩短工期的同时付出的成本最低,如何从多个施工方案中在要求工期内选取成本最低的方案或在成本最少的条件下确定方案的最优工期,这两类问题都属工期—成本优化问题。

工程成本由工程直接费用和间接费用组成。直接用于工程上的人工、材料、机械等所发生

的费用就是直接费用;发生在施工组织管理方面的费用就是间接费用。当需要缩短工期时,单位时间内投入到工程上的人工、材料、机械等资源量就会增大,亦即引起直接费用的增加。而由于工期的缩短将在一定程度上减少间接费用的支出。反之,在一定范围内,随着工期的拖延直接费用将有所减少,而间接费用将有所增加。直接费用与间接费用相叠加就构成了工程总成本。图 13-28 所示的工期—成本关系曲线就表示了直接费用、间接费用与工程成本之间的这种关系,以及它们在一定范围内,随工期的变化而变动的情况。

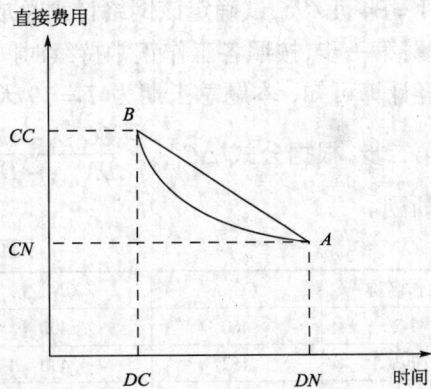

从图 13-28 所示的曲线中可知,在总成本曲线上一定有一点 P 能够使工期与总成本达到最优,P 点所对应的工期—成本方案就是最优方案。

毫无疑问,任何一个工作的持续时间都不可能随着该工作直接费用支出的增加而无限度地缩短,总有一点使直接费用的支出达到一定程度时工作持续时间不能再缩短,此时所对应的时间称为该工作的最短持续时间,工作最短持续时间用 DC 表示,相应的直接费用为 CC;直接费用最低时的工作持续时间称为正常工作时间,正常工作时间用 DN 表示,相应的直接费用为 CN,如图 13-29 所示。

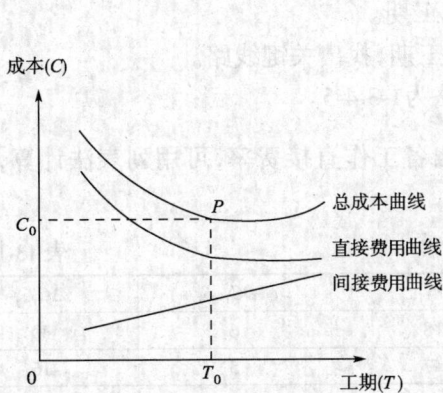

图 13-28　工期—成本关系曲线　　　　图 13-29　工作持续时间与直接费用关系曲线

某些工作的持续时间与直接费用的关系是非连续型的,例如不同吊装设备的选择分别对应不同的施工费用,相应地有不同的工作持续时间。这样,只有几种可供选择的方案。

某些工作的持续时间与直接费用的关系是连续型的,即任何一个直接费用的变化都会找到相对应的工作持续时间的变化,如图 13-29 所示,二者的关系不一定是一元线性关系,但为了简化计算,一般将二者的关系简化为一元线性关系。则在双代号网络计划中 $i-j$ 工作单位时间内直接费用的增加值(或减少值)即直接费率可以表示为:

$$\Delta C_{i-j} = \frac{CC_{i-j} - CN_{i-j}}{DN_{i-j} - DC_{i-j}}$$

式中:ΔC_{i-j}——工作 $i-j$ 的直接费率;

　　CC_{i-j}——将工作 $i-j$ 持续时间缩短为最短持续时间后,完成该工作所需直接费用;

　　CN_{i-j}——在正常条件下完成工作 $i-j$ 所需的直接费用;

　　DN_{i-j}——工作 $i-j$ 的正常持续时间;

　　DC_{i-j}——工作 $i-j$ 的最短持续时间。

工期—成本优化的基本思路就是找出能使计划工期缩短的关键线路,被压缩持续时间的关键工作应当满足因工期缩短而引起的间接费用减少额超过直接费用的增加额,由于压缩工期时总成本增加额等于直接费用增加额减去间接费用的减少额，因此，为保证工期缩短不引起总成本的增加，亦即使总成本增加额小于等于零，只有压缩那些直接费率小于间接费率的关键工作。如果同时有多条关键线路，需要多条关键线路同时缩短相同时间，才能保证总工期压缩同样时间。此时，必须找出能同时缩短各条关键线路相同时间长度的各工作组合中直接费率之和最小的工作组合。

以下通过示例来说明寻求总成本最低的最优工期的方法和步骤。

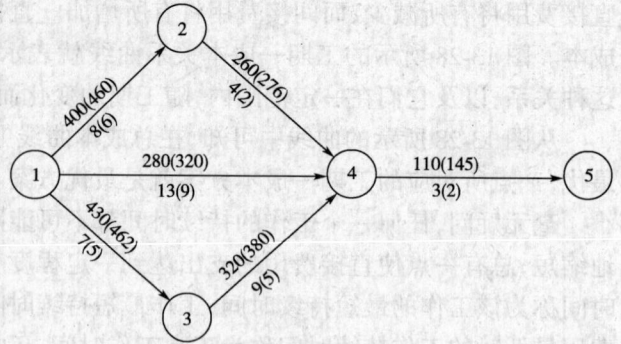

图 13-30　工期—成本优化示例

【例 13-8】 某工程双代号网络计划如图 13-30 所示，箭线上方括号内外分别为各工作最短时间直接费用与正常工作时间直接费用，箭线下方括号内外分别为各工作最短工作时间和正常工作时间，间接费率为 $V = 34$ 元/天，试确定该网络计划总成本最低的工期。

解： 第一步，按照各工作正常持续时间计算出总工期，找出关键线路。

经计算可知，本题总工期为 $T = 19$ 天，关键线路为 1-3-4-5。

第二步，根据公式 $\Delta C_{i-j} = \dfrac{CC_{i-j} - CN_{i-j}}{DN_{i-j} - DC_{i-j}}$ 计算出各工作直接费率，可用列表法计算，见表 13-13 所列。

直接费率计算表　　　　　　　　　　　　　　　　　　　　表 13-13

工作名称	CC_{i-j}	CN_{i-j}	DN_{i-j}	DC_{i-j}	ΔC_{i-j}
1-2	460	400	8	6	30
1-3	462	430	7	5	16
1-4	320	280	13	9	10
2-4	276	260	4	2	8
3-4	380	320	9	5	15
4-5	145	110	3	2	35

第三步，优化（选择压缩对象、确定压缩时间）。

第一次优化，从关键线路 1-3-4-5 中选择压缩对象，显然工作 1-3、3-4、4-5 中直接费率小于间接费率 V 的有 1-3、3-4，而二者中又以工作 3-4 的直接费率最小 $\Delta C_{3-4} = 15 < \Delta C_{1-3} = 16$，因此，选择工作 3-4 作为压缩对象。

下面确定工作 3-4 的压缩时间 ΔT。为保证压缩后关键线路 1-3-4-5 仍为关键线路，因此有 $\Delta T = \min\{9-5, 7+9-13\} = 3$ 天，则 3-4 工作的持续时间压缩为 6 天，重新计算工期有 $T = 16$ 天，关键线路变为两条即：1-3-4-5 和 1-4-5。

第二次优化，两条关键线路只有同时被压缩才能满足要求，由于工作 4-5 的直接费率 $\Delta C_{4-5} = 35 > V$，因此，考虑工作 1-4 与工作 1-3、工作 3-4 的组合。

两种组合中 $\Delta C_{1-4} + \Delta C_{1-3} = 10 + 16 = 26 < V$，$\Delta C_{1-4} + \Delta C_{3-4} = 10 + 15 = 25 < 26$，所以选择工作 1-4 与工作 3-4 的组合进行压缩，压缩时间为 $\Delta T = \min\{6-5, 13-9, 13-12\} = 1$ 天。

即在本次优化中需将工作 1-4 与工作 3-4 分别同时压缩 1 天，此时网络计划图如图 13-31 所示，总工期为 $T = 15$ 天，关键线路变成 3 条，即：1-3-4-5、1-4-5 和 1-2-4-5。

第三次优化，3 条关键线路需同时压缩，因工作 3-4 已经没有可压缩时间，因此不再考虑压缩工作 3-4,考虑将线路 1-3-4-5 中的 1-3 工作与线路 1-2-4-5 中的 1-2、2-4 工作以及线路 1-4-5 中的 1-4 工作分别进行组合,从表 13-14 中可知方案 b 的工作组合方式不会引起总成本的增加,因此选择该方案中的工作为压缩对象。

确定压缩时间 $\Delta T = \min\{7\text{-}5, 12\text{-}9, 4\text{-}2\} = 2$ 天,亦即将工作 2-4、工作 1-4 和工作 1-3 分别同时压缩 2 天,此时总工期为 $T = 13$ 天。显然,如果继续压缩将使直接费用增加额超过间接费用的减少额,导致总成本增加,所以,满足总成本最低的最优工期为 $T = 13$ 天。至此优化结束。

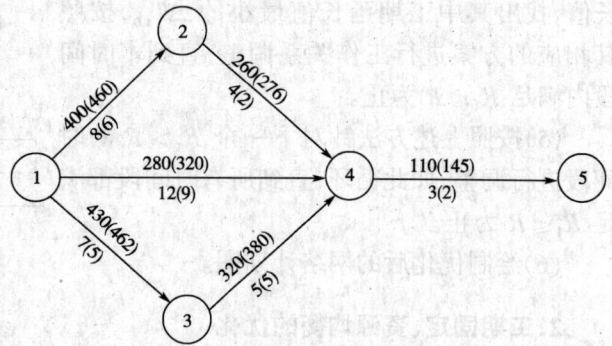

图 13-31 第二次优化结束

工作组合方案表   表 13-14

方案	工作组合	直接费率组合	与间接费率 V 的关系
a	1-2、1-4、1-3	30 + 10 + 16 = 56	大于
b	2-4、1-4、1-3	8 + 10 + 16 = 34	等于

三、工期—资源优化

项目建设过程中,强调施工过程在空间上和时间上的连续性的同时,资源使用的均衡性也很重要,要尽可能避免资源使用强度的大起大落。工期—资源优化的主要目的就是研究在资源使用均衡性要求与工期要求互为约束条件的情况下,如何使对方尽可能达到最优,从而使二者能够得到兼顾。也就是说工期—资源优化主要解决两个方面的问题:一是如何在资源供应有限的条件下,使工期尽可能缩短;二是如何在工期不变的条件下,使资源的使用尽可能均衡。

1.资源有限、工期最短的优化

资源有限,工期最短的优化可按以下步骤进行:

(1)按照最早时间参数绘制时间坐标网络图,从左至右逐日计算资源每日需用量 R_t,并绘制资源动态曲线。

(2)比较资源每日需用量 R_t 与资源限量 R,若 $R_t \leqslant R$,则不必进行调整;若 $R_t > R$,则说明当日资源用量超出资源限量,必须对网络计划进行调整。

(3)对 $R_t > R$ 的时间段进行分析,在满足工作间逻辑关系的前提下,考虑将此时间段内平行进行的工作调整为按先后顺序进行,即将某项工作移至另一项工作之后进行,从而达到降低该时间段内资源高峰值,满足 $R_t \leqslant R$ 要求的目的。显然,工作关系由平行施工改为顺序施工,这必将导致工期的延长。

(4)在多个可能的调整方案中按照使工期延长值最小的方案进行计划调整。如图 13-32 所示,工作 A 与工作 B 具有搭接关系,因在此关系下存在 $R_t > R$,故考虑将工作 B 移至工作 A 之后,则工期的延长值 ΔT_{ab} 可按下式计算:$\Delta T_{ab} = EF_a + D_b - LF_b = EF_a - (LF_b - D_b) = EF_a - LS_b$。

将 $R_t > R$ 时间段内的工作两两进行排列,找出可能的各种调整方案,逐一计算其工期延长值,找出其中工期延长值最小的 ΔT_{ab},按照其相应的方案进行工作关系调整,直到本时间段内满足 $R_t \leqslant R$ 为止。

(5)按照上述方法针对下一个 $R_t > R$ 的时间段进行调整,如此循环,直到所有时间段都满足 $R_t \leqslant R$ 为止。

(6)绘制优化后的网络计划图。

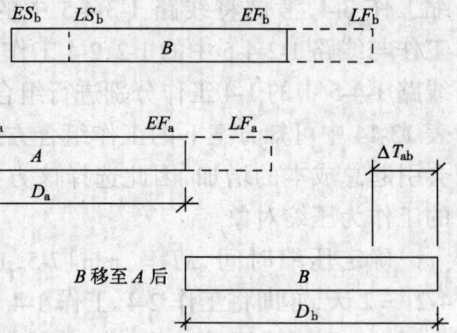

2.工期固定、资源均衡的优化

工期固定,资源均衡的优化可按以下步骤进行:

图 13-32　工期延长值的计算

(1)计算时间参数,找出关键线路、关键工作和非关键工作。按照最早时间参数绘制时间坐标网络图,从左至右逐日计算资源每日需用量,并绘制资源动态曲线。

(2)由右至左,按照非关键工作最早开始时间由迟到早的顺序,对非关键工作进行调整,同一完成节点的工作先调整开始时间较迟的工作。调整优化可以采用方差值最小原理进行。

设在 $[0, T]$ 的工期范围内,资源平均需要量为 R_m,某时的资源需要量为 R_t,则方差 E 越小资源越均衡,方差 E 可以表示为:

$$E = \frac{1}{T}\sum_{t=1}^{T}(R_t - R_m)^2 = \frac{1}{T}[(R_1 - R_m)^2 + (R_2 - R_m)^2 + \cdots + (R_t - R_m)^2]$$

$$= \frac{1}{T}(\sum_{t=1}^{T}R_t^2 + TR_m^2 - 2R_m\sum_{t=1}^{T}R_t)$$

其中: $R_m = \dfrac{R_1 + R_2 + \cdots + R_t}{T} = \dfrac{1}{T}\sum_{t=1}^{T}R_t$

则有: $E = \dfrac{1}{T}(\sum_{t=1}^{T}R_t^2 + TR_m^2 - 2TR_m^2) = \dfrac{1}{T}\sum_{t=1}^{T}R_t^2 - R_m^2$

显然,由于 T 和 R_m 是常数,若使方差 E 最小,只能想办法使 $\sum_{t=1}^{T}R_t^2$ 最小。由于总工期是固定的,所以只能在自由时差范围内调整某些非关键工作的开始时间,通过后移某些非关键工作的开始时间,使某些时间段内偏高或偏低的资源用量获得调整,从而使整个网络计划的资源使用趋向均衡。

例如:非关键工作 $i-j$ 在第 i 天开始,在第 j 天结束。为了满足资源均衡性的要求,考虑将该工作后移,当将其向右移一天时,那么第 i 天的资源用量将减少 r_{i-j},而第 $j+1$ 天的资源用量将增加 r_{i-j},其余各天的资源用量不变。此时,方差变化值为:

$$\Delta E = \frac{1}{T}[(R_i - r_{i-j})^2 - R_i^2] - \frac{1}{T}[(R_{i-j} - r_{i-j})^2 - R_{j+1}^2] = \frac{2r_{i-1}}{T}(R_{j+1} - R_j + r_{i-1})$$

为了通过某些非关键工作的后移使整个网络计划方差最小,就必须满足 $\Delta E \leqslant 0$,即满足: $R_i \geqslant R_{j+1} + r_{i-1}$。因此,只要有 $R_j \geqslant R_{j+1} + r_{i-1}$ 成立,就可以将 $i-j$ 工作继续后移一天,直至不再有 $R_i \geqslant R_{j+1} + r_{i-1}$ 成立,或将 $i-j$ 工作自由时差全部用完为止。

(3)如果 $\Delta E > 0$,只能说明在自由时差范围内 $i-j$ 工作不能再向后移一天,并不意味着 $i-j$ 工作不能后移 K 天,这需要进一步判断。是否可以后移 K 天的判别式为:

$$\Delta E_1 + \Delta E_2 + \cdots + \Delta E_k \leqslant 0 \ \text{即}: \sum_{m=0}^{k-1}R_{i+m} \geqslant \sum_{n=m+1}^{k}(R_{j+n} + r_{i-1})$$

其中：$m = 0, 1, 2, \cdots, k-1; n = 0, 1, 2, \cdots, k$

如果判别式成立，则 $i-j$ 工作可以一次向后移 K 天。如此反复进行判断、调整，直到将 $i-j$ 工作自由时差全部用完为止。

（4）按上述方法从右至左，将所有非关键工作都进行过一次判断、调整后，需要从右至左再次进行判断，分析是否可以做第二次调整，直到不能再次继续调整下去为止，以保证通过多次调整最终使方差达到最小。

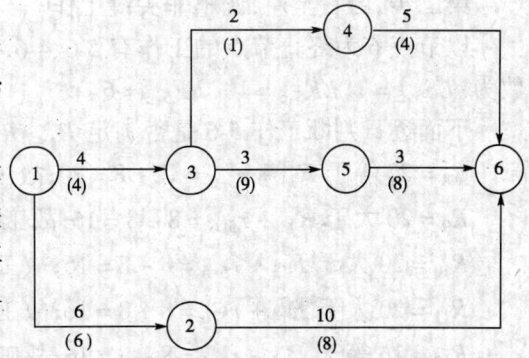

图 13-33　某工程网络计划

【例 13-9】　某工程网络计划如图 13-33 所示，箭线上方数字为作业时间，箭线下方括号内数字为某种资源日消耗量。试对此网络计划进行工期固定—资源均衡的优化。

解：第一步，首先计算时间参数，找出关键线路、关键工作和非关键工作。计算结果见表 13-15 所列。

时间参数计算表　　　　表 13-15

工作（$i-j$）	作业时间（D_{ij}）	基本时间参数				时差		关键工作
		ES	EF	LS	LF	TF	FF	
1-2	6	0	6	0	6	0	0	√
1-3	4	0	4	5	9	5	0	
2-6	10	6	16	6	16	0	0	√
3-4	2	4	6	9	11	5	0	
3-5	3	4	7	10	13	6	0	
4-6	5	6	11	11	16	5	5	
5-6	3	7	10	13	16	6	6	

根据上表可知，关键线路为 1-2-6，关键工作为 1-2、2-6，总工期为 16 天。然后按照工作最早开始时间绘制出时间坐标网络计划图以及相应的资源动态曲线，如图 13-34 所示。

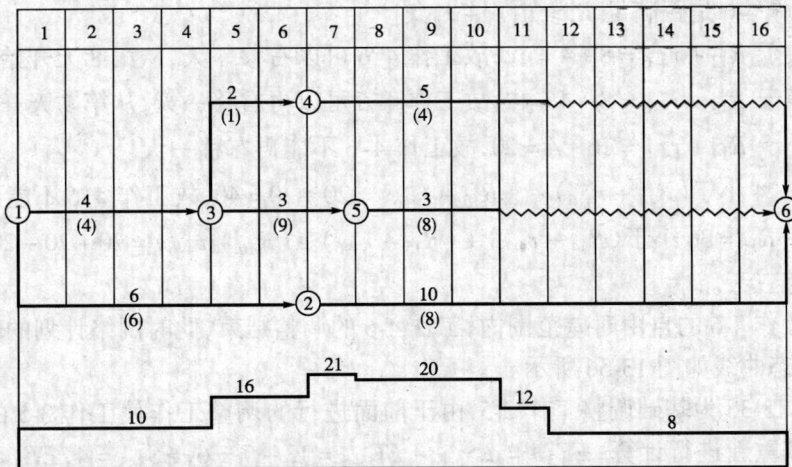

图 13-34　时间坐标网络图

第二步,由右至左,调整非关键工作。

以节点 6 为终止节点的工作有 5-6、4-6,由于 $ES_{5-6} > ES_{4-6}$,所以先调整工作 5-6,其时间参数为:$ES_{5-6} = 7$,$EF_{5-6} = 10$,$FF_{5-6} = 6$。

下面逐日判断工作 5-6 是否满足 $R_i \geqslant R_{j+1} + r_{i-j}$,即:

$R_8 = 20$ 等于 $R_{11} + r_{5-6} = 12 + 8 = 20$;故工作 5-6 可右移一天,从第 9 天开始。

$R_9 = 20$ 大于 $R_{12} + r_{5-6} = 8 + 8 = 16$;故工作 5-6 可再右移一天,从第 10 天开始。

$R_{10} = 20$ 大于 $R_{13} + r_{5-6} = 8 + 8 = 16$;故工作 5-6 可再右移一天,从第 11 天开始。

$R_{11} = 20$ 大于 $R_{14} + r_{5-6} = 8 + 8 = 16$;故工作 5-6 可再右移一天,从第 12 天开始。

$R_{12} = 16$ 等于 $R_{15} + r_{5-6} = 8 + 8 = 16$;故工作 5-6 可再右移一天,从第 13 天开始。

$R_{13} = 16$ 等于 $R_{16} + r_{5-6} = 8 + 8 = 16$;故工作 5-6 可再右移一天,从第 14 天开始。

至此,工作 5-6 的自由时差全部用完,工作 5-6 没有再后移的可能,此时网络计划的时间坐标网络图及其资源动态曲线如图 13-35 所示。

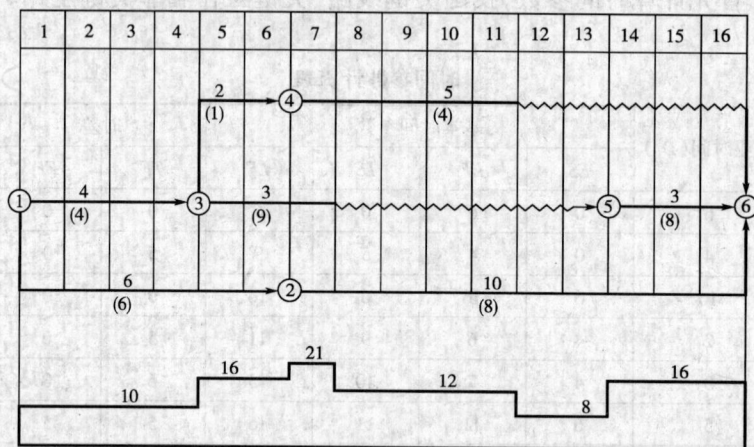

图 13-35 工作 5-6 调整结束

下面以图 13-35 为基础对工作 4-6 进行调整,其时间参数为:$ES_{4-6} = 6$,$EF_{4-6} = 11$,$FF_{4-6} = 5$,逐日判断工作 4-6 是否满足 $R_i \geqslant R_{j+1} + r_{i-j}$。

$R_7 = 21$ 大于 $R_{12} + r_{4-6} = 8 + 4 = 12$,故工作 4-6 可以右移一天,从第 8 天开始。

$R_8 = 12$ 等于 $R_{13} + r_{4-6} = 8 + 4 = 12$,故工作 4-6 可以再右移一天,从第 9 天开始。

$R_8 = 12$ 小于 $R_{14} + r_{4-6} = 16 + 4 = 20$,故工作 4-6 不能再右移一天。

$R_9 + R_{10} = 24$ 小于 $(R_{14} + r_{4-6}) + (R_{15} + r_{4-6}) = 20 + 20 = 40$,故工作 4-6 不能再右移两天。

$R_9 + R_{10} + R_{11} = 36$ 小于 $(R_{14} + r_{4-6}) + (R_{15} + r_{4-6}) + (R_{16} + r_{4-6}) = 20 + 20 + 20 = 60$,故工作 4-6 不能再右移三天。

至此,在工作 4-6 的自由时差范围内,工作 4-6 的调整结束,此时网络计划的时间坐标网络图及其资源动态曲线如图 13-36 所示。

下面以图 13-36 为基础调整工作 3-5,由于前面进行的调整工作使工作 3-5 的自由时差发生改变,应对其重新进行计算,$FF_{3-5} = ES_{5-6} - EF_{3-5} = 13 - 7 = 6$,$ES_{3-5} = 4$,$EF_{3-5} = 7$。逐日判断工作 3-5 是否满足 $R_i \geqslant R_{j+1} + r_{i-j}$。

$R_5 = 16$ 小于 $R_8 + r_{3-5} = 8 + 9 = 17$,故工作 3-5 不能右移一天。

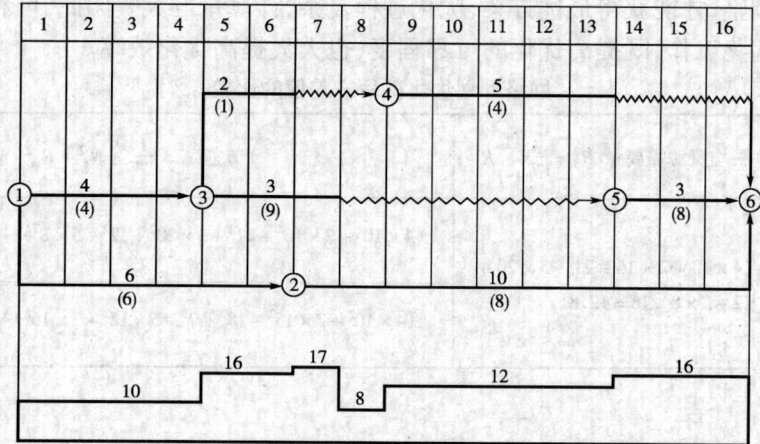

图 13-36 工作 4-6 调整结束

$R_5 + R_6 = 32$ 小于 $(R_8 + r_{3-5}) + (R_9 + r_{3-5}) = 17 + 21 = 38$，故工作 3-5 不能再右移两天。

同理可断，工作 3-5 也不能再右移 3、4、5、6 天，即在自由时差范围内工作 5-6 不能后移，网络计划的时间坐标网络图及其资源动态曲线仍为图 13-36 所示。

下面以图 13-36 为基础调整工作 3-4，由于前面进行的调整工作使工作 3-4 的自由时差发生改变，应对其重新进行计算，$FF_{3-4} = ES_{4-6} - EF_{3-4} = 8 - 6 = 2$，$ES_{3-4} = 4$，$EF_{3-4} = 6$。逐日判断工作 3-4 是否满足 $R_i \geq R_{j+1} + r_{i-j}$。

$R_5 = 16$ 小于 $R_7 + r_{3-4} = 17 + 1 = 18$，故工作 3-4 不能右移一天。

$R_5 + R_6 = 32$ 大于 $(R_7 + r_{3-4}) + (R_8 + r_{3-4}) = 18 + 9 = 27$，故工作 3-4 可以右移两天。

工作 3-4 的自由时差刚好用完，此时网络计划的时间坐标网络图及其资源动态曲线如图 13-37 所示。

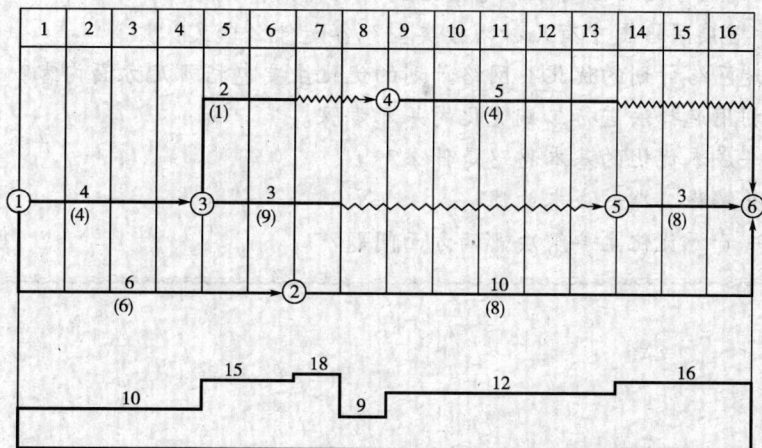

图 13-37 工作 3-4 调整结束

各工作在自由时差范围内均已无法再进行调整，因此，图 13-37 所示就是最优方案的时间坐标网络计划以及资源动态曲线。该工程工期固定条件下的资源均衡优化完成。

通过表 13-16 可知，网络计划经工期—资源优化后，方差值大大降低，提高了资源使用的均衡性。这里所给的仅仅是一个简单的示例，工程实际中所面对的要比这复杂的多，需要进行很多次的反复调整,才能获得最优方案,优化过程复杂,计算量巨大。因此,可利用相关软件在计算机上进行优化工作,既提高优化的可靠程度,也大大提高优化效率。

方案	平均资源需要量 $R_m = \dfrac{1}{T}\sum\limits_{t=1}^{T} R_t$	方差 $E = \dfrac{1}{T}\sum\limits_{t=1}^{T} R_t^2 - R_m^2$
初始方案	$(4 \times 10 + 2 \times 16 + 21 + 3 \times 20 +$ $12 + 5 \times 8)/16 = 12.81$	$(4 \times 10^2 + 2 \times 16^2 + 21^2 + 3 \times 20^2 + 12^2 + 5 \times 8^2)/16 - 12.81^2 = 24.47$
优化后方案		$(4 \times 10^2 + 2 \times 15^2 + 18^2 + 9^2 + 5 \times 12^2 + 3 \times 16^2)/16 - 12.81 = 7.34$

思考题

1. 网络计划技术有何特点? 它是怎样分类的?

2. 双代号网络计划的基本构成要素有哪些?

3. 什么是虚工作? 虚工作有哪些特点?

4. 解释关键线路和非关键线路的含义。

5. 双代号网络计划的时间参数有哪些? 各是什么含义?

6. 计算总时差和自由时差有什么意义? 二者之间有何关系?

7. 什么是双代号时标网络计划? 绘制双代号时标网络计划应遵循的要求有哪些?

8. 试比较双代号网络图与单代号网络图有何异同?

9. 单代号搭接网络图中有几种搭接类型? 各是什么含义?

10. 什么是网络计划的优化? 网络计划的优化主要包括哪几方面内容?

11. 简述利用选择法进行工期优化的基本步骤。

12. 工期—成本优化的基本思路是什么?

13. 绘制并解释工期—成本曲线。

14. 工期—资源优化主要解决哪两方面问题?

参考文献

CANKAOWENXIAN

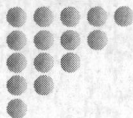

[1] 李书全.土木工程施工.上海:同济大学出版社,2004.

[2] 现行建筑施工规范大全.北京:中国建筑工业出版社,2002.

[3] 毛鹤琴.土木工程施工.武汉:武汉工业大学出版社,2002.

[4] 姚刚.土木工程施工技术.北京:人民交通出版社,2000.

[5] 贾晓第,王文秋.土木工程施工.北京:中国建材工业出版社,2004.

[6] 刘宗仁.建筑施工技术.北京:科学技术出版社,1993.

[7] 王洪健,杜日武,张立伟.建筑施工技术.哈尔滨:黑龙江科学技术出版社,2000.

[8] 杨嗣信.建筑工程模板施工手册.北京:中国建筑工业出版社,1997.

[9] 应惠清.土木工程施工.北京:高等教育出版社,2004.

[10] 杨宗放,郭正兴.现代模板工程.北京:中国建筑工业出版社,1995.

[11] 《建筑施工手册》(第四版)编写组.建筑施工手册(第四版).北京:中国建筑工业出版社,2003.

[12] 徐伟,陈东杰.模板与脚手架工程.北京:中国建筑工业出版社,2002.

[13] 郭正兴,李金根.建筑施工.南京:东南大学出版社,1996.

[14] 刘津明,韩明.土木工程施工.天津:天津大学出版社,2002.

[15] 现行建筑施工规范大全.北京:中国建筑工业出版社,1994.

[16] 郭立凯.小型混凝土砌块的生产和应用.北京:金盾出版社,2003.

[17] 吴自强.新型墙体材料.武汉:武汉理工大学出版社,2002.

[18] 张厚先,王志清.建筑施工技术.北京:机械工业出版社,2003.

[19] 应惠清.土木工程施工(上册).上海:同济大学出版社,2001.